6-2

초등 수학
자습서
& 평가문제집

금성출판사

구성과 특징

자습서 구성 및 활용 방법

수학 다잡기

수학 교과서의 본책

체계적인 예습, 진도, 평가
시스템을 갖춘 3단계 개념 학습

평가 문제 다잡기

시험 대비 자료집

다양한 유형의 문제로
평가 대비 강화

교과서 다잡기 구성과 특징

체계적인 3단계 개념 학습(선수 학습 , 본 학습 , 마무리 학습)과 다양한 유형의 문제로 교과서 개념과 각종 시험까지 완벽 대비할 수 있습니다.

선수 학습 - 예습

❖ 단원 도입

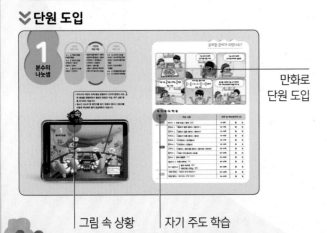

만화로
단원 도입

그림 속 상황　　자기 주도 학습

❖ 준비 팡팡

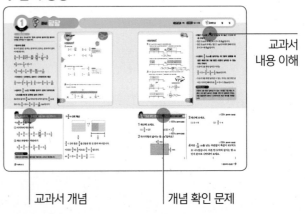

교과서
내용 이해

교과서 개념　　개념 확인 문제

본 학습 - 진도

단원의 주요 개념을 파악합니다.

그림으로
개념 잡기

서술형

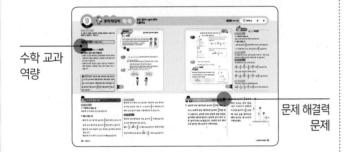

수학 교과
역량

문제 해결력
문제

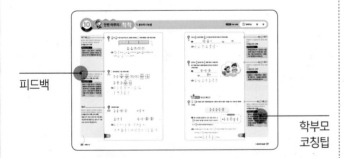

피드백

학부모
코칭팁

교과서
개념

참고 자료

마무리 학습 - 평가

다양한 유형의 문제를 통해 실력을 확인합니다.

✅ 개념+확인

교과서 개념과 확인 문제를 풀면서 개념을 이해합니다.

단원별
핵심 정리

개념 확인
문제

✅ 서술형 문제 해결하기

서술형 평가에 대비하며 문제 해결력을 기릅니다.

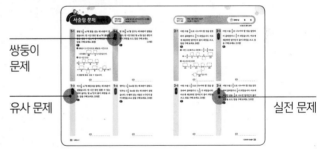

쌍둥이
문제

유사 문제

실전 문제

✅ 단원 평가

다양한 문제를 풀면서 단원에 대한 학습을 마무리합니다.

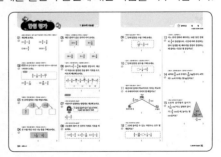

차례

지도 계획표 6-2

9월

주	차시	내용
1주	1차시	**1. 분수의 나눗셈** 단원 도입 / 준비 팡팡
	2차시	**1** 분모가 같은 (분수)÷(분수)(1)
	3차시	**2** 분모가 같은 (분수)÷(분수)(2)
	4차시	**3** 분모가 다른 (분수)÷(분수)
2주	5차시	**4** (자연수)÷(단위분수)
	6차시	**5** (자연수)÷(진분수)
	7차시	**6** (분수)÷(분수)를 (분수)×(분수)로 나타내기
	8차시	**7** 여러 가지 분수의 나눗셈
3주	9차시	문제 해결력 쑥쑥
	10차시	단원 마무리 척척
	11~12차시	놀이 속으로 풍덩 / 이야기로 키우는 생각
4주	1차시	**2. 공간과 입체** 단원 도입 / 준비 팡팡
	2차시	**1** 바라본 방향 알아보기
	3차시	**2** 쌓은 모양과 쌓기나무의 개수 (1)
	4차시	**3** 쌓은 모양과 쌓기나무의 개수 (2)

10월

주	차시	내용
1주	5차시	**4** 쌓은 모양과 쌓기나무의 개수 (3)
	6차시	**5** 쌓은 모양과 쌓기나무의 개수 (4)
	7차시	**6** 여러 가지 모양 만들기
	8차시	문제 해결력 쑥쑥
2주	9차시	단원 마무리 척척
	10~11차시	놀이 속으로 풍덩
	1차시	**3. 소수의 나눗셈** 단원 도입 / 준비 팡팡
	2차시	**1** (소수)÷(소수) 알아보기(1)
3주	3차시	**2** (소수)÷(소수) 알아보기(2)
	4차시	**3** (소수)÷(소수)의 계산(1)
	5차시	**4** (소수)÷(소수)의 계산(2)
	6차시	**5** (자연수)÷(소수)의 계산
4주	7차시	**6** 몫을 반올림하여 나타내기
	8차시	**7** 소수의 나눗셈에서 남는 양 구하기
	9차시	문제 해결력 쑥쑥

11월

주	차시	내용
1주	10차시	단원 마무리 척척
	11~12차시	놀이 속으로 풍덩 / 이야기로 키우는 생각
	1차시	**4. 원주율과 원의 넓이** 단원 도입 / 준비 팡팡
	2~3차시	**1** 원주율
2주	4차시	**2** 원주와 지름 구하기
	5~6차시	**3** 원의 넓이 어림하기
	7차시	**4** 원의 넓이를 구하는 방법
	8~9차시	**5** 여러 가지 도형의 넓이 구하기
3주	10차시	문제 해결력 쑥쑥
	11차시	단원 마무리 척척
	12차시	놀이 속으로 풍덩 / 이야기로 키우는 생각
4주	1차시	**5. 비례식과 비례배분** 단원 도입 / 준비 팡팡
	2차시	**1** 비의 성질
	3차시	**2** 간단한 자연수의 비로 나타내기
	4차시	**3** 비례식

12월

주	차시	내용
1주	5차시	**4** 비례식의 성질
	6차시	**5** 비례식의 활용
	7차시	**6** 비례배분
	8차시	문제 해결력 쑥쑥
2주	9차시	단원 마무리 척척
	10~11차시	사진 속으로 찰칵 / 이야기로 키우는 생각
	1차시	**6. 원기둥, 원뿔, 구** 단원 도입 / 준비 팡팡
3주	2차시	**1** 원기둥
	3~4차시	**2** 원기둥의 전개도
	5차시	**3** 원뿔
	6차시	**4** 구
4주	7차시	문제 해결력 쑥쑥
	8차시	단원 마무리 척척
	9~10차시	미술 속으로 풍덩 / 이야기로 키우는 생각

1

분수의 나눗셈

• 우리나라 어린이 외계 행성 탐험대가 지구와 환경이 비슷한 행성을 탐험하면서 행성의 토양과 수질, 대기 성분 등을 조사하고 있습니다.

• 질소가 산소의 몇 배인지를 알기 위해서 (분수)÷(분수)를 어떻게 계산해야 할지 궁금해하고 있습니다.

그림 속 상황

자/기/주/도/학/습

1 차시 준비 팡팡

학습 목표

'무엇을 알고 있나요'와 '함께 생각해 볼까요'를 통하여 단원을 준비할 수 있습니다.

🔹 분수의 곱셈

분수의 곱셈은 분자는 분자끼리, 분모는 분모끼리 곱하여 계산합니다.

$$\frac{3}{8} \times \frac{5}{7} = \frac{3 \times 5}{8 \times 7} = \frac{15}{56}, \quad \frac{\overset{5}{15}}{\underset{2}{14}} \times \frac{\overset{1}{7}}{\underset{4}{12}} = \frac{5}{8},$$

$$2\frac{1}{3} \times 3 = \frac{7}{\underset{1}{3}} \times \overset{}{3} = 7,$$

$$1\frac{3}{4} \times 4\frac{1}{3} = \frac{7}{4} \times \frac{13}{3} = \frac{91}{12} = 7\frac{7}{12}$$

🔹 (자연수)÷(자연수), (분수)÷(자연수)의 계산

$$\frac{2}{3} \div 2 = \frac{\overset{1}{2}}{3} \times \frac{1}{\underset{1}{2}} = \frac{1}{3}, \quad \frac{2}{5} \div 3 = \frac{2}{5} \times \frac{1}{3} = \frac{2}{15}$$

🔹 길이가 $\frac{3}{4}$ m인 막대를 길이가 같게 5도막으로 나누었을 때 한 도막의 길이 구하기

5도막의 길이가 $\frac{3}{4}$ m이므로 한 도막의 길이는 $\frac{3}{4}$ m를 5로 나눈 $\frac{3}{4} \div 5 = \frac{3}{4} \times \frac{1}{5} = \frac{3}{20}$ (m)입니다.

준비 팡팡 (수학익힘 7쪽)

무엇을 알고 있나요

1 계산해 보세요.

$$\frac{3}{8} \times \frac{5}{7} = \frac{15}{56} \qquad \frac{15}{14} \times \frac{7}{12} = \frac{5}{8}$$

> **알면 쉬워요**
> 분수의 곱셈은 분자는 분자끼리, 분모는 분모끼리 곱하여 계산합니다.

$$2\frac{1}{3} \times 3 = 7 \qquad 1\frac{3}{4} \times 4\frac{1}{3} = 7\frac{7}{12}$$

2 나눗셈의 몫을 분수로 나타내어 보세요.

$$3 \div 4 = \frac{3}{4} \qquad 8 \div 5 = 1\frac{3}{5}$$

$$\frac{2}{3} \div 2 = \frac{1}{3} \qquad \frac{2}{5} \div 3 = \frac{2}{15}$$

> **알면 쉬워요**
> ● ÷ ■ = $\frac{●}{■}$
> ● ÷ ▲ = ● × $\frac{1}{▲}$

3 길이가 $\frac{3}{4}$ m인 막대를 길이가 같게 5도막으로 나누었습니다. 한 도막의 길이는 몇 m인지 구해 보세요.

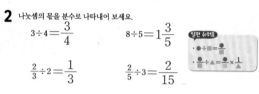
?m

식 $\frac{3}{4} \div 5 = \frac{3}{20}$ 답 $\frac{3}{20}$ m

10

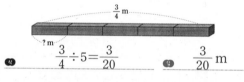

교과서 개념 완성 | 배운 것을 다시 생각하기

➕ $1\frac{3}{5} \times \frac{3}{4}$의 계산

① 마지막에 약분하기

$$1\frac{3}{5} \times \frac{3}{4} = \frac{8}{5} \times \frac{3}{4} = \frac{\overset{6}{24}}{\underset{5}{20}} = \frac{6}{5} = 1\frac{1}{5}$$

② 계산 과정에서 약분하기

$$1\frac{3}{5} \times \frac{3}{4} = \frac{\overset{2}{8}}{5} \times \frac{3}{\underset{1}{4}} = \frac{6}{5} = 1\frac{1}{5}$$

학부모 코칭 Tip

대분수의 경우에는 대분수를 가분수로 고쳐서 계산합니다.

➕ $\frac{3}{4} \div 2$의 계산

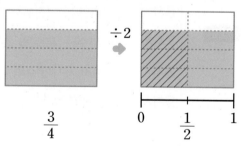

$$\frac{3}{4} \qquad 0 \qquad \frac{1}{2} \qquad 1$$

$\frac{3}{4} \div 2$의 몫은 $\frac{3}{4}$을 2등분 한 것 중의 하나입니다.

이것은 $\frac{3}{4}$의 $\frac{1}{2}$이므로 $\frac{3}{4} \times \frac{1}{2}$입니다.

$$\Rightarrow \frac{3}{4} \div 2 = \frac{3}{4} \times \frac{1}{2} = \frac{3}{8} \overset{\to 3 \times 1}{\underset{\to 4 \times 2}{}}$$

함께 생각해 볼까요

준비 팡팡

1 철근 2 m의 무게가 4 kg입니다. 물음에 답해 보세요.

• 그림을 보고 철근 1 m의 무게가 얼마인지 ☐ 안에 알맞은 수를 써넣으세요.

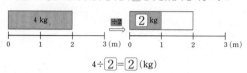

$$4 \div \boxed{2} = \boxed{2} \text{ (kg)}$$

• 그림을 보고 철근 3 m의 무게가 얼마인지 ☐ 안에 알맞은 수를 써넣으세요.

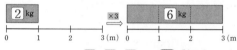

$$\boxed{2} \times \boxed{3} = \boxed{6} \text{ (kg)}$$ **풀이** 철근 3 m의 무게는 철근 1 m의 무게의 3배입니다.

2 드론이 $\frac{2}{3}$ km를 날아가는 데 2분이 걸렸습니다. 같은 빠르기로 3분 동안 드론이 날아갈 수 있는 거리는 얼마인지 ☐ 안에 알맞은 수를 써넣으세요.

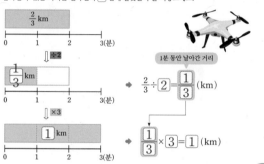

1분 동안 날아간 거리

$$\frac{2}{3} \div \boxed{2} = \frac{1}{\boxed{3}} \text{ (km)}$$

$$\frac{1}{\boxed{3}} \times \boxed{3} = \boxed{1} \text{ (km)}$$

11

■ 철근 2 m의 무게가 4 kg일 때 철근 3 m의 무게 구하기

• 철근 1 m의 무게는 $4 \div 2 = 2$ (kg)입니다.

• 철근 3 m의 무게는 철근 1 m의 무게의 3배이므로 $2 \times 3 = 6$ (kg)입니다.

■ 드론이 $\frac{2}{3}$ km를 날아가는 데 2분이 걸렸을 때 같은 빠르기로 3분 동안 드론이 날아갈 수 있는 거리 구하기

• 드론이 1분 동안 날아간 거리는

$$\frac{2}{3} \div 2 = \frac{\overset{1}{\cancel{2}}}{3} \times \frac{1}{\cancel{2}} = \frac{1}{3} \text{ (km)}$$입니다.

• 드론이 3분 동안 날아갈 수 있는 거리는 1분 동안 날아간 거리의 3배이므로 $\frac{1}{3} \times 3 = 1$ (km)입니다.

학부모 코칭 Tip

드론이 3분 동안 날아갈 수 있는 거리를 구할 때는 드론이 1분 동안 날아간 거리를 구한 후 3배하여 구하는 것을 활용하여 (분수)÷(자연수)의 계산 원리를 이해합니다.

👩 **개념 확인 문제**　　정답 및 풀이 198쪽

| 5-2 2. 분수의 곱셈 |

1 계산해 보세요.

(1) $\frac{5}{9} \times 27$　　　(2) $21 \times 1\frac{4}{7}$

| 5-2 2. 분수의 곱셈 |

2 직사각형의 넓이는 몇 cm²일까요?

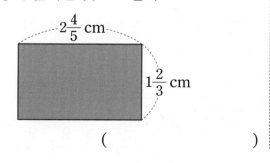

(　　　　　　)

| 6-1 1. 분수의 나눗셈 |

3 계산해 보세요.

(1) $3 \div 8$　　　(2) $\frac{5}{7} \div 4$

| 6-1 1. 분수의 나눗셈 |

4 리본 $\frac{9}{10}$ m를 남는 부분없이 똑같이 6도막으로 나누었습니다. 리본 한 도막의 길이는 몇 m인지 분수로 나타내어 보세요.

(　　　　　　)

2 1 | 분모가 같은 (분수)÷(분수)(1)

차시

학습 목표

분모가 같은 (분수)÷(분수)의 계산 원리를 이해하고 그 계산을 할 수 있습니다.

그림으로 개념 잡기

물 $\dfrac{8}{9}$ L를 한 컵에

$\dfrac{2}{9}$ L씩 담으면

4개의 컵에 담을 수 있어.

참고

$$\dfrac{4}{5}-\dfrac{1}{5}-\dfrac{1}{5}-\dfrac{1}{5}-\dfrac{1}{5}=0$$

4번

➡ $\dfrac{4}{5}÷\dfrac{1}{5}=4$

$\dfrac{4}{5}$ 에서 $\dfrac{1}{5}$ 을 4번 덜어낼 수 있습니다.

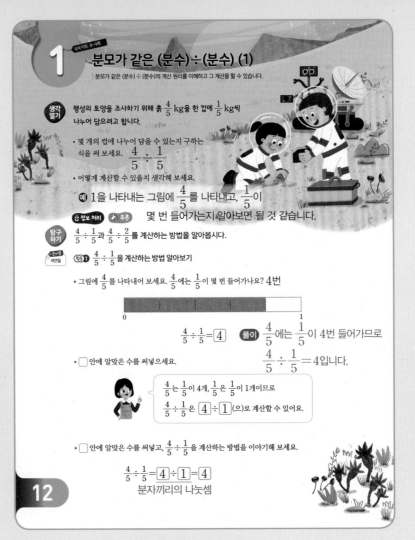

1 분모가 같은 (분수)÷(분수) (1)

분모가 같은 (분수)÷(분수)의 계산 원리를 이해하고 그 계산을 할 수 있습니다.

생각 열기 행성의 토양을 조사하기 위해 흙 $\dfrac{4}{5}$ kg을 한 컵에 $\dfrac{1}{5}$ kg씩 나누어 담으려고 합니다.

• 몇 개의 컵에 나누어 담을 수 있는지 구하는 식을 써 보세요. $\dfrac{4}{5}÷\dfrac{1}{5}$

• 어떻게 계산할 수 있을지 생각해 보세요.

예 1을 나타내는 그림에 $\dfrac{4}{5}$ 를 나타내고, $\dfrac{1}{5}$ 이 몇 번 들어가는지 알아보면 될 것 같습니다.

정보 처리 추론

탐구 하기 $\dfrac{4}{5}÷\dfrac{1}{5}$ 과 $\dfrac{4}{5}÷\dfrac{2}{5}$ 를 계산하는 방법을 알아봅시다.

준비물 색연필 활동 1 $\dfrac{4}{5}÷\dfrac{1}{5}$ 을 계산하는 방법 알아보기

• 그림에 $\dfrac{4}{5}$ 를 나타내어 보세요. $\dfrac{4}{5}$ 에는 $\dfrac{1}{5}$ 이 몇 번 들어가요? 4번

$\dfrac{4}{5}÷\dfrac{1}{5}=\boxed{4}$ 풀이 $\dfrac{4}{5}$ 에는 $\dfrac{1}{5}$ 이 4번 들어가므로 $\dfrac{4}{5}÷\dfrac{1}{5}=4$ 입니다.

• ☐안에 알맞은 수를 써넣으세요.

$\dfrac{4}{5}$ 는 $\dfrac{1}{5}$ 이 4개, $\dfrac{1}{5}$ 은 $\dfrac{1}{5}$ 이 1개이므로 $\dfrac{4}{5}÷\dfrac{1}{5}$ 은 $\boxed{4}÷\boxed{1}$ (으)로 계산할 수 있어요.

• ☐안에 알맞은 수를 써넣고, $\dfrac{4}{5}÷\dfrac{1}{5}$ 을 계산하는 방법을 이야기해 보세요.

$\dfrac{4}{5}÷\dfrac{1}{5}=\boxed{4}÷\boxed{1}=\boxed{4}$
분자끼리의 나눗셈

12

교과서 개념 완성

탐구하기 $\dfrac{4}{5}÷\dfrac{1}{5}$ 과 $\dfrac{4}{5}÷\dfrac{2}{5}$ 의 계산 방법 알아보기

활동 1 $\dfrac{4}{5}÷\dfrac{1}{5}$ 을 계산하는 방법 알아보기

그림에 $\dfrac{4}{5}$ 를 나타내어 보면 $\dfrac{4}{5}$ 에는 $\dfrac{1}{5}$ 이 4번 들어갑니다.

따라서 $\dfrac{4}{5}÷\dfrac{1}{5}=4$ 입니다.

$\dfrac{4}{5}$ 는 $\dfrac{1}{5}$ 이 4개, $\dfrac{1}{5}$ 은 $\dfrac{1}{5}$ 이 1개이므로

$\dfrac{4}{5}÷\dfrac{1}{5}=4÷1=4$ 입니다.

활동 2 $\dfrac{4}{5}÷\dfrac{2}{5}$ 를 계산하는 방법 알아보기

$\dfrac{4}{5}$ 는 $\dfrac{1}{5}$ 이 4개, $\dfrac{2}{5}$ 는 $\dfrac{1}{5}$ 이 2개이므로

$\dfrac{4}{5}÷\dfrac{2}{5}=4÷2=2$ 입니다.

정리하기 **분모가 같은 (분수)÷(분수)의 계산 방법**

분모가 같은 분수의 나눗셈은 분자끼리의 나눗셈으로 계산할 수 있습니다.

$\dfrac{8}{9}÷\dfrac{1}{9}=8÷1=8$ $\dfrac{8}{9}÷\dfrac{2}{9}=8÷2=4$

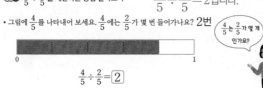

방법2 $\frac{4}{5} \div \frac{2}{5}$ 를 계산하는 방법 알아보기

풀이 $\frac{4}{5}$ 에는 $\frac{2}{5}$ 가 2번 들어가므로
$$\frac{4}{5} \div \frac{2}{5} = 2 \text{입니다.}$$

• 그림에 $\frac{4}{5}$ 를 나타내어 보세요. $\frac{4}{5}$ 에는 $\frac{2}{5}$ 가 몇 번 들어가나요? 2번

$\frac{4}{5}$는 $\frac{2}{5}$가 몇 개인가요?

$$\frac{4}{5} \div \frac{2}{5} = \boxed{2}$$

• ☐안에 알맞은 수를 써넣고, $\frac{4}{5} \div \frac{2}{5}$ 를 계산하는 방법을 이야기해 보세요.

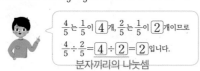

$\frac{4}{5}$ 는 $\frac{1}{5}$ 이 $\boxed{4}$ 개, $\frac{2}{5}$ 는 $\frac{1}{5}$ 이 $\boxed{2}$ 개이므로
$$\frac{4}{5} \div \frac{2}{5} = \boxed{4} \div \boxed{2} = \boxed{2} \text{입니다.}$$
분자끼리의 나눗셈

정리하기 $\frac{4}{5} \div \frac{1}{5}$ 과 $\frac{4}{5} \div \frac{2}{5}$ 를 계산하는 방법을 정리해 봅시다.

분모가 같은 분수의 나눗셈은 분자끼리의 나눗셈으로 계산할 수 있습니다.

$$\frac{4}{5} \div \frac{1}{5} = 4 \div 1 = 4 \qquad \frac{4}{5} \div \frac{2}{5} = 4 \div 2 = 2$$

• 계산해 보세요.

$$\frac{8}{9} \div \frac{1}{9} = \boxed{8} \div \boxed{1} = \boxed{8} \qquad \frac{8}{9} \div \frac{2}{9} = \boxed{8} \div \boxed{2} = \boxed{4}$$

확인하기 계산해 보세요.

$$\frac{5}{8} \div \frac{1}{8} = 5 \qquad\qquad \frac{9}{11} \div \frac{3}{11} = 3$$

풀이 $\frac{5}{8} \div \frac{1}{8} = 5 \div 1 = 5 \qquad \frac{9}{11} \div \frac{3}{11} = 9 \div 3 = 3$

13

이런 문제가 서술형으로 나와요

$\frac{6}{7}$ kg의 밀가루를 하루에 $\frac{2}{7}$ kg씩 사용한다면 며칠 동안 사용할 수 있는지 풀이 과정을 쓰고, 답을 구해 보세요.

| 풀이 과정 |

❶ 며칠 동안 사용할 수 있는지 구하는 식 세우기

전체 밀가루의 무게를 하루에 사용하는 밀가루의 무게로 나누어야 합니다.

➡ $\frac{6}{7} \div \frac{2}{7}$

❷ 나눗셈을 하여 며칠 동안 사용할 수 있는지 구하기

$\frac{6}{7} \div \frac{2}{7} = 6 \div 2 = 3$이므로 밀가루를 3일 동안 사용할 수 있습니다.

답 3일

◆ 수학 교과 역량 ⓘ정보 처리 ✦추론

$\frac{4}{5} \div \frac{1}{5}$ 과 $\frac{4}{5} \div \frac{2}{5}$ 의 계산 방법 탐구하기

분모가 같은 (분수)÷(분수)의 계산 원리를 그림으로 표현하여 알아보는 과정에서 정보 처리 능력과 추론 능력을 기를 수 있습니다.

개념 확인 문제

정답 및 풀이 198쪽

1 $\frac{3}{4}$ 에는 $\frac{1}{4}$ 이 몇 번 들어가나요?

(　　　　　　　　)

2 ☐안에 알맞은 수를 써넣으세요.

$\frac{4}{9}$ 는 $\frac{1}{9}$ 이 ☐ 개, $\frac{2}{9}$ 는 $\frac{1}{9}$ 이 ☐ 개이므로
$\frac{4}{9} \div \frac{2}{9} = \boxed{} \div \boxed{} = \boxed{}$ 입니다.

3 계산해 보세요.

(1) $\frac{5}{6} \div \frac{1}{6}$ 　　　　(2) $\frac{9}{10} \div \frac{3}{10}$

(3) $\frac{6}{7} \div \frac{3}{7}$ 　　　　(4) $\frac{14}{17} \div \frac{2}{17}$

4 계산 결과를 비교하여 ◯ 안에 $>$, $=$, $<$ 를 알맞게 써넣으세요.

$$\frac{8}{9} \div \frac{4}{9} \bigcirc \frac{10}{11} \div \frac{2}{11}$$

학습 목표

분모가 같은 (분수)÷(분수)의 계산 원리를 이해하고 그 계산을 할 수 있습니다.

그림으로 개념 잡기

그럼 분자끼리만 나눠.

$$\frac{5}{7} \div \frac{3}{7}$$

분모가 똑같아!

참고

- $\frac{5}{6} \div \frac{2}{6}$의 계산

$\frac{5}{6}$를 $\frac{2}{6}$씩 묶으면 2묶음과 $\frac{1}{2}$묶음이 됩니다.

→ $\frac{5}{6} \div \frac{2}{6} = 2\frac{1}{2}$

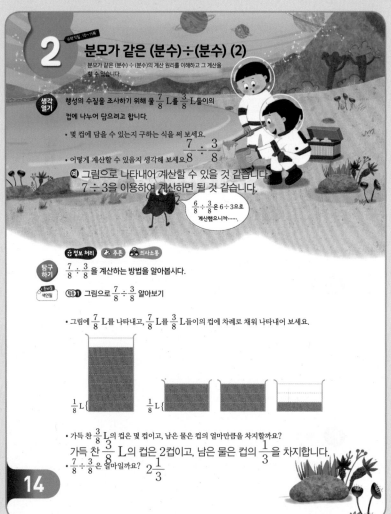

2 분모가 같은 (분수)÷(분수) (2)

분모가 같은 (분수)÷(분수)의 계산 원리를 이해하고 그 계산을 할 수 있습니다.

생각 열기

행성의 수질을 조사하기 위해 물 $\frac{7}{8}$ L를 $\frac{3}{8}$ L들이의 컵에 나누어 담으려고 합니다.

- 몇 컵에 담을 수 있는지 구하는 식을 써 보세요.

$$\frac{7}{8} \div \frac{3}{8}$$

- 어떻게 계산할 수 있을지 생각해 보세요.

예 그림으로 나타내어 계산할 수 있을 것 같습니다.
7÷3을 이용하여 계산하면 될 것 같습니다.

$\frac{6}{8} \div \frac{3}{8}$은 6÷3으로 계산했으니까......

정보 처리   추론   의사소통

탐구하기 $\frac{7}{8} \div \frac{3}{8}$을 계산하는 방법을 알아봅시다.

활동1 그림으로 $\frac{7}{8} \div \frac{3}{8}$ 알아보기

- 그림에 $\frac{7}{8}$ L를 나타내고, $\frac{7}{8}$ L를 $\frac{3}{8}$ L들이의 컵에 차례로 채워 나타내어 보세요.

$\frac{1}{8}$ L { $\frac{1}{8}$ L {

- 가득 찬 $\frac{3}{8}$ L의 컵은 몇 컵이고, 남은 물은 컵의 얼마만큼을 차지할까요?
가득 찬 $\frac{3}{8}$ L의 컵은 2컵이고, 남은 물은 컵의 $\frac{1}{3}$을 차지합니다.
- $\frac{7}{8} \div \frac{3}{8}$은 얼마일까요? $2\frac{1}{3}$

14

교과서 개념 완성

탐구하기 $\frac{7}{8} \div \frac{3}{8}$의 계산 방법 탐구하기

활동1 그림으로 알아보기

그림에 $\frac{7}{8}$ L를 나타내고, $\frac{7}{8}$ L를 $\frac{3}{8}$ L들이의 컵에 차례로 채워 나타내어 봅니다.

가득 찬 $\frac{3}{8}$ L의 컵은 2컵이고, 남은 물은 컵의 $\frac{1}{3}$을 차지합니다.

따라서 $2\frac{1}{3}$입니다.

→ $\frac{7}{8} \div \frac{3}{8} = 2\frac{1}{3}$

활동2 7÷3을 이용하여 알아보기

7개를 3개씩 묶으면 3개씩 2묶음이 되고 1개가 남습니다. 이때 1개는 1묶음의 $\frac{1}{3}$이므로 $7 \div 3 = 2\frac{1}{3}$입니다.

→ $\frac{7}{8} \div \frac{3}{8} = 7 \div 3 = \frac{7}{3} = 2\frac{1}{3}$

정리하기 분모가 같은 (분수)÷(분수)의 계산 방법

분모가 같은 분수의 나눗셈은 분자끼리의 나눗셈으로 계산할 수 있습니다.

$$\frac{8}{9} \div \frac{5}{9} = 8 \div 5 = \frac{8}{5} = 1\frac{3}{5}$$

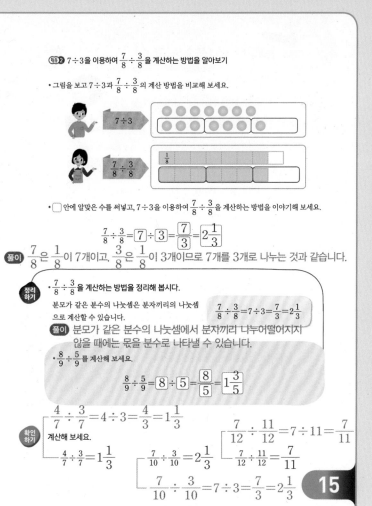

활동2 7÷3을 이용하여 $\frac{7}{8}÷\frac{3}{8}$을 계산하는 방법을 알아보기

• 그림을 보고 7÷3과 $\frac{7}{8}÷\frac{3}{8}$의 계산 방법을 비교해 보세요.

7÷3

$\frac{7}{8}÷\frac{3}{8}$

• ☐ 안에 알맞은 수를 써넣고, 7÷3을 이용하여 $\frac{7}{8}÷\frac{3}{8}$을 계산하는 방법을 이야기해 보세요.

$$\frac{7}{8}÷\frac{3}{8}=\boxed{7}÷\boxed{3}=\frac{7}{3}=2\frac{1}{3}$$

풀이 $\frac{7}{8}$은 $\frac{1}{8}$이 7개이고, $\frac{3}{8}$은 $\frac{1}{8}$이 3개이므로 7개를 3개로 나누는 것과 같습니다.

정리하기
• $\frac{7}{8}÷\frac{3}{8}$을 계산하는 방법을 정리해 봅시다.

분모가 같은 분수의 나눗셈은 분자끼리의 나눗셈으로 계산할 수 있습니다.

$$\frac{7}{8}÷\frac{3}{8}=7÷3=\frac{7}{3}=2\frac{1}{3}$$

풀이 분모가 같은 분수의 나눗셈에서 분자끼리 나누어떨어지지 않을 때에는 몫을 분수로 나타낼 수 있습니다.

• $\frac{8}{9}÷\frac{5}{9}$를 계산해 보세요.

$$\frac{8}{9}÷\frac{5}{9}=\boxed{8}÷\boxed{5}=\frac{8}{5}=1\frac{3}{5}$$

$$\frac{4}{7}÷\frac{3}{7}=4÷3=\frac{4}{3}=1\frac{1}{3}$$

확인하기 계산해 보세요.

$\frac{4}{7}÷\frac{3}{7}=1\frac{1}{3}$

$\frac{7}{10}÷\frac{3}{10}=2\frac{1}{3}$

$\frac{7}{12}÷\frac{11}{12}=7÷11=\frac{7}{11}$

$\frac{7}{12}÷\frac{11}{12}=\frac{7}{11}$

$\frac{7}{10}÷\frac{3}{10}=7÷3=\frac{7}{3}=2\frac{1}{3}$

15

이런 문제가 **서술형**으로 나와요

주스를 선주는 $\frac{7}{9}$ L, 지우는 $\frac{2}{9}$ L 마셨습니다.

선주가 마신 주스의 양은 지우가 마신 주스의 양의 몇 배인지 풀이 과정을 쓰고, 답을 구해 보세요.

| 풀이 과정 |

❶ 답을 구하는 식 세우기

선주가 마신 주스의 양을 지우가 마신 주스의 양으로 나눕니다. ➡ $\frac{7}{9}÷\frac{2}{9}$

❷ 답 구하기

$$\frac{7}{9}÷\frac{2}{9}=7÷2=\frac{7}{2}=3\frac{1}{2}(배)$$

답 $3\frac{1}{2}$배

수학 교과 역량 정보 처리 추론 의사소통

$\frac{7}{8}÷\frac{3}{8}$의 계산 방법 탐구하기

분자끼리 나누어떨어지지 않는 분모가 같은 (분수)÷(분수)의 계산 원리를 그림으로 표현하여 알아보고, 그 계산 방법을 이야기해 보는 과정에서 정보 처리 능력, 추론 능력, 의사소통 능력을 기를 수 있습니다.

개념 확인 문제

정답 및 풀이 198쪽

1 ☐안에 알맞은 수를 써넣으세요.

$\frac{7}{11}$은 $\frac{1}{11}$이 ☐개, $\frac{4}{11}$는 $\frac{1}{11}$이 ☐개이므로 $\frac{7}{11}÷\frac{4}{11}=7÷\boxed{}=\frac{\boxed{}}{\boxed{}}=\boxed{}\frac{\boxed{}}{\boxed{}}$입니다.

2 나눗셈의 몫을 분수로 나타내어 보세요.

(1) $\frac{9}{10}÷\frac{7}{10}$ (2) $\frac{15}{17}÷\frac{2}{17}$

3 계산 결과가 가장 작은 것에 ○표 해 보세요.

| $\frac{3}{5}÷\frac{2}{5}$ | $\frac{8}{13}÷\frac{3}{13}$ | $\frac{11}{15}÷\frac{4}{15}$ |

( )   ( )   ( )

4 학교에서 아영이네 집까지의 거리는 $\frac{7}{9}$ km이고, 민호네 집까지의 거리는 $\frac{8}{9}$ km입니다. 학교에서 아영이네 집까지의 거리는 민호네 집까지의 거리의 몇 배일까요?

( )

3 | 분모가 다른 (분수)÷(분수)

학습 목표

분모가 다른 (분수)÷(분수)의 계산 원리를 이해하고 그 계산을 할 수 있습니다.

그림으로 개념 잡기

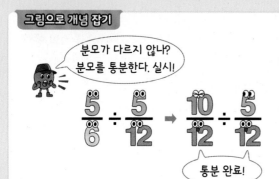

분모가 다르지 않나? 분모를 통분한다. 실시!

$$\frac{5}{6} \div \frac{5}{12} \rightarrow \frac{10}{12} \div \frac{5}{12}$$

통분 완료!

참고

• $\frac{3}{4} \div \frac{3}{8}$ 의 계산

$\frac{3}{4} = \frac{6}{8}$ 이므로 $\frac{3}{4}$ 에서 $\frac{3}{8}$ 을 2번 덜어낼 수 있습니다.

→ $\frac{3}{4} \div \frac{3}{8} = \frac{6}{8} \div \frac{3}{8} = 6 \div 3 = 2$

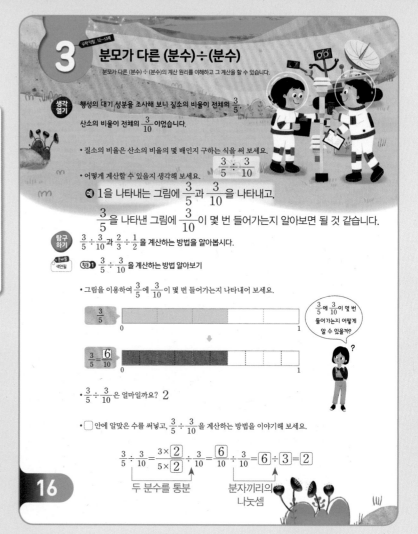

3 분모가 다른 (분수)÷(분수)

분모가 다른 (분수)÷(분수)의 계산 원리를 이해하고 그 계산을 할 수 있습니다.

생각 열기 행성의 대기 성분을 조사해 보니 질소의 비율이 전체의 $\frac{3}{5}$, 산소의 비율이 전체의 $\frac{3}{10}$ 이었습니다.

• 질소의 비율은 산소의 비율의 몇 배인지 구하는 식을 써 보세요.
$$\frac{3}{5} \div \frac{3}{10}$$

• 어떻게 계산할 수 있을지 생각해 보세요.

예 1을 나타내는 그림에 $\frac{3}{5}$ 과 $\frac{3}{10}$ 을 나타내고, $\frac{3}{5}$ 을 나타낸 그림에 $\frac{3}{10}$ 이 몇 번 들어가는지 알아보면 될 것 같습니다.

탐구하기 $\frac{3}{5} \div \frac{3}{10}$ 과 $\frac{2}{3} \div \frac{1}{2}$ 을 계산하는 방법을 알아봅시다.

활동 1 $\frac{3}{5} \div \frac{3}{10}$ 을 계산하는 방법 알아보기

• 그림을 이용하여 $\frac{3}{5}$ 에 $\frac{3}{10}$ 이 몇 번 들어가는지 나타내어 보세요.

$\frac{3}{5}$ 에 $\frac{3}{10}$ 이 몇 번 들어가는지 어떻게 알 수 있을까?

• $\frac{3}{5} \div \frac{3}{10}$ 은 얼마일까요? 2

• □ 안에 알맞은 수를 써넣고, $\frac{3}{5} \div \frac{3}{10}$ 을 계산하는 방법을 이야기해 보세요.

$$\frac{3}{5} \div \frac{3}{10} = \frac{3 \times \boxed{2}}{5 \times \boxed{2}} \div \frac{3}{10} = \frac{\boxed{6}}{10} \div \frac{3}{10} = \boxed{6} \div \boxed{3} = \boxed{2}$$

두 분수를 통분 　　분자끼리의 나눗셈

16

교과서 개념 완성

탐구하기 $\frac{3}{5} \div \frac{3}{10}$ 과 $\frac{2}{3} \div \frac{1}{2}$ 의 계산 방법 탐구하기

활동 1 $\frac{3}{5} \div \frac{3}{10}$ 의 계산 방법 알아보기

$\frac{3}{5}$ 은 $\frac{1}{10}$ 이 6개이므로 $\frac{3}{5}$ 에는 $\frac{3}{10}$ 이 2번 들어갑니다.

→ $\frac{3}{5} \div \frac{3}{10} = \frac{6}{10} \div \frac{3}{10} = 6 \div 3 = 2$

학부모 코칭 Tip

분모가 다른 (분수)÷(분수)는 분모가 달라서 분자끼리 직접 나누는 방법으로 해결할 수 없으므로 나누어지는 수에 나누는 수가 몇 번 포함되는지 그림을 이용하여 확인할 수 있도록 합니다.

활동 2 $\frac{2}{3} \div \frac{1}{2}$ 의 계산 방법 알아보기

통분하여 계산합니다.

$$\frac{2}{3} \div \frac{1}{2} = \frac{2 \times 2}{3 \times 2} \div \frac{1 \times 3}{2 \times 3} = \frac{4}{6} \div \frac{3}{6}$$
$$= 4 \div 3 = \frac{4}{3} = 1\frac{1}{3}$$

정리하기 **분모가 다른 (분수)÷(분수)의 계산 방법**

분모가 다른 분수의 나눗셈은 통분하여 분자끼리의 나눗셈으로 계산할 수 있습니다.

$$\frac{7}{6} \div \frac{3}{4} = \frac{14}{12} \div \frac{9}{12} = 14 \div 9 = \frac{14}{9} = 1\frac{5}{9}$$

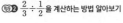  $\frac{2}{3} \div \frac{1}{2}$ 을 계산하는 방법 알아보기

말풍선: 분모가 같으면 쉽게 계산할 수 있는데······

• $\frac{2}{3} \div \frac{1}{2}$ 을 어떻게 계산할 수 있을지 이야기해 보세요.

• ☐ 안에 알맞은 수를 써넣고, $\frac{2}{3} \div \frac{1}{2}$ 을 계산하는 방법을 이야기해 보세요.

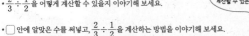
$$\frac{2}{3} \div \frac{1}{2} = \frac{2\times\boxed{2}}{3\times\boxed{2}} \div \frac{1\times\boxed{3}}{2\times\boxed{3}} = \frac{\boxed{4}}{6} \div \frac{\boxed{3}}{6} = \boxed{4} \div \boxed{3} = \frac{\boxed{4}}{3} = 1\frac{1}{3}$$

정리하기

• $\frac{3}{5} \div \frac{3}{10}$ 과 $\frac{2}{3} \div \frac{1}{2}$ 을 계산하는 방법을 정리해 봅시다.

분모가 다른 분수의 나눗셈은 통분하여 분자끼리의 나눗셈으로 계산할 수 있습니다.

$$\frac{3}{5} \div \frac{3}{10} = \frac{6}{10} \div \frac{3}{10} = 6 \div 3 = 2$$

$$\frac{2}{3} \div \frac{1}{2} = \frac{4}{6} \div \frac{3}{6} = 4 \div 3 = \frac{4}{3} = 1\frac{1}{3}$$

• $\frac{7}{6} \div \frac{3}{4}$ 을 계산해 보세요.

$$\frac{7}{6} \div \frac{3}{4} = \frac{14}{12} \div \frac{9}{12} = \boxed{14} \div \boxed{9} = \frac{14}{9} = 1\frac{5}{9}$$

6과 4의 최소공배수 12를 공통분모로 하여 통분합니다.

문제 해결

확인하기

1. 계산해 보세요.

$\frac{4}{5} \div \frac{4}{15}$

$\frac{4}{5} \div \frac{4}{15} = 3$

$= \frac{12}{15} \div \frac{4}{15}$

$= 12 \div 4 = 3$

$$\frac{4}{7} \div \frac{1}{3} = \frac{12}{21} \div \frac{7}{21} = 12 \div 7$$

$$\frac{4}{7} \div \frac{1}{3} = 1\frac{5}{7} = \frac{12}{7} = 1\frac{5}{7}$$

2. 주스를 지연이는 $\frac{3}{4}$ L 마셨고, 연수는 $\frac{3}{8}$ L 마셨습니다.
지연이가 마신 주스의 양은 연수가 마신 주스의 양의 몇 배인지 구해 보세요. 2배

풀이 $\frac{3}{4} \div \frac{3}{8} = \frac{6}{8} \div \frac{3}{8} = 6 \div 3 = 2$

17

이런 문제가 서술형으로 나와요

호떡을 만드는 데 사용한 물은 쿠키를 만드는 데 사용한 물의 $\frac{7}{9}$ 배입니다. 호떡을 만드는 데 물을 $\frac{2}{3}$ L 사용했다면 쿠키를 만드는 데 사용한 물은 몇 L인지 풀이 과정을 쓰고, 답을 구해 보세요.

| 풀이 과정 |

❶ 쿠키를 만드는 데 사용한 물의 양을 구하는 식 세우기

호떡을 만드는 데 사용한 물의 양을 $\frac{7}{9}$ 로 나누어 구합니다. ➡ $\frac{2}{3} \div \frac{7}{9}$

❷ 쿠키를 만드는 데 사용한 물의 양 구하기

$$\frac{2}{3} \div \frac{7}{9} = \frac{6}{9} \div \frac{7}{9} = 6 \div 7 = \frac{6}{7} \text{(L)}$$

답 $\frac{6}{7}$ L

수학 교과 역량 **문제 해결**

분모가 다른 (분수)÷(분수) 계산하기

주어진 정보를 파악하고 필요한 계산 과정을 활용하여 해결하는 과정에서 문제 해결 능력을 기를 수 있습니다.

 개념 확인 문제　정답 및 풀이 199쪽

1 보기 와 같은 방법으로 계산해 보세요.

보기
$$\frac{2}{3} \div \frac{3}{4} = \frac{8}{12} \div \frac{9}{12} = 8 \div 9 = \frac{8}{9}$$

(1) $\frac{1}{5} \div \frac{1}{4}$

(2) $\frac{5}{8} \div \frac{7}{16}$

2 큰 수를 작은 수로 나눈 몫을 구해 보세요.

$\frac{7}{15}$　　　$\frac{4}{5}$

(　　　　　)

3 계산 결과가 자연수인 나눗셈을 찾아 기호를 써 보세요.

㉠ $\frac{5}{6} \div \frac{4}{7}$　　㉡ $\frac{1}{9} \div \frac{2}{3}$　　㉢ $\frac{3}{4} \div \frac{3}{8}$

(　　　　　)

5 차시

4 | (자연수)÷(단위분수)

(자연수)÷(단위분수)의 계산 원리를 이해하고 그 계산을 할 수 있습니다.

그림으로 개념 잡기

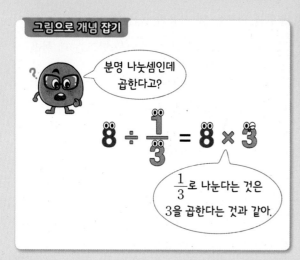

분명 나눗셈인데 곱한다고?

$$8 \div \frac{1}{3} = 8 \times 3$$

$\frac{1}{3}$로 나눈다는 것은 3을 곱한다는 것과 같아.

어휘

단위분수	$\frac{1}{2}$, $\frac{1}{3}$ 따위의 분자가 1인 분수
單位分數	단위: 길이, 무게, 수효, 시간 등의 수량을 수치로 나타낼 때 기초가 되는 일정한 기준
單 (단지 단) 位 (자리 위)	

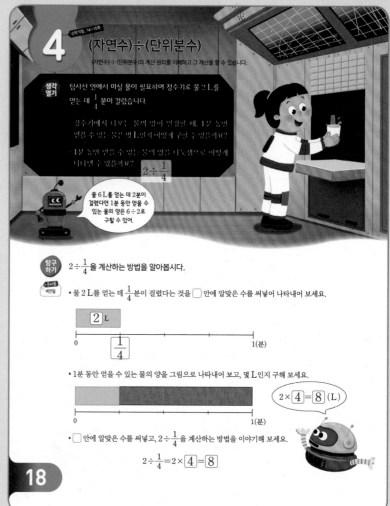

18

교과서 개념 완성

탐구하기 $2 \div \frac{1}{4}$의 계산 방법 탐구하기

물 2 L를 얻는 데 $\frac{1}{4}$분이 걸릴 때 1분 동안 얻을 수 있는 물의 양을 그림으로 나타내어 보고, 몇 L인지 구해 보면 $2 \times 4 = 8$ (L)입니다.

➡ $2 \div \frac{1}{4} = 2 \times 4 = 8$

정리하기 (자연수)÷(단위분수)의 계산 방법

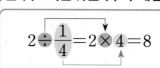

$$2 \div \frac{1}{4} = 2 \times 4 = 8$$

학부모 코칭 Tip

물 2 L를 얻는 데 $\frac{1}{4}$분이 걸렸다는 상황과 1분 동안 얻을 수 있는 물의 양을 각각 그림으로 나타내어 보면서 $2 \div \frac{1}{4}$의 계산 방법을 탐구하게 합니다.

확인하기 (자연수)÷(단위분수) 계산하기

2. 배터리가 15분 동안 전체의 $\frac{1}{6}$이 충전되면 배터리를 완전히 충전하는 데 걸리는 시간은

$$15 \div \frac{1}{6} = 15 \times 6 = 90(분)입니다.$$

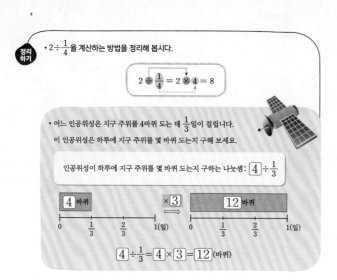

정리하기

• $2 \div \frac{1}{4}$ 을 계산하는 방법을 정리해 봅시다.

$$2 \div \frac{1}{4} = 2 \times 4 = 8$$

• 어느 인공위성은 지구 주위를 4바퀴 도는 데 $\frac{1}{3}$ 일이 걸립니다.
이 인공위성은 하루에 지구 주위를 몇 바퀴 도는지 구해 보세요.

인공위성이 하루에 지구 주위를 몇 바퀴 도는지 구하는 나눗셈 : $4 \div \frac{1}{3}$

$$4 \div \frac{1}{3} = 4 \times 3 = 12 \text{ (바퀴)}$$

문제 해결

확인하기

1. 계산해 보세요.

$$7 \div \frac{1}{2} = 7 \times 2 = 14$$

$$3 \div \frac{1}{4} = 3 \times 4 = 12$$

$$5 \div \frac{1}{3} = 5 \times 3 = 15$$

$$1 \div \frac{1}{5} = 1 \times 5 = 5$$

2. 어느 전기자동차의 배터리는 15분 동안 전체의 $\frac{1}{6}$ 이 충전됩니다.
시간에 따라 충전되는 양이 일정할 때, 배터리를 완전히 충전하는 데 걸리는 시간은 몇 분인지 구해 보세요. 90분

풀이 $15 \div \frac{1}{6} = 15 \times 6 = 90$

19

이런 문제가 서술형으로 나와요

어느 달팽이는 2 cm를 기어가는 데 $\frac{1}{15}$ 분이 걸립니다. 이 달팽이가 같은 빠르기로 기어간다면 1분 동안 갈 수 있는 거리는 몇 cm인지 풀이 과정을 쓰고, 답을 구해 보세요.

| 풀이 과정 |

❶ 달팽이가 1분 동안 갈 수 있는 거리를 구하는 식 세우기

1분 동안 갈 수 있는 거리를 구하므로 달팽이가 간 거리를 달팽이가 간 시간으로 나눕니다.

➡ $2 \div \frac{1}{15}$

❷ 달팽이가 1분 동안 갈 수 있는 거리 구하기

$2 \div \frac{1}{15} = 2 \times 15 = 30$ 이므로 달팽이가 1분 동안 갈 수 있는 거리는 30 cm입니다.

답 30 cm

수학 교과 역량 문제 해결

(자연수) ÷ (단위분수) 계산하기

주어진 정보를 파악하고 필요한 계산 과정을 활용하여 해결하는 과정에서 문제 해결 능력을 기를 수 있습니다.

개념 확인 문제   정답 및 풀이 199쪽

1 ☐ 안에 알맞은 수를 써넣으세요.

$$8 \div \frac{1}{9} = 8 \times \boxed{} = \boxed{}$$

2 계산해 보세요.

(1) $7 \div \frac{1}{5}$

(2) $12 \div \frac{1}{3}$

(3) $14 \div \frac{1}{2}$

(4) $1 \div \frac{1}{8}$

3 ☐ 안에 알맞은 수를 써넣으세요.

$$3 \div \frac{1}{\boxed{}} = 12$$

4 석찬이가 수영해서 2 km를 가는 데 $\frac{1}{3}$ 시간이 걸립니다. 같은 빠르기로 석찬이가 1시간 동안 수영해서 갈 수 있는 거리는 몇 km일까요?

(   )

5 | (자연수)÷(진분수)

(자연수)÷(진분수)의 계산 원리를 이해하고 그 계산을 할 수 있습니다.

그림으로 개념 잡기

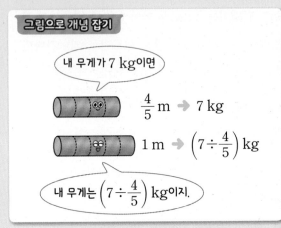

내 무게가 7 kg이면

$\frac{4}{5}$ m → 7 kg

1 m → $\left(7 \div \frac{4}{5}\right)$ kg

내 무게는 $\left(7 \div \frac{4}{5}\right)$ kg이지.

참고 4 km를 가는 데 $\frac{2}{3}$시간이 걸렸으므로 같은 빠르기로 1시간 동안 갈 수 있는 거리는 4를 $\frac{2}{3}$로 나누어서 구해야 합니다.

➜ (1시간 동안 갈 수 있는 거리)
  =(거리)÷(시간)

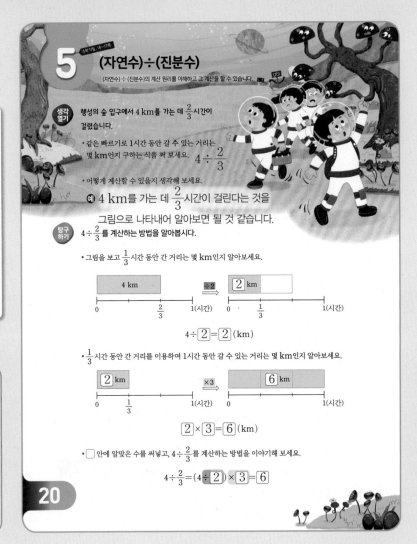

5 (자연수)÷(진분수)

(자연수)÷(진분수)의 계산 원리를 이해하고 그 계산을 할 수 있습니다.

생각 열기 행성의 숲 입구에서 4 km를 가는 데 $\frac{2}{3}$시간이 걸렸습니다.

• 같은 빠르기로 1시간 동안 갈 수 있는 거리는 몇 km인지 구하는 식을 써 보세요. $4 \div \frac{2}{3}$

• 어떻게 계산할 수 있을지 생각해 보세요.

예 4 km를 가는 데 $\frac{2}{3}$시간이 걸린다는 것을 그림으로 나타내어 알아보면 될 것 같습니다.

탐구하기 $4 \div \frac{2}{3}$를 계산하는 방법을 알아봅시다.

• 그림을 보고 $\frac{1}{3}$시간 동안 간 거리는 몇 km인지 알아보세요.

$$4 \div \boxed{2} = \boxed{2} \, (km)$$

• $\frac{1}{3}$시간 동안 간 거리를 이용하여 1시간 동안 갈 수 있는 거리는 몇 km인지 알아보세요.

$$\boxed{2} \times \boxed{3} = \boxed{6} \, (km)$$

• ☐ 안에 알맞은 수를 써넣고, $4 \div \frac{2}{3}$를 계산하는 방법을 이야기해 보세요.

$$4 \div \frac{2}{3} = (4 \div \boxed{2}) \times \boxed{3} = \boxed{6}$$

20

 교과서 개념 완성

탐구하기 $4 \div \frac{2}{3}$의 계산 방법 탐구하기

• $\frac{1}{3}$시간은 $\frac{2}{3}$시간의 반이므로 $\frac{1}{3}$시간 동안 간 거리는 $4 \div 2 = 2 \, (km)$입니다.

• $\frac{1}{3}$시간 동안 2 km를 갈 수 있고, 1시간은 $\frac{1}{3}$시간의 3배이므로 1시간 동안 갈 수 있는 거리는 $2 \times 3 = 6 \, (km)$입니다.

➜ $4 \div \frac{2}{3} = (4 \div 2) \times 3 = 6$

정리하기 (자연수)÷(진분수)의 계산 방법

$$4 \div \frac{2}{3} = (4 \div 2) \times 3 = 6$$

확인하기 (자연수)÷(진분수) 계산하기

2. (직사각형의 넓이)=(가로)×(세로)이므로 직사각형의 가로는 (넓이)÷(세로)를 이용하여 구합니다.

➜ $8 \div \frac{4}{5} = (8 \div 4) \times 5 = 10$이므로 가로는 10 m 입니다.

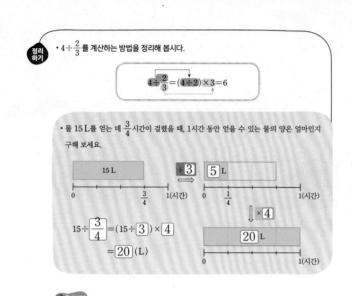

정리하기

• $4 \div \dfrac{2}{3}$ 를 계산하는 방법을 정리해 봅시다.

$$4 \div \frac{2}{3} = (4 \div 2) \times 3 = 6$$

• 물 15 L를 얻는 데 $\dfrac{3}{4}$ 시간이 걸렸을 때, 1시간 동안 얻을 수 있는 물의 양은 얼마인지 구해 보세요.

$$15 \div \frac{3}{4} = (15 \div 3) \times 4$$
$$= 20 \ (L)$$

확인하기

문제 해결

1. 계산해 보세요.

$2 \div \dfrac{2}{9} = 9$
$2 \div \dfrac{2}{9} = (2 \div 2) \times 9 = 9$

$6 \div \dfrac{3}{5} = 10$
$6 \div \dfrac{3}{5} = (6 \div 3) \times 5 = 10$

$12 \div \dfrac{4}{7} = 21$
$12 \div \dfrac{4}{7} = (12 \div 4) \times 7 = 21$

$24 \div \dfrac{3}{4} = 32$
$24 \div \dfrac{3}{4} = (24 \div 3) \times 4 = 32$

2. 넓이가 8 m²인 직사각형 모양의 땅이 있습니다. 세로가 $\dfrac{4}{5}$ m일 때, 가로는 몇 m인지 구해 보세요. 10 m

8 m² $\dfrac{4}{5}$ m

풀이 $8 \div \dfrac{4}{5} = (8 \div 4) \times 5 = 10$

21

이런 문제가 서술형으로 나와요

쿠키 한 개를 만드는 데 밀가루 $\dfrac{5}{8}$ 컵이 필요합니다. 밀가루 10컵으로 만들 수 있는 쿠키는 몇 개인지 풀이 과정을 쓰고, 답을 구해 보세요.

| 풀이 과정 |

❶ 밀가루 10컵으로 만들 수 있는 쿠키는 몇 개인지 구하는 식 세우기

전체 밀가루의 양을 쿠키 한 개를 만드는 데 필요한 밀가루의 양으로 나눕니다.

➜ $10 \div \dfrac{5}{8}$

❷ 밀가루 10컵으로 만들 수 있는 쿠키는 몇 개인지 구하기

$10 \div \dfrac{5}{8} = (10 \div 5) \times 8 = 2 \times 8 = 16(개)$

답 16개

• 수학 교과 역량 문제 해결

(자연수)÷(진분수) 계산하기

문제에 주어진 정보를 파악하고 필요한 계산 과정을 활용하여 해결하는 과정에서 문제 해결 능력을 기를 수 있습니다.

개념 확인 문제 정답 및 풀이 199쪽

1 계산해 보세요.

(1) $6 \div \dfrac{3}{4}$ (2) $12 \div \dfrac{3}{5}$

2 빈칸에 알맞은 수를 써넣으세요.

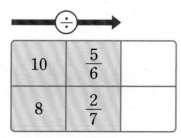

3 ☐ 안에 알맞은 분수를 구해 보세요.

$$8 \div \boxed{} = (8 \div 4) \times 9$$

(   )

4 딸기 $\dfrac{4}{7}$ kg의 가격이 5000원입니다. 딸기 1 kg의 가격은 얼마일까요?

(   )

학습 목표

분수의 나눗셈을 분수의 곱셈으로 나타내어 계산하는 원리를 이해하고 그 계산을 할 수 있습니다.

그림으로 개념 잡기

나눗셈을 곱셈으로 고쳐서 계산해 봐.

(분수)÷(분수) ➡ (분수)×(분수)
① 나눗셈을 곱셈으로 바꾸기
② 나누는 수의 분모와 분자를 바꾸기

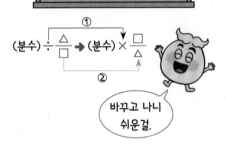

$$(분수)\div\frac{\triangle}{\square} \to (분수)\times\frac{\square}{\triangle}$$

바꾸고 나니 쉬운걸.

참고
$$\frac{4}{7}\div\frac{2}{3}=\frac{4}{7}\times\frac{1}{2}\times3=\frac{4}{7}\times\frac{3}{2}$$

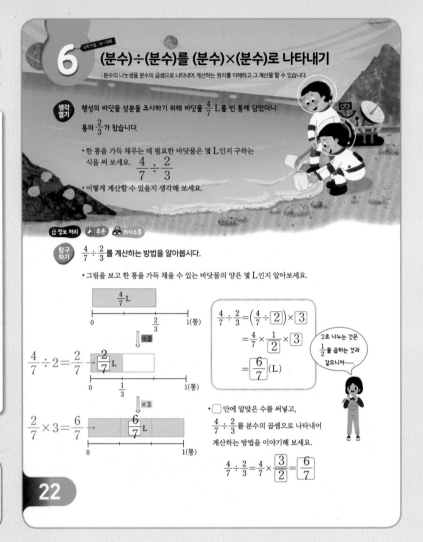

6 (분수)÷(분수)를 (분수)×(분수)로 나타내기

분수의 나눗셈을 분수의 곱셈으로 나타내어 계산하는 원리를 이해하고 그 계산을 합니다.

생각 열기
행성의 바닷물 성분을 조사하기 위해 바닷물을 $\frac{4}{7}$ L를 빈 통에 담았더니 통의 $\frac{2}{3}$가 찼습니다.

• 한 통을 가득 채우는 데 필요한 바닷물이 몇 L인지 구하는 식을 써 보세요. $\frac{4}{7}\div\frac{2}{3}$

• 어떻게 계산할 수 있을지 생각해 보세요.

정보 처리   추론   의사소통

탐구하기 $\frac{4}{7}\div\frac{2}{3}$를 계산하는 방법을 알아봅시다.

• 그림을 보고 한 통을 가득 채울 수 있는 바닷물의 양은 몇 L인지 알아보세요.

$$\frac{4}{7}\div2=\frac{2}{7}$$

$$\frac{2}{7}\times3=\frac{6}{7}$$

$$\frac{4}{7}\div\frac{2}{3}=\left(\frac{4}{7}\div2\right)\times3$$
$$=\frac{4}{7}\times\frac{1}{2}\times3$$
$$=\frac{6}{7}(L)$$

2로 나누는 것은 $\frac{1}{2}$을 곱하는 것과 같으니까......

• □ 안에 알맞은 수를 써넣고, $\frac{4}{7}\div\frac{2}{3}$를 분수의 곱셈으로 나타내어 계산하는 방법을 이야기해 보세요.

$$\frac{4}{7}\div\frac{2}{3}=\frac{4}{7}\times\frac{3}{2}=\frac{6}{7}$$

22

교과서 개념 완성

탐구하기 $\frac{4}{7}\div\frac{2}{3}$의 계산 방법 탐구하기

• 그림을 보고 알아보기

$\frac{1}{3}$은 $\frac{2}{3}$의 반이므로 바닷물 $\frac{4}{7}$ L의 반은

$\frac{4}{7}\div2=\frac{2}{7}$(L)입니다. 따라서 1통은 $\frac{1}{3}$통의 3배

이므로 $\frac{2}{7}\times3=\frac{6}{7}$ (L)입니다.

➡ $\frac{4}{7}\div\frac{2}{3}=\left(\frac{4}{7}\div2\right)\times3=\overset{2}{\frac{4}{7}}\times\frac{1}{\underset{1}{2}}\times3=\frac{6}{7}$

• 분수의 곱셈으로 알아보기

$$\frac{4}{7}\div\frac{2}{3}=\frac{\overset{2}{4}}{7}\times\frac{3}{\underset{1}{2}}=\frac{6}{7}$$

정리하기 (분수)÷(분수)를 (분수)×(분수)로 나타내어 계산하는 방법

나눗셈을 곱셈으로 고치고, 나누는 분수의 분모와 분자를 바꾸어 계산합니다.

$$\frac{4}{7}\div\frac{2}{3}=\frac{\overset{2}{4}}{7}\times\frac{3}{\underset{1}{2}}=\frac{6}{7}$$

정리 하기

$\dfrac{4}{7} \div \dfrac{2}{3}$ 를 분수의 곱셈으로 나타내어 계산하는 방법을 정리해 봅시다.

나눗셈을 곱셈으로 고치고, 나누는 분수의 분모와 분자를 바꾸어 줍니다.

$$\frac{4}{7} \div \frac{2}{3} = \frac{4}{7} \times \frac{3}{2} = \frac{6}{7}$$

• $1\dfrac{3}{4} \div \dfrac{3}{10}$ 을 계산해 보세요.

> 대분수를 가분수로 고쳐서 계산해요.

$$1\frac{3}{4} \div \frac{3}{10} = \frac{7}{4} \div \frac{3}{10} = \frac{7}{4} \times \frac{10}{3} = \frac{35}{6} = 5\frac{5}{6}$$

대분수를 가분수로 고칩니다.

 확인 하기

분수의 나눗셈을 분수의 곱셈으로 나타내어 계산해 보세요.

$\dfrac{1}{5} \div \dfrac{9}{10} = \dfrac{2}{9}$ $\dfrac{6}{7} \div \dfrac{3}{14} = 4$

$8 \div \dfrac{4}{15} = 30$ $1\dfrac{2}{3} \div \dfrac{5}{9} = 3$

$8 \div \dfrac{4}{15} = \overset{2}{8} \times \dfrac{15}{\underset{1}{4}} = 30$ $1\dfrac{2}{3} \div \dfrac{5}{9} = \dfrac{5}{3} \div \dfrac{5}{9} = \dfrac{\overset{1}{5}}{\underset{1}{3}} \times \dfrac{\overset{3}{9}}{\underset{1}{5}} = 3$

 생각 솔솔

$\dfrac{3}{4} \div \dfrac{6}{5}$ 을 계산한 것입니다. ☐ 안에 알맞은 수를 써넣고, 계산 방법을 비교해 보세요.

방법1 통분하여 분자끼리의 나눗셈으로 계산한 것입니다.

$\dfrac{3}{4} \div \dfrac{6}{5} = \dfrac{15}{20} \div \dfrac{24}{20} = 15 \div 24 = \dfrac{15}{24} = \dfrac{5}{8}$

계산 결과가 같습니다.

방법2 $\dfrac{3}{4} \div \dfrac{6}{5} = \dfrac{3}{4} \times \dfrac{5}{6} = \dfrac{5}{8}$

나눗셈을 곱셈으로 고치고, 나누는 분수의 분모와 분자를 바꾸어 계산한 것입니다.

23

이런 문제가 서술형으로 나와요

굵기가 일정한 철근 $\dfrac{1}{2}$ m의 무게가 $\dfrac{7}{9}$ kg입니다. 이 철근 1 kg의 길이는 몇 m인지 풀이 과정을 쓰고, 답을 구해 보세요.

| 풀이 과정 |

❶ 철근 1 kg의 길이를 구하는 식 세우기

(철근 1 kg의 길이)

$=$ (철근의 길이) $\div$ (철근의 무게) $= \dfrac{1}{2} \div \dfrac{7}{9}$

❷ 철근 1 kg의 길이 구하기

$$\frac{1}{2} \div \frac{7}{9} = \frac{1}{2} \times \frac{9}{7} = \frac{9}{14} \text{ (m)}$$

답 $\dfrac{9}{14}$ m

● 수학 교과 역량 ● 정보 처리 ★ 추론 의사소통

$\dfrac{4}{7} \div \dfrac{2}{3}$ 의 계산 방법 탐구하기

(분수)÷(분수)의 계산 원리를 알아보는 과정에서 정보 처리 능력과 추론 능력을 기를 수 있고, 계산 방법을 이야기해 보는 과정에서 의사소통 능력을 기를 수 있습니다.

개념 확인 문제   정답 및 풀이 199쪽

1 나눗셈을 계산할 수 있는 곱셈식을 찾아 이어 보세요.

$\dfrac{5}{7} \div \dfrac{2}{9}$ •   • $\dfrac{5}{7} \times \dfrac{2}{9}$

$\dfrac{5}{7} \div \dfrac{9}{2}$ •   • $\dfrac{5}{7} \times \dfrac{9}{2}$

2 계산해 보세요.

(1) $\dfrac{6}{11} \div \dfrac{2}{7}$ (2) $\dfrac{5}{12} \div \dfrac{5}{9}$

3 $\dfrac{8}{5} \div \dfrac{3}{10}$ 을 두 가지 방법으로 계산해 보세요.

방법1 $\dfrac{8}{5} \div \dfrac{3}{10} = \dfrac{\square}{10} \div \dfrac{3}{10} = \square \div 3$

$= \dfrac{\square}{3} = \dfrac{\square}{\square} = \square\dfrac{\square}{\square}$

방법2 $\dfrac{8}{5} \div \dfrac{3}{10} = \dfrac{8}{5} \times \dfrac{\square}{\square} = \dfrac{\square}{3} = \dfrac{\square}{\square} = \square\dfrac{\square}{\square}$

4 $\dfrac{4}{9}$ 를 어떤 수로 나누었더니 $\dfrac{3}{4}$ 이 되었습니다. 어떤 수는 얼마일까요?

(   )

7 | 여러 가지 분수의 나눗셈

(분수)÷(분수), (자연수)÷(분수)의 계산을 할 수 있습니다.

그림으로 개념 잡기

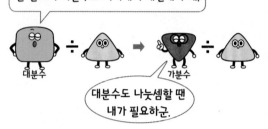

난 반드시 가분수로 나타내어 계산해야 해.

대분수 ÷ ➡ 가분수 ÷

대분수도 나눗셈할 땐 내가 필요하군.

(가분수)÷(가분수)의 계산 방법

방법1 통분하여 계산하는 방법

(예) $\dfrac{7}{5} \div \dfrac{4}{3} = \dfrac{21}{15} \div \dfrac{20}{15} = 21 \div 20$

$= \dfrac{21}{20} = 1\dfrac{1}{20}$

방법2 나눗셈을 곱셈으로 바꾸어 계산하는 방법

(예) $\dfrac{7}{5} \div \dfrac{4}{3} = \dfrac{7}{5} \times \dfrac{3}{4} = \dfrac{21}{20} = 1\dfrac{1}{20}$

7 여러 가지 분수의 나눗셈

| (분수)÷(분수), (자연수)÷(분수)의 계산을 할 수 있습니다.

익히기 계산해 보세요.

$\dfrac{5}{9} \div \dfrac{2}{9} = 2\dfrac{1}{2}\left(=\dfrac{5}{2}\right)$ ㅤ $\dfrac{4}{11} \div \dfrac{7}{11} = \dfrac{4}{7}$

$\dfrac{5}{9} \div \dfrac{2}{9} = \dfrac{5}{9} \times \dfrac{9}{2} = \dfrac{5}{2} = 2\dfrac{1}{2}$ ㅤ $\dfrac{4}{11} \div \dfrac{7}{11} = \dfrac{4}{11} \times \dfrac{11}{7} = \dfrac{4}{7}$

$\dfrac{5}{6} \div \dfrac{5}{12} = 2$ ㅤ $\dfrac{3}{7} \div \dfrac{2}{9} = 1\dfrac{13}{14}\left(=\dfrac{27}{14}\right)$

$\dfrac{5}{6} \div \dfrac{5}{12} = \dfrac{5}{6} \times \dfrac{12}{5} = 2$ ㅤ $\dfrac{3}{7} \div \dfrac{2}{9} = \dfrac{3}{7} \times \dfrac{9}{2} = \dfrac{27}{14} = 1\dfrac{13}{14}$

$6 \div \dfrac{3}{4} = 8$ ㅤ $10 \div \dfrac{4}{5} = 12\dfrac{1}{2}\left(=\dfrac{25}{2}\right)$

$6 \div \dfrac{3}{4} = 6 \times \dfrac{4}{3} = 8$ ㅤ $10 \div \dfrac{4}{5} = 10 \times \dfrac{5}{4} = \dfrac{25}{2} = 12\dfrac{1}{2}$

$\dfrac{15}{8} \div \dfrac{5}{7} = 2\dfrac{5}{8}\left(=\dfrac{21}{8}\right)$ ㅤ $4\dfrac{2}{3} \div 2\dfrac{5}{6} = 1\dfrac{11}{17}\left(=\dfrac{28}{17}\right)$

$\dfrac{15}{8} \div \dfrac{5}{7} = \dfrac{15}{8} \times \dfrac{7}{5}$

$= \dfrac{21}{8} = 2\dfrac{5}{8}$

$4\dfrac{2}{3} \div 2\dfrac{5}{6} = \dfrac{14}{3} \div \dfrac{17}{6} = \dfrac{14}{3} \times \dfrac{6}{17}$

$= \dfrac{28}{17} = 1\dfrac{11}{17}$

24

교과서 개념 완성

적용 과학과 관련된 분수의 나눗셈 해결하기

1. 태양과 행성 사이의 거리 비교하기
   • 태양에서 금성까지의 거리는 태양에서 수성까지의

   거리의 $\dfrac{7}{10} \div \dfrac{2}{5} = \dfrac{7}{10} \times \dfrac{5}{2} = \dfrac{7}{4} = 1\dfrac{3}{4}$(배)입니다.

   • 태양에서 목성까지의 거리는 태양에서 화성까지의
   거리의
   $5\dfrac{1}{5} \div 1\dfrac{1}{2} = \dfrac{26}{5} \div \dfrac{3}{2} = \dfrac{26}{5} \times \dfrac{2}{3} = \dfrac{52}{15} = 3\dfrac{7}{15}$
   (배)입니다.

도전 실생활과 관련된 분수의 나눗셈 해결하기

• 사과 $1\dfrac{3}{4}$개로 사과주스 $\dfrac{2}{3}$컵을 만들 수 있으므로

사과주스 한 컵을 만들기 위해 필요한 사과는

$1\dfrac{3}{4} \div \dfrac{2}{3} = \dfrac{7}{4} \div \dfrac{2}{3} = \dfrac{7}{4} \times \dfrac{3}{2} = \dfrac{21}{8} = 2\dfrac{5}{8}$(개)

입니다.

• 사과주스 $\dfrac{2}{3}$컵을 만들려면 사과 $1\dfrac{3}{4}$개가 필요하므
로 사과 1개로 사과주스를 만들면

$\dfrac{2}{3} \div 1\dfrac{3}{4} = \dfrac{2}{3} \div \dfrac{7}{4} = \dfrac{2}{3} \times \dfrac{4}{7} = \dfrac{8}{21}$(컵)이 됩니다.

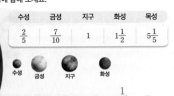

1. 태양에서 지구까지의 거리를 1로 보았을 때, 태양과 행성 사이의 거리를 나타낸 것입니다. 물음에 답해 보세요.

수성	금성	지구	화성	목성
$\frac{2}{5}$	$\frac{7}{10}$	1	$1\frac{1}{2}$	$5\frac{1}{5}$

수성   금성   지구   화성   목성

$$\frac{7}{10} \div \frac{2}{5} = \frac{7}{\cancel{10}} \times \frac{\cancel{5}}{2} = \frac{7}{4} = 1\frac{3}{4}$$

• 태양에서 금성까지의 거리는 태양에서 수성까지의 거리의 몇 배인가요?

식 $\frac{7}{10} \div \frac{2}{5} = 1\frac{3}{4}$ 답 $1\frac{3}{4}$ 배

• 태양에서 목성까지의 거리는 태양에서 화성까지의 거리의 몇 배인가요?

식 $5\frac{1}{5} \div 1\frac{1}{2} = 3\frac{7}{15}$ 답 $3\frac{7}{15}$ 배

$$5\frac{1}{5} \div 1\frac{1}{2} = \frac{26}{5} \div \frac{3}{2} = \frac{26}{5} \times \frac{2}{3} = \frac{52}{15} = 3\frac{7}{15}$$

2. 지구에서 잰 무게가 31 kg인 물체를 달에서 재었더니 약 $5\frac{1}{6}$ kg이었습니다. 지구에서 잰 무게는 달에서 잰 무게의 약 몇 배인지 구해 보세요.

식 $31 \div 5\frac{1}{6} = 6$ 답 약 6배

$$31 \div 5\frac{1}{6} = 31 \div \frac{31}{6} = \cancel{31} \times \frac{6}{\cancel{31}} = 6$$

도전 사과 $1\frac{3}{4}$개로 사과주스 $\frac{2}{3}$컵을 만들 수 있습니다. 물음에 답해 보세요.

• 사과주스 한 컵을 만들기 위해 필요한 사과는 몇 개인가요? $2\frac{5}{8}$개

• 사과 1개로 사과주스를 만들면 몇 컵이 될까요? $\frac{8}{21}$컵

풀이
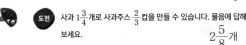
• $1\frac{3}{4} \div \frac{2}{3} = \frac{7}{4} \div \frac{2}{3} = \frac{7}{4} \times \frac{3}{2} = \frac{21}{8} = 2\frac{5}{8}$

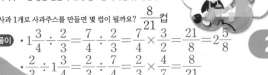
• $\frac{2}{3} \div 1\frac{3}{4} = \frac{2}{3} \div \frac{7}{4} = \frac{2}{3} \times \frac{4}{7} = \frac{8}{21}$

25

이런 문제가 서술형으로 나와요

연비는 휘발유 1 L로 갈 수 있는 거리입니다. 가 자동차는 휘발유 $\frac{2}{15}$ L로 $\frac{8}{9}$ km를 갈 수 있고, 나 자동차는 휘발유 $\frac{5}{42}$ L로 $\frac{7}{10}$ km를 갈 수 있습니다. 가와 나 자동차 중 연비가 더 높은 자동차는 어느 자동차인지 풀이 과정을 쓰고, 답을 구해 보세요.

| 풀이 과정 |

❶ 가 자동차의 연비 구하기

$$\frac{8}{9} \div \frac{2}{15} = \frac{8}{\cancel{9}} \times \frac{\cancel{15}}{\cancel{2}} = \frac{20}{3} = 6\frac{2}{3}$$

❷ 나 자동차의 연비 구하기

$$\frac{7}{10} \div \frac{5}{42} = \frac{7}{\cancel{10}} \times \frac{\cancel{42}}{5} = \frac{147}{25} = 5\frac{22}{25}$$

❸ 연비가 더 높은 자동차 구하기

$6\frac{2}{3} > 5\frac{22}{25}$ 이므로 연비가 더 높은 자동차는 가 자동차입니다.

답 가 자동차

 개념 확인 문제   정답 및 풀이 200쪽

1 계산해 보세요.

(1) $\frac{7}{9} \div \frac{4}{9}$ (2) $8\frac{3}{4} \div 1\frac{1}{6}$

2 계산이 잘못된 것의 기호를 쓰고, 바르게 계산한 값을 구해 보세요.

가: $\frac{1}{3} \div \frac{8}{15} = \frac{7}{8}$ 나: $\frac{9}{8} \div \frac{3}{8} = 3$

(   ), (   )

3 ☐ 안에 알맞은 대분수를 써넣으세요.

$$\boxed{} \times 5\frac{2}{3} = 6\frac{4}{5} \div \frac{8}{45}$$

4 $6\frac{8}{11}$ L의 양동이에 물이 $2\frac{1}{11}$ L 들어 있습니다. 이 양동이에 물을 가득 채우려면 $\frac{17}{22}$ L들이 그릇에 물을 가득 채워 몇 번 부어야 할까요?

(   )

9 차시

문제 해결력 | 쏙쏙

공은 얼마나 높이 튀어 오를까요

학습 목표

식 만들기 전략을 이용하여 문제를 해결하고 어떻게 해결했는지 설명할 수 있습니다.

문제 해결 전략 식 만들기 전략

수학 교과 역량 문제 해결 정보 처리

공은 얼마나 높이 튀어 오를까요

· 문제의 조건을 확인하고 문제 해결에 적절한 전략을 선택하여 문제를 해결하는 과정에서 문제 해결 능력을 기를 수 있습니다.

· 문제에 주어진 정보와 조건을 그림으로 나타내어 문제를 해결하는 과정에서 정보 처리 능력을 기를 수 있습니다.

문제 해결 Tip 빨간색 공을 떨어뜨린 처음 높이의 $\frac{2}{3}$가 90 cm이므로 공을 떨어뜨린 처음 높이는 90을 $\frac{2}{3}$로 나누어 구합니다. 파란색 공이 튀어 오른 높이는 공을 떨어뜨린 처음 높이의 $\frac{3}{5}$이므로 처음 높이에 $\frac{3}{5}$을 곱하여 구합니다.

문제 해결력 쏙쏙

공은 얼마나 높이 튀어 오를까요

문제 해결 정보 처리

빨간색 공은 떨어뜨린 높이의 $\frac{2}{3}$만큼 튀어 오르고, 파란색 공은 떨어뜨린 높이의 $\frac{3}{5}$만큼 튀어 오릅니다. 빨간색 공과 파란색 공을 똑같은 높이에서 떨어뜨렸더니 빨간색 공이 튀어 오른 높이가 90 cm였습니다. 파란색 공이 튀어 오른 높이는 몇 cm인지 구해 보세요.

문제 이해하기

· 구하려고 하는 것은 무엇인가요? 예 파란색 공이 튀어 오른 높이입니다.

· 알고 있는 것은 무엇인가요?
예 · 빨간색 공은 떨어뜨린 높이의 $\frac{2}{3}$만큼 튀어 오르고, 파란색 공은 떨어뜨린 높이의 $\frac{3}{5}$만큼 튀어 오릅니다.
· 빨간색 공과 파란색 공을 똑같은 높이에서 떨어뜨렸습니다.
· 빨간색 공이 튀어 오른 높이가 90 cm입니다.

계획 세우기

· 어떤 방법으로 문제를 해결할 수 있을지 계획을 세워 보세요.

빨간색 공의 처음 높이를 그림으로 나타내어 거꾸로 풀어서 구해 보자.

그다음에 파란색 공이 튀어 오른 높이는 식을 써서 구할 수 있을 거야.

26

교과서 개념 완성

문제 이해하기

》 구하려고 하는 것

파란색 공이 튀어 오른 높이입니다.

》 알고 있는 것

· 빨간색 공은 떨어진 높이의 $\frac{2}{3}$만큼 튀어 오르고, 파란색 공은 떨어뜨린 높이의 $\frac{3}{5}$만큼 튀어 오릅니다.

· 빨간색 공과 파란색 공을 똑같은 높이에서 떨어뜨렸습니다.

· 빨간색 공이 튀어 오른 높이가 90 cm입니다.

계획 세우기

빨간색 공이 튀어 오른 높이를 이용하여 공을 떨어뜨린 처음 높이를 구한 후, 그 높이의 $\frac{3}{5}$이 파란색 공이 튀어 오른 높이가 됨을 이용하면 될 것 같습니다.

계획대로 풀기

빨간색 공을 떨어뜨린 처음 높이의 $\frac{2}{3}$가 90 cm이므로 공을 떨어뜨린 처음 높이는

$$90 \div \frac{2}{3} = \overset{45}{90} \times \frac{3}{2} = 135 \text{ (cm)}$$

입니다. 따라서 파란색 공이 튀어 오른 높이는 $\overset{27}{135} \times \frac{3}{5} = 81$ (cm)입니다.

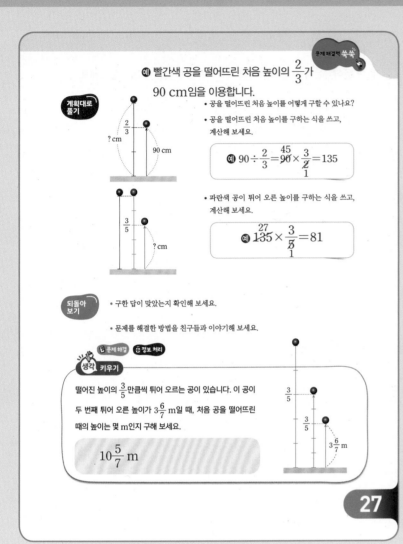

예 빨간색 공을 떨어뜨린 처음 높이의 $\frac{2}{3}$가 90 cm임을 이용합니다.

계획대로 풀기

- 공을 떨어뜨린 처음 높이를 어떻게 구할 수 있나요?
- 공을 떨어뜨린 처음 높이를 구하는 식을 쓰고, 계산해 보세요.

$$\text{예 } 90 \div \frac{2}{3} = \overset{45}{90} \times \frac{3}{\underset{1}{2}} = 135$$

- 파란색 공이 튀어 오른 높이를 구하는 식을 쓰고, 계산해 보세요.

$$\text{예 } \overset{27}{135} \times \frac{3}{\underset{1}{5}} = 81$$

되돌아 보기

- 구한 답이 맞았는지 확인해 보세요.
- 문제를 해결한 방법을 친구들과 이야기해 보세요.

생각 키우기 　문제 해결　정보 처리

떨어진 높이의 $\frac{3}{5}$만큼씩 튀어 오르는 공이 있습니다. 이 공이 두 번째 튀어 오른 높이가 $3\frac{6}{7}$ m일 때, 처음 공을 떨어뜨린 때의 높이는 몇 m인지 구해 보세요.

$10\frac{5}{7}$ m

27

생각 키우기 　문제 해결　정보 처리

문제 이해하기

≫ 구하려고 하는 것

처음 공을 떨어뜨린 때의 높이입니다.

≫ 알고 있는 것

- 떨어진 높이의 $\frac{3}{5}$만큼씩 튀어 오르는 공이 있습니다.
- 두 번째 튀어 오른 공의 높이가 $3\frac{6}{7}$ m입니다.

계획 세우기

첫 번째 튀어 오른 공의 높이를 구한 후, 처음 공을 떨어뜨린 때의 높이를 구하면 될 것 같습니다.

계획대로 풀기

첫 번째 튀어 오른 공의 높이는

$$3\frac{6}{7} \div \frac{3}{5} = \frac{\overset{9}{27}}{7} \times \frac{5}{\underset{1}{3}} = \frac{45}{7} = 6\frac{3}{7} \text{ (m)입니다.}$$

처음 공을 떨어뜨린 때의 높이는

$$\frac{45}{7} \div \frac{3}{5} = \frac{\overset{15}{45}}{7} \times \frac{5}{\underset{1}{3}} = \frac{75}{7} = 10\frac{5}{7} \text{ (m)입니다.}$$

되돌아보기

구한 답이 맞았는지 확인해 봅니다.

$10\frac{5}{7} \times \frac{3}{5} \times \frac{3}{5} = \frac{27}{7} = 3\frac{6}{7}$ 이므로 답이 맞습니다.

문제 해결력 문제　　정답 및 풀이 200쪽

1 보라색 공은 떨어뜨린 높이의 $\frac{4}{5}$만큼 튀어 오르고, 초록색 공은 떨어뜨린 높이의 $\frac{3}{4}$만큼 튀어 오릅니다. 보라색 공과 초록색 공을 똑같은 높이에서 떨어뜨렸더니 보라색 공이 튀어 오른 높이가 80 cm였습니다. 초록색 공이 튀어 오른 높이는 몇 cm인지 구해 보세요.

(　　　　　　　　)

2 떨어진 높이의 $\frac{4}{7}$만큼씩 튀어 오르는 공이 있습니다. 이 공이 두 번째 튀어 오른 높이가 $4\frac{4}{5}$ m일 때, 처음 공을 떨어뜨린 때의 높이는 몇 m인지 구해 보세요.

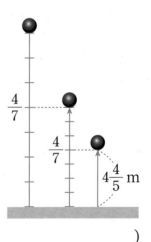

(　　　　　　　　)

1 13쪽 $\frac{9}{10}$ 에 $\frac{3}{10}$ 이 몇 번 들어가는지 그림에 나타내고, ☐ 안에 알맞은 수를 써넣으세요.

$$\frac{9}{10} \div \frac{3}{10} = \boxed{9} \div \boxed{3} = \boxed{3}$$

풀이 $\frac{9}{10}$ 는 $\frac{1}{10}$ 이 9개, $\frac{3}{10}$ 은 $\frac{1}{10}$ 이 3개이므로 $\frac{9}{10}$ 에는 $\frac{3}{10}$ 이 3번 들어갑니다.

따라서 $\frac{9}{10} \div \frac{3}{10} = 9 \div 3 = 3$ 입니다.

2 16쪽, 22쪽 ☐ 안에 알맞은 수를 써넣으세요.

$$\frac{3}{7} \div \frac{2}{5} = \frac{\boxed{15}}{35} \div \frac{\boxed{14}}{\boxed{35}} = \boxed{15} \div \boxed{14} = \frac{\boxed{15}}{\boxed{14}} = 1\frac{\boxed{1}}{\boxed{14}}$$

$$\frac{5}{6} \div \frac{10}{3} = \frac{5}{6} \times \frac{\boxed{3}}{\boxed{10}} = \frac{\boxed{1}}{\boxed{4}}$$

풀이 $\frac{3}{7} \div \frac{2}{5} = \frac{15}{35} \div \frac{14}{35} = 15 \div 14 = \frac{15}{14} = 1\frac{1}{14}$

$\frac{5}{6} \div \frac{10}{3} = \frac{5}{\overset{2}{6}} \times \frac{\overset{1}{3}}{\overset{}{10}} = \frac{1}{4}$

3 14쪽, 20쪽, 22쪽, 24쪽 계산해 보세요.

$$\frac{7}{9} \div \frac{2}{9} = 3\frac{1}{2} \left(= \frac{7}{2} \right) \qquad\qquad 6 \div \frac{3}{5} = 10$$

$$\frac{3}{14} \div \frac{6}{7} = \frac{1}{4} \qquad\qquad 1\frac{4}{5} \div 1\frac{1}{7} = 1\frac{23}{40} \left(= \frac{63}{40} \right)$$

풀이 $\frac{7}{9} \div \frac{2}{9} = 7 \div 2 = \frac{7}{2} = 3\frac{1}{2}$, $6 \div \frac{3}{5} = \overset{2}{6} \times \frac{5}{\overset{3}{}} = 10$

$\frac{3}{14} \div \frac{6}{7} = \frac{\overset{1}{3}}{\overset{}{14}} \times \frac{\overset{1}{7}}{\overset{}{6}} = \frac{1}{4}$, $1\frac{4}{5} \div 1\frac{1}{7} = \frac{9}{5} \div \frac{8}{7} = \frac{9}{5} \times \frac{7}{8} = \frac{63}{40} = 1\frac{23}{40}$

28

④ 우유 $2\frac{2}{5}$ L를 한 병에 $\frac{3}{10}$ L씩 담으면 몇 병이 되는지 구해 보세요.

식 　　　$2\frac{2}{5} \div \frac{3}{10} = 8$ 　　　답 　　8병

풀이 $2\frac{2}{5} \div \frac{3}{10} = \frac{12}{5} \div \frac{3}{10} = \frac{\overset{4}{\cancel{12}}}{\underset{1}{\cancel{5}}} \times \frac{\overset{2}{\cancel{10}}}{\underset{1}{\cancel{3}}} = 8$

▶자습서 20~23쪽

(대분수)÷(진분수)의 문제 해결하기

학부모 코칭 Tip
무엇을 무엇으로 나누어서 식을 세워야 하는지 어려워 하는 경우에는 수를 단순화하거나 그림을 그려 생각해 보게 합니다.

⑤ 밀가루 $1\frac{5}{6}$ 컵으로 빵 $4\frac{1}{2}$ 개를 만들 수 있습니다. 빵 1개를 만들기 위해 필요한 밀가루는 몇 컵인지 구해 보세요.

식 　　　$1\frac{5}{6} \div 4\frac{1}{2} = \frac{11}{27}$

답 　　$\frac{11}{27}$ 컵

풀이 $1\frac{5}{6} \div 4\frac{1}{2} = \frac{11}{6} \div \frac{9}{2} = \frac{11}{\underset{3}{\cancel{6}}} \times \frac{\overset{1}{\cancel{2}}}{9} = \frac{11}{27}$

(대분수)÷(대분수)의 문제 해결하기

▶자습서 20~23쪽

학부모 코칭 Tip
(대분수)÷(대분수)에서 대분수를 가분수로, 나눗셈을 곱셈으로 고쳐서 계산하도록 합니다.

 생각 넓히기 　문제 해결 　의사소통

⑥ $\frac{2}{3} \div \frac{4}{5}$ 를 다음과 같이 계산하였습니다. 계산이 바르지 않은 이유를 쓰고, 바르게 계산해 보세요.

$$\frac{2}{3} \div \frac{4}{5} = \frac{3}{2} \times \frac{5}{4} = \frac{15}{8}$$

이유 예 나눗셈을 곱셈으로 고친 다음 나누는 수 $\frac{4}{5}$ 만 분모와 분자를 바꾸어야 하는데, 나누어지는 수 $\frac{2}{3}$ 도 분모와 분자를 바꾸었습니다.

바르게 계산하기
예 $\frac{2}{3} \div \frac{4}{5} = \frac{\overset{1}{\cancel{2}}}{3} \times \frac{5}{\underset{2}{\cancel{4}}} = \frac{5}{6}$

(분수)÷(분수)의 계산에서 틀린 이유를 쓰고 바르게 계산하기

▶자습서 20~21쪽

학부모 코칭 Tip
분수의 나눗셈을 분수의 곱셈으로 고쳐서 계산할 때 고쳐야 할 부분을 설명하고, 여러 문제를 제시하여 나눗셈을 곱셈으로 나타내는 방법을 형식화할 수 있도록 합니다.

풀이 나눗셈을 곱셈으로 고친 다음, 나누는 수 $\frac{4}{5}$ 만 분모와 분자를 바꾸어 계산해야 하는데 나누어지는 수 $\frac{2}{3}$ 도 분모와 분자를 바꾸었습니다.

바르게 계산하면 $\frac{2}{3} \div \frac{4}{5} = \frac{\overset{1}{\cancel{2}}}{3} \times \frac{5}{\underset{2}{\cancel{4}}} = \frac{5}{6}$ 입니다.

29

• 놀이 속으로 | 풍덩 • 이야기로 키우는 | 생각

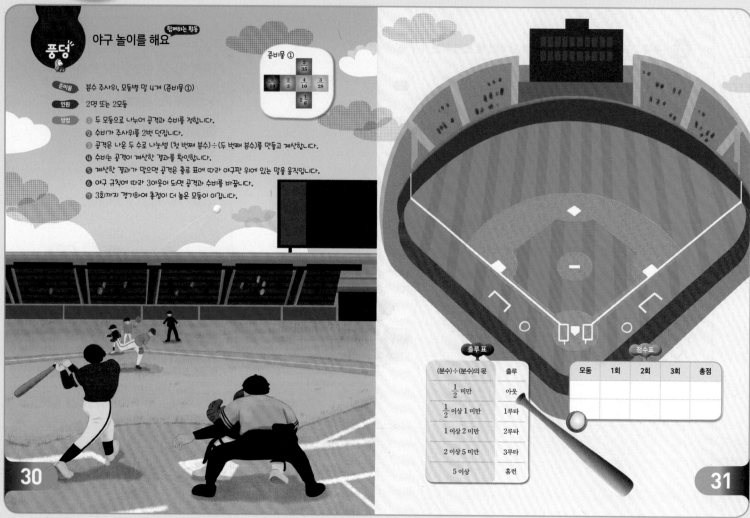

야구 놀이를 해요 (함께하는 활동)

준비물 분수 주사위, 모둠별 말 4개 (준비물 ①)

인원 2명 또는 2모둠

방법
① 두 모둠으로 나누어 공격과 수비를 정합니다.
② 수비가 주사위를 2번 던집니다.
③ 공격은 나온 두 수로 나눗셈 (첫 번째 분수)÷(두 번째 분수)를 만들고 계산합니다.
④ 수비는 공격이 계산한 결과를 확인합니다.
⑤ 계산한 결과가 맞으면 공격은 출루 표에 따라 야구판 위에 있는 말을 움직입니다.
⑥ 야구 규칙에 따라 3아웃이 되면 공격과 수비를 바꿉니다.
⑦ 3회까지 경기하여 총점이 더 높은 모둠이 이깁니다.

출루표

(분수)÷(분수)의 몫	출루
$\frac{1}{2}$ 미만	아웃
$\frac{1}{2}$ 이상 1 미만	1루타
1 이상 2 미만	2루타
2 이상 5 미만	3루타
5 이상	홈런

점수표

모둠	1회	2회	3회	총점

30

31

교과서 개념 완성

풍덩

1 준비물 확인하기 및 놀이 방법 살펴보기

• 놀이 준비물은 모두 준비되었는지 확인합니다.
 ➡ 준비물: 분수 주사위, 모둠별 말 4개
• 놀이 방법을 읽어 보고 잘 이해하지 못하면 각 단계를 하나하나 따라가면서 해 보도록 합니다.

학부모 코칭 Tip
• 규칙과 놀이 방법을 학생 스스로 파악하도록 시간 여유를 줍니다.
• 나눗셈식을 만들 때 어림을 하게 되므로 계산 결과를 어림만 하지 말고 실제로 계산하게 합니다.

2 실제 놀이하기

• 실제 친구와 짝을 지어 놀이를 해 봅니다.
• 놀이를 하는 중에 친구의 계산이 맞는지 서로 확인해 봅니다.

학부모 코칭 Tip
• 계산 결과를 암기하여 놀이를 진행하지 않도록 합니다.
• 계산할 때 오류를 범하지는 않는지 관찰합니다.

3 새로운 놀이 규칙을 생각하여 놀이하기

놀이 방법을 어떻게 바꾸면 더 재미있는 놀이가 될 수 있는지 생각해 봅니다.

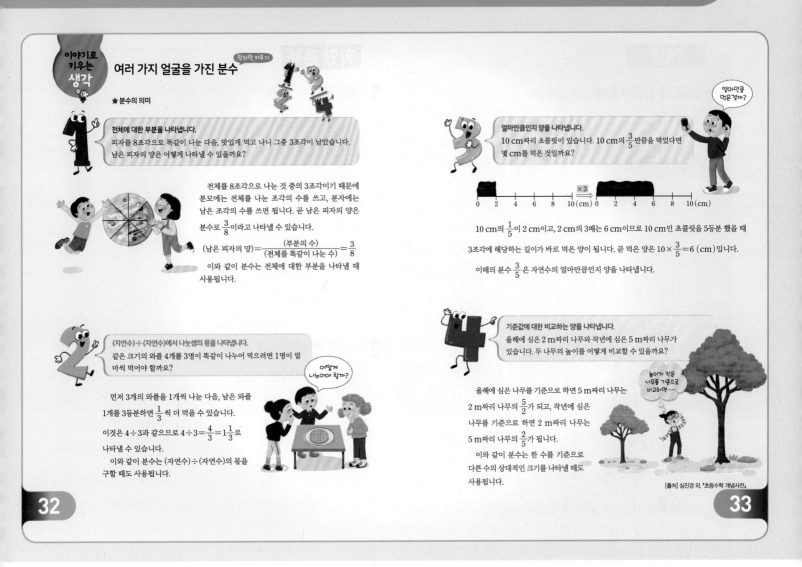

이야기로 키우는 생각 ★참고 자료

분모나 분자에 0이 올 수 있을까?

분모가 0인 분수는 어떤 물건의 수를 0개로 나누었다는 것을 뜻하는데, 어떤 물건의 수를 0개로 나눈다는 것은 결국 나누지 않는다는 것과 같고, 나누지 않았으므로 몫은 당연히 없을 것입니다. 따라서 분모가 0인 분수는 없다고 할 수 있습니다.

또 분모가 0이면 전체가 0이라는 뜻인데, 아무것도 없는 것을 부분으로 나눌 수는 없습니다. 분수를 어떤 값을 기준으로 비교하는 뜻에서 쓸 때도 분모가 0이면 기준값이 0이라는 뜻이기에 아무 것도 없는 것을 기준으로 무엇을 비교할 수는 없습니다.

분수를 나눗셈의 형태로 고칠 때도 분자는 나누어지는 수이고 분모는 나누는 수이기에 분모가 0이면 '0으로 나눈다.'라는 뜻이 되는데, 어떤 수도 0으로 나눌 수는 없기 때문에 분모에 0이 올 수는 없습니다.

그렇다면 분자가 0인 분수는 있을까요? 예를 들어 피자를 8개 조각으로 나누었을 때 아무도 피자를 가져가지 않는다면 전체 조각 중에서 선택한 조각이 없으므로 분자는 0이 됩니다. 따라서 분자가 0인 분수는 그 값이 항상 0인 것입니다.

정리하면 분모가 0인 분수는 있을 수 없고, 분자가 0인 분수는 그 값이 항상 0입니다.

[출처] 오혜정, 『선생님도 놀란 수학 뒤집기-분수와 소수』

1. 분수의 나눗셈 • **29**

개념

⟶ 분모가 같은 (분수)÷(분수)

• $\dfrac{8}{9} \div \dfrac{2}{9}$ 의 계산

$\dfrac{8}{9}$ 은 $\dfrac{1}{9}$ 이 8개이고, $\dfrac{2}{9}$ 는 $\dfrac{1}{9}$ 이 2개이므로 8개를 2개로 나누는 것과 같습니다.

$$\dfrac{8}{9} \div \dfrac{2}{9} = 8 \div 2 = 4$$

분모가 같은 분수의 나눗셈은 분자끼리의 나눗셈으로 계산할 수 있습니다.

• $\dfrac{8}{9} \div \dfrac{7}{9}$ 의 계산

$\dfrac{8}{9}$ 은 $\dfrac{1}{9}$ 이 8개이고, $\dfrac{7}{9}$ 은 $\dfrac{1}{9}$ 이 7개이므로 8개를 7개로 나누는 것과 같습니다.

$\dfrac{8}{9} \div \dfrac{7}{9}$ 은 $8 \div 7$ 을 계산한 결과와 같습니다.

$$\dfrac{8}{9} \div \dfrac{7}{9} = 8 \div 7 = \dfrac{8}{7} = 1\dfrac{1}{7}$$

분자끼리 나누어떨어지지 않는 분수의 나눗셈의 몫은 분수로 나타냅니다.

⟶ 분모가 다른 (분수)÷(분수)

• $\dfrac{2}{3} \div \dfrac{2}{12}$ 의 계산

$\dfrac{2}{3}$ 는 $\dfrac{8}{12}$ 과 같고, $\dfrac{8}{12}$ 은 $\dfrac{2}{12}$ 가 4개이므로

$\dfrac{2}{3} \div \dfrac{2}{12} = 4$ 입니다.

➡ $\dfrac{2}{3} \div \dfrac{2}{12} = \dfrac{8}{12} \div \dfrac{2}{12} = 8 \div 2 = 4$

• $\dfrac{4}{5} \div \dfrac{5}{6}$ 의 계산

분모가 다른 분수의 나눗셈은 통분하여 분자끼리 나누어 계산할 수 있습니다.

➡ $\dfrac{4}{5} \div \dfrac{5}{6} = \dfrac{24}{30} \div \dfrac{25}{30} = 24 \div 25 = \dfrac{24}{25}$

확인 문제

1 계산해 보세요.

(1) $\dfrac{3}{8} \div \dfrac{1}{8}$

(2) $\dfrac{8}{15} \div \dfrac{4}{15}$

(3) $\dfrac{6}{7} \div \dfrac{4}{7}$

(4) $\dfrac{5}{7} \div \dfrac{8}{35}$

2 계산 결과를 비교하여 ◯ 안에 >, =, <를 알맞게 써넣으세요.

$$\dfrac{3}{10} \div \dfrac{6}{7} \bigcirc \dfrac{4}{9} \div \dfrac{1}{6}$$

3 ☐ 안에 알맞은 수를 써넣으세요.

$$\dfrac{35}{41} \div \dfrac{\square}{41} = 5$$

4 식혜를 미호는 $\dfrac{5}{6}$ L, 영은이는 $\dfrac{3}{4}$ L 마셨습니다. 미호가 마신 식혜의 양은 영은이가 마신 식혜의 양의 몇 배일까요?

(   )

개념

◉ (자연수)÷(단위분수)

- $3 \div \dfrac{1}{5}$ 의 계산

$$3 \div \dfrac{1}{5} = 3 \times 5 = 15$$

◉ (자연수)÷(진분수)

- $3 \div \dfrac{3}{5}$ 의 계산

$$3 \div \dfrac{3}{5} = (3 \div 3) \times 5 = 5$$

◉ (분수)÷(분수)를 (분수)×(분수)로 나타내기

- $\dfrac{3}{4} \div \dfrac{2}{5}$ 의 계산

$$\dfrac{3}{4} \div \dfrac{2}{5} = \dfrac{3}{4} \times \dfrac{5}{2} = \dfrac{15}{8} = 1\dfrac{7}{8}$$

◉ 여러 가지 분수의 나눗셈

- (자연수)÷(분수)는 나눗셈을 곱셈으로 나타내어 계산합니다.

$$4 \div \dfrac{3}{5} = 4 \times \dfrac{5}{3} = \dfrac{20}{3} = 6\dfrac{2}{3}$$

- (가분수)÷(분수)는 통분하거나 분수의 곱셈으로 나타내어 계산합니다.

방법1 $\dfrac{7}{4} \div \dfrac{3}{5} = \dfrac{35}{20} \div \dfrac{12}{20} = 35 \div 12$
$$= \dfrac{35}{12} = 2\dfrac{11}{12}$$

방법2 $\dfrac{7}{4} \div \dfrac{3}{5} = \dfrac{7}{4} \times \dfrac{5}{3} = \dfrac{35}{12} = 2\dfrac{11}{12}$

- (대분수)÷(분수)는 대분수를 가분수로 나타내어 계산합니다.

$$1\dfrac{2}{3} \div \dfrac{4}{5} = \dfrac{5}{3} \div \dfrac{4}{5} = \dfrac{5}{3} \times \dfrac{5}{4} = \dfrac{25}{12} = 2\dfrac{1}{12}$$

확인 문제

5 계산해 보세요.

(1) $6 \div \dfrac{1}{5}$ (2) $9 \div \dfrac{3}{7}$

(3) $\dfrac{8}{9} \div \dfrac{5}{6}$ (4) $1\dfrac{2}{5} \div \dfrac{9}{7}$

6 계산 결과가 가장 큰 것을 찾아 기호를 써 보세요.

$$\boxed{\ \ ㉠\ \dfrac{8}{9} \div \dfrac{4}{5} \quad ㉡\ \dfrac{4}{5} \div \dfrac{3}{8} \quad ㉢\ 1\dfrac{1}{2} \div 1\dfrac{5}{6}\ \ }$$

(   )

7 $1\dfrac{5}{6} \div \dfrac{2}{3}$ 를 두 가지 방법으로 계산해 보세요.

방법1 통분하여 계산하기

....

방법2 분수의 곱셈으로 계산하기

....

8 넓이가 $5\dfrac{1}{6}$ cm²이고 높이가 $\dfrac{4}{5}$ cm인 평행사변형의 밑변의 길이는 몇 cm인지 구해 보세요.

(   )

1-1 꽃밭 $5\frac{1}{6}$ m²에 꽃을 심는 데 45분이 걸렸습니다. 한 시간 동안 몇 m²의 꽃밭에 꽃을 심을 수 있는지 풀이 과정을 쓰고, 답을 구해 보세요. [8점]

풀이

❶ 60분이 1시간이므로 45분을 시간으로

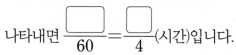

나타내면 $\dfrac{\boxed{}}{60} = \dfrac{\boxed{}}{4}$ (시간)입니다.

❷ 한 시간 동안

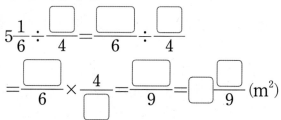

$$5\frac{1}{6} \div \frac{\boxed{}}{4} = \frac{\boxed{}}{6} \div \frac{\boxed{}}{4}$$

$$= \frac{\boxed{}}{6} \times \frac{4}{\boxed{}} = \frac{\boxed{}}{9} = \boxed{}\frac{\boxed{}}{9} \text{ (m}^2)$$

의 꽃밭에 꽃을 심을 수 있습니다.

답 _____

1-2 쌍둥이 밭 $10\frac{5}{6}$ m²를 일구는 데 80분이 걸렸습니다. 한 시간 동안 몇 m²를 일군 셈인지 풀이 과정을 쓰고, 답을 구해 보세요. [12점]

풀이

답 _____

1-3 유사 벽 $9\frac{1}{8}$ m²에 페인트를 칠하는 데 25분이 걸렸습니다. 한 시간 동안 칠할 수 있는 벽의 넓이는 몇 m²인지 풀이 과정을 쓰고, 답을 구해 보세요. [15점]

풀이

답 _____

1-4 실전 현아는 $1\frac{1}{5}$ km를 걷는 데 20분이 걸렸고, 민주는 $2\frac{1}{5}$ km를 걷는 데 35분이 걸렸습니다. 더 빨리 걷는 사람은 누구인지 풀이 과정을 쓰고, 답을 구해 보세요. [15점]

풀이

답 _____

2-1 어떤 수를 $\frac{3}{4}$으로 나누어야 할 것을 잘못하여 곱하였더니 $\frac{4}{5}$가 되었습니다. 바르게 계산하면 얼마인지 풀이 과정을 쓰고, 답을 구해 보세요. [8점]

풀이

❶ 어떤 수를 ■라고 하면 ■$\times\frac{3}{4}=\frac{4}{5}$이므로

$$■=\frac{4}{5}\div\frac{\boxed{}}{4}=\frac{\boxed{}}{5}\times\frac{4}{\boxed{}}=\frac{\boxed{}}{15}$$

❷ 바르게 계산하면

$$\frac{\boxed{}}{15}\div\frac{3}{4}=\frac{\boxed{}}{15}\times\frac{\boxed{}}{\boxed{}}=\frac{\boxed{}}{45}$$

$$=\boxed{}\frac{\boxed{}}{45}$$ 입니다.

답 _____

2-2 (쌍둥이) 어떤 수를 $\frac{2}{3}$로 나누어야 할 것을 잘못하여 곱하였더니 $\frac{2}{7}$가 되었습니다. 바르게 계산하면 얼마인지 풀이 과정을 쓰고, 답을 구해 보세요. [12점]

풀이

답 _____

2-3 (유사) 어떤 수를 $1\frac{3}{5}$으로 나누어야 할 것을 잘못하여 곱하였더니 $1\frac{5}{11}$가 되었습니다. 바르게 계산하면 얼마인지 풀이 과정을 쓰고, 답을 구해 보세요. [15점]

풀이

답 _____

2-4 (실전) 어떤 수를 $1\frac{3}{4}$으로 나누어야 할 것을 잘못하여 곱하였더니 $\frac{7}{9}$이 되었습니다. 바르게 계산한 값을 $\frac{1}{9}$로 나누면 얼마인지 풀이 과정을 쓰고, 답을 구해 보세요. [15점]

풀이

답 _____

| 분모가 같은 (분수)÷(분수), 분모가 다른 (분수)÷(분수), (자연수)÷(진분수) |

01 계산해 보세요.
하

(1) $\dfrac{4}{5} \div \dfrac{1}{5}$

(2) $\dfrac{3}{4} \div \dfrac{3}{8}$

(3) $6 \div \dfrac{3}{4}$

(4) $8 \div \dfrac{2}{3}$

| (분수)÷(분수)를 (분수)×(분수)로 나타내기 |

02 보기와 같이 (분수)÷(분수)를 (분수)×(분수)로
하 나타내어 보세요.

> **보기**
>
> $$\dfrac{3}{4} \div \dfrac{7}{12} = \dfrac{3}{4} \times \dfrac{12}{7}$$

(1) $\dfrac{6}{8} \div \dfrac{7}{15}$

(2) $\dfrac{8}{15} \div \dfrac{4}{5}$

| (분수)÷(분수)를 (분수)×(분수)로 나타내기 |

03 빈 곳에 알맞은 수를 써넣으세요.
하

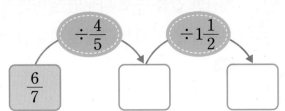

| (분수)÷(분수)를 (분수)×(분수)로 나타내기 |

04 큰 수를 작은 수로 나눈 몫을 구해 보세요.
하

$$1\dfrac{7}{15} \qquad 2\dfrac{1}{3}$$

( )

| (자연수)÷(단위분수), (자연수)÷(진분수) |

05 계산 결과가 같은 것끼리 이어 보세요.
중

$$12 \div \dfrac{3}{4} \qquad\qquad 8 \div \dfrac{1}{6}$$

•   •

•   •   •

$$10 \div \dfrac{5}{8} \qquad 9 \div \dfrac{3}{5} \qquad 18 \div \dfrac{3}{8}$$

| (분수)÷(분수)를 (분자)×(분자)로 나타내기 |

06 정아가 $4\dfrac{2}{7} \div \dfrac{5}{6}$ 를 계산한 것입니다. 계산
중 이 처음으로 잘못된 곳을 찾아 기호를 쓰고,
바르게 계산해 보세요.

$$4\dfrac{2}{7} \div \dfrac{5}{6} = \dfrac{30}{7} \div \dfrac{5}{6} = \overset{5}{\dfrac{30}{7}} \times \dfrac{5}{\underset{1}{6}} = \dfrac{25}{7} = 3\dfrac{4}{7}$$

ㄱ   ㄴ   ㄷ   ㄹ

( )

바른 계산

| 여러 가지 분수의 나눗셈 |

07 서민이가 설명하는 방법대로 계산해 보세요.
중

 두 분수를 통분하여 분모가 같은 분수끼리의
나눗셈과 같은 방법으로 계산해.
서민

$$1\dfrac{1}{2} \div \dfrac{3}{7}$$

| 여러 가지 분수의 나눗셈 |

08 나눗셈의 몫이 큰 것부터 차례로 기호를 써
중 보세요.

$$\text{ㄱ } 2\dfrac{1}{4} \div \dfrac{3}{4} \quad \text{ㄴ } 1\dfrac{3}{4} \div \dfrac{3}{10} \quad \text{ㄷ } 1\dfrac{1}{4} \div \dfrac{1}{5}$$

( )

| 분모가 같은 (분수)÷(분수) |

09 ☐ 안에 알맞은 수를 구해 보세요.
중

$$\frac{\square}{17} \div \frac{3}{17} = 3$$

(   )

| (분수)÷(분수)를 (분수)×(분수)로 나타내기 |

10 ☐ 안에 알맞은 분수를 구해 보세요.
중

$$\square \times \frac{7}{8} = 2\frac{3}{4}$$

(   )

| 분모가 다른 (분수)÷(분수) |

11 재선이네 집에서 학교까지의 거리는 학교에
중   서 우체국까지의 거리의 몇 배일까요?

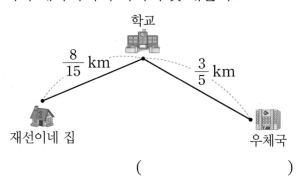

(   )

| 여러 가지 분수의 나눗셈 |

12 ☐ 안에 들어갈 수 있는 자연수는 모두 몇
중   개일까요?

$$\frac{3}{5} \div \frac{13}{20} < \square < \frac{7}{8} \div \frac{1}{6}$$

(   )

| (자연수)÷(단위분수) |

13 어느 휴대 전화의 배터리는 10분 동안 전체
중   의 $\frac{1}{5}$이 충전됩니다. 시간에 따라 충전되는
양이 일정할 때, 방전된 배터리를 완전히 충
전하는 데 걸리는 시간은 몇 분일까요?

(   )

| (분수)÷(분수)를 (분수)×(분수)로 나타내기 |

14 쇠막대 $\frac{9}{8}$ m의 무게가 $\frac{9}{10}$ kg입니다. 쇠막
중   대 1 m의 무게는 몇 kg일까요?

(   )

| 여러 가지 분수의 나눗셈 |

15 오른쪽 삼각형의 넓이가
중 $2\frac{7}{24}$ cm²이고, 밑변의 길이
가 $1\frac{5}{6}$ cm일 때, 높이는 몇
cm일까요?

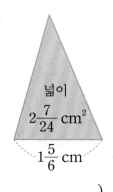

(   )

| 여러 가지 분수의 나눗셈 | 서술형

16 어떤 수에 $2\frac{2}{5}$를 곱하였더니 $3\frac{7}{10}$이 되었
(중) 습니다. 어떤 수를 $\frac{5}{18}$로 나눈 값을 구하려
고 합니다. 풀이 과정을 쓰고, 답을 구해 보
세요.

풀이

답 _____

| 여러 가지 분수의 나눗셈 |

17 휘발유 $\frac{5}{8}$ L로 $8\frac{1}{3}$ km를 가는 오토바이가
(중) 있습니다. 이 오토바이는 휘발유 1 L로 몇
km를 갈 수 있을까요?
(_____)

| (분수)÷(분수)를 (분수)×(분수)로 나타내기 | 서술형

18 $8\frac{3}{4}$ L의 우유를 $1\frac{5}{8}$ L들이의 병에 담으려
(상) 고 합니다. 우유를 모두 담으려면 병은 적어
도 몇 개가 필요할까요?

풀이

답 _____

| 분모가 다른 (분수)÷(분수) | 서술형

19 4장의 숫자 카드를 한 번씩 사용하여
(상) (진분수)÷(진분수)인 나눗셈식을 만들어
나올 수 있는 몫 중에서 가장 큰 몫을 구하
려고 합니다. 풀이 과정을 쓰고, 답을 구해
보세요.

4   5   6   9

풀이

답 _____

| 여러 가지 분수의 나눗셈 |

20 다음은 영선이가 호떡을 만들기 위해 준비
(상) 한 재료입니다. 물음에 답해 보세요.

재료	밀가루	설탕
준비한 양(컵)	$6\frac{2}{3}$	4

(1) 호떡 한 개를 만드는 데 설탕 $\frac{2}{5}$컵이 필
요하다면 준비한 설탕으로는 호떡을 몇
개 만들 수 있을까요?
(_____)

(2) 호떡 한 개를 만드는 데 밀가루 $1\frac{1}{3}$컵이
필요하다면 준비한 밀가루로는 호떡을
몇 개 만들 수 있을까요?
(_____)

실생활에서 분수의 나눗셈을 활용해 볼까요?

2

공간과 입체

• 독도 모형과 쌓기나무로 쌓은 모양을 관찰하면서 이야기를 나누고 있습니다.
• 쌓기나무로 쌓은 모양을 보고 위, 앞, 옆에서 본 모양을 어떻게 그릴 수 있는지 궁금해하고 있습니다.

그림 속 상황

자/기/주/도/학/습

준비 팡팡

'무엇을 알고 있나요'와 '함께 생각해 볼까요'를 통하여 단원을 준비할 수 있습니다.

📌 필요한 쌓기나무의 개수 구하기

1층부터 차례로 놓여 있는 쌓기나무의 개수를 세어 봅니다.

- (왼쪽) 1층에 4개, 2층에 1개이므로
  $4+1=5$(개)입니다.
- (오른쪽) 1층에 5개, 2층에 1개이므로
  $5+1=6$(개)입니다.

📌 옮겨야 할 쌓기나무 찾기

왼쪽 앞에 1개가 있어야 하므로 ㉣을 옮겨야 합니다.

📌 쌓은 모양 찾기

- 첫 번째는 계단 모양이므로 ㉢입니다.
- 두 번째는 왼쪽 앞에 1개, 오른쪽 뒤에 1개가 있으므로 ㉠입니다.
- 세 번째는 오른쪽 앞과 뒤에 각각 1개가 있으므로 ㉡입니다.

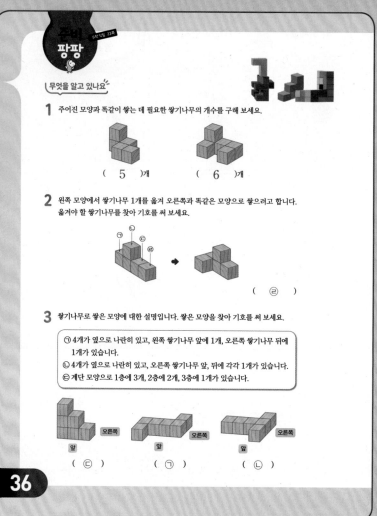

준비 팡팡 | 수학 익힘 23쪽

무엇을 알고 있나요

1 주어진 모양과 똑같이 쌓는 데 필요한 쌓기나무의 개수를 구해 보세요.

(5)개   (6)개

2 왼쪽 모양에서 쌓기나무 1개를 옮겨 오른쪽과 똑같은 모양으로 쌓으려고 합니다. 옮겨야 할 쌓기나무를 찾아 기호를 써 보세요.

(㉣)

3 쌓기나무로 쌓은 모양에 대한 설명입니다. 쌓은 모양을 찾아 기호를 써 보세요.

㉠ 4개가 옆으로 나란히 있고, 왼쪽 쌓기나무 앞에 1개, 오른쪽 쌓기나무 뒤에 1개가 있습니다.
㉡ 4개가 옆으로 나란히 있고, 오른쪽 쌓기나무 앞, 뒤에 각각 1개가 있습니다.
㉢ 계단 모양으로 1층에 3개, 2층에 2개, 3층에 1개가 있습니다.

앞   오른쪽   앞   오른쪽   앞   오른쪽
(㉢)   (㉠)   (㉡)

36

교과서 개념 완성 | 배운 것을 다시 생각하기

➡️ 똑같은 모양으로 쌓기

똑같은 모양으로 쌓으려면 이용된 쌓기나무의 수, 전체적인 모양, 쌓기나무를 놓은 위치나 방향, 쌓기나무의 층수를 생각하며 똑같이 쌓습니다.

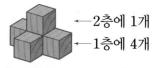

← 2층에 1개
← 1층에 4개

쌓기나무로 쌓은 모양은 1층에 4개, 2층에 1개가 있으므로 똑같은 모양으로 쌓으려면 쌓기나무 5개가 필요합니다.

➡️ 정육면체 알아보기

정사각형 6개로 둘러싸인 도형을 정육면체라고 합니다.

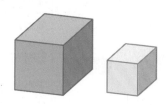

정육면체의 면의 수는 6개,
모서리의 수는 12개, 꼭짓점의 수는 8개입니다.

➡️ 직육면체와 정육면체의 부피 구하기

- (직육면체의 부피)＝(가로)×(세로)×(높이)
- (정육면체의 부피)＝(한 모서리의 길이)
  　　　　　×(한 모서리의 길이)
  　　　　　×(한 모서리의 길이)

준비 팡팡

함께 생각해 볼까요

1 위에서 본 모양을 보고 맞는 물건을 찾아 선으로 이어 보세요.

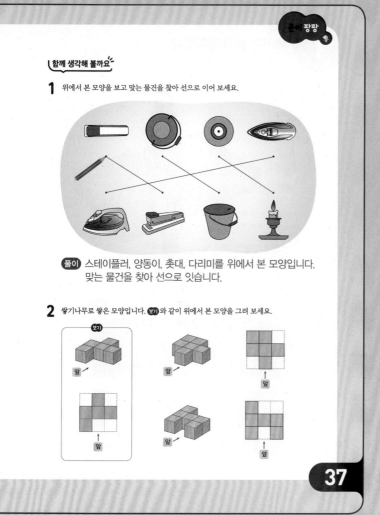

풀이 스테이플러, 양동이, 촛대, 다리미를 위에서 본 모양입니다. 맞는 물건을 찾아 선으로 잇습니다.

2 쌓기나무로 쌓은 모양입니다. 보기와 같이 위에서 본 모양을 그려 보세요.

보기

앞 앞 앞
앞 앞 앞

37

■ 위에서 본 모양을 보고 맞는 물건 찾기
위에서 본 모양을 보고 어떤 물건을 본 것인지 추측하여 찾아봅니다.

■ 쌓기나무로 쌓은 모양을 보고 위에서 본 모양 그리기
쌓기나무로 쌓은 모양을 보고 위에서 본 모양을 모눈종이에 그려 봅니다.
이때 모눈종이에 그린 모양이 앞에서 본 모양이 되도록 방향에 주의합니다.

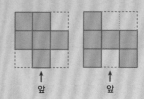
앞　　　　앞

개념 확인 문제 　　정답 및 풀이 205쪽

| 2-1 2. 여러 가지 도형 |

1 똑같은 모양으로 쌓으려면 쌓기나무가 몇 개 필요한지 구해 보세요.

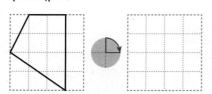

(　　　　　　　)

| 4-1 4. 평면도형의 이동 |

2 도형을 시계 방향으로 90°만큼 돌렸을 때의 모양을 그려 보세요.

| 5-2 5. 직육면체와 정육면체 |

3 직육면체에서 ◻ 안에 알맞은 수를 써넣으세요.

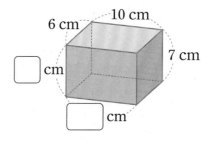

| 6-1 6. 직육면체의 부피와 겉넓이 |

4 한 모서리의 길이가 8 cm인 정육면체의 부피는 몇 cm³인지 구해 보세요.

(　　　　　　　)

학습 목표

실생활 공간의 사물을 찍은 사진을 보고 어느 방향에서 본 것인지 추측할 수 있습니다.

그림으로 개념 잡기

내가 있는 방향에서 보면 새 뒷모습이 보여.

내가 있는 방향에서 보면 새 앞모습이 보여.

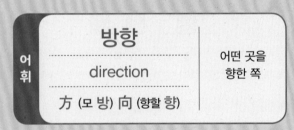

어휘	방향	어떤 곳을 향한 쪽
	direction	
	方 (모 방) 向 (향할 향)	

1 바라본 방향 알아보기

| 실생활 공간의 사물을 찍은 사진을 보고 어느 방향에서 본 것인지 추측할 수 있습니다.

생각 열기 희수네 반 친구들은 독도 모형의 사진을 여러 방향에서 찍었습니다.

• 네 명의 친구들이 찍은 독도는 각각 어떤 모양일지 생각해 보세요.

예 네 명의 친구들이 찍은 독도는 서도와 동도가 모두 보이는 모양일 것 같습니다.

추측과 확인 어느 방향에서 찍은 사진인지 추측해 봅시다.

• 각 사진은 각각 누가 찍은 것인지 말해 보세요.

다인 가　　서준 나

준형 다　　희수 라

풀이 앞쪽에 동도의 등대가 보이고 뒤쪽에 서도의 탕건봉이 보이므로 서준이가 찍은 사진입니다.

○은 등대,
●은 탕건봉,
◎은 선착장이에요.

• 왜 그렇게 생각했는지 이야기해 보세요.

풀이 동도와 서도가 겹쳐져 보이지만 앞쪽에 서도의 탕건봉이 보이고, 뒤쪽에 동도의 선착장과 등대가 보이므로 희수가 찍은 사진입니다.

38

교과서 개념 완성

생각 열기 **네 명의 친구들이 찍은 독도의 모양 생각하기**

다인, 준형이가 찍은 독도는 서도와 동도가 떨어져 있는 모양일 것 같고, 희수와 서준이가 찍은 독도는 동도와 서도가 겹쳐진 부분이 있어서 이어져 있는 모양일 것 같습니다.

학부모 코칭 Tip

네 친구들이 각각 다른 방향에서 찍은 독도의 모양을 생각해 보는 활동을 통하여 위치와 방향에 따라 보이는 대상이 달라진다는 것을 알게 합니다.

추측과 확인 **어느 방향에서 찍은 사진인지 추측하기**

• 가 사진은 왼쪽에 동도의 등대가 보이고, 오른쪽에 서도의 탕건봉이 보이므로 다인이가 찍은 사진입니다.

• 다 사진은 왼쪽에 서도의 탕건봉이 보이고 가운데에 선착장이 보이며, 오른쪽에 동도의 등대가 보이므로 준형이가 찍은 사진입니다.

학부모 코칭 Tip

조감도에 보이는 두 개의 섬과 주요 지형지물의 위치 관계를 파악하여 사진을 찍은 방향을 추론할 수 있도록 합니다.

익히기 새롬이는 ㉠~㉣의 위치에서 조형물을 보고 사진을 찍었습니다. 각 사진을 찍은 위치를 찾아 기호를 써 보세요.

(㉴) (㉳) (㉣) (㉤)

풀이 각 사진에서 공 모양과 정육면체 모양의 위치 관계를 파악하여 사진을 찍은 위치를 찾습니다.

풀이 ㉤는 가운데에 선착장, 왼쪽에 주황색 지붕 건물 2채, 오른쪽 뒤로 보라색 건물이 보이므로 ㉤에서 찍은 사진입니다.

정보 처리 · 추론

도전 ㉤, ㉳, ㉴ 사진은 어느 위치에서 찍은 것인지 ☐ 안에 기호를 써넣고, 친구들과 이야기해 보세요.

• ㉳는 왼쪽에 등대, 가운데에 길, 오른쪽에 주황색 지붕 건물 2채가 보이므로 ㉣에서 찍은 사진입니다.
• ㉴는 왼쪽에 등대와 주황색 지붕 건물 3채, 가운데에 길, 오른쪽에 보라색 건물이 보이므로 ㉶에서 찍은 사진입니다.

39

이런 문제가 서술형으로 나와요

오른쪽은 혜란이가 찍은 사진입니다. 혜란이가 사진을 찍은 위치는 어디인지 풀이 과정을 쓰고, 답을 구해 보세요.

| 풀이 과정 |

❶ 각 위치에서 본 모양 알아보기

가   나   다

❷ 혜란이가 사진을 찍은 위치 구하기

혜란이가 사진을 찍은 위치는 나입니다. 답 나

수학 교과 역량 정보 처리 · 추론

사진을 보고 어느 위치에서 찍은 것인지 찾기

실생활에서 볼 수 있는 사진을 보고 사진 속 정보를 근거로 하여 위치와 방향의 수학적 사실을 도출하는 과정에서 정보 처리 능력과 추론 능력을 기를 수 있습니다.

개념 확인 문제   정답 및 풀이 205쪽

[1~3] 탁자 위에 놓인 물건들을 각 방향에서 본 모양입니다. 그림을 보고 물음에 답해 보세요.

가

나   다

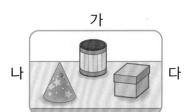

1 가 방향에서 본 모양을 찾아 기호를 써 보세요.

(   )

2 다 방향에서 본 모양을 찾아 기호를 써 보세요.

(   )

3 상자 모양의 물건이 가장 뒤에 보이는 방향을 찾아 기호를 써 보세요.

(   )

3 2 | 쌓은 모양과 쌓기나무의 개수(1)

학습 목표

쌓기나무로 쌓은 모양과 위에서 본 모양을 보고 사용된
쌓기나무의 개수를 구할 수 있습니다.

그림으로 개념 잡기

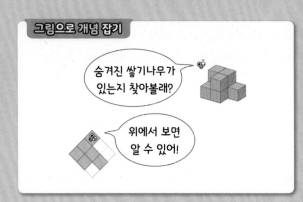

숨겨진 쌓기나무가
있는지 찾아볼래?

위에서 보면
알 수 있어!

어휘	추측	미루어
	conjecture	생각하여
	推 (밀 추) 測 (헤아릴 측)	헤아림

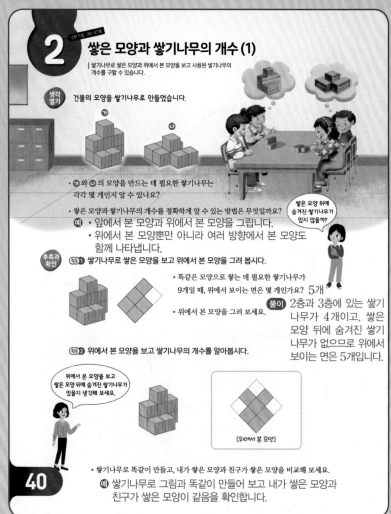

2 쌓은 모양과 쌓기나무의 개수 (1)

| 쌓기나무로 쌓은 모양과 위에서 본 모양을 보고 사용된 쌓기나무의
개수를 구할 수 있습니다.

생각 열기 건물의 모양을 쌓기나무로 만들었습니다.

㉮

㉯

• ㉮와 ㉯의 모양을 만드는 데 필요한 쌓기나무는
각각 몇 개인지 알 수 있나요?

• 쌓은 모양과 쌓기나무의 개수를 정확히 알 수 있는 방법은 무엇일까요?
예 • 앞에서 본 모양과 위에서 본 모양을 그립니다.
• 위에서 본 모양뿐만 아니라 여러 방향에서 본 모양도
함께 나타냅니다.

쌓은 모양 뒤에
숨겨진 쌓기나무가
있지 않을까?

추측과 확인 활동1 쌓기나무로 쌓은 모양을 보고 위에서 본 모양을 그려 봅시다.

• 똑같은 모양으로 쌓는 데 필요한 쌓기나무가
9개일 때, 위에서 보이는 면은 몇 개인가요? 5개

• 위에서 본 모양을 그려 보세요.

풀이 2층과 3층에 있는 쌓기
나무가 4개이고, 쌓은
모양 뒤에 숨겨진 쌓기
나무가 없으므로 위에서
보이는 면은 5개입니다.

활동2 위에서 본 모양을 보고 쌓기나무의 개수를 알아봅시다.

위에서 본 모양을 보고
쌓은 모양 뒤에 숨겨진 쌓기나무가
있을지 생각해 보세요.

[위에서 본 모양]

• 쌓기나무로 똑같이 만들고, 내가 쌓은 모양과 친구가 쌓은 모양을 비교해 보세요.
예 쌓기나무로 그림과 똑같이 만들어 보고 내가 쌓은 모양과
친구가 쌓은 모양이 같음을 확인합니다.

40

교과서 개념 완성

생각 열기 쌓기나무로 쌓은 모양과 쌓기나무의 개수를
정확하게 알 수 있는 방법 생각하기

㉮는 쌓은 모양 뒤에 숨겨진 쌓기나무가 있을 수 있어
서 필요한 쌓기나무의 개수를 정확하게 알 수 없고,
㉯는 한 가지 모양이어서 필요한 쌓기나무의 개수를
정확하게 알 수 있습니다.

추측과 확인

활동2 위에서 본 모양을 보고 쌓기나무의 개수 알아보기
위에서 본 모양은 쌓은 모양을 바닥에서 본 모양과 같
습니다.
쌓기나무가 1층에 6개, 2층에 3개, 3층에 1개 있으므
로 똑같은 모양으로 쌓는 데 필요한 쌓기나무는
6+3+1=10(개)입니다.

학부모 코칭 Tip
쌓은 모양 뒤에 숨겨진 쌓기나무를 확인할 수 있는 방법으로 '위에
서 본 모양'을 함께 제시한다는 것을 알게 합니다.

학부모 코칭 Tip
위에서 본 모양을 보고 쌓은 모양 뒤에 숨겨진 쌓기나무가 있을지
생각해 보게 합니다.

• 똑같은 모양으로 쌓는 데 필요한 쌓기나무는 몇 개일까요? 10개

• 쌓기나무의 개수를 알기 위해 위에서 본 모양이 필요한 이유를 이야기해 보세요.
예 쌓은 모양 뒤에 숨겨진 쌓기나무가 있는지 없는지 확인할 수 있다면 몇 개가 필요한지 알 수 있으므로 위에서 본 모양이 필요합니다.

익히기 쌓기나무로 쌓은 모양과 이를 위에서 본 모양입니다. 똑같은 모양으로 쌓는 데 필요한 쌓기나무의 개수를 구해 보세요. 10개

[위에서 본 모양]

풀이 1층에 5개, 2층에 4개, 3층에 1개 있으므로 필요한 쌓기나무는 $5+4+1=10$(개)입니다.

정보 처리
도전 쌓기나무로 쌓은 모양을 보고 위에서 본 모양을 그렸습니다. 관계있는 것끼리 선으로 잇고, 사용된 쌓기나무의 개수를 구해 보세요.

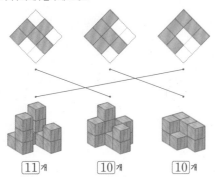

11개   10개   10개

풀이 위에서 본 모양과 일치하는 모양을 찾고 각 층에 쌓여 있는 쌓기나무의 개수를 세어 봅니다.

41

이런 문제가 서술형으로 나와요

쌓기나무가 10개 있습니다. 다음 모양과 똑같은 모양을 만들고 남은 쌓기나무는 몇 개인지 풀이 과정을 쓰고, 답을 구해 보세요.

[위에서 본 모양]

| 풀이 과정 |

❶ 사용한 쌓기나무의 개수 구하기

1층: 6개, 2층: 2개, 3층: 1개 ➡ 9개

❷ 남은 쌓기나무의 개수 구하기

(남은 쌓기나무의 수)$=10-9=1$(개) 답 1개

• 수학 교과 역량 정보 처리

위에서 본 모양을 보고 쌓기나무로 쌓은 모양 찾고, 사용된 쌓기나무의 개수 구하기

위에서 본 모양을 보고 쌓기나무로 쌓은 모양과 사용된 쌓기나무의 개수를 알아보는 과정에서 정보 처리 능력을 기를 수 있습니다.

개념 확인 문제
정답 및 풀이 205쪽

1 쌓기나무로 쌓은 모양을 보고 위에서 본 모양을 찾아 선으로 이어 보세요.

  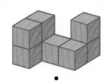 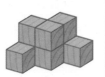

    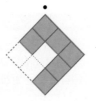

[2~3] 쌓기나무 8개로 쌓은 모양입니다. 쌓은 모양을 보고 위에서 본 모양을 그려 보세요.

2

[위에서 본 모양]

3

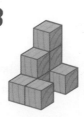 
[위에서 본 모양]

4 차시

3 | 쌓은 모양과 쌓기나무의 개수(2)

쌓기나무로 쌓은 모양의 위, 앞, 옆에서 본 모양을 표현할 수 있고, 이러한 표현을 보고 쌓은 모양을 추측하여 사용된 쌓기나무의 개수를 구할 수 있습니다.

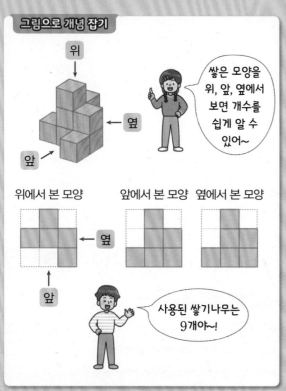

그림으로 개념 잡기

쌓은 모양을 위, 앞, 옆에서 보면 개수를 쉽게 알 수 있어~

위에서 본 모양   앞에서 본 모양   옆에서 본 모양

사용된 쌓기나무는 9개야~!

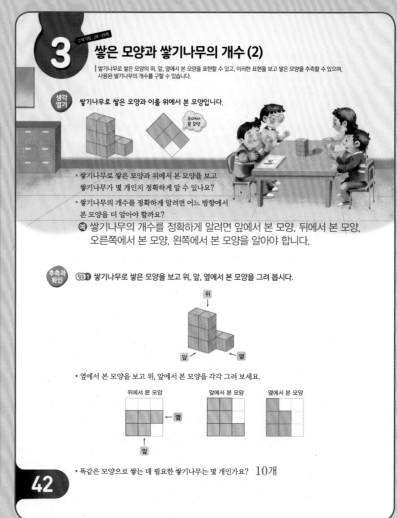

3 쌓은 모양과 쌓기나무의 개수 (2)

쌓기나무로 쌓은 모양의 하, 앞, 옆에서 본 모양을 표현할 수 있고, 이러한 표현을 보고 쌓은 모양을 추측할 수 있으며, 사용된 쌓기나무의 개수를 구할 수 있습니다.

생각열기 쌓기나무로 쌓은 모양과 이를 위에서 본 모양입니다.

위에서 본 모양

• 쌓기나무로 쌓은 모양과 위에서 본 모양을 보고 쌓기나무가 몇 개인지 정확하게 알 수 있나요?
• 쌓기나무의 개수를 정확하게 알려면 어느 방향에서 본 모양을 더 알아야 할까요?
예 쌓기나무의 개수를 정확하게 알려면 앞에서 본 모양, 뒤에서 본 모양, 오른쪽에서 본 모양, 왼쪽에서 본 모양을 알아야 합니다.

추측과확인 **활동 1** 쌓기나무로 쌓은 모양을 보고 위, 앞, 옆에서 본 모양을 그려 봅시다.

• 옆에서 본 모양을 보고 위, 앞에서 본 모양을 각각 그려 보세요.

위에서 본 모양   앞에서 본 모양   옆에서 본 모양

• 똑같은 모양으로 쌓는 데 필요한 쌓기나무는 몇 개인가요?   10개

42

교과서 개념 완성

생각 열기 **쌓기나무의 개수를 정확하게 알려면 어느 방향에서 본 모양을 더 알아야 할지 생각하기**

쌓은 모양의 보이지 않는 부분에 숨겨진 쌓기나무가 있을 수도 있으므로 쌓기나무의 개수를 정확하게 알려면 앞에서 본 모양, 뒤에서 본 모양, 오른쪽에서 본 모양, 왼쪽에서 본 모양을 알아야 합니다.

학부모 코칭 Tip

쌓은 모양 뒤에 숨겨진 쌓기나무를 확인하려면 위에서 본 모양뿐만 아니라 다양한 방향에서 본 모양을 함께 알아야 한다는 것을 알게 합니다.

추측과 확인

활동 1 쌓기나무로 쌓은 모양을 보고 위, 앞, 옆에서 본 모양 그리기

옆에서 본 모양에서 쌓은 모양 뒤에 숨겨진 쌓기나무가 있음을 알고 위, 앞에서 본 모양을 그려 보면 똑같은 모양으로 쌓는 데 필요한 쌓기나무는 10개입니다.

학부모 코칭 Tip

쌓기나무로 쌓은 모양은 위와 아래, 앞과 뒤, 오른쪽과 왼쪽의 모양이 각각 같으므로 위, 앞, 오른쪽 옆에서 본 모양만 나타내어도 된다는 것을 알게 합니다.

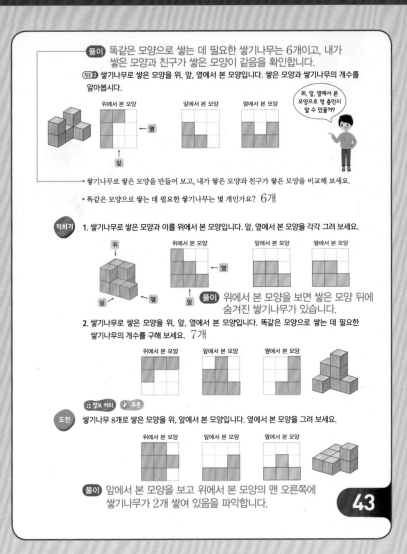

풀이 똑같은 모양으로 쌓는 데 필요한 쌓기나무는 6개이고, 내가 쌓은 모양과 친구가 쌓은 모양이 같음을 확인합니다.

단계2 쌓기나무로 쌓은 모양을 위, 앞, 옆에서 본 모양입니다. 쌓은 모양과 쌓기나무의 개수를 알아봅시다.

위, 앞, 옆에서 본 모양으로 몇 층인지 알 수 있을까?

위에서 본 모양   앞에서 본 모양   옆에서 본 모양

• 쌓기나무로 쌓은 모양을 만들어 보고, 내가 쌓은 모양과 친구가 쌓은 모양을 비교해 보세요.

• 똑같은 모양으로 쌓는 데 필요한 쌓기나무는 몇 개인가요? 6개

익히기

1. 쌓기나무로 쌓은 모양과 이를 위에서 본 모양입니다. 앞, 옆에서 본 모양을 각각 그려 보세요.

위에서 본 모양   앞에서 본 모양   옆에서 본 모양

풀이 위에서 본 모양을 보면 쌓은 모양 뒤에 숨겨진 쌓기나무가 있습니다.

2. 쌓기나무로 쌓은 모양을 위, 앞, 옆에서 본 모양입니다. 똑같은 모양으로 쌓는 데 필요한 쌓기나무의 개수를 구해 보세요. 7개

위에서 본 모양   앞에서 본 모양   옆에서 본 모양

정보 처리 추론

도전 쌓기나무 8개로 쌓은 모양을 위, 앞에서 본 모양입니다. 옆에서 본 모양을 그려 보세요.

위에서 본 모양   앞에서 본 모양   옆에서 본 모양

풀이 앞에서 본 모양을 보고 위에서 본 모양의 맨 오른쪽에 쌓기나무가 2개 쌓여 있음을 파악합니다.

43

이런 문제가 서술형으로 나와요

쌓기나무 8개로 쌓은 모양을 위, 앞에서 본 모양입니다. 옆에서 본 모양을 그리는 풀이 과정을 쓰고, 옆에서 본 모양을 그려 보세요.

위에서 본 모양   앞에서 본 모양   답 옆에서 본 모양

| 풀이 과정 |

❶ 쌓은 모양 알아보기

위와 앞에서 본 모양을 보면 쌓은 모양은

 입니다.

❷ 옆에서 본 모양 그리기

옆에서 본 모양은 왼쪽부터 1층, 1층, 3층입니다.

수학 교과 역량 정보 처리 추론

옆에서 본 모양 그리기

쌓기나무 8개로 쌓은 모양을 위, 앞에서 본 모양을 보고 옆에서 본 모양을 그려 보는 과정에서 정보 처리 능력과 추론 능력을 기를 수 있습니다.

개념 확인 문제
정답 및 풀이 205쪽

1 쌓기나무로 쌓은 모양과 이를 위에서 본 모양입니다. 앞, 옆에서 본 모양을 각각 그려 보세요.

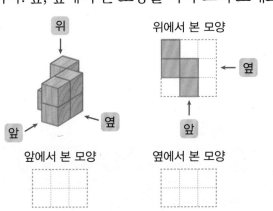

위   위에서 본 모양   옆

앞   옆   앞

앞에서 본 모양   옆에서 본 모양

[2~3] 쌓기나무로 쌓은 모양을 위, 앞, 옆에서 본 모양입니다. 똑같은 모양으로 쌓는 데 필요한 쌓기나무는 몇 개인지 구해 보세요.

2 위에서 본 모양   앞에서 본 모양   옆에서 본 모양

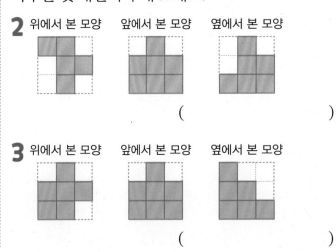

(   )

3 위에서 본 모양   앞에서 본 모양   옆에서 본 모양

(   )

5 차시

4 | 쌓은 모양과 쌓기나무의 개수(3)

학습 목표

쌓기나무로 쌓은 모양을 위에서 본 모양에 수를 쓰는 방법으로 표현할 수 있고, 이러한 표현을 보고 쌓은 모양을 추측하고 사용된 쌓기나무의 개수를 구할 수 있습니다.

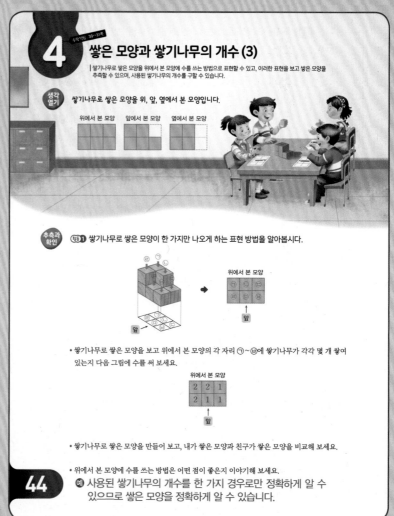

44

교과서 개념 완성

생각열기 쌓은 모양과 사용된 쌓기나무의 개수를 정확하게 알려면 무엇을 알아야 할지 이야기하기

• 민규와 슬기가 쌓은 모양이 다릅니다.

• 위에서 본 모양에서 각 자리에 쌓인 쌓기나무의 개수를 알면 쌓은 모양과 사용된 쌓기나무의 개수를 정확하게 알 수 있습니다.

학부모 코칭 Tip

이전 차시에서 배운 방법으로는 쌓은 모양과 사용된 쌓기나무의 개수를 정확하게 알기 어려운 경우가 있으므로 위에서 본 모양에 수를 쓰는 방법으로 쌓은 모양을 정확하게 알 수 있다는 사실을 알게 합니다.

추측과 확인

활동1 쌓기나무로 쌓은 모양이 한 가지만 나오게 하는 표현 방법 알아보기

각 자리에 쌓인 쌓기나무의 개수를 세어 위에서 본 모양에 쓰고, 그 모양대로 쌓으면 내가 쌓은 모양과 친구가 쌓은 모양이 같음을 확인할 수 있습니다.

학부모 코칭 Tip

앞, 옆에서 본 모양을 각각 그릴 때에는 각 방향에서 보이는 면의 수를 알면 됩니다. 해당 방향에서 바라보았을 때 가장 높이 쌓인 층에 해당되는 개수에 ○ 표시를 하고 이를 바탕으로 앞과 옆에서 본 모양을 그리도록 합니다.

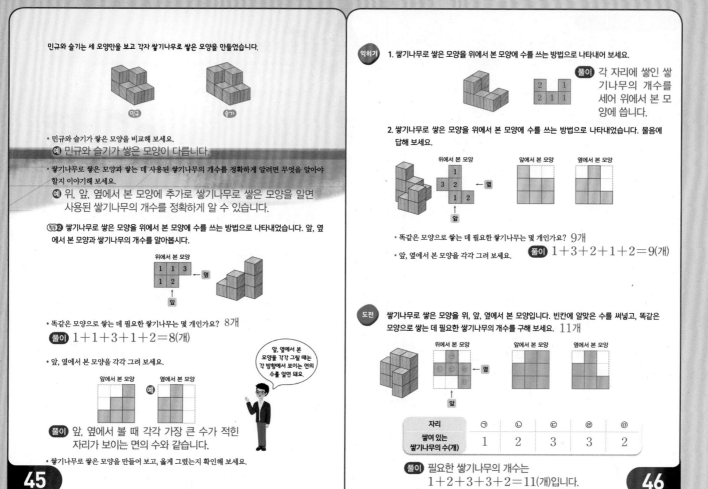

민규와 슬기는 세 모양만을 보고 각자 쌓기나무로 쌓은 모양을 만들었습니다.

민규 / 슬기

• 민규와 슬기가 쌓은 모양을 비교해 보세요.
  예 민규와 슬기가 쌓은 모양이 다릅니다.

• 쌓기나무로 쌓은 모양과 쌓는 데 사용된 쌓기나무의 개수를 정확하게 알려면 무엇을 알아야 할지 이야기해 보세요.
  예 위, 앞, 옆에서 본 모양에 추가로 쌓기나무로 쌓은 모양을 알면 사용된 쌓기나무의 개수를 정확하게 알 수 있습니다.

활동2 쌓기나무로 쌓은 모양을 위에서 본 모양에 수를 쓰는 방법으로 나타내었습니다. 앞, 옆에서 본 모양과 쌓기나무의 개수를 알아봅시다.

위에서 본 모양
1 1 3
1 2   ← 옆
↑ 앞

• 똑같은 모양으로 쌓는 데 필요한 쌓기나무는 몇 개인가요? 8개
  풀이 $1+1+3+1+2=8$(개)

앞, 옆에서 본 모양을 각각 그릴 때는 각 방향에서 보이는 면의 수를 알면 돼요.

• 앞, 옆에서 본 모양을 각각 그려 보세요.
  앞에서 본 모양   예 옆에서 본 모양

  풀이 앞, 옆에서 볼 때 각각 가장 큰 수가 적힌 자리가 보이는 면의 수와 같습니다.

• 쌓기나무로 쌓은 모양을 만들어 보고, 옳게 그렸는지 확인해 보세요.

45

익히기 1. 쌓기나무로 쌓은 모양을 위에서 본 모양에 수를 쓰는 방법으로 나타내어 보세요.

2 1
2 1 1

풀이 각 자리에 쌓인 쌓기나무의 개수를 세어 위에서 본 모양에 씁니다.

2. 쌓기나무로 쌓은 모양을 위에서 본 모양에 수를 쓰는 방법으로 나타내었습니다. 물음에 답해 보세요.

위에서 본 모양
1
3 2   ← 옆
1 2
↑ 앞

앞에서 본 모양   옆에서 본 모양

• 똑같은 모양으로 쌓는 데 필요한 쌓기나무는 몇 개인가요? 9개
• 앞, 옆에서 본 모양을 각각 그려 보세요.
  풀이 $1+3+2+1+2=9$(개)

도전 쌓기나무로 쌓은 모양을 위, 앞, 옆에서 본 모양입니다. 빈칸에 알맞은 수를 써넣고, 똑같은 모양으로 쌓는 데 필요한 쌓기나무의 개수를 구해 보세요. 11개

위에서 본 모양
ⓒ ⓓ ⓔ
ⓐ ⓑ   ← 옆
↑ 앞

앞에서 본 모양   옆에서 본 모양

자리	ⓐ	ⓑ	ⓒ	ⓓ	ⓔ
쌓여 있는 쌓기나무의 수(개)	1	2	3	3	2

풀이 필요한 쌓기나무의 개수는
$1+2+3+3+2=11$(개)입니다.

46

개념 확인 문제

정답 및 풀이 206쪽

1 쌓기나무로 쌓은 모양을 보고 위에서 본 모양에 수를 쓰는 방법으로 나타내어 보세요.

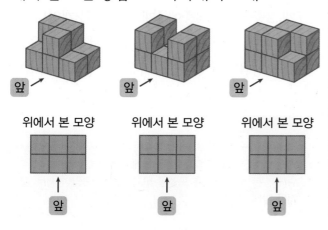

앞 / 앞 / 앞

위에서 본 모양   위에서 본 모양   위에서 본 모양

↑ 앞   ↑ 앞   ↑ 앞

2 쌓기나무로 쌓은 모양을 위에서 본 모양에 수를 쓰는 방법으로 나타낸 것입니다. 앞, 옆에서 본 모양을 각각 그려 보세요.

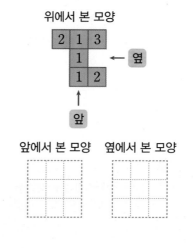

위에서 본 모양
2 1 3
1   ← 옆
1 2
↑ 앞

앞에서 본 모양   옆에서 본 모양

5 | 쌍은 모양과 쌓기나무의 개수(4)

6차시

학습 목표

쌓기나무로 쌓은 모양을 층별로 나타낸 모양으로 표현할 수 있고, 이러한 표현을 보고 쌓은 모양을 추측하여 사용된 쌓기나무의 개수를 구할 수 있습니다.

그림으로 개념 잡기

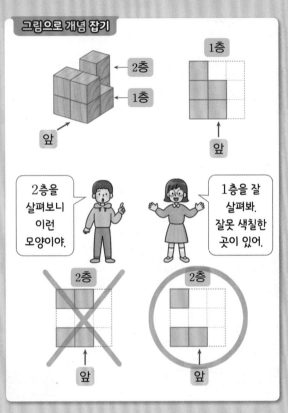

2층을 살펴보니 이런 모양이야.

1층을 잘 살펴봐. 잘못 색칠한 곳이 있어.

---

5 쌓은 모양과 쌓기나무의 개수 (4)

수학 익힘: 32~33쪽

쌓기나무로 쌓은 모양을 층별로 나타낸 모양으로 표현할 수 있고, 이러한 표현을 보고 쌓은 모양을 추측할 수 있으며, 사용된 쌓기나무의 개수를 구할 수 있습니다.

생각 열기 쌓기나무로 쌓은 모양을 위에서 본 모양에 수를 쓰는 방법으로 나타내었습니다.

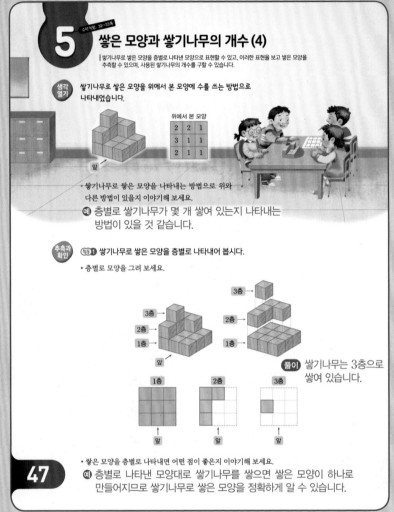

- 쌓기나무로 쌓은 모양을 나타내는 방법으로 위와 다른 방법이 있을지 이야기해 보세요.
- **예** 층별로 쌓기나무가 몇 개 쌓여 있는지 나타내는 방법이 있을 것 같습니다.

추측과 확인 **활동1** 쌓기나무로 쌓은 모양을 층별로 나타내어 봅시다.

- 층별로 모양을 그려 보세요.

풀이 쌓기나무는 3층으로 쌓여 있습니다.

- 쌓은 모양을 층별로 나타내면 어떤 점이 좋은지 이야기해 보세요.
- **예** 층별로 나타낸 모양대로 쌓기나무를 쌓으면 쌓은 모양이 하나로 만들어지므로 쌓기나무로 쌓은 모양을 정확하게 알 수 있습니다.

47

교과서 개념 완성

생각 열기 **쌓기나무로 쌓은 모양을 위에서 본 모양에 수를 쓰는 방법과 다른 방법이 있을지 이야기하기**

학교나 박물관, 미술관의 층별 안내도처럼 층별로 나타내어서 쌓기나무로 쌓은 모양을 나타낼 수 있을 것 같습니다.

학부모 코칭 Tip

생활 속에서 층별 안내도의 편리한 점을 생각하게 하여 쌓기나무로 쌓은 모양을 나타내는 또 다른 방법으로 층별로 나타내는 방법을 생각하게 합니다.

추측과 확인

활동2 쌓기나무로 쌓은 모양의 층별로 나타낸 모양을 보고 쌓기나무의 개수 구하기

- 똑같은 모양으로 쌓는 데 필요한 쌓기나무는 1층에 7개, 2층에 4개, 3층에 1개로 모두 12개입니다.
- 위에서 본 모양과 1층의 모양이 서로 같음을 알고, 1층 모양을 이용하여 2층과 3층 모양을 나타냅니다.

학부모 코칭 Tip

- 각 층에 사용된 쌓기나무의 개수는 층별로 나타낸 모양에서 음영이 칠해진 수와 같다는 것을 알게 합니다.
- 위에서 본 모양과 1층 모양을 비교하여 두 모양이 서로 같다는 것을 알게 합니다.

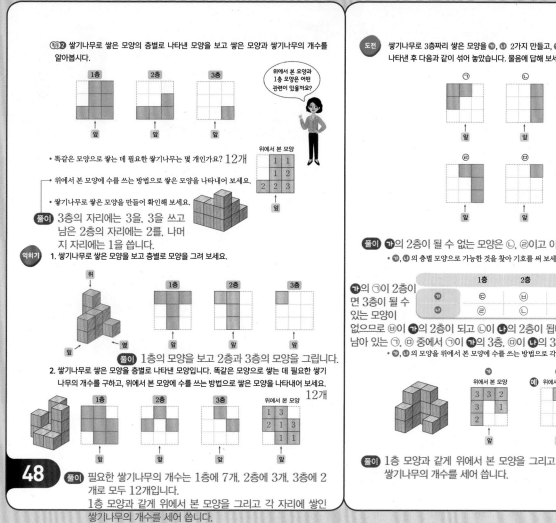

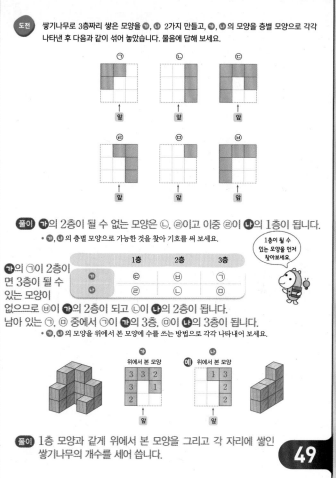

개념 확인 문제

정답 및 풀이 206쪽

1 쌓기나무로 쌓은 모양과 1층 모양을 보고 2층과 3층 모양을 각각 그려 보세요.

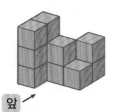

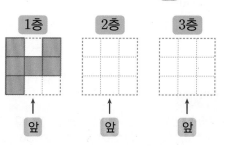

2 쌓기나무로 쌓은 모양을 층별로 나타낸 모양입니다. 똑같은 모양으로 쌓는 데 필요한 쌓기나무의 개수를 구해 보세요.

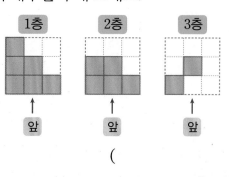

(   )

2. 공간과 입체 • **51**

6 | 여러 가지 모양 만들기

학습 목표

쌓기나무로 조건에 맞게 여러 가지 모양을 만들 수 있습니다.

그림으로 개념 잡기

쌓기나무 3개로 만든 모양이야. 이 모양으로 여러 가지 모양을 만들어 보자.

난 이런 모양을 만들었어.

난 이렇게 만들었어.

6 여러 가지 모양 만들기

쌓기나무로 조건에 맞게 여러 가지 모양을 만듭니다.

생각열기 쌓기나무 3개 또는 4개를 사용하여 만들 수 있는 모양을 알아봅시다.

• 쌓기나무 3개를 사용하여 모양을 만들어 보세요.

• 쌓기나무 4개를 사용하여 모양을 만들어 보세요.

활동1 쌓기나무 4개를 사용하여 만든 두 모양으로 새로운 모양을 만들었습니다. 각각 어떻게 만들었는지 구분하여 색칠해 보세요.

50 **풀이** 하나의 모양이 들어갈 수 있는 곳을 찾아서 두 모양으로 주어진 모양을 만들어 봅니다.

교과서 개념 완성

생각 열기 **쌓기나무 3개 또는 4개를 사용하여 만들 수 있는 모양 알아보기**

쌓기나무 3개를 사용하여 만들 수 있는 모양은 2가지이고, 쌓기나무 4개를 사용하여 만들 수 있는 모양은 8가지입니다.

학부모 코칭 Tip

• 쌓기나무로 모양을 만들 때에는 목공용 풀을 사용하여 붙이도록 합니다.
• 서로 다른 모양을 돌리거나 뒤집어서 같은 모양이 나오면 같은 모양으로 생각하게 하고, 쌓기나무 4개로 만들 때에는 3개로 만든 모양에 1개를 붙여가며 만들어 보게 합니다.

활동1 쌓기나무 4개를 사용하여 만든 두 모양으로 새로운 모양을 어떻게 만들었는지 구분하여 색칠하기

활동3 자신이 만들고 싶은 모양을 만들고, 자신이 만든 모양을 두 방법으로 각각 나타내기

자신이 만들고 싶은 모양을 만들어 보고, 만든 모양을 위에서 본 모양에 수를 써서 나타내는 방법과 층별로 나타내는 방법으로 각각 나타내어 봅니다.

학부모 코칭 Tip

새로운 모양을 만들 때에는 하나의 모양이 들어갈 수 있는 곳을 먼저 찾은 후 나머지 모양이 들어갈 수 있는지 찾아보게 합니다.

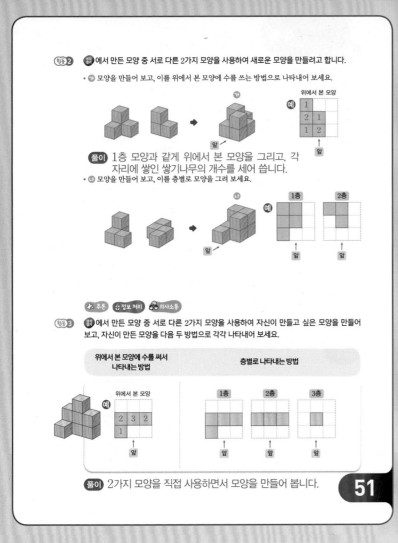

이런 문제가 서술형으로 나와요

주어진 모양 중 2가지 모양을 사용하여 다음과 같은 새로운 모양을 만들었습니다. 사용한 모양은 무엇인지 풀이 과정을 쓰고, 답을 구해 보세요.

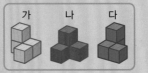

| 풀이 과정 |

❶ 2가지 모양으로 새로운 모양 만들기

사용한 2가지 모양을 찾아 색칠해 보면 오른쪽과 같습니다.

❷ 사용한 2가지 모양 찾기

사용한 모양은 나와 다입니다.   **답** 나, 다

수학 교과 역량   추론   정보 처리   의사소통

서로 다른 2가지 모양을 사용하여 새로운 모양을 만들고, 만든 모양을 두 방법으로 각각 나타내기

2가지 모양으로 새로운 모양을 만들고, 만든 모양을 두 방법으로 각각 나타내어 보는 과정에서 추론 능력과 정보 처리 능력, 의사소통 능력을 기를 수 있습니다.

개념 확인 문제   정답 및 풀이 206쪽

1 모양에 쌓기나무 1개를 더 붙여서 만들 수 있는 모양을 모두 찾아 기호를 써 보세요.

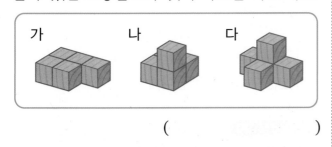

(   )

2 가, 나, 다 모양 중 2가지 모양을 사용하여 새로운 모양을 만들었습니다. 만든 모양을 층별로 나타내어 보세요.

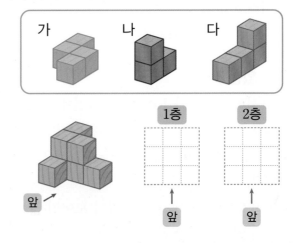

2. 공간과 입체 · **53**

8 차시

문제해결력 쑥쑥 — 색칠한 부분의 넓이를 구해요

학습 목표

그림 그리기 전략을 이용하여 문제를 해결하고 어떻게 해결하였는지 설명할 수 있습니다.

문제 해결 전략 | 그림 그리기 전략

수학 교과 역량 | 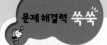 문제 해결 | 추론

색칠한 부분의 넓이를 구해요

· 색칠한 부분의 넓이는 몇 cm²인지 찾기 위해 주어진 조건을 확인하고, 문제 해결에 적절한 전략을 선택하는 과정에서 문제 해결 능력을 기를 수 있습니다.

· 문제를 해결하기 위해 일어날 수 있는 가능성에 따라 조건에 맞는 상황을 예측해 보는 과정에서 추론 능력을 기를 수 있습니다.

문제 해결 Tip | 위에서 본 모양에 수를 쓰는 방법으로 나타내면 쉽게 구할 수 있습니다.

문제 해결력 쑥쑥

색칠한 부분의 넓이를 구해요

문제 해결 | 추론

한 모서리의 길이가 1 cm인 정육면체 모양의 쌓기나무를 붙여서 오른쪽 그림과 같은 모양을 만들고, 이 모양의 바닥면을 포함하여 모든 겉면을 빨간색으로 칠하였습니다. 색칠한 부분의 넓이는 몇 cm²인지 구해 보세요.

문제 이해하기

· 구하려고 하는 것은 무엇인가요?
⑩ 빨간색으로 칠한 겉면의 넓이입니다.

· 알고 있는 것은 무엇인가요?
⑩ · 한 모서리의 길이가 1 cm인 정육면체 모양의 쌓기나무를 붙여서 입체 모양을 만들었습니다.
· 바닥면을 포함하여 모든 겉면을 빨간색으로 칠하였습니다.
· 주어진 입체 모양에서 뒤에 있어 보이지 않는 쌓기나무가 있을 수도 있습니다.

뒤에 있어 보이지 않는 쌓기나무가 있을까요?

계획 세우기
· 어떤 방법으로 문제를 해결할 수 있을지 계획을 세워 보세요.

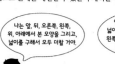
나는 앞, 뒤, 오른쪽, 왼쪽, 위, 아래에서 본 모양을 그리고, 넓이를 구해서 모두 더할 거야.

앞과 뒤에서 본 모양의 넓이는 같을 텐데, 위와 아래, 왼쪽과 오른쪽에서 본 모양의 넓이도 마찬가지이고.

52

⑩ · 앞, 뒤, 위, 아래, 오른쪽, 왼쪽에서 본 모양을 각각 그리고, 그 넓이를 구해서 모두 더하겠습니다.
· 앞과 뒤에서 본 모양의 넓이는 같고, 위와 아래, 오른쪽과 왼쪽에서 본 모양도 각각 넓이가 같다는 점을 이용할 수 있습니다.

교과서 개념 완성

문제 이해하기

» 구하려고 하는 것

빨간색으로 칠한 겉면의 넓이입니다.

» 알고 있는 것

· 한 모서리의 길이가 1 cm인 정육면체 모양의 쌓기나무를 붙여서 입체 모양을 만들었습니다.

· 바닥면을 포함하여 모든 겉면을 빨간색으로 칠하였습니다.

· 주어진 입체 모양에서 뒤에 있어 보이지 않는 쌓기나무가 있을 수도 있습니다.

계획 세우기

앞과 뒤에서 본 모양의 넓이는 같고, 위와 아래, 오른쪽과 왼쪽에서 본 모양도 각각 넓이가 같다는 점을 이용하여 구하겠습니다.

되돌아보기

· 구한 답이 조건에 맞는지 확인해 봅니다.

· 친구들과 문제 해결 과정을 비교해 보고, 어떻게 구하였는지 이야기해 봅니다.

학부모 코칭 Tip

쌓은 모양 뒤에 숨겨진 쌓기나무가 있을 수 있는 상황을 제시하여 문제를 해결해 보게 합니다.

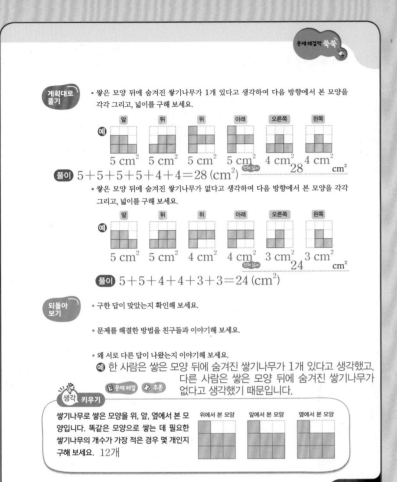

생각 키우기

[문제 해결] [추론]

문제 이해하기

≫ **구하려고 하는 것**

똑같은 모양으로 쌓는 데 필요한 쌓기나무의 개수입니다.

≫ **알고 있는 것**

• 쌓기나무로 쌓은 모양을 위, 앞, 옆에서 본 모양
• 쌓기나무로 쌓은 모양을 위, 앞, 옆에서 본 모양이 왼쪽부터 3층, 2층, 2층으로 모두 같습니다.

계획 세우기

• 위에서 본 모양에 수를 쓰는 방법으로 나타냅니다.
• 쌓기나무를 직접 쌓아 구할 수 있습니다.

계획대로 풀기

똑같은 모양으로 쌓는 데 쌓기나무의 개수가 가장 적은 경우는 12개입니다.

되돌아보기

구한 답이 조건에 맞는지 확인합니다.

문제 해결력 문제

정답 및 풀이 206쪽

[1~2] 한 모서리의 길이가 1 cm인 정육면체 모양의 쌓기나무를 붙여서 오른쪽 그림과 같은 모양을 만들고, 이 모양의 바닥면을 포함하여 모든 겉면을 파란색으로 칠하였습니다. 각 방향에서 본 모양을 그리고, 색칠한 부분의 넓이를 구해 보세요.

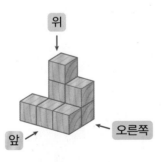

1 쌓은 모양 뒤에 숨겨진 쌓기나무가 1개 있다고 생각할 때

→ [ ] cm²

2 쌓은 모양 뒤에 숨겨진 쌓기나무가 없다고 생각할 때

→ [ ] cm²

문제해결 ✦추론 ⚙정보처리

쌓기나무로 쌓은 모양과 위에서 본 모양을 보고 쌓기나무의 개수 구하기

▶자습서 44~45쪽

학부모 코칭 Tip

쌓은 모양 뒤에 숨겨진 쌓기나무가 있을 수 있다고 생각한 경우 위에서 본 모양을 다시 살펴보고 쌓은 모양 뒤에 숨겨진 쌓기나무가 없다는 것을 알게 합니다.

문제해결 ✦추론 💬의사소통

쌓기나무로 쌓은 모양을 보고 위, 앞, 옆에서 본 모양 그리기

▶자습서 46~47쪽

학부모 코칭 Tip

위, 앞, 옆에서 본 모양을 그리지 못한 경우 쌓기나무로 쌓은 모양대로 직접 쌓아 본 다음 위, 앞, 옆에서 본 모양을 확인하고 그리게 합니다.

문제해결 ✦추론 ✦창의·융합

위에서 본 모양에 수를 써서 나타낸 것을 보고 쌓기나무로 쌓은 모양 찾기

▶자습서 48~49쪽

학부모 코칭 Tip

쌓은 모양 뒤에 숨겨진 쌓기나무가 없다고 생각한 경우 쌓기나무를 이용하여 직접 쌓아 보고 쌓은 모양 뒤에 숨겨진 쌓기나무가 있다는 것을 확인하게 합니다.

1 주어진 모양과 똑같이 쌓는 데 필요한 쌓기나무의 개수를 구해 보세요.
40쪽

(10)개

[위에서 본 모양]

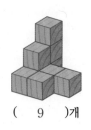
(9)개

[위에서 본 모양]

풀이 쌓은 모양과 위에서 본 모양을 보고 쌓기나무의 개수를 구합니다.

2 쌓기나무 9개로 쌓은 모양을 보고 위, 앞, 옆에서 본 모양을 각각 그려 보세요.
42쪽

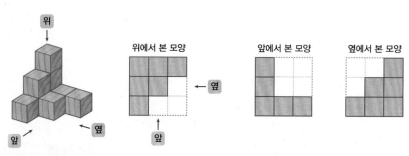

풀이 2층과 3층에 있는 쌓기나무가 3개이므로 1층의 쌓기나무는 6개이고 쌓은 모양 뒤에 숨겨진 쌓기나무는 없습니다.
쌓은 모양 뒤에 숨겨진 쌓기나무가 없음을 알고 위, 앞, 옆에서 본 모양을 그립니다.

3 쌓기나무로 쌓은 모양을 보고 위에서 본 모양에 수를 쓰는 방법으로 나타내었습니다. 관계 있는 것끼리 선으로 이어 보세요.
44쪽

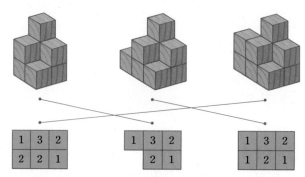

1	3	2
2	2	1

	1	3	2
		2	1

1	3	2
1	2	1

풀이 위에서 본 모양이 1층 모양과 같은 것을 찾고 각 자리에 쌓인 쌓기나무의 개수를 세어 확인합니다.

54

4 쌓기나무로 쌓은 모양을 보고 위에서 본 모양에 수를 쓰는 방법으로 나타내었습니다.
45쪽 앞, 옆에서 본 모양을 각각 그려 보세요.

위에서 본 모양
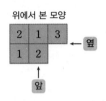 ← 옆

앞

앞에서 본 모양

옆에서 본 모양
예

풀이 앞에서 보면 왼쪽에서부터 2층, 2층, 3층으로 보입니다.
옆에서 보면 왼쪽에서부터 2층, 3층으로 보입니다.

▶문제 해결 ★추론 의사소통

위에서 본 모양에 수를 쓰는 방법
으로 나타낸 것을 보고 앞, 옆에
서 본 모양 그리기
▶자습서 48~49쪽

앞, 옆에서 볼 때 각각 가장 큰 수
가 적힌 자리가 보이는 면의 수임
을 파악하여 두 방향에서 본 모양
을 그립니다.

5 쌓기나무로 쌓은 모양을 층별로 나타낸 모양입니다. 물음에 답해 보세요.
48쪽

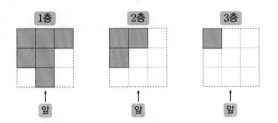

1층   2층   3층   앞에서 본 모양

앞   앞   앞

• 앞에서 본 모양을 그려 보세요.
  풀이 각 층의 쌓기나무로 쌓은 모양을 파악하여 앞에서 본 모양을 그립니다.
• 똑같은 모양으로 쌓는 데 필요한 쌓기나무의 개수를 구해 보세요.   (10)개
  풀이 똑같은 모양으로 쌓는 데 필요한 쌓기나무는 1층에 6개, 2층에 3개, 3층에 1개로 모두 10개
  입니다.

▶문제 해결 ★추론 의사소통 정보 처리

쌓기나무로 쌓은 모양을 층별로
나타낸 모양을 보고 앞에서 본 모
양을 그리고, 필요한 쌓기나무의
개수 구하기
▶자습서 50~51쪽

학부모 코칭 Tip
층별로 나타낸 모양을 이해하지
못한 경우 각 층에 쌓여 있는 쌓
기나무의 개수를 세어 보게 합니
다.

생각 넓히기 ★추론 정보 처리

6 다음 조건을 만족하도록 쌓기나무를 쌓았을 때, 위에서 본 모양에 수를 쓰는 방법으로 쌓은
45쪽 모양을 나타내어 보세요.

조건
• 쌓기나무는 모두 14개 사용하였습니다.
• 1층에는 쌓기나무 9개가 있습니다.
• 앞에서 본 모양과 옆에서 본 모양은 모두
  오른쪽과 같습니다.

위에서 본 모양
예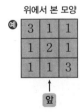
앞

다른 풀이 위에서 본 모양

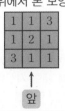
앞

★추론 정보 처리

조건에 맞는 모양을 찾아 위에서
본 모양에 수를 쓰는 방법으로 나
타내기
▶자습서 48~49쪽

학부모 코칭 Tip
쌓기나무로 쌓은 모양대로 직접
쌓아 본 다음, 앞, 옆에서 본 모
양을 확인하게 합니다.

55

교과서 개념 완성

놀이를 통하여 쌓기나무로 쌓은 모양 알아맞히기

⑨ • 4명씩 두 모둠을 만듭니다.

• 놀이 방법을 읽어 보고 모둠에서
각자의 역할을 인식하게 한 후
쌓은 모양을 위, 앞, 옆에서 본 모
양을 그립니다.

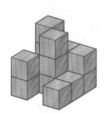

위에서 본 모양   앞에서 본 모양   옆에서 본 모양

• 점수는 바르게 그렸을 때 각각 1점씩 주고, 모두
바르게 그린 후 쌓기나무로 똑같은 모양으로 쌓
았으면 1점을 줍니다.

	1회	2회	3회	4회
위에서 본 모양	1점			
앞에서 본 모양	1점			
옆에서 본 모양				
쌓기나무로 쌓은 모양	1점			
합계	3점			

학부모 코칭 Tip

배운 내용을 놀이 활동에 적용하여 쌓기나무로 쌓은 모양을 모둠
친구들과 함께 알아보면서 수학에 대한 자신감을 기르고 공간과
입체에 흥미를 가지며 서로 협력하는 태도를 기릅니다.

이야기로 키우는 생각   ★ 참고 자료

가상 현실과 증강 현실은 무엇이 다를까?

많은 글로벌 기업들은 새로운 성장 동력으로 가상 현실과 증강 현실을 주목하고 있습니다.

두 기술은 어떤 점이 다를까?

가상 현실과 증강 현실의 가장 큰 차이점은 바로 주체가 '실제'이냐 '허상'이냐에 있습니다.

먼저 가상 현실(Virtual Reality, VR)은 인공 기술을 토대로 현실과 유사하지만 현실이 아닌 환경이나 상황을 컴퓨터로 만들어 그것을 사용하는 사람이 마치 실제 주변 환경과 상호 작용하고 있는 것처럼 만들어 주는 기술입니다.

보통 VR 기기를 착용하고 체험해 보는 게임 등을 예로 들 수 있습니다.

반면 증강 현실(Augmented Reality, AR)은 실제 세계에 3차원 가상 물체를 겹쳐 보여 주는 기술입니다. 예를 들면 스마트폰 카메라로 길거리를 비췄을 때 찾고자 하는 상점의 위치나 설명 등이 표기되는 경우나 자동차의 앞 유리에 차량의 내비게이션 정보가 보이는 경우입니다.

현실 세계에 실시간으로 부가 정보를 가지는 가상 세계를 합쳐 하나의 영상으로 보여주어 혼합 현실(Mixed Reality, MR)이라고도 합니다.

[출처] 과학기술정보통신부, 2016.

개념

🔅 바라본 방향 알아보기

어느 방향에서 본 모양인지 알아보기

→ 같은 물체라도 보는 위치와 방향에 따라 보이는 모양이 달라질 수 있습니다.

🔅 쌓은 모양과 쌓기나무의 개수 (1)

위에서 본 모양을 보고 쌓기나무의 개수 알아보기

→ 10개

[위에서 본 모양]

🔅 쌓은 모양과 쌓기나무의 개수 (2)

쌓은 모양을 보고 위, 앞, 옆에서 본 모양 그리기

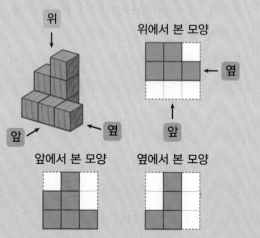

확인 문제

1 오른쪽 그림을 보고 어느 방향에서 찍은 사진인지 기호를 찾아 써 보세요.

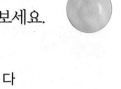

나
가 → ⬤ ← 다

( )

2 쌓기나무 7개로 쌓은 모양입니다. 쌓은 모양을 보고 위에서 본 모양을 그려 보세요.

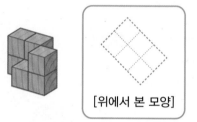

[위에서 본 모양]

[3~4] 쌓기나무로 쌓은 모양을 위, 앞, 옆에서 본 모양입니다. 물음에 답해 보세요.

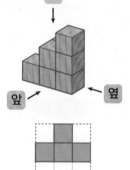

위
앞 ↙   ↘ 옆

☐에서 본 모양   ☐에서 본 모양   ☐에서 본 모양

3 ☐ 안에 위, 앞, 옆을 알맞게 써넣으세요.

4 똑같은 모양으로 쌓는 데 필요한 쌓기나무의 개수를 구해 보세요.

( )

개념

⊙ 쌓은 모양과 쌓기나무의 개수(3)
위에서 본 모양에 수를 쓰는 방법으로 쌓기나무의 개수 알아보기

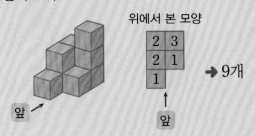

위에서 본 모양

2	3	
2	1	
1		

→ 9개

앞

⊙ 쌓은 모양과 쌓기나무의 개수(4)
쌓은 모양을 층별로 나타내어 쌓기나무의 개수 알아보기

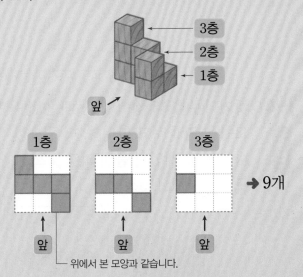

→ 9개

└ 위에서 본 모양과 같습니다.

⊙ 여러 가지 모양 만들기
쌓기나무 3개 또는 4개를 사용하여 만든 모양으로 새로운 모양을 만들 수 있습니다.

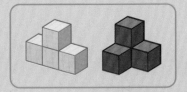

확인 문제

[5~6] 쌓기나무로 쌓은 모양을 위에서 본 모양에 수를 쓰는 방법으로 나타내려고 합니다. 물음에 답해 보세요.

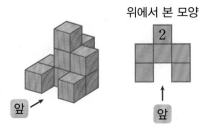

위에서 본 모양

앞

5 위에서 본 모양에 알맞은 수를 써넣으세요.

6 똑같은 모양으로 쌓는 데 필요한 쌓기나무의 개수를 구해 보세요.

(   )

7 쌓기나무 9개로 쌓은 모양을 보고 1층과 2층 모양을 각각 그려 보세요.

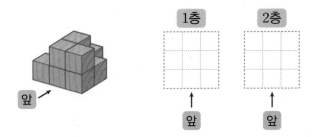

1층   2층

앞   앞

8 쌓기나무 3개를 붙여서 만든 두 모양을 사용하여 새로운 모양을 만들었습니다. 사용한 모양에 맞게 색칠해 보세요.

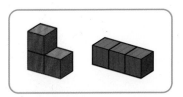

단계별로

서술형 문제 해결하기

과정 중심
평가 내용

위에서 본 모양을 이용하여 똑같은 모양
으로 쌓는 데 필요한 쌓기나무의 개수를
구할 수 있는가?

1-1 주어진 모양과 똑같은 모양으로 쌓으려면 필요한 쌓기나무는 몇 개인지 풀이 과정을 쓰고, 답을 구해 보세요. [8점]

[위에서 본 모양]

풀이

❶ 1층에 놓인 쌓기나무: ☐ 개

❷ 2층에 놓인 쌓기나무: ☐ 개,

3층에 놓인 쌓기나무: ☐ 개

➡ 필요한 쌓기나무: ☐ 개

답

1-2 쌍둥이 주어진 모양과 똑같은 모양으로 쌓으려면 필요한 쌓기나무는 몇 개인지 풀이 과정을 쓰고, 답을 구해 보세요. [12점]

[위에서 본 모양]

풀이

답

1-3 유사 쌓기나무가 15개 있습니다. 주어진 모양과 똑같은 모양으로 쌓고 남은 쌓기나무는 몇 개인지 풀이 과정을 쓰고, 답을 구해 보세요. [15점]

[위에서 본 모양]

풀이

답

1-4 실전 쌓기나무를 더 쌓아 가장 작은 정육면체 모양을 만들려고 합니다. 더 필요한 쌓기나무는 몇 개인지 풀이 과정을 쓰고, 답을 구해 보세요. [15점]

[위에서 본 모양]

풀이

답

2-1 쌓기나무로 쌓은 모양을 위, 앞, 옆에서 본 모양입니다. 똑같은 모양으로 쌓는 데 필요한 쌓기나무는 몇 개인지 풀이 과정을 쓰고, 답을 구해 보세요. [8점]

위에서 본 모양   앞에서 본 모양   옆에서 본 모양

풀이

❶ 쌓은 모양을 위에서 본 모양에 수를 쓰는

방법으로 나타내면 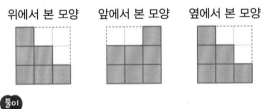 입니다.

❷ 똑같은 모양으로 쌓는 데 필요한 쌓기나무는 모두 ☐ 개입니다.

답

2-2 쌓기나무로 쌓은 모양을 위, 앞, 옆에서 본 모양입니다. 똑같은 모양으로 쌓는 데 필요한 쌓기나무는 몇 개인지 풀이 과정을 쓰고, 답을 구해 보세요. [12점]

쌍둥이

위에서 본 모양   앞에서 본 모양   옆에서 본 모양

풀이

답

2-3 쌓기나무로 쌓은 모양을 위, 앞, 옆에서 본 모양입니다. 똑같은 모양으로 쌓는 데 필요한 쌓기나무는 최대 몇 개인지 풀이 과정을 쓰고, 답을 구해 보세요. [15점]

유사

위에서 본 모양   앞에서 본 모양   옆에서 본 모양

풀이

답

2-4 쌓기나무를 가장 적게 사용하여 쌓은 모양을 위, 앞, 옆에서 본 모양입니다. 앞과 옆에서 본 모양이 변하지 않도록 쌓기나무를 더 쌓는다면 몇 개까지 더 쌓을 수 있는지 풀이 과정을 쓰고, 답을 구해 보세요. [15점]

실전

위에서 본 모양   앞에서 본 모양   옆에서 본 모양

풀이

답

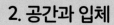

| 바라본 방향 알아보기 |

01 오른쪽 사진은 시계를 어느 방향에
하 서 찍은 것인지 기호를 써 보세요.

(   )

| 쌓은 모양과 쌓기나무의 개수 (2) |

02 쌓기나무로 쌓은 모양과 위에서 본 모양입니
하 다. 앞, 옆에서 본 모양을 각각 그려 보세요.

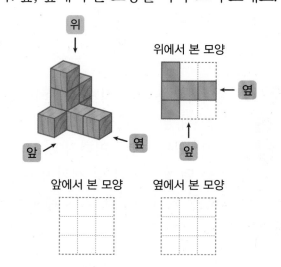

앞에서 본 모양   옆에서 본 모양

| 여러 가지 모양 만들기 |

03 보기 의 두 모양을 연결하여 만들 수 있는
하 새로운 모양에 ○표 하세요.

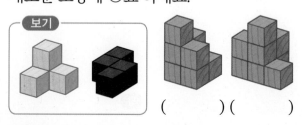

(   ) (   )

| 쌓은 모양과 쌓기나무의 개수 (3) |

04 쌓기나무로 쌓은 모양을 보고 위에서 본 모
하 양에 수를 쓰는 방법으로 나타내어 보세요.

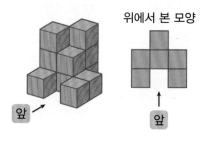

위에서 본 모양

| 쌓은 모양과 쌓기나무의 개수 (3) |

05 위 04에서 주어진 모양과 똑같이 쌓는 데
중 필요한 쌓기나무는 몇 개인지 구해 보세요.

(   )

| 쌓은 모양과 쌓기나무의 개수 (1) |

06 쌓기나무로 쌓은 모양을 보고
중 위에서 본 모양이 될 수 없는
것을 찾아 기호를 써 보세요.

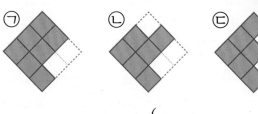

ㄱ   ㄴ   ㄷ

(   )

| 쌓은 모양과 쌓기나무의 개수 (3) |

07 쌓기나무로 쌓은 모양을 위에서 본 모양에
중 수를 쓰는 방법으로 나타낸 것입니다. 앞, 옆
중 각각 어느 방향에서 본 모양인지 써 보
세요.

위에서 본 모양

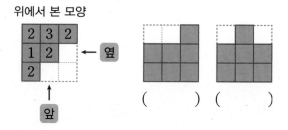

(앞   ) (   )

[08~09] 다음과 같이 컵을 놓고 각 방향에서 사진을 찍었습니다. 물음에 답해 보세요.

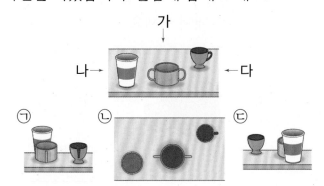

| 바라본 방향 알아보기 |

08 나에서 찍은 사진을 찾아 기호를 써 보세요.

（중） 　　　　　　　（　　　　　　　）

| 바라본 방향 알아보기 |

09 ㉡이 나오는 방향을 찾아 기호를 써 보세요.

（중） 　　　　　　　（　　　　　　　）

| 쌓은 모양과 쌓기나무의 개수 ⑵ |

10 어떤 모양의 위, 앞, 옆에서 본 모양인지 찾

（중） 아 기호를 써 보세요.

위에서 본 모양　　앞에서 본 모양　옆에서 본 모양

가　　　　　　　　나

（　　　　　　　）

| 쌓은 모양과 쌓기나무의 개수 ⑵ |

11 위 10에서 주어진 모양과 똑같이 쌓는 데

（중） 필요한 쌓기나무는 몇 개인지 구해 보세요.

（　　　　　　　）

[12~13] 쌓기나무로 쌓은 모양을 층별로 나타낸 모양입니다. 물음에 답해 보세요.

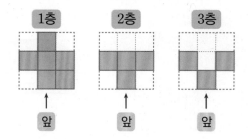

| 쌓은 모양과 쌓기나무의 개수 ⑷ |

12 똑같은 모양으로 쌓는 데 필요한 쌓기나무

（중） 의 개수를 구해 보세요.

（　　　　　　　）

| 쌓은 모양과 쌓기나무의 개수 ⑷ | 　　　**서술형**

13 위에서 본 모양에 수를 쓰는 방법으로 쌓은

（중） 모양을 나타내려고 합니다. 나타내는 방법을 설명하고, 쌓은 모양을 나타내어 보세요.

위에서 본 모양

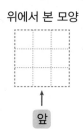

앞

설명

| 쌓은 모양과 쌓기나무의 개수 ⑵ |

14 쌓기나무로 쌓은 모양을 위, 앞, 옆에서 본 모

（중） 양입니다. 똑같은 모양으로 쌓는 데 필요한 쌓기나무는 몇 개인지 구해 보세요.

위에서 본 모양　앞에서 본 모양　옆에서 본 모양

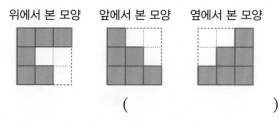

（　　　　　　　）

→ 정답 및 풀이 208쪽

| 바라본 방향 알아보기 |

15 오른쪽 그림은 놀이공원에서 혜진이가 있는
중 곳입니다. 혜진이가 있는 곳은 어디인지 찾
아 기호를 써 보세요.

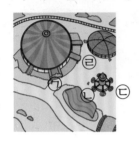 

(   )

[16~17] 쌓기나무로 쌓은 모양을 위, 앞, 옆에
서 본 모양입니다. 물음에 답해 보세요.

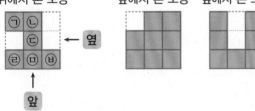

| 쌓은 모양과 쌓기나무의 개수 (3) |

16 쌓기나무를 가장 적게 사용했을 때 표를 완
중 성해 보세요.

자리	㉠	㉡	㉢	㉣	㉤	㉥
쌓기나무의 수(개)						

| 쌓은 모양과 쌓기나무의 개수 (3) | (서술형)

17 쌓은 모양에서 앞에서 본 모양이 변하지 않도
중 록 쌓기나무를 더 쌓을 때 몇 개까지 더 쌓을
수 있는지 풀이 과정을 쓰고, 답을 구해 보세요.

풀이

답

| 쌓은 모양과 쌓기나무의 개수 (3) |

18 은찬이는 효진이가 쌓은 모양에 쌓기나무
상 2개를 더 놓았습니다. 은찬이가 쌓은 모양
을 위에서 본 모양에 수를 써서 나타내는 방
법으로 나타내어 보세요.

효진

[위에서 본 모양]

은찬

[위에서 본 모양]

| 여러 가지 모양 만들기 |

19 쌓기나무 4개를 사용하여 만들 수 있는 모
상 양은 모두 몇 가지인지 구해 보세요.
(단, 돌리거나 뒤집어서 같은 모양은 한 가
지로 합니다.)

(   )

| 쌓은 모양과 쌓기나무의 개수 (4) | (서술형)

20 쌓기나무 8개를 사용하여 다음 조건을 모두
상 만족하는 모양을 만들 때 만들 수 있는 모양
은 모두 몇 가지인지 풀이 과정을 쓰고, 답을
구해 보세요.

조건
• 쌓기나무로 쌓은 모양은 3층입니다.
• 위에서 본 모양은 입니다.

풀이

답

층별로 쌓은 모양을 보고 쌓기나무를 어떻게 쌓을 수 있을까요?

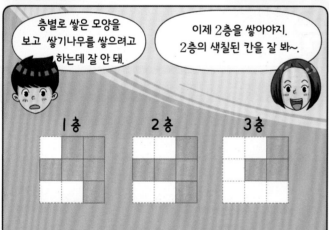

3
소수의 나눗셈

• 비누 원료를 나누어서 천연 비누를 몇 개 만들 수 있을지 궁금해하고 있습니다.
• (소수)÷(소수)도 (소수)÷(자연수)처럼 계산할 수 있을지 궁금해하고 있습니다.

그림 속 상황

자/기/주/도/학/습

학습 목표

'무엇을 알고 있나요'와 '함께 생각해 볼까요'를 통하여 단원을 준비할 수 있습니다.

● (소수)÷(자연수), (자연수)÷(자연수) 계산하기

```
    20.6           8.05          0.19           2.4
 2)41.2        3)24.15       4)0.76        5)12.0
   40             24             4             10
   12             15            36             20
   12             15            36             20
    0              0             0              0
```

● (소수)÷(자연수) 계산하기

나누는 수가 같을 때 나누어지는 수가 $\frac{1}{10}$배, $\frac{1}{100}$배가 되면 몫도 $\frac{1}{10}$배, $\frac{1}{100}$배가 됩니다.

● 분모가 같은 분수의 나눗셈 계산하기

분모가 같은 (분수)÷(분수)는 분자끼리의 나눗셈으로 계산합니다.

- $\frac{9}{10} \div \frac{3}{10} = 9 \div 3 = 3$
- $\frac{45}{100} \div \frac{9}{100} = 45 \div 9 = 5$

준비 팡팡 _{수와연산의 37쪽}

무엇을 알고 있나요

1 계산해 보세요.

```
    20.6                    8.05
 2)41.2                 3)24.15
```

> 알면 쉬워요
> (소수)÷(자연수)는 다음 순서에 따라 계산합니다.
> • 자연수의 나눗셈과 같은 방법으로 계산하고, 나누어지는 수의 소수점 위치에 맞추어 결과의 값에 소수점을 올려 찍습니다.
> • 자연수 부분이 비어 있을 경우 일의 자리에 0을 씁니다.

```
    0.19                    2.4
 4)0.76                 5)12
```

2 계산을 하고, 몫을 비교해 보세요.

> 나누는 수가 같을 때, 나누어지는 수가 $\frac{1}{10}$배, $\frac{1}{100}$배 되면 몫은 어떻게 될까?

$248 \div 2 =$	$\boxed{124}$
$24.8 \div 2 =$	$\boxed{12.4}$
$2.48 \div 2 =$	$\boxed{1.24}$

$963 \div 3 =$	$\boxed{321}$
$96.3 \div 3 =$	$\boxed{32.1}$
$9.63 \div 3 =$	$\boxed{3.21}$

3 □ 안에 알맞은 수를 써넣으세요.

$\frac{9}{10} \div \frac{3}{10} = \boxed{9} \div \boxed{3} = \boxed{3}$

$\frac{45}{100} \div \frac{9}{100} = \boxed{45} \div \boxed{9} = \boxed{5}$

> 알면 쉬워요
> 분모가 같은 (분수)÷(분수)는 분자끼리의 나눗셈으로 계산합니다.

62

🙂 교과서 개념 완성 | 배운 것을 다시 생각하기

➡ 몫이 1보다 작은 (소수)÷(자연수)

> (소수)÷(자연수)는 자연수의 나눗셈과 같은 방법으로 계산한 뒤 몫의 소수점은 나누어지는 수의 소수점 위치에 맞춰 올려 찍습니다.

㉖ 1.86÷6의 계산

```
    0.3 1
 6)1↑8 6
   1 8
      6
      6
      0
```
→ 자연수 부분이 비어 있을 경우 일의 자리에 0을 씁니다.

➡ 몫의 첫째 자리에 0이 있는 (소수)÷(자연수)

㉖ 4.12÷4의 계산

```
    1.0 3
 4)4↑1 2
   4
     1 2
     1 2
       0
```
→ 세로로 계산 중 수를 하나 내렸음에도 나누어야 할 수가 나누는 수보다 작을 경우에는 몫에 0을 쓰고 수를 하나 더 내려 계산합니다.

➡ (자연수)÷(자연수)를 소수로 나타내기

㉖ 35÷14의 계산

```
     2.5
14)3 5↑0
   2 8
     7 0
     7 0
       0
```
→ 나누어떨어지지 않을 때에는 나누어지는 수의 소수 끝자리 아래에 0이 계속 있는 것으로 생각하여 계산합니다.

함께 생각해 볼까요

1 나눗셈의 몫을 구해 보고, 알게 된 것을 이야기해 보세요.

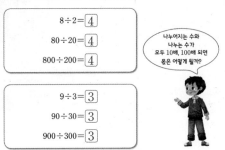

$$8 \div 2 = 4$$
$$80 \div 20 = 4$$
$$800 \div 200 = 4$$

나누어지는 수와 나누는 수가 모두 10배, 100배 되면 몫은 어떻게 될까?

$$9 \div 3 = 3$$
$$90 \div 30 = 3$$
$$900 \div 300 = 3$$

2 나눗셈의 몫과 나머지를 구해 보고, 알게 된 것을 이야기해 보세요.

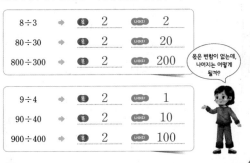

		몫		나머지
$8 \div 3$	→	2		2
$80 \div 30$	→	2		20
$800 \div 300$	→	2		200

몫은 변함이 없는데, 나머지는 어떻게 될까?

		몫		나머지
$9 \div 4$	→	2		1
$90 \div 40$	→	2		10
$900 \div 400$	→	2		100

63

🔷 **나눗셈의 몫 구하기**

$8 \div 2 = 4$, $80 \div 20 = 4$, $800 \div 200 = 4$
$9 \div 3 = 3$, $90 \div 30 = 3$, $900 \div 300 = 3$
나누어지는 수와 나누는 수를 모두 10배, 100배 하여도 각 나눗셈의 몫은 같습니다(변함이 없습니다).

학부모 코칭 **Tip**
나눗셈식에서 나누어지는 수와 나누는 수가 모두 같은 배만큼 똑같이 커지거나 작아져도 나눗셈의 몫은 변함이 없음을 이해하게 합니다.

🔷 **나눗셈의 몫과 나머지 구하기**

$$3 \overline{)8} \quad 30 \overline{)80} \quad 300 \overline{)800}$$

학부모 코칭 **Tip**
나눗셈식에서 나누어지는 수와 나누는 수가 모두 같은 배만큼 똑같이 커지거나 작아지면 나눗셈의 몫은 변함이 없고 나머지만 달라진다는 것을 이해하게 합니다.

개념 확인 문제   정답 및 풀이 210쪽

| 6-1 3. 소수의 나눗셈 |

[1~2] ☐ 안에 알맞은 수를 써넣으세요.

1 $374 \div 2 = $ ☐ ➡ $37.4 \div 2 = $ ☐

2 $2.76 \div 3 = \dfrac{☐}{100} \div 3 = \dfrac{☐ \div 3}{100}$
  $= \dfrac{☐}{100} = $ ☐

| 6-1 3. 소수의 나눗셈 |

3 계산해 보세요.
  (1) $3.6 \div 8$ (2) $14.14 \div 7$

| 6-1 3. 소수의 나눗셈 |

4 계산 결과를 비교하여 ◯ 안에 >, =, <를 알맞게 써넣으세요.
  (1) $10.81 \div 23$ ◯ $21.6 \div 48$
  (2) $11.33 \div 11$ ◯ $9 \div 5$

학습 목표

(소수 한 자리 수)÷(소수 한 자리 수)의 계산 원리를 이해합니다.

그림으로 개념 잡기

소수 한 자리 수는 분모가 10인 분수로!

$$0.6 \div 0.2 = \frac{6}{10} \div \frac{2}{10}$$

참고 어림은 정확한 값보다 어떤 수에 가까울지 파악하는 정도로만 합니다.

학부모 코칭 Tip

(소수 한 자리 수)÷(소수 한 자리 수)를 분모가 10인 분수로 고쳐서 계산하거나 나누어지는 수와 나누는 수를 각각 10배 하여 자연수로 고쳐서 계산하는 과정을 이해하게 합니다.

1 (소수)÷(소수) 알아보기 (1)
| (소수 한 자리 수)÷(소수 한 자리 수)의 계산 원리를 이해합니다.

생각 열기 리본 만들기 체험에서 나비 모양 한 개를 만들려면 리본 0.3 m가 필요합니다.

· 리본 0.9 m로 나비 모양을 몇 개 만들 수 있는지 구하는 식을 쓰고, 계산 결과를 어림해 보세요.

$$0.9 \div 0.3$$

예 0.3을 3배 하면 0.9이므로 3이 될 것 같습니다.

· 어떻게 계산할 수 있을지 생각해 보세요.

탐구 하기 0.9÷0.3을 계산하는 방법을 알아봅시다.

· 그림을 이용하여 0.9÷0.3을 구해 보세요.

$$0.9 \div 0.3 = \boxed{3}$$

· 현민이와 세연이가 생각한 방법대로 0.9÷0.3을 계산해 보세요.

두 소수를 분수로 고쳐서 계산해 볼래.
$$0.9 \div 0.3 = \frac{\boxed{9}}{10} \div \frac{\boxed{3}}{10} = \boxed{9} \div \boxed{3} = \boxed{3}$$

두 소수를 자연수로 고쳐서 계산해 볼래.
0.9 ÷ 0.3
$$\boxed{9} \div \boxed{3} = \boxed{3} \Rightarrow 0.9 \div 0.3 = \boxed{3}$$

· 0.9÷0.3을 어떤 자연수의 나눗셈을 이용하여 계산했나요?

$$0.9 \div 0.3 = \boxed{9} \div \boxed{3} = \boxed{3}$$

생각열기에서 어림한 값과 계산 결과를 비교해 볼까요?

· 0.9÷0.3을 계산하는 방법을 이야기해 보세요.
예 · 두 소수를 분모가 10인 분수로 고쳐서 계산할 수 있습니다.
· 두 소수를 각각 10배 하여 자연수로 고쳐서 계산할 수 있습니다.

64

교과서 개념 완성

탐구하기 정리하기 0.9÷0.3의 계산 방법

방법1 두 소수를 분모가 10인 분수로 고쳐서 분모가 같은 분수의 나눗셈으로 계산합니다.

$$0.9 \div 0.3 = \frac{9}{10} \div \frac{3}{10} = 9 \div 3 = 3$$

방법2 두 소수를 각각 10배 하여 자연수로 고쳐서 자연수의 나눗셈으로 계산합니다.

$$\underset{\text{10배}}{0.9 \div 0.3} \Rightarrow 9 \div 3 = 3 \Rightarrow 0.9 \div 0.3 = 3$$

학부모 코칭 Tip

(자연수)÷(자연수)의 계산 방법을 이용하여 계산하기 위해서는 나누는 수와 나누어지는 수에 똑같이 10을 곱하여 자연수로 만들어야 하는 데, 이때 소수점의 위치 이동에 주목하도록 해야 합니다.

확인하기 (소수 한 자리 수)÷(소수 한 자리 수) 계산하기

1. · $0.8 \div 0.2 = 8 \div 2 = 4$
   · $1.4 \div 0.7 = 14 \div 7 = 2$
   · $2.5 \div 0.5 = 25 \div 5 = 5$
   · $12.6 \div 0.6 = 126 \div 6 = 21$

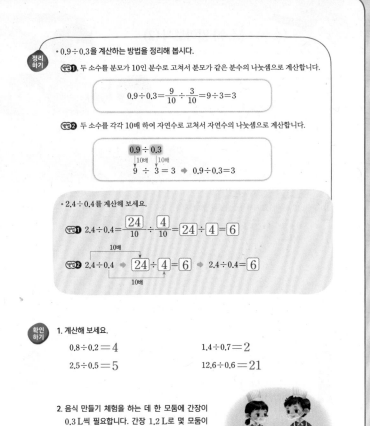

정리하기

• $0.9 \div 0.3$을 계산하는 방법을 정리해 봅시다.

방법1 두 소수를 분모가 10인 분수로 고쳐서 분모가 같은 분수의 나눗셈으로 계산합니다.

$$0.9 \div 0.3 = \frac{9}{10} \div \frac{3}{10} = 9 \div 3 = 3$$

방법2 두 소수를 각각 10배 하여 자연수로 고쳐서 자연수의 나눗셈으로 계산합니다.

$0.9 \div 0.3$
10배 10배
$9 \div 3 = 3$ ➡ $0.9 \div 0.3 = 3$

• $2.4 \div 0.4$를 계산해 보세요.

방법1 $2.4 \div 0.4 = \dfrac{\boxed{24}}{10} \div \dfrac{\boxed{4}}{10} = \boxed{24} \div \boxed{4} = \boxed{6}$

방법2 10배
$2.4 \div 0.4 \Rightarrow \boxed{24} \div \boxed{4} = \boxed{6}$ ➡ $2.4 \div 0.4 = \boxed{6}$
10배

확인하기

1. 계산해 보세요.

$0.8 \div 0.2 = 4$　　　　$1.4 \div 0.7 = 2$

$2.5 \div 0.5 = 5$　　　　$12.6 \div 0.6 = 21$

2. 음식 만들기 체험을 하는 데 한 모둠에 간장이 0.3 L씩 필요합니다. 간장 1.2 L로 몇 모둠이 음식 만들기 체험을 할 수 있는지 구해 보세요.

4모둠

풀이 (간장 1.2 L로 음식 만들기 체험을 할 수 있는 모둠 수)
$= 1.2 \div 0.3 = 12 \div 3 = 4$(모둠)

65

이런 문제가 서술형으로 나와요

1분에 0.7 L씩 물을 받을 수 있는 수도가 있습니다. 이 수도에서 물 4.2 L를 받으려면 몇 분 동안 받아야 하는지 풀이 과정을 쓰고, 답을 구해 보세요.

| 풀이 과정 |

❶ 몇 분 동안 받아야 하는지 구하는 식 세우기

(물을 받아야 하는 시간)
＝(받을 물의 양)÷(1분에 받을 수 있는 물의 양)
＝$4.2 \div 0.7$

❷ 몇 분 동안 받아야 하는지 구하기

$4.2 \div 0.7 = 42 \div 7 = 6$이므로 6분 동안 받아야 합니다.

답 6분

수학 교과 역량　창의·융합　추론　의사소통

$0.9 \div 0.3$의 계산 방법 탐구하기

(소수 한 자리 수)÷(소수 한 자리 수)를 여러 가지 방법으로 계산하는 과정에서 창의·융합 능력, 추론 능력, 의사소통 능력을 기를 수 있습니다.

개념 확인 문제

정답 및 풀이 210쪽

1 우유 0.8 L를 한 컵에 0.4 L씩 나누어 담으면 몇 컵이 되는지 알아보려고 합니다. 물음에 답해 보세요.

(1) 그림을 0.4씩 묶어 보세요.

(2) 우유 0.8 L를 한 컵에 0.4 L씩 나누어 담으면 몇 컵이 되는지 구해 보세요.

$0.8 \div 0.4 = \boxed{}$(컵)

2 $45.5 \div 0.5$를 분수의 나눗셈으로 계산하려고 합니다. ☐ 안에 알맞은 수를 써넣으세요.

$45.5 \div 0.5 = \dfrac{\boxed{}}{10} \div \dfrac{\boxed{}}{10}$
$= \boxed{} \div \boxed{} = \boxed{}$

3 계산해 보세요.
(1) $61.2 \div 0.9$
(2) $32.4 \div 1.2$

(소수)÷(소수) 알아보기 (2)

학습 목표

(소수 두 자리 수)÷(소수 두 자리 수)의 계산 원리를 이해합니다.

그림으로 개념 잡기

0.12 ÷ 0.04

↓100배   ↓100배

= 12 ÷ 4

나누어지는 수와 나누는 수에 같은 수를 곱해도 몫이 같아요!

참고

(소수 두 자리 수)÷(소수 두 자리 수)의 계산을 해야 하는 상황임을 파악하여 나눗셈 식을 세우고, 어떻게 계산할 수 있을지 생각해 보게 합니다.

학부모 코칭 Tip

(소수 두 자리 수)÷(소수 두 자리 수)를 분모가 100인 분수로 고쳐서 계산하거나 나누어지는 수와 나누는 수를 각각 100배 하여 자연수로 고쳐서 계산하는 과정을 이해하게 합니다.

2 **(소수)÷(소수) 알아보기 (2)**

| (소수 두 자리 수)÷(소수 두 자리 수)의 계산 원리를 이해합니다.

생각 열기

가죽 공예품 만들기 체험에서 책갈피 한 개를 만들려면 가죽띠 0.05 m가 필요합니다.

· 가죽띠 0.45 m로 책갈피를 몇 개 만들 수 있는지 구하는 식을 쓰고, 계산 결과를 어림해 보세요.
· 어떻게 계산할 수 있을지 생각해 보세요.

0.45÷0.05

예 0.05를 10배 하면 0.5이므로 10보다 작을 것 같습니다.

탐구 하기 | 창의·융합 추론 의사소통

0.45÷0.05를 계산하는 방법을 알아봅시다.

· 전체 크기가 1인 모눈종이를 이용하여 0.45÷0.05를 구해 보세요.

0.45÷0.05= 9

· 현민이와 세연이가 생각한 방법대로 0.45÷0.05를 계산해 보세요.

두 소수를 분수로 고쳐서 계산해 볼래

$0.45÷0.05=\dfrac{45}{100}÷\dfrac{5}{100}$
$=45÷5=9$

두 소수를 자연수로 고쳐서 계산해 볼래

0.45÷0.05
100배 100배
45÷5=9 ➡ 0.45÷0.05=9

· 0.45÷0.05를 어떤 자연수의 나눗셈을 이용하여 계산했나요?

0.45÷0.05= 45 ÷ 5 = 9

· 0.45÷0.05를 계산하는 방법을 이야기해 보세요.

예에서 어림한 값과 계산 결과를 비교해 볼까요

예 · 두 소수를 분모가 100인 분수로 고쳐서 계산할 수 있습니다.
· 두 소수를 각각 100배 하여 자연수로 고쳐서 계산할 수 있습니다.

66

교과서 개념 완성

탐구하기 정리하기 0.45÷0.05의 계산 방법

방법1 두 소수를 분모가 100인 분수로 고쳐서 분모가 같은 분수의 나눗셈으로 계산합니다.

$$0.45÷0.05=\dfrac{45}{100}÷\dfrac{5}{100}=45÷5=9$$

방법2 두 소수를 각각 100배 하여 자연수로 고쳐서 자연수의 나눗셈으로 계산합니다.

100배
0.45÷0.05 ➡ 45÷5=9 ➡ 0.45÷0.05=9
100배

학부모 코칭 Tip

(자연수)÷(자연수)의 계산 방법을 이용하여 계산하기 위해서는 나누는 수와 나누어지는 수에 똑같이 100을 곱하여 자연수로 만들어야 하는 데, 이때 소수점의 위치 이동에 주목하도록 해야 합니다.

확인하기 (소수 두 자리 수)÷(소수 두 자리 수) 계산하기

1. · 0.48÷0.06=48÷6=8
   · 0.36÷0.12=36÷12=3
   · 2.94÷0.07=294÷7=42
   · 3.75÷0.15=375÷15=25

정리하기

· 0.45÷0.05를 계산하는 방법을 정리해 봅시다.

방법1 두 소수를 분모가 100인 분수로 고쳐서 분모가 같은 분수의 나눗셈으로 계산합니다.

$$0.45÷0.05=\frac{45}{100}÷\frac{5}{100}=45÷5=9$$

방법2 두 소수를 각각 100배 하여 자연수로 고쳐서 자연수의 나눗셈으로 계산합니다.

```
    0.45 ÷ 0.05
    |100배  |100배
     45  ÷  5  = 9  ➡  0.45÷0.05=9
```

· 1.28÷0.04를 계산해 보세요.

방법1 $1.28÷0.04=\dfrac{\boxed{128}}{100}÷\dfrac{\boxed{4}}{100}=\boxed{128}÷\boxed{4}=\boxed{32}$

방법2 1.28÷0.04 ➡ $\boxed{128}÷\boxed{4}=\boxed{32}$ ➡ 1.28÷0.04=$\boxed{32}$
(100배)

 확인하기

1. 계산해 보세요.

0.48÷0.06＝8   0.36÷0.12＝3

2.94÷0.07＝42   3.75÷0.15＝25

2. 현경이는 매듭 만들기 체험을 하였습니다. 길이가 2 m인 실을 0.25 m씩 잘라서 매듭을 만들었습니다. 매듭을 만들기 위해 사용한 실이 모두 1.25 m였습니다. 현경이는 매듭을 몇 개 만들었는지 구해 보세요.

5개

풀이 (만든 매듭 수)＝1.25÷0.25＝125÷25＝5(개)

67

이런 문제가 서술형으로 나와요

넓이가 3.92 m²인 직사각형 모양의 화단이 있습니다. 이 화단의 가로가 0.98 m일 때 세로는 몇 m인지 풀이 과정을 쓰고, 답을 구해 보세요.

| 풀이 과정 |

❶ 화단의 세로는 몇 m인지 구하는 식 세우기
(화단의 넓이)＝(가로)×(세로)이므로
(세로)＝(화단의 넓이)÷(가로)
      ＝3.92÷0.98

❷ 화단의 세로는 몇 m인지 구하기
3.92÷0.98＝392÷98＝4이므로 화단의 세로는 4 m입니다.

답 4 m

수학 교과 역량 창의·융합 추론 의사소통

0.45÷0.05의 계산 방법 탐구하기
(소수 두 자리 수)÷(소수 두 자리 수)를 그림을 그리거나 소수를 분수로 고쳐서 계산하는 등 여러 가지 방법으로 계산하는 과정에서 창의·융합 능력과 추론 능력을 기를 수 있고, 계산 방법을 이야기해 보는 과정에서 의사소통 능력을 기를 수 있습니다.

 개념 확인 문제   정답 및 풀이 210쪽

[1~2] ☐ 안에 알맞은 수를 써넣으세요.

1 $1.61÷0.07=\dfrac{\boxed{}}{100}÷\dfrac{\boxed{}}{100}$

     $=\boxed{}÷\boxed{}=\boxed{}$

2
```
      ┌──☐배──┐
7.15÷0.11 ➡ 715÷☐=☐
      └──100배──┘
```
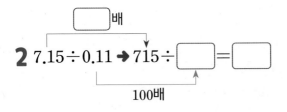

3 계산해 보세요.
(1) 1.08÷0.03
(2) 5.13÷0.27

4 길이가 4.62 m인 털실이 있습니다. 이 털실을 0.42 m씩 자른다면 몇 도막이 되는지 구해 보세요.

(   )

4 차시

3 | (소수)÷(소수)의 계산 (1)

학습 목표

자릿수가 같은 (소수)÷(소수)의 계산 원리를 이해하고 그 계산을 할 수 있습니다.

그림으로 개념 잡기

$$0.6\overline{)1.2}$$

소수점을 똑같이 오른쪽으로 같은 자리씩 옮겨!

학부모 코칭 Tip

나누는 소수와 나누어지는 소수를 각각 10배 하여 만든 자연수의 나눗셈 45÷3의 계산으로 4.5÷0.3의 계산 원리를 추론하게 합니다.

3 (소수)÷(소수)의 계산 (1)

| 자릿수가 같은 (소수)÷(소수)의 계산 원리를 이해하고 그 계산을 할 수 있습니다.

생각 열기 천연 비누 만들기 체험에서 국화꽃 모양 비누 한 개를 만들려면 비누 원료 0.3 kg이 필요합니다.

• 4.5 kg인 비누 원료로 국화꽃 모양 비누를 몇 개 만들 수 있는지 구하는 식을 쓰고, 계산 결과를 어림해 보세요.
4.5÷0.3, 예 0.3을 10배 하면 3이므로 10보다 큰 수일 것 같습니다.

• 어떻게 계산할 수 있을지 생각해 보세요.

4.5÷0.3은 45÷3으로 고쳐서 계산할 수 있어.

그럼 4.5÷0.3도 세로로 계산할 수 있을까?

탐구 하기 4.5÷0.3을 세로로 계산하는 방법을 알아봅시다.

• 4.5÷0.3을 세로로 어떻게 계산할 수 있을지 알아보고, 계산해 보세요.

10배
0.3)4.5 → 3)45
10배

계산해 보기
$$3\overline{)45}\begin{array}{r}15\\\hline3\\\hline15\\15\\\hline0\end{array}$$

• 45÷3의 몫과 4.5÷0.3의 몫은 같은가요?
네. 같습니다.

• 4.5÷0.3의 몫은 얼마인가요? 4.5÷0.3=15

• 4.5÷0.3을 세로로 계산하는 방법을 이야기해 보세요.
예 두 소수를 각각 10배 하여 45÷3을 세로로 계산합니다.

68

교과서 개념 완성

탐구하기 정리하기 **4.5÷0.3을 세로로 계산하는 방법**

나누는 소수 0.3을 3으로 만들기 위해 10배 하고, 나누어지는 소수 4.5도 10배 하여 45로 만듭니다. 그리고 45÷3을 세로로 계산하여 몫을 구합니다.

10배
0.3)4.5 → 0.3)4.5 → 3)45
10배→ 소수점을 오른쪽으로 한 자리 옮깁니다.

$$3\overline{)45}\begin{array}{r}15\\\hline3\\\hline15\\15\\\hline0\end{array}$$

4.5÷0.3=15

학부모 코칭 Tip

2차시에서 학습한 내용을 기반으로 나누는 소수와 나누어지는 소수를 똑같이 10배 한 경우 나눗셈의 몫이 같다는 원리를 이용하여 세로로 하는 소수의 나눗셈은 소수점을 각각 오른쪽으로 한 자리씩 옮겨서 계산하는 것임을 알게 하는 데 주안점을 둡니다.

확인하기 **자릿수가 같은 (소수)÷(소수) 계산하기**

$$0.2\overline{)7.2}\begin{array}{r}36\\\hline6\\\hline12\\12\\\hline0\end{array}$$

$$0.26\overline{)3.64}\begin{array}{r}14\\\hline26\\\hline104\\104\\\hline0\end{array}$$

• 5.2÷0.4=52÷4=13
• 7.92÷0.06=792÷6=132

정리
하기

• 4.5÷0.3을 세로로 계산하는 방법을 정리해 봅시다.

나누는 수와 나누어지는 수의 소수점을 똑같이 오른쪽으로 한 자리 옮겨서 계산합니다.

❶ 10배
0.3) 4.5 ➡ 0.3) 4.5
❷ 10배

$$3) \overline{45}$$
$$\underline{3}$$
$$15$$
$$\underline{15}$$
$$0$$

➡ 4.5÷0.3=15

❶ 0.3을 3으로 만들기 위해 10배 합니다.
❷ 4.5도 10배 하여 45로 만듭니다.

• 2.75÷0.25를 계산해 보세요.

100배
0.25) 2.75 ➡ 0.25) 2.75
100배

$$25) \overline{275}$$
$$\underline{25}$$
$$25$$
$$\underline{25}$$
$$0$$

➡ 2.75÷0.25=[11]

확인
하기

계산해 보세요.

$$0.2) \overline{7.2} \quad \begin{matrix} 3\ 6 \end{matrix}$$

$$0.26) \overline{3.64} \quad \begin{matrix} 14 \end{matrix}$$

풀이 5.2÷0.4=13
$$0.4) \overline{5.2}$$
$$\begin{matrix} 1\ 3 \\ \underline{4} \\ 1\ 2 \\ \underline{1\ 2} \\ 0 \end{matrix}$$

풀이 7.92÷0.06=132
$$0.06) \overline{7.92}$$
$$\begin{matrix} 1\ 3\ 2 \\ \underline{6} \\ 1\ 9 \\ \underline{1\ 8} \\ 1\ 2 \\ \underline{1\ 2} \\ 0 \end{matrix}$$

생각
술술

물통에 물이 8.8 L 들어 있었습니다. 물 2 L를 큰 병에 담고 남은 물을 0.4 L들이의 작은 병에 똑같이 나누어 담았습니다. 물이 가득 채워진 작은 병의 개수를 구해 보세요.　**17병**

풀이 (2 L의 물을 큰 병에 따라 담고 남은 물의 양)
= 8.8−2=6.8 (L)
➡ (물이 가득 채워진 작은 병의 개수)=6.8÷0.4
=68÷4=17(병)

69

이런 문제가 서술형으로 나와요

어느 자동차가 2시간 30분 동안 일정한 빠르기로 쉬지 않고 167.5 km를 달렸습니다. 1시간 동안 달린 거리는 몇 km인지 풀이 과정을 쓰고, 답을 구해 보세요.

| 풀이 과정 |

❶ 2시간 30분은 몇 시간인지 소수로 나타내기

2시간 30분=$2\frac{30}{60}$시간=$2\frac{1}{2}$시간=2.5시간

❷ 1시간 동안 달린 거리는 몇 km인지 구하기

167.5÷2.5=1675÷25=67이므로 1시간 동안 달린 거리는 67 km입니다.

답 67 km

◆ 수학 교과 역량  추론　의사소통　태도 및 실천

4.5÷0.3을 세로로 계산하는 방법 탐구하기

자릿수가 같은 (소수)÷(소수)에서 나누는 소수와 나누어지는 소수를 모두 10배, 100배 하여 소수점을 똑같이 오른쪽으로 옮겨서 계산하여도 몫은 같다는 원리를 적용하는 과정에서 추론 능력, 의사소통 능력, 태도 및 실천 능력을 기를 수 있습니다.

 개념 확인 문제　　정답 및 풀이 211쪽

1 3.2÷0.2를 세로로 계산하고, ☐ 안에 알맞은 수를 써넣으세요.

$$0.2) \overline{3.2} \quad ➡ \quad 0.2) \overline{3.2}$$

➡ 3.2÷0.2=☐

2 계산해 보세요.

(1)
$$0.6) \overline{7.2}$$

(2)
$$0.33) \overline{4.62}$$

3 빈 곳에 알맞은 수를 써넣으세요.

| 6.58 | ÷0.14 → | |

5 차시

4 | (소수)÷(소수)의 계산(2)

학습 목표

자릿수가 다른 (소수)÷(소수)의 계산 원리를 이해하고 그 계산을 할 수 있습니다.

그림으로 개념 잡기

옳긴 소수점의 위치가
몫의 소수점이 되지.

$$1.1\overline{)1.3\ 2}$$ → 1.2

참고 나누는 소수와 나누어지는 소수를 각각 10배 하여 만든 나눗셈 52.5÷15의 계산으로 5.25÷1.5의 계산 원리를 추론하게 합니다.

학부모 코칭 Tip

몫이 1보다 작으면 자연수 자리(일의 자리)에 0을 써야 함에 유의하게 합니다.

4 (소수)÷(소수)의 계산 (2)

자릿수가 다른 (소수)÷(소수)의 계산 원리를 이해하고 그 계산을 할 수 있습니다.

생각 열기 철사 공예품 만들기 체험에서 유진이는 철사 1.5 m를 사용하였고, 진호는 철사 5.25 m를 사용하였습니다.

* 진호가 사용한 철사의 길이는 유진이가 사용한 철사의 길이의 몇 배인지 구하는 식을 쓰고, 계산 결과를 어림해 보세요. 5.25÷1.5, **예** 5.25를 6으로, 1.5를 2로 생각하여 계산하면 3이므로 3에 가까울 것 같습니다.

* 어떻게 계산할 수 있을지 생각해 보세요.

10배 하여 52.5÷15로 계산하면 되지 않을까?

맞아. (소수)÷(자연수)를 세로로 계산하는 것은 배웠어.

탐구 하기 5.25÷1.5를 세로로 계산하는 방법을 알아봅시다.

* 5.25÷1.5를 세로로 어떻게 계산할 수 있을지 알아보고, 계산해 보세요.

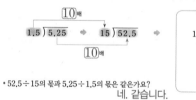

* 52.5÷15의 몫과 5.25÷1.5의 몫은 같은가요? 네. 같습니다.

* 5.25÷1.5의 몫은 얼마인가요? 5.25÷1.5=3.5

예에서 어림한 값과 계산 결과를 비교해 볼까요?

* 5.25÷1.5를 세로로 계산하는 방법을 이야기해 보세요.

예 나누는 소수 1.5를 15로 만들기 위해 10배 하고 나누어지는 소수 5.25도 10배 하여 52.5로 만들어 세로로 계산합니다.

70

교과서 개념 완성

탐구하기 **정리하기** 5.25÷1.5를 세로로 계산하는 방법

나누는 소수 1.5를 15로 만들기 위해 10배 하고, 나누어지는 소수 5.25도 10배 하여 52.5로 만들어 52.5÷15를 계산합니다. 이때 옳긴 소수점의 위치에 맞추어 몫의 소수점을 찍습니다.

학부모 코칭 Tip

4차시에서 학습한 내용을 기반으로 자릿수가 다른 (소수)÷(소수)를 계산할 때 나누는 소수와 나누어지는 소수의 소수점을 각각 오른쪽으로 한 자리씩 옮겨서 계산하는 것임을 알게 하는 데 주안점을 둡니다. 특히 몫을 쓸 때 옳긴 소수점의 위치에서 소수점을 찍어 주어야 한다는 것에 유의하게 합니다.

확인하기 자릿수가 다른 (소수)÷(소수) 계산하기

$$0.6\overline{)1.3\ 8}$$ → 2.3

```
      2.3
0.6)1.3 8
    1 2
      1 8
      1 8
        0
```

```
        1.75
5.4)9.4 5 0
    5 4
      4 0 5
      3 7 8
        2 7 0
        2 7 0
            0
```

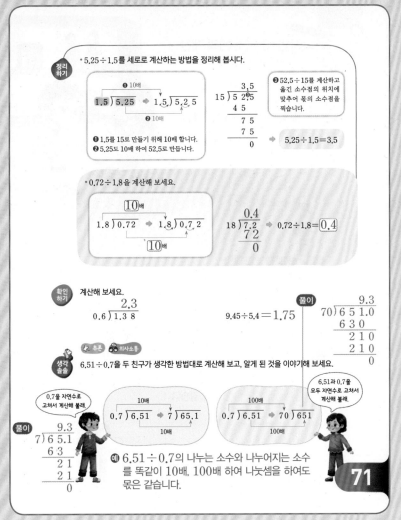

이런 문제가 서술형으로 나와요

계산이 잘못된 곳을 찾아 이유를 쓰고, 바르게 계산해 보세요.

$$
7.8)\overline{21.84} \quad\begin{array}{r} 0.28 \\ \hline 156 \\ 624 \\ 624 \\ \hline 0 \end{array} \Rightarrow 7.8)\overline{2184} \quad\begin{array}{r} 2.8 \\ \hline 156 \\ 624 \\ 624 \\ \hline 0 \end{array}
$$

| 풀이 과정 |

❶ 계산이 잘못된 곳을 찾아 이유 쓰기

몫의 소수점을 옮긴 소수점의 위치에 맞추어 찍지 않았기 때문입니다.

── 수학 교과 역량 ── 🐧 추론 😀 의사소통

자릿수가 다른 (소수)÷(소수)의 계산 방법 비교하기

자릿수가 다른 (소수)÷(소수)의 몫을 구하는 과정에서 추론 능력을 기를 수 있고, 다양한 의견을 수용하면서 의사소통 능력을 기를 수 있습니다.

개념 확인 문제
정답 및 풀이 211쪽

1 4.94÷1.9를 계산해 보세요.

$$
1.9)\overline{4.94}
$$

10배 [ ]배

$$
1.9)\overline{4.94}
$$

4.94÷1.9=[   ]

2 계산해 보세요.

(1) $0.2)\overline{1.12}$

(2) $1.3)\overline{4.16}$

3 빈 곳에 알맞은 수를 써넣으세요.

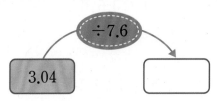

3.04 → ÷7.6 → [   ]

(자연수)÷(소수)의 계산 원리를 이해하고 그 계산을 할 수 있습니다.

그림으로 개념 잡기

$$1.5 \overline{)3} \Rightarrow 1.5 \overline{)3.0}$$

3을 10배 하면 30이니까 0을 붙여야 해요!

참고
나누는 소수와 나누어지는 수를 각각 10배 하여 만든 나눗셈 60÷12의 계산으로 6÷1.2의 계산 원리를 추론하게 합니다.

학부모 코칭 Tip
(자연수)÷(소수)에서 나누는 수와 나누어지는 수를 똑같이 10배 하여도 나눗셈의 몫은 같다는 원리를 이해하고, 자연수의 나눗셈과 같이 계산할 수 있도록 합니다.

5 (자연수)÷(소수)의 계산

| (자연수)÷(소수)의 계산 원리를 이해하고 그 계산을 할 수 있습니다.

생각열기 한지 공예품 만들기 체험에서 연필꽂이 1개를 만들려면 한지 1.2 m²가 필요합니다.

• 한지 6 m²로는 연필꽂이를 몇 개 만들 수 있는지 구하는 식을 쓰고, 계산 결과를 어림해 보세요.
6÷1.2, 예 1.2를 1로 생각하여 계산하면 6이므로 6보다
• 어떻게 계산할 수 있을지 생각해 보세요.   작은 수일 것 같습니다.

1.2)6 를 계산하면 되는데……

추론 **의사소통** **태도 및 실천**

탐구하기 6÷1.2를 세로로 계산하는 방법을 알아봅시다.

• 6÷1.2를 세로로 어떻게 계산할 수 있을지 알아보고, 계산해 보세요.

6은 6.0과 같아요.

[10배]
$$1.2 \overline{)6} \Rightarrow 12 \overline{)60}$$
[10배]

계산하여 답하기
$$12 \overline{)60} \quad \begin{array}{r} 5 \\ \hline 60 \\ \hline 0 \end{array}$$

• 60÷12의 몫과 6÷1.2의 몫은 같은가요?   네. 같습니다.

• 6÷1.2의 몫은 얼마인가요? 6÷1.2=[5]

에서 어림한 값과 계산 결과를 비교해 볼까요?

• 6÷1.2를 세로로 계산하는 방법을 이야기해 보세요.
예 6과 1.2를 각각 10배 하여 만든 나눗셈
60÷12를 세로로 계산합니다.

72

교과서 개념 완성

탐구하기 **정리하기** 6÷1.2를 세로로 계산하는 방법

나누는 수 1.2를 12로 만들기 위해 10배 하고, 나누어지는 수 6을 10배 하면 60이므로 6에 0을 붙여줍니다. 그리고 60÷12를 세로로 계산하여 몫을 구합니다.

[10배]
$$1.2 \overline{)6} \Rightarrow 1.2 \overline{)6.0} \Rightarrow 12 \overline{)60}$$
[10배]

$$12 \overline{\smash{)}60} \quad \begin{array}{r} 5 \\ \hline 60 \\ \hline 0 \end{array}$$

→ 6÷1.2=5

학부모 코칭 Tip
(자연수)÷(소수)를 계산할 때 나누는 소수의 소수점을 오른쪽으로 한 자리씩 옮기고, 나누어지는 자연수의 끝자리에 0을 붙여서 계산해야 하는 것임을 알게 하는 데 주안점을 둡니다.

확인하기 (자연수)÷(소수) 계산하기

1.
$$3.2 \overline{)16.0} \quad \begin{array}{r} 5 \\ \hline 160 \\ \hline 0 \end{array}$$

$$1.2 \overline{)90.0} \quad \begin{array}{r} 75 \\ \hline 84 \\ \hline 60 \\ \hline 60 \\ \hline 0 \end{array}$$

• 6÷0.15=600÷15=40
• 77÷3.5=770÷35=22

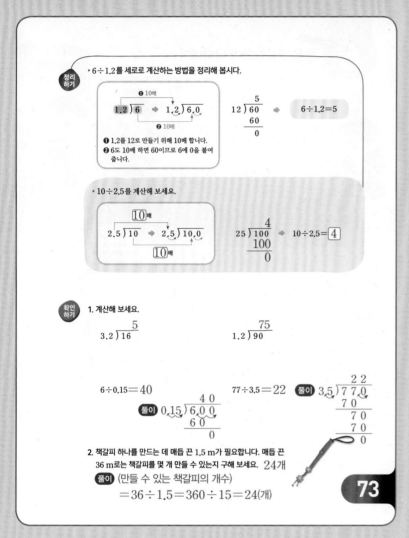

• 6÷1.2를 세로로 계산하는 방법을 정리해 봅시다.

❶ 1.2를 12로 만들기 위해 10배 합니다.
❷ 6도 10배 하면 60이므로 6에 0을 붙여 줍니다.

$6÷1.2=5$

• 10÷2.5를 계산해 보세요.

$10÷2.5=\boxed{4}$

확인하기

1. 계산해 보세요.

$6÷0.15=40$

$77÷3.5=22$

2. 책갈피 하나를 만드는 데 매듭 끈 1.5 m가 필요합니다. 매듭 끈 36 m로는 책갈피를 몇 개 만들 수 있는지 구해 보세요. 24개

풀이 (만들 수 있는 책갈피의 개수)
$=36÷1.5=360÷15=24(개)$

73

이런 문제가 서술형으로 나와요

주스 2.2 L를 친구들이 0.4 L씩 나누어 마셨더니 0.2 L가 남았습니다. 주스를 마신 친구는 몇 명인지 풀이 과정을 쓰고, 답을 구해 보세요.

| 풀이 과정 |

❶ 친구들이 마신 주스는 몇 L인지 구하기

(친구들이 마신 주스의 양)
= (전체 주스의 양) − (남은 주스의 양)
$= 2.2 - 0.2 = 2 (L)$

❷ 주스를 마신 친구는 몇 명인지 구하기

(주스를 마신 친구의 수)
$= 2÷0.4 = 20÷4 = 5(명)$

답 5명

수학 교과 역량 추론 의사소통 태도 및 실천

6÷1.2를 세로로 계산하는 방법 탐구하기

(자연수)÷(소수)에서 나누는 소수와 나누어지는 수를 모두 10배, 100배 하여 소수점을 똑같이 오른쪽으로 옮겨서 계산하여도 몫은 같다는 원리를 적용하는 과정에서 추론 능력, 의사소통 능력, 태도 및 실천 능력을 기를 수 있습니다.

개념 확인 문제 정답 및 풀이 211쪽

1 안에 알맞은 수를 써넣으세요.

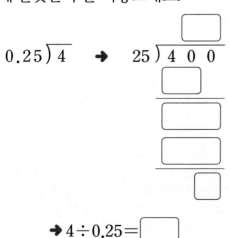

$→ 4÷0.25 = \boxed{}$

2 계산해 보세요.

(1) $0.4 \overline{)10}$

(2) $0.75 \overline{)9}$

3 쿠키를 한 개 만드는 데 밀가루가 8.5 g 사용된다면 밀가루 170 g으로는 똑같은 크기의 쿠키를 몇 개 만들 수 있는지 구해 보세요.

(   )

학습 목표

(소수)÷(자연수), (소수)÷(소수)의 몫을 반올림하여 나타낼 수 있습니다.

그림으로 개념 잡기

계속해서 나눠지면?

$$3.2 \div 0.7 = 4.571\cdots$$

➡ 4.5**7**

몫을 반올림하자!

학부모 코칭 Tip

(소수)÷(소수)의 계산이 계속해서 나눌 수 있어서 몫이 간단한 소수로 구해지지 않을 때에는 몫을 반올림하여 나타낼 수 있음을 알도록 합니다.

6 몫을 반올림하여 나타내기

| (소수)÷(자연수), (소수)÷(소수)의 몫을 반올림하여 나타낼 수 있습니다.

생각 열기 찰흙 공예품 만들기 체험에서 수연이는 찰흙 2.6 kg, 민호는 찰흙 1.5 kg을 사용하였습니다.

• 수연이가 사용한 찰흙의 양은 민호가 사용한 찰흙의 양의 몇 배인지 구하는 식을 쓰고, 계산해 보세요. 2.6÷1.5=1.7333…

• 몫을 어떻게 나타내야 할까요?
예 반올림해야 할 것 같습니다.

7÷3=2.3333… 처럼 계속해서 나눌 수 있을 때에는 어떻게 했었나요?

탐구 하기 2.6÷1.5의 몫을 어떻게 나타낼지 생각해 봅시다.

• 2.6÷1.5의 몫을 반올림하여 소수 첫째 자리까지 나타내어 보세요. 1.7

풀이 2.6÷1.5를 계산하면 몫이 1.7333…과 같이 계속 나눌 수 있습니다.
소수 첫째 자리까지 나타내려면 소수 둘째 자리에서 반올림해야 합니다.
소수 둘째 자리 숫자가 3이므로 반올림하여 소수 첫째 자리까지 나타내면 1.7입니다.

• 2.6÷1.5의 몫을 반올림하여 소수 둘째 자리까지 나타내어 보세요. 1.73

풀이 소수 둘째 자리까지 나타내려면 소수 셋째 자리에서 반올림해야 합니다.
소수 셋째 자리 숫자가 3이므로 반올림하여 소수 둘째 자리까지 나타내면 1.73입니다.

• 나눗셈의 몫이 간단한 소수로 구해지지 않을 경우, 몫을 나타내는 방법을 이야기해 보세요.
예 몫을 반올림하여 나타낼 수 있습니다.

74

교과서 개념 완성

생각 열기 상황을 식으로 표현하고, 계산하기

• 수연이가 사용한 찰흙의 양은 민호가 사용한 찰흙의 양의 몇 배인지 구하는 식은 2.6÷1.5이고 계산하면 몫이 1.733…으로 나누어떨어지지 않고 계속 나누어집니다.

• 몫을 반올림해야 할 것 같습니다.

학부모 코칭 Tip

자릿수가 같은 두 소수의 나눗셈 상황임을 이해하고 구해야 하는 식으로 2.6÷1.5를 생각해 내어 계산해 보게 하며, 문제의 맥락에서 몫을 버림, 올림, 반올림 중에서 어떻게 처리할지 논리적 근거를 들어 설명할 수 있게 합니다.

확인하기 몫을 반올림하여 나타내기

1. 몫을 반올림하여 소수 둘째 자리까지 나타내기

$$2.4 \div 7 = 0.342\cdots \rightarrow 0.34$$
└ 버립니다.

$$1.5 \div 0.13 = 11.538\cdots \rightarrow 11.54$$
└ 올립니다.

2. 고래상어의 무게는 범고래의 무게의 몇 배인지 구하는 식은 (고래상어의 무게)÷(범고래의 무게)입니다.

학부모 코칭 Tip

버림, 올림, 반올림의 사용은 문제 상황 속 맥락에 달려 있으므로 몫을 나타낼 때 차시 목표와 관련지어 반올림만을 강조하기보다는 학생들이 버림, 올림, 반올림의 사용을 논리적 근거를 들어 설명하면 긍정적으로 수용해 줍니다.

정리하기

• 2.6÷1.5의 몫을 나타내는 방법을 정리해 봅시다.

2.6÷1.5=1.7333…과 같이 계속해서 나눌 수 있을 때에는 몫을 반올림하여 나타낼 수 있습니다.

몫을 반올림하여 나타내기	
소수 첫째 자리까지 나타내기	1.7
소수 둘째 자리까지 나타내기	1.73

• 몫을 반올림하여 소수 첫째 자리, 소수 둘째 자리까지 각각 나타내어 보세요.

	소수 첫째 자리까지 나타내기	소수 둘째 자리까지 나타내기
15.7÷9	1.7	1.74
1.8÷2.7	0.7	0.67

풀이 • 15.7÷9=1.744…
• 1.8÷2.7=0.666…

문제 해결 정보 처리

확인하기

1. 몫을 반올림하여 소수 둘째 자리까지 나타내어 보세요.

2.4÷7 0.34   1.5÷0.13 11.54

풀이 • 2.4÷7=0.342… ➡ 0.34
• 1.5÷0.13=11.538… ➡ 11.54

속어 계산기

2. 범고래의 무게는 5.4 t, 고래상어의 무게는 21.5 t입니다. 고래상어의 무게는 범고래의 무게의 몇 배인지 반올림하여 소수 둘째 자리까지 나타내어 보세요. 3.98배

풀이 21.5÷5.4=3.981…이므로 3.98배입니다.

75

이런 문제가 서술형으로 나와요

두께가 일정한 통나무 3.1 m의 무게가 160.7 kg입니다. 통나무 1 m의 무게는 몇 kg인지 반올림하여 소수 둘째 자리까지 나타내려고 할 때 풀이 과정을 쓰고, 답을 구해 보세요.

| 풀이 과정 |

❶ 통나무 1 m의 무게는 몇 kg인지 소수 셋째 자리까지 구하기

160.7÷3.1=51.838…이므로 통나무 1 m의 무게를 소수 셋째 자리까지 구하면 51.838 kg입니다.

❷ 통나무 1 m의 무게는 몇 kg인지 반올림하여 소수 둘째 자리까지 나타내기

51.838 kg을 반올림하여 소수 둘째 자리까지 나타내면 51.84 kg입니다.

답 51.84 kg

수학 교과 역량 문제 해결 정보 처리

몫을 반올림하여 나타내기
문제 상황을 소수의 나눗셈으로 표현하여 해결 방안을 생각하고, 계산기를 사용하여 계산해 내는 과정에서 문제 해결 능력과 정보 처리 능력을 기를 수 있습니다.

 개념 확인 문제   정답 및 풀이 212쪽

1 나눗셈을 보고 몫을 반올림하여 소수 둘째 자리까지 나타내어 보세요.

4.7÷0.6=7.833…

(   )

2 몫을 반올림하여 소수 첫째 자리까지 나타내어 보세요.

5.27÷1.1 ➡ (   )

3 다음 수를 비교하여 ○ 안에 >, =, <를 알맞게 써넣으세요.

| 2.8÷13의 몫을 반올림하여 소수 첫째 자리까지 나타낸 수 | ○ | 2.8÷13의 몫을 반올림하여 소수 둘째 자리까지 나타낸 수 |

4 쌀 34.6 kg을 15일 동안 매일 똑같은 양을 먹었다면 하루에 먹은 쌀은 몇 kg인지 반올림하여 소수 둘째 자리까지 나타내어 보세요.

(   )

학습 목표

소수의 나눗셈에서 남는 양을 구할 수 있습니다.

그림으로 개념 잡기

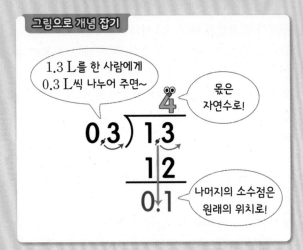

1.3 L를 한 사람에게 0.3 L씩 나누어 주면~

몫은 자연수로!

$$0.3\overline{)1.3}$$

나머지의 소수점은 원래의 위치로!

학부모 코칭 Tip

나누어 주고 남는 양을 세로로 계산하는 방법에서 나누어 줄 수 있는 사람 수는 연속량이 아닌 이산량이므로 몫은 자연수이고, 나머지는 남는 양임을 그림을 통하여 이해하게 합니다.

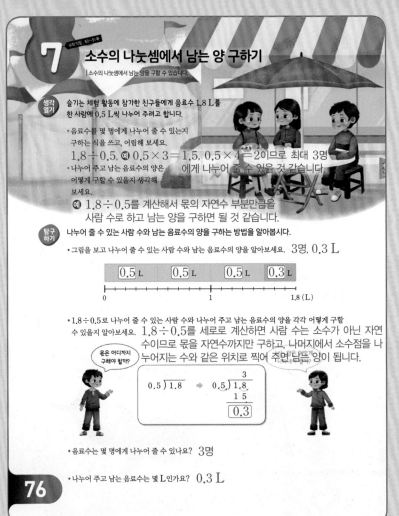

7 수학익힘 50~51쪽

소수의 나눗셈에서 남는 양 구하기

| 소수의 나눗셈에서 남는 양을 구할 수 있습니다.

생각 열기

슬기는 체험 활동에 참가한 친구들에게 음료수 1.8 L를 한 사람에 0.5 L씩 나누어 주려고 합니다.

• 음료수를 몇 명에게 나누어 줄 수 있는지 구하는 식을 쓰고, 어림해 보세요.

$1.8 \div 0.5$, 예 $0.5 \times 3 = 1.5$, $0.5 \times 4 = 2$이므로 최대 3명 에게 나누어 줄 수 있을 것 같습니다.

• 나누어 주고 남는 음료수의 양은 어떻게 구할 수 있을지 생각해 보세요.

예 $1.8 \div 0.5$를 계산해서 몫의 자연수 부분만큼을 사람 수로 하고 남는 양을 구하면 될 것 같습니다.

탐구 하기 나누어 줄 수 있는 사람 수와 남는 음료수의 양을 구하는 방법을 알아봅시다.

• 그림을 보고 나누어 줄 수 있는 사람 수와 남는 음료수의 양을 알아보세요. 3명, 0.3 L

• $1.8 \div 0.5$로 나누어 줄 수 있는 사람 수와 나누어 주고 남는 음료수의 양을 각각 어떻게 구할 수 있을지 알아보세요. $1.8 \div 0.5$를 세로로 계산하면 사람 수는 소수가 아닌 자연수이므로 몫을 자연수까지만 구하고, 나머지에서 소수점을 나누어지는 수와 같은 위치로 찍어 구하면 남는 양이 됩니다.

몫은 어디까지 구해야 할까?

$$0.5\overline{)1.8} \rightarrow 0.5\overline{)1.8} \\ \underline{1\ 5} \\ \boxed{0.3}$$

• 음료수는 몇 명에게 나누어 줄 수 있나요? 3명

• 나누어 주고 남는 음료수는 몇 L인가요? 0.3 L

76

교과서 개념 완성

탐구하기 **정리하기** 나누어 주고 남는 양을 구하는 방법 정리하기

$$1.8 \div 0.5 \rightarrow 0.5\overline{)1.8} \quad \rightarrow \text{사람 수: 3명} \\ \underline{1\ 5} \\ 0.3 \rightarrow \text{남는 양: 0.3 L}$$

확인 $0.5 \times 3 + 0.3 = 1.8$ (L)

학부모 코칭 Tip

나머지의 소수점은 나누어지는 수의 처음 소수점의 위치와 같아야 함에 주의합니다.

확인하기 소수의 나눗셈 상황에서 나누어 주고 남는 양 구하기

$$3.8 \div 0.6 \rightarrow 0.6\overline{)3.8} \quad \rightarrow \text{사람 수: 6명} \\ \underline{3\ 6} \\ 0.2 \rightarrow \text{남는 양: 0.2 L}$$

확인 $0.6 \times 6 + 0.2 = 3.8$ (L)

학부모 코칭 Tip

일반적인 소수의 나눗셈은 몫이 나누어떨어질 때까지 소수점 이하로 계산을 계속하므로 실생활에서 소수의 나눗셈을 활용한 문제 해결의 경우 맥락을 정확히 이해하고 문제를 해결하도록 해야 합니다. 이 문제의 경우 식혜를 나누어 줄 수 있는 사람 수는 연속량이 아닌 이산량이므로 6.3명과 같은 표현은 존재할 수 없음을 이해하게 합니다.

• 계산 결과를 확인해 보세요.

나누어 주는 음료수의 양(L)	나누어 주고 남는 음료수의 양(L)	합계(L)
1.5	0.3	1.8

(처음 음료수의 양)=0.5×③+0.3=1.8 (L)

 정리하기
• 나누어 주고 남는 양을 구하는 방법을 정리해 봅시다.
나눗셈으로 남는 양은 다음 순서로 구합니다.
❶ 몫을 자연수까지만 구합니다.
❷ 나머지에 소수점을 원래 위치로 찍으면 남는 양이 됩니다.

 확인하기
식혜 3.8 L를 한 사람에 0.6 L씩 나누어 주려고 합니다. 나누어 줄 수 있는 사람 수와 이때 남는 식혜의 양을 구하고, 확인해 보세요. 6명, 0.2 L

 생각 솔솔 📋 문제 해결 👥 의사소통
쌀 4.9 kg을 한 봉지에 1.5 kg씩 담으면 몇 봉지까지 담을 수 있는지, 이때 남는 쌀은 몇 kg인지 알아보려고 합니다. 오른쪽 민수의 계산을 보고, 다시 답해 보세요. 그리고 민수가 어떤 실수를 하였는지 이야기해 보세요.

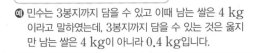

③ 봉지까지 담을 수 있고, 이때 남는 쌀은 0.4 kg입니다.

예 민수는 3봉지까지 담을 수 있고 이때 남는 쌀은 4 kg 이라고 말하였는데, 3봉지까지 담을 수 있는 것은 옳지만 남는 쌀은 4 kg이 아니라 0.4 kg입니다.

 이런 문제가 서술형으로 나와요

철사 4.9 m를 한 사람에게 0.5 m씩 나누어 주려고 합니다. 나누어 줄 수 있는 사람 수와 이때 남는 철사의 길이를 구하려고 할 때 풀이 과정을 쓰고, 답을 구해 보세요.

| 풀이 과정 |

❶ 나눗셈식을 세우고 몫을 자연수까지만 구하기

$4.9 \div 0.5$ →

$$0.5)\overline{4.9}$$
몫 9, 45, 남는 0.4

❷ 나누어 줄 수 있는 사람 수와 이때 남는 철사의 길이 구하기

나누어 줄 수 있는 사람은 9명이고, 남는 철사의 길이는 0.4 m입니다.

답 9명, 0.4 m

수학 교과 역량 📋 문제 해결 👥 의사소통

나누어 주고 남는 양을 구하는 올바른 과정 이야기하기
잘못 계산한 부분과 그 이유를 찾아 설명하는 과정에서 문제 해결 능력과 의사소통 능력을 기를 수 있습니다.

 개념 확인 문제   정답 및 풀이 212쪽 ▶

1 우유 2.4 L를 한 병에 0.5 L씩 나누어 담는다면 몇 병까지 담을 수 있고, 이때 남는 우유는 몇 L인지 구하고, 확인해 보세요.

$$0.5)\overline{2.4}$$
4 → 병의 수
2 0
□ → 남는 양

확인 (처음 우유의 양)
$=0.5×□+□=□$ (L)

2 콩 3.8 kg을 한 봉지에 0.7 kg씩 나누어 담는다면 몇 봉지까지 담을 수 있고, 이때 남는 콩은 몇 kg인지 구하고, 확인해 보세요.

$$0.7)\overline{3.8}$$

담을 수 있는 봉지의 수	남는 콩의 무게

 확인

학습 목표

식 만들기 전략을 이용하여 문제를 해결하고 어떻게 해결했는지 설명할 수 있습니다.

문제 해결 전략 식 만들기 전략

수학 교과 역량 문제 해결 · 창의·융합

야구공은 몇 개일까요

· 문제의 조건을 확인하고 문제 해결에 적절한 전략을 선택하여 문제를 해결하는 과정에서 문제 해결 능력을 기를 수 있습니다.
· 빈 바구니나 빈 그릇의 무게를 구하는 여러 가지 방법을 찾아보는 과정에서 창의·융합 능력을 기를 수 있습니다.

문제 해결 Tip 두 바구니의 무게의 차는 야구공 4개의 무게를 의미합니다.

 **문제 해결력 쑥쑥**

문제 해결 · 창의·융합

야구공은 몇 개일까요

빈 바구니에 야구공 3개를 담아 잰 무게는 0.7 kg, 빈 바구니에 야구공 7개를 담아 잰 무게는 1.3 kg이었습니다. 빈 바구니에 야구공 몇 개를 담고 재면 무게가 1 kg인지 구해 보세요.

문제 이해하기

· 구하려고 하는 것은 무엇인가요? 예 빈 바구니에 야구공 몇 개를 담아 재면 무게가 1 kg이 되는지입니다.

· 알고 있는 것은 무엇인가요?
예 야구공 3개가 담긴 바구니의 무게는 0.7 kg이고, 야구공 7개가 담긴 바구니의 무게는 1.3 kg입니다.

계획 세우기

· 어떤 방법으로 문제를 해결할 수 있을지 계획을 세워 보세요.

 빈 바구니의 무게와 야구공 1개의 무게를 따로 구해야 할 것 같아.

 오른쪽 바구니 무게와 왼쪽 바구니 무게의 차는 무엇의 무게일까?

예 · 야구공 7개와 야구공 3개가 담긴 무게의 차는 야구공 4개의 무게가 됩니다.
· 야구공 하나의 무게를 알면 빈 바구니의 무게를 구할 수 있습니다.

78

 교과서 개념 완성

문제 이해하기

≫ **구하려고 하는 것**

빈 바구니에 야구공 몇 개를 담고 재면 무게가 1 kg이 되는지입니다.

≫ **알고 있는 것**

· 야구공 3개가 담긴 바구니의 무게는 0.7 kg입니다.
· 야구공 7개가 담긴 바구니의 무게는 1.3 kg입니다.

계획 세우기

빈 바구니의 무게와 야구공 1개의 무게를 알아야 합니다.

계획대로 풀기

(야구공 4개의 무게)
$=$(야구공 7개가 든 바구니의 무게)
　$-$(야구공 3개가 든 바구니의 무게)
$=1.3-0.7=0.6 (\text{kg})$

(야구공 1개의 무게)$=0.6 \div 4=0.15 (\text{kg})$

(야구공 3개의 무게)$=0.15 \times 3=0.45 (\text{kg})$

(빈 바구니의 무게)$=0.7-0.45=0.25 (\text{kg})$

(무게가 1 kg일 때 바구니에 담긴 야구공의 무게)
$=1-0.25=0.75 (\text{kg})$

(무게가 1 kg일 때 바구니에 담긴 야구공의 수)
$=0.75 \div 0.15=5(\text{개})$

계획대로 풀기
• 야구공 3개가 담긴 바구니 무게와 야구공 7개가 담긴 바구니 무게의 차를 구하고, 이 값이 무엇의 무게를 의미하는지 써 보세요.

> **예** 두 바구니의 무게의 차는 $1.3-0.7=0.6$ (kg)이고, 이 값은 야구공 4개의 무게를 의미합니다.

• 야구공 1개의 무게는 몇 kg인가요? $0.15\,kg$

• 빈 바구니의 무게는 몇 kg인가요? $0.25\,kg$

• 빈 바구니에 야구공 몇 개를 담고 재면 무게가 1 kg인지 구해 보세요. 5개

되돌아 보기
• 구한 답이 맞았는지 확인해 보세요.

• 문제를 해결한 방법을 친구들과 이야기해 보세요.

생각 키우기 📋 문제 해결 ✨ 창의·융합

빈 그릇에 어떤 액체 1 L를 넣어 잰 무게는 1.5 kg, 빈 그릇에 같은 액체 2.25 L를 넣어 잰 무게는 3 kg이었습니다. 빈 그릇의 무게는 몇 kg인지 구해 보세요. $0.3\,kg$

풀이 두 그릇의 무게의 차는 $3-1.5=1.5$ (kg)이고 이 값은 두 액체의 들이의 차 $2.25-1=1.25$ (L)의 무게를 의미합니다. 액체 1 L의 무게는 $1.5÷1.25=1.2$ (kg)이므로 빈 그릇의 무게는 $1.5-1.2=0.3$ (kg)입니다.

79

생각 키우기 📋 문제 해결 ✨ 창의·융합

문제 이해하기

≫ **구하려고 하는 것**
빈 그릇의 무게입니다.

≫ **알고 있는 것**
• 액체 1 L가 들어 있는 그릇의 무게는 1.5 kg입니다.
• 같은 액체 2.25 L가 들어 있는 같은 그릇의 무게는 3 kg입니다.

계획 세우기
무게의 차를 들이의 차로 나누어 액체 1 L의 무게를 구할 수 있습니다.

계획대로 풀기
(두 그릇의 무게의 차)$=3-1.5=1.5$ (kg)
(두 그릇의 들이의 차)$=2.25-1=1.25$ (L)
(액체 1 L의 무게)
$=$(두 그릇의 무게의 차)÷(두 그릇의 들이의 차)
$=1.5÷1.25=1.2$ (kg)
(빈 그릇의 무게)$=1.5-1.2=0.3$ (kg)

되돌아보기
• 구한 답이 조건에 맞는지 확인합니다.
• 자신이 해결한 과정과 결과를 친구들에게 설명합니다.

문제 해결력 문제   정답 및 풀이 212쪽 ◀

1 빈 상자에 같은 구슬 4개를 담아 잰 무게는 1.27 kg, 빈 상자에 같은 구슬 6개를 담아 잰 무게는 1.73 kg이었습니다. 물음에 답해 보세요.

(1) 구슬 1개의 무게는 몇 kg인가요?
(   )

(2) 빈 상자에 구슬 몇 개를 담고 재면 무게가 1.5 kg인가요?
(   )

2 빈 비커에 어떤 액체 1 L를 넣어 잰 무게는 1.55 kg, 빈 비커에 같은 액체 2.6 L를 넣어 잰 무게는 3.63 kg이었습니다. 물음에 답해 보세요.

(1) 액체 1 L의 무게는 몇 kg인가요?
(   )

(2) 빈 비커의 무게는 몇 kg인가요?
(   )

추론

(소수)÷(소수)의 계산 원리 이해하기

▶자습서 74~75쪽

학부모 코칭 Tip

1.28÷0.04는 분수의 나눗셈으로 고쳐서 계산하고, 1.59÷0.03은 나누는 소수와 나누어지는 소수를 각각 100배 하여 자연수의 나눗셈으로 몫을 구하게 합니다.

추론

(소수)÷(소수)의 계산 결과 어림하기

▶자습서 72~75쪽

학부모 코칭 Tip

어림한 몫이 10보다 큰 나눗셈은 나누어지는 소수가 나누는 소수의 10배보다 크다는 것을 이해하게 합니다.

추론

(소수)÷(소수), (자연수)÷(소수) 계산하기

▶자습서 76~81쪽

학부모 코칭 Tip

(소수)÷(소수), (자연수)÷(소수)의 나누는 수와 나누어지는 수를 각각 10배 하여 자연수의 나눗셈과 같이 계산하고, 몫의 소수점을 정확하게 찍게 합니다.

---

1 ☐ 안에 알맞은 수를 써넣으세요.

66쪽

$$1.28 \div 0.04 = \frac{128}{100} \div \frac{\boxed{4}}{100} = \boxed{128} \div \boxed{4} = \boxed{32}$$

$$1.59 \div 0.03 \Rightarrow \boxed{159} \div \boxed{3} = \boxed{53} \Rightarrow 1.59 \div 0.03 = \boxed{53}$$

(100배 표시)

풀이 • 두 소수를 분모가 100인 분수로 고쳐서 분수의 나눗셈으로 계산합니다.
· 두 소수를 각각 100배 하여 자연수로 고쳐서 자연수의 나눗셈으로 계산합니다.

2 어림한 몫이 10보다 큰 나눗셈에는 ○표, 0보다 크고 10보다 작은 나눗셈에는 △표 하세요.

64쪽, 66쪽, 70쪽

| 8.4÷0.2 | 1.2÷0.8 | 1.28÷0.36 | 6.24÷0.6 |

(○)   (△)   (△)   (○)

풀이 나누는 수를 10배 하여 나누어지는 수와 비교해 봅니다.
8.4>2, 1.2<8, 1.28<3.6, 6.24>6이므로 어림한 몫이 10보다 큰 나눗셈은 8.4÷0.2, 6.24÷0.6이고, 0보다 크고 10보다 작은 나눗셈은 1.2÷0.8, 1.28÷0.36 입니다.

3 계산해 보세요.

68쪽, 70쪽, 72쪽

$$0.3)\overline{7.2} \quad \begin{array}{r} 2\ 4 \end{array}$$

$$9.4)\overline{62.98} \quad \begin{array}{r} 6.7 \end{array}$$

$$64 \div 0.5 = 128$$

$$3.01 \div 0.7 = 4.3$$

풀이

$$\begin{array}{r} 2\ 4 \\ 0.3)\overline{7.2} \\ \underline{6} \\ 1\ 2 \\ \underline{1\ 2} \\ 0 \end{array}$$

$$\begin{array}{r} 6.7 \\ 9.4)\overline{62.98} \\ \underline{5\ 6\ 4} \\ 6\ 5\ 8 \\ \underline{6\ 5\ 8} \\ 0 \end{array}$$

$$64 \div 0.5 = 640 \div 5 = 128$$

$$3.01 \div 0.7 = 30.1 \div 7 = 4.3$$

80

4 집에서 미술관까지의 거리는 1.47 km, 집에서 박물관까지의 거리는 0.49 km입니다.
⏷68쪽 집에서 미술관까지의 거리는 집에서 박물관까지의 거리의 몇 배인지 구해 보세요.

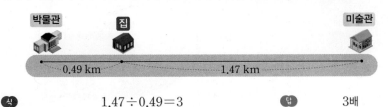

박물관 집 미술관
0.49 km   1.47 km

식 $1.47 \div 0.49 = 3$ 답 3배

풀이 (집에서 미술관까지의 거리)÷(집에서 박물관까지의 거리)
$= 1.47 \div 0.49 = 147 \div 49 = 3$(배)

📖 문제 해결

(소수)÷(소수) 문장제 해결하기
▶자습서 76~77쪽

학부모 코칭 Tip
나누는 소수와 나누어지는 소수를 각각 100배 하여 자연수의 나눗셈과 같이 계산하고, 소수점이 이동한 위치에 맞게 몫의 소수점을 찍어 0.3배라고 답하지 않도록 주의합니다.

5 사과 6개의 무게가 1.6 kg입니다. 사과 1개의 평균 무게는 몇 kg인지 반올림하여 소수
⏷74쪽 둘째 자리까지 나타내어 보세요. 0.27 kg

풀이 $1.6 \div 6 = 0.266\cdots$이고 소수 셋째 자리 숫자가 6이므로 반올림하여 소수 둘째 자리까지 나타내면 0.27 kg입니다.

📖 문제 해결

(소수)÷(자연수) 문장제 해결하기
▶자습서 82~83쪽

학부모 코칭 Tip
반올림하여 소수 둘째 자리까지 나타내려면 소수 셋째 자리에서 반올림해야 한다는 것을 이해하게 합니다.

 넓히기 📖 문제 해결 🔍 의사소통

6 화단에 물을 주려고 합니다. 물 18.2 L를 한 사람에 3.5 L씩
⏷76쪽 나누어 줄 때, 나누어 줄 수 있는 사람 수와 이때 남는 물의 양을
알기 위해 다음과 같이 계산하였습니다. 잘못 계산한 곳을 찾아 바르게
계산하고, 그 이유를 써 보세요.

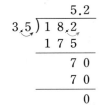

```
        5.2
3.5 ) 1 8.2
      1 7 5
        7 0
        7 0
          0
```
나누어 줄 수 있는 사람 수: 5명
남는 물의 양: 0.2 L

➡

```
        5
3.5 ) 1 8.2
      1 7 5
        0.7
```
나누어 줄 수 있는 사람 수: 5 명
남는 물의 양: 0.7 L

이유 예 사람 수는 소수가 아닌 자연수이므로 몫을 자연수까지만 구해야 합니다.

📖 문제 해결 🔍 의사소통

(소수)÷(소수) 문제 상황에서 나누어 주고 남는 양 바르게 계산하기
▶자습서 84~85쪽

학부모 코칭 Tip
$18.2 \div 3.5 = 5.2$에서 몫은 나누어 줄 수 있는 사람 수이므로 자연수까지만 나타내고, 나머지는 남는 물의 양으로 계산하게 합니다.

81

색칠하며 나눗셈을 즐겨요

준비물: 놀이판, 주사위 1개, 말 2개, 색연필

인원: 2명

방법:
① 두 사람은 각자 칠할 색을 정합니다.
② 놀이판의 '출발'에 각자의 말을 놓고 가위바위보를 하여 순서를 정합니다.
③ 이긴 사람이 먼저 주사위를 던져 나온 눈의 수만큼 말을 옮깁니다.
④ 말을 놓은 칸에 있는 나눗셈을 계산하여 맞으면 말을 그 자리에 놓고 그 칸을 정해 놓은 색으로 칠합니다. 계산이 틀리면 원래의 자리로 돌아갑니다. 계산한 값이 맞는지 틀린지 판정은 상대방이 합니다. 상대방이 낸 문제가 나누어떨어지지 않을 경우에는 몫을 반올림하여 소수 첫째 자리까지 나타냅니다.
⑤ 번갈아 가며 놀이를 하고, 이미 칠한 칸에 도착한 경우에는 색칠하지 못하며, 최종적으로 먼저 도착한 사람이 이깁니다.

놀이판 내용:

출발

12.5÷0.5 = 25
32.4÷0.6 = 54
0.96÷0.12 = 8
4.8÷0.3 = 16
상대방이 낸 문제 풀기 □.□÷□.□
출발로 되돌아가기
2.7÷0.3 = 9
7.92÷0.06 = 132
상대방이 낸 문제 풀기 □.□□÷□.□
6.25÷2.5 = 2.5
한 번 쉬기
9.12÷3.8 = 2.4
6칸 되돌아가기
17÷3.4 = 5
7.36÷3.2 = 2.3
상대방이 낸 문제 풀기 □.□□÷□.□□
152÷3.8 = 40
6÷1.5 = 4
도착

82   83

교과서 개념 완성

놀이 속으로 | 풍덩

• 놀이를 통하여 (소수)÷(소수)의 계산을 연습하여 익숙하게 하면서 수학에 대한 흥미와 계산에 대한 자신감을 가지게 합니다.

• 경우에 따라 (소수)÷(소수) 문제를 직접 만들어 보면서 수학을 능동적으로 다룰 수 있는 기회를 제공합니다.

학부모 코칭 Tip

• 규칙과 놀이 방법을 학생들 스스로 파악하도록 시간 여유를 줍니다.
• 결과는 어림만 하지 말고 실제 계산을 하게 합니다.

$$
\begin{array}{r}
25 \\
0.5{\overline{\smash{)}12.5}} \\
10 \\
\hline
25 \\
25 \\
\hline
0
\end{array}
$$

$$
\begin{array}{r}
132 \\
0.06{\overline{\smash{)}7.92}} \\
6 \\
\hline
19 \\
18 \\
\hline
12 \\
12 \\
\hline
0
\end{array}
$$

$$
\begin{array}{r}
2.5 \\
2.5{\overline{\smash{)}6.25}} \\
50 \\
\hline
125 \\
125 \\
\hline
0
\end{array}
$$

$$
\begin{array}{r}
2.4 \\
3.8{\overline{\smash{)}9.12}} \\
76 \\
\hline
152 \\
152 \\
\hline
0
\end{array}
$$

$$
\begin{array}{r}
40 \\
3.8{\overline{\smash{)}152.0}} \\
152 \\
\hline
0
\end{array}
$$

$$
\begin{array}{r}
4 \\
1.5{\overline{\smash{)}6.0}} \\
60 \\
\hline
0
\end{array}
$$

이야기로 키우는 생각 · ★참고 자료

1보다 작은 양수의 한자 명수법

작은 수를 한자 수사(數詞)로 이름 짓는 방법에는 '이십체석(以十遞析)'과 '이억체석(以億遞析)'이 있습니다. 10^{-1}(=0.1)을 나타내는 분(分)부터 시작하여 사(沙)까지는 두 명수법 모두 $\frac{1}{10}$씩 변화하며 진(塵)부터 이십체석은 변함없이 $\frac{1}{10}$씩, 이억체석은 $\frac{1}{10^{8}}$(억분의 일)씩 변화합니다. 육덕(六德)까지는 수사가 같지만 이십체석 명수법에서는 그 뒤에 오는 수사로 허공(虛空), 청정(淸淨)을 사용하는 반면 이억체석 명수법에서는 허(虛), 공(空), 청(淸), 정(淨)이 뒤따릅니다.

이십체석(상)과 이억체석(하)의 비교

진	애	묘	막	모호	준순	수유	순식
10^{-9}	10^{-10}	10^{-11}	10^{-12}	10^{-13}	10^{-14}	10^{-15}	10^{-16}
10^{-16}	10^{-24}	10^{-32}	10^{-40}	10^{-48}	10^{-56}	10^{-64}	10^{-72}

탄지	찰나	육덕	허공		청정	
10^{-17}	10^{-18}	10^{-19}	10^{-20}		10^{-21}	
			허	공	청	정
10^{-80}	10^{-88}	10^{-96}	10^{-104}	10^{-112}	10^{-120}	10^{-128}

[출처] 「위키백과」, 2021.

교과서 개념을 익히고 확인 문제를 풀면서 단원을 마무리해 보아요.

개념

☞ (소수)÷(소수) 알아보기 (1)

· 0.8÷0.4 계산하기

(방법1) $0.8 \div 0.4 = \dfrac{8}{10} \div \dfrac{4}{10} = 8 \div 4 = 2$

10배

(방법2) $0.8 \div 0.4 \rightarrow 8 \div 4 = 2 \rightarrow 0.8 \div 0.4 = 2$
10배

☞ (소수)÷(소수) 알아보기 (2)

· 0.72÷0.09 계산하기

(방법1) $0.72 \div 0.09 = \dfrac{72}{100} \div \dfrac{9}{100} = 72 \div 9 = 8$

(방법2)

100배

$0.72 \div 0.09 \rightarrow 72 \div 9 = 8 \rightarrow 0.72 \div 0.09 = 8$

100배

☞ (소수)÷(소수)의 계산 (1)

자릿수가 같은 소수의 나눗셈은 나누는 수와 나누어지는 수의 소수점을 오른쪽으로 같은 자리씩 옮겨서 계산합니다.

· 5.4÷0.2 계산하기

10배

$0.2 \overline{)5.4} \rightarrow 0.2 \overline{)5.4} \rightarrow 2 \overline{)54}$

10배

$$\begin{array}{r} 27 \\ 2\overline{)54} \\ 4 \\ \hline 14 \\ 14 \\ \hline 0 \end{array}$$

$5.4 \div 0.2 = 27$

확인 문제

1 0.9÷0.3은 얼마인지 알아보려고 합니다. 그림에 0.3씩 묶어 보고, ☐ 안에 알맞은 수를 써넣으세요.

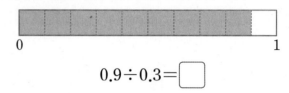

$0.9 \div 0.3 = \boxed{}$

2 0.51÷0.17을 두 가지 방법으로 계산하려고 합니다. ☐ 안에 알맞은 수를 써넣으세요.

(1) $0.51 \div 0.17 = \dfrac{51}{100} \div \dfrac{\boxed{}}{100}$

$ = 51 \div \boxed{} = \boxed{}$

100배

(2) $0.51 \div 0.17 \rightarrow 51 \div \boxed{} = \boxed{}$

100배

3 계산해 보세요.

(1) 10.4÷0.8

(2) 5.88÷0.21

4 가장 큰 수를 가장 작은 수로 나눈 몫을 구해 보세요.

| 4.3 | 25.8 | 8.6 |

(   )

개념

⊕ (소수)÷(소수)의 계산 ⑵

자릿수가 다른 소수의 나눗셈은 옮긴 소수점의 위치에 맞추어 몫의 소수점을 찍습니다.

· 1.26÷1.4 계산하기

$$1.4\overline{)1.26} \rightarrow 1.4\overline{)1.26} \rightarrow 14\overline{)126}$$

(10배 / 10배)

$$\begin{array}{r} 0.9 \\ 14\overline{)12.6} \\ \underline{12\ 6} \\ 0 \end{array}$$

⊕ (자연수)÷(소수)의 계산

나누는 소수의 소수점을 오른쪽으로 같은 자리씩 옮길 때 나누어지는 자연수의 끝자리에 0을 붙여서 계산합니다.

· 9÷1.5 계산하기

$$1.5\overline{)9} \rightarrow 1.5\overline{)9.0} \rightarrow 15\overline{)90}$$

(10배 / 10배)

$$\begin{array}{r} 6 \\ 15\overline{)90} \\ \underline{90} \\ 0 \end{array}$$

⊕ 몫을 반올림하여 나타내기

· 8.9÷2.1의 몫을 반올림하여 나타내기

$$8.9 \div 2.1 = 4.238\cdots$$

→ 몫을 반올림하여 소수 첫째 자리까지 나타내면 4.2, 소수 둘째 자리까지 나타내면 4.24입니다.

⊕ 소수의 나눗셈에서 남는 양 구하기

· 물 1.6 L를 한 사람에게 0.3 L씩 나누어 줄 때 나누어 줄 수 있는 사람 수와 남는 물의 양 구하기

$$\begin{array}{r} 5 \\ 0.3\overline{)1.6} \\ \underline{1\ 5} \\ 0.1 \end{array}$$

→ 사람 수: 5명
→ 남는 양: 0.1 L

확인 문제

5 계산 결과를 비교하여 ◯ 안에 >, =, <를 알맞게 써넣으세요.

$$4.75 \div 1.9 \bigcirc 6.21 \div 2.3$$

6 빨간색 테이프의 길이는 48 cm이고, 파란색 테이프의 길이는 3.2 cm입니다. 빨간색 테이프의 길이는 파란색 테이프의 길이의 몇 배인지 구해 보세요.

(　　　　　)

7 7.7÷3의 몫을 반올림하여 주어진 자리까지 나타내어 보세요.

(1) 소수 첫째 자리 (　　　　　)

(2) 소수 둘째 자리 (　　　　　)

8 모래 3.8 kg을 한 봉지에 0.7 kg씩 나누어 담으려고 합니다. 봉지는 몇 봉지까지 담을 수 있고, 남는 모래는 몇 kg인지 구해 보세요.

담을 수 있는 봉지의 수 (　　　　)

남는 모래의 무게 (　　　　)

1-1 ■에 들어갈 수 있는 자연수는 모두 몇 개 인지 풀이 과정을 쓰고, 답을 구해 보세 요. [8점]

$$2.4 \div 0.8 > \blacksquare$$

풀이

❶ $2.4 \div 0.8 = \boxed{}$

❷ $\boxed{} > \blacksquare$이므로 ■에 들어갈 수 있는 자 연수는 $\boxed{}$, $\boxed{}$로 모두 $\boxed{}$개입니다.

답 _____

1-2 쌍둥이 ■에 들어갈 수 있는 자연수는 모두 몇 개 인지 풀이 과정을 쓰고, 답을 구해 보세 요. [12점]

$$3.15 \div 0.45 > \blacksquare$$

풀이

답 _____

1-3 유사 ■에 들어갈 수 있는 가장 작은 자연수는 얼마인지 풀이 과정을 쓰고, 답을 구해 보 세요. [15점]

$$1.38 \div 0.3 < \blacksquare$$

풀이

답 _____

1-4 실전 ■에 들어갈 수 있는 자연수는 모두 몇 개 인지 풀이 과정을 쓰고, 답을 구해 보세 요. [15점]

$$6 \div 1.2 < \blacksquare < 2 \div 0.25$$

풀이

답 _____

➜ 정답 및 풀이 213쪽

2-1 물 2.6 L를 한 병에 0.6 L씩 담으려고 합니다. 물은 0.6 L씩 몇 병에 담을 수 있는지 풀이 과정을 쓰고, 답을 구해 보세요. [8점]

풀이

❶

$$\begin{array}{r} \square \\ 0.6\overline{)2.6} \\ \underline{\square} \\ \square \end{array}$$

❷ 물은 0.6 L씩 □병에 담을 수 있습니다.

답

2-2 쌍둥이

간장 4.7 L를 한 병에 0.7 L씩 담으려고 합니다. 간장은 0.7 L씩 몇 병에 담을 수 있는지 풀이 과정을 쓰고, 답을 구해 보세요. [12점]

풀이

답

2-3 유사

보리가 한 봉지에 4.92 kg씩 5봉지 있습니다. 이 보리를 한 자루에 4 kg씩 담으려고 할 때 보리는 4 kg씩 몇 자루에 담을 수 있는지 풀이 과정을 쓰고, 답을 구해 보세요. [15점]

풀이

답

2-4 실전

블루베리 22.8 kg을 한 상자에 3 kg씩 담으려고 합니다. 블루베리를 모두 담으려면 상자는 적어도 몇 상자 필요한지 풀이 과정을 쓰고, 답을 구해 보세요. [15점]

풀이

답

| (소수)÷(소수) 알아보기(1), (2) |

01 어림하여 몫이 10보다 큰 나눗셈을 찾아 ○표 하세요.

하

| 1.8÷0.2 | 0.33÷0.03 |

(   )   (   )

| (소수)÷(소수) 알아보기(1) |

02 ☐ 안에 알맞은 수를 써넣으세요.

하

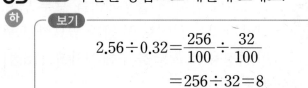

$$4.8÷0.6 ➡ 48÷☐ = ☐$$

➡ $4.8÷0.6 = ☐$

| (소수)÷(소수) 알아보기 (2) |

03 보기 와 같은 방법으로 계산해 보세요.

하

보기

$$2.56÷0.32 = \frac{256}{100} ÷ \frac{32}{100}$$
$$= 256÷32 = 8$$

$4.41÷0.49 =$

| (소수)÷(소수)의 계산(1), (2) |

04 계산해 보세요.

하

(1) $1.25\overline{)6.25}$ (2) $11.44÷5.2$

| (자연수)÷(소수)의 계산 |

05 다음 나눗셈과 몫이 같은 것은 어느 것일까요? (   )

중

| 21÷1.4 |

① $21÷14$ ② $210÷14$

③ $21÷140$ ④ $2.1÷1.4$

⑤ $210÷140$

| (소수)÷(소수)의 계산(1), (자연수)÷(소수)의 계산 |

06 빈 곳에 알맞은 수를 써넣으세요.

중

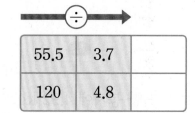

| 55.5 | 3.7 | |
| 120 | 4.8 | |

| (소수)÷(소수)의 계산 (2) | 서술형

07 $5.64÷1.2$ 를 계산한 과정에서 잘못된 부분을 찾아 이유를 설명해 보세요.

중

$$1.2\overline{)5.64}$$
$$\begin{array}{r} 0.47 \\ \hline 5.64 \\ 48 \\ \hline 84 \\ 84 \\ \hline 0 \end{array}$$

 이유

| 몫을 반올림하여 나타내기 |

08 몫을 반올림하여 소수 둘째 자리까지 나타
　　내어 보세요.

$$9.6 \div 2.3$$

(　　　　　　　)

| 소수의 나눗셈에서 남는 양 구하기 |

09 참기름 7 L를 한 병에 1.3 L씩 나누어 담으
　　려고 합니다. 참기름을 몇 병까지 담을 수 있
　　고, 남는 참기름은 몇 L인지 구하고, 확인해
　　보세요.

$$1.3 \overline{)7}$$

담을 수 있는 병의 수	남는 참기름의 양

확인

| (소수)÷(소수)의 계산 (1), (자연수)÷(소수)의 계산 |

10 나눗셈의 몫이 더 큰 것의 기호를 써 보세요.

　　㉠ 51.24÷7.32　　㉡ 33÷5.5

(　　　　　　　)

| (자연수)÷(소수)의 계산 |

11 무를 도혜는 9 kg 캤고 성민이는 7.5 kg 캤
　　습니다. 도혜가 캔 무의 무게는 성민이가 캔
　　무의 무게의 몇 배인지 구해 보세요.

(　　　　　　　)

| 소수의 나눗셈에서 남는 양 구하기 |

12 철사 6.1 m를 한 사람에게 1.8 m씩 잘라서
　　나누어 주려고 합니다. 바르게 말한 사람의
　　이름을 써 보세요.

3명까지 줄 수 있고,
남는 철사는 7 m야.
은형

3명까지 줄 수 있고,
남는 철사는 0.7 m지.
나연

(　　　　　　　)

| 소수의 나눗셈에서 남는 양 구하기 |

13 반지 한 개를 만드는 데 금 6 g이 필요합니다.
　　금 45.3 g으로 만들 수 있는 반지는 몇 개이
　　고, 이때 남는 금은 몇 g인지 구해 보세요.

　　만들 수 있는 반지 수 (　　　　　　　)
　　　　　남는 금의 무게 (　　　　　　　)

| 몫을 반올림하여 나타내기 |

14 3.2÷7의 몫을 반올림하여 소수 첫째 자리
　　까지 나타낸 값과 소수 둘째 자리까지 나타
　　낸 값의 차는 얼마인지 구해 보세요.

(　　　　　　　)

| (소수)÷(소수)의 계산 ⑵ |

15 □ 안에 알맞은 수를 써넣으세요.
중

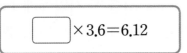

| (자연수)÷(소수)의 계산 |

16 다음 직육면체의 부피는 8 cm³입니다. □ 안
중 에 알맞은 수를 구해 보세요.

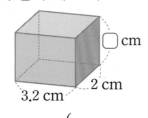

(   )

| (소수)÷(소수)의 계산 ⑴ | 서술형

17 길이가 15.18 m인 길의 한쪽에 처음부터
중 끝까지 0.66 m 간격으로 가로수를 심었습
니다. 심은 가로수는 모두 몇 그루인지 풀이
과정을 쓰고, 답을 구해 보세요. (단, 가로수
의 두께는 생각하지 않습니다.)

풀이

답

| 몫을 반올림하여 나타내기 |

18 숫자 카드를 모두 한 번씩 사용하여 몫이 가
상 장 작게 되는 (두 자리 수)÷(소수 두 자리 수)
인 나눗셈을 만들고, 몫을 반올림하여 소수
첫째 자리까지 나타내어 보세요.

2   9   8   4   5

나눗셈

몫

| (소수)÷(소수)의 계산 ⑵ | 서술형

19 어떤 수를 2.8로 나누어야 할 것을 잘못하여
상 0.8로 나누었더니 6.3이 되었습니다. 바르
게 계산하면 얼마인지 풀이 과정을 쓰고, 답
을 구해 보세요.

풀이

답

| 소수의 나눗셈에서 남는 양 구하기 |

20 콩이 한 바구니에 0.9 kg씩 6바구니가 있습
상 니다. 콩을 한 봉지에 0.4 kg씩 담으려고 할
때 콩을 모두 담으려면 봉지는 적어도 몇 봉
지가 필요한지 구해 보세요.

(   )

이웃집 **몇 가구**에
나누어 드릴 수 있을까요?

식혜를 만들었는데 이웃집과 나누어 먹을까?

맛있겠다~. 좋아요!

보글보글

병에 담아 한 가구에 한 병씩 가져다 드리렴.

네

엄마가 만드신 식혜가 6 L이고 병의 들이는 0.7 L네요!

6 L

0.7 L

가구 수는 자연수이니까 6÷0.7을 계산해서 몫을 자연수까지만 구하면 되겠다!

그럼 8병이 되고 0.4 L가 남네!

그럼 얼른 나누어 드리고 와서 남은 0.4 L는 우리가 먹으면 되겠다.

좋아! 얼른 담자!

어머, 얘들아! 우리가 먹을 식혜도 한 병 남겨야 하는데…… 다시 만들어야겠구나.

텅 후다닥

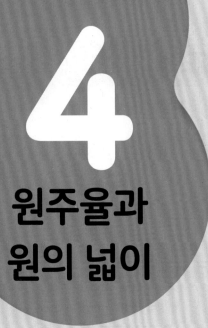

4
원주율과 원의 넓이

• 전시관에서 원이 그려진 작품을 보며 원의 넓이에 대해 이야기를 나누고 있습니다.
• 원의 넓이를 어떻게 구할 수 있을지, 다각형의 넓이를 구하는 방법으로 원의 넓이를 구할 수 있을지 궁금해하고 있습니다.

그림 속 상황

자/기/주/도/학/습

준비 **팡팡**

학습 목표

'무엇을 알고 있나요'와 '함께 생각해 볼까요'를 통하여 단원을 준비할 수 있습니다.

📘 원의 지름과 반지름 그리기
원의 구성 요소인 지름과 반지름의 의미를 알고 지름과 반지름을 그려 봅니다.

📐 도형의 넓이 구하기
- 직사각형의 넓이: $5 \times 2 = 10 \ (\text{cm}^2)$
- 평행사변형의 넓이: $6 \times 2 = 12 \ (\text{cm}^2)$
- 정사각형의 넓이: $4 \times 4 = 16 \ (\text{cm}^2)$
- 마름모의 넓이: $5 \times 4 \div 2 = 10 \ (\text{cm}^2)$

학부모 코칭 Tip

직사각형의 넓이와 이를 구하는 방법을 이용하여 평행사변형, 정사각형, 마름모의 넓이를 각각 구할 수 있는지 확인합니다.

📗 (소수)×(자연수), (소수)÷(자연수) 계산하기
(소수)×(자연수), (소수)÷(자연수)를 바르게 계산해 봅니다.

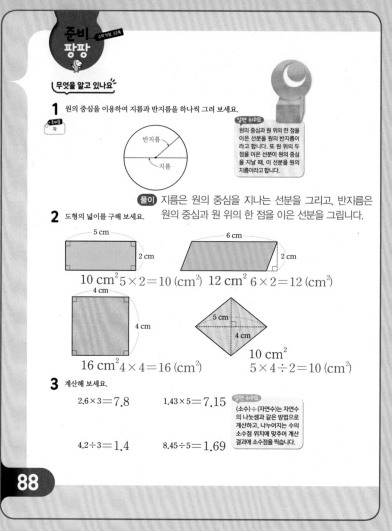

준비 팡팡 (수학익힘 63쪽)

무엇을 알고 있나요

1 원의 중심을 이용하여 지름과 반지름을 하나씩 그려 보세요.

반지름
지름

> **알면 쉬워요**
> 원의 중심과 원 위의 한 점을 이은 선분을 원의 반지름이라고 합니다. 또 원 위의 두 점을 이은 선분이 원의 중심을 지날 때, 이 선분을 원의 지름이라고 합니다.

풀이 지름은 원의 중심을 지나는 선분을 그리고, 반지름은 원의 중심과 원 위의 한 점을 이은 선분을 그립니다.

2 도형의 넓이를 구해 보세요.

5 cm
2 cm
$10 \ \text{cm}^2$ $5 \times 2 = 10 \ (\text{cm}^2)$

6 cm
2 cm
$12 \ \text{cm}^2$ $6 \times 2 = 12 \ (\text{cm}^2)$

4 cm
4 cm
$16 \ \text{cm}^2$ $4 \times 4 = 16 \ (\text{cm}^2)$

5 cm
4 cm
$10 \ \text{cm}^2$
$5 \times 4 \div 2 = 10 \ (\text{cm}^2)$

3 계산해 보세요.

$2.6 \times 3 = 7.8$　　$1.43 \times 5 = 7.15$

$4.2 \div 3 = 1.4$　　$8.45 \div 5 = 1.69$

> **알면 쉬워요**
> (소수)÷(자연수)는 자연수의 나눗셈과 같은 방법으로 계산하고, 나누어지는 수의 소수점 위치에 맞추어 계산 결과에 소수점을 찍습니다.

88

교과서 개념 완성 | 배운 것을 다시 생각하기

✏️ 원 알아보기
- 원의 가장 안쪽에 있는 점을 원의 중심이라 하고, 원의 중심과 원 위의 한 점을 이은 선분을 원의 반지름이라고 합니다.
- 원 위의 두 점을 이은 선분이 원의 중심을 지날 때, 이 선분을 원의 지름이라고 합니다.

원의 반지름
원의 중심

원의 지름

✏️ 도형의 넓이 알아보기
- (직사각형의 넓이)＝(가로)×(세로)
- (정사각형의 넓이)
　＝(한 변의 길이)×(한 변의 길이)
- (평행사변형의 넓이)＝(밑변의 길이)×(높이)
- (삼각형의 넓이)
　＝(밑변의 길이)×(높이)÷2
- (마름모의 넓이)
　＝(한 대각선의 길이)×(다른 대각선의 길이)÷2
- (사다리꼴의 넓이)
　＝(평행사변형의 넓이)÷2
　＝(윗변의 길이＋아랫변의 길이)×(높이)÷2

함께 생각해 볼까요

1 선분의 길이의 합이 곡선의 길이에 가장 가까운 것을 찾아 기호를 써 보세요. ㉢

2 보기 와 같이 모양을 그리는 데 필요한 원의 중심을 모두 표시하고, 반지름을 구해 보세요.

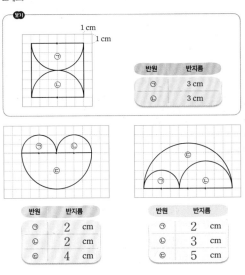

89

📦 선분의 길이를 이용하여 원의 둘레 어림하기

선분이 많을수록 선분의 길이의 합이 곡선의 길이에 가까워집니다.

> **학부모 코칭 Tip**
>
> 선분의 길이를 이용하여 원의 둘레를 어림하는 방법을 탐구하는 데 도움을 주기 위한 활동입니다.

📦 원의 중심을 표시하고, 반지름 구하기

· (왼쪽)
  ㉠과 ㉡: 지름이 4 cm이므로 반지름은 2 cm입니다.
  ㉢: 지름이 8 cm이므로 반지름은 4 cm입니다.
· (오른쪽)
  ㉠: 지름이 4 cm이므로 반지름은 2 cm입니다.
  ㉡: 지름이 6 cm이므로 반지름은 3 cm입니다.
  ㉢: 지름이 10 cm이므로 반지름은 5 cm입니다.

> **학부모 코칭 Tip**
>
> 원의 넓이를 이용하여 여러 가지 도형의 넓이를 구하기 위해 도형을 나누거나 합쳐서 도형을 변형하는 데 도움을 주기 위한 활동입니다. 각 그림의 반원에서 원의 중심을 찾고, 모눈 눈금의 칸의 수를 세어 반지름을 구할 수 있게 합니다.

👧 개념 확인 문제   정답 및 풀이 216쪽

1 원의 반지름의 길이를 구해 보세요.

| 3-2 | 2. 원 |

(   )

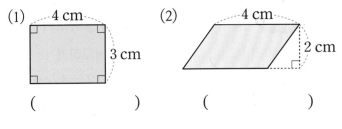

2 한 원의 반지름의 길이가 5 cm일 때 선분 ㄱㄴ의 길이를 구해 보세요.

| 3-2 | 2. 원 |

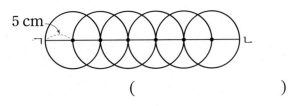

(   )

| 5-1 | 6. 다각형의 둘레와 넓이 |

3 도형의 넓이를 구해 보세요.

(1)   (2)

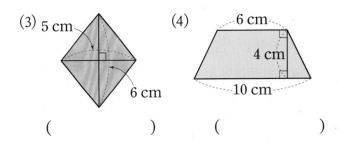

(   )   (   )

(3)   (4)

(   )   (   )

1 | 원주율

원주와 지름을 측정하는 활동을 통하여 원주율을 이해합니다.

그림으로 개념 잡기

내가 바로 원의 둘레 원주란다.

원주는 원의 지름의 3배보다 길고 4배보다 짧아.

참고 원의 지름이 길어지면 원주도 길어지고, 원주가 길어지면 원의 지름도 길어집니다.

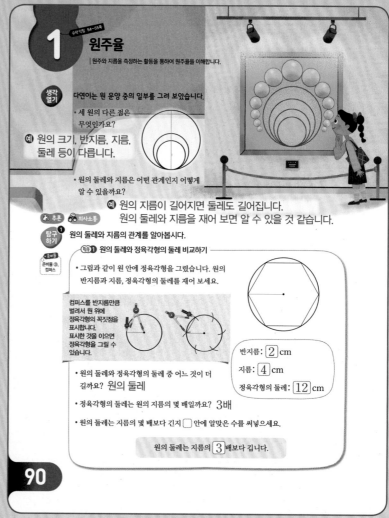

1 원주율

원주와 지름을 측정하는 활동을 통하여 원주율을 이해합니다.

생각 열기 다연이는 원 문양 중의 일부를 그려 보았습니다.

• 세 원의 다른 점은 무엇인가요?

예 원의 크기, 반지름, 지름, 둘레 등이 다릅니다.

• 원의 둘레와 지름은 어떤 관계인지 어떻게 알 수 있을까요?

예 원의 지름이 길어지면 둘레도 길어집니다. 원의 둘레와 지름을 재어 보면 알 수 있을 것 같습니다.

추론 **의사소통**

탐구하기 1 원의 둘레와 지름의 관계를 알아봅시다.

준비물 ①, 컴퍼스

활동 1 원의 둘레와 정육각형의 둘레 비교하기

• 그림과 같이 원 안에 정육각형을 그렸습니다. 원의 반지름과 지름, 정육각형의 둘레를 재어 보세요.

컴퍼스를 반지름만큼 벌려서 원 위에 정육각형의 꼭짓점을 표시합니다. 표시한 것을 이으면 정육각형을 그릴 수 있습니다.

반지름: 2 cm
지름: 4 cm
정육각형의 둘레: 12 cm

• 원의 둘레와 정육각형의 둘레 중 어느 것이 더 길까요? 원의 둘레

• 정육각형의 둘레는 원의 지름의 몇 배일까요? 3배

• 원의 둘레는 지름의 몇 배보다 긴지 ☐ 안에 알맞은 수를 써넣으세요.

원의 둘레는 지름의 3 배보다 깁니다.

90

교과서 개념 완성

탐구하기 1 원의 둘레와 지름의 관계 알아보기

활동 1 원의 둘레와 정육각형의 둘레 비교하기

• 원의 반지름은 2 cm, 지름은 2 × 2 = 4 (cm)이고, 정육각형의 둘레는 2 × 6 = 12 (cm)입니다.

• 원의 둘레가 정육각형의 둘레보다 더 깁니다.

• 정육각형의 둘레는 원의 지름의 3배입니다.

• 원의 둘레는 지름의 3배보다 깁니다.

활동 2 원의 둘레와 정사각형의 둘레 비교하기

• 원의 반지름은 2 cm, 지름은 2 × 2 = 4 (cm)이고, 정사각형의 둘레는 4 × 4 = 16 (cm)입니다.

• 원의 둘레가 정사각형의 둘레보다 더 짧습니다.

• 정사각형의 둘레는 원의 지름의 4배입니다.

• 원의 둘레는 지름의 4배보다 짧습니다.

활동 1, 활동 2를 통하여 알게 된 것 이야기하기

원의 둘레는 지름의 3배보다 길고 4배보다 짧습니다.

학부모 코칭 Tip

도형이 다른 도형과 접할 때, 안쪽에서 접하는 것을 내접, 바깥쪽에서 접하는 것을 외접이라고 합니다.

원, 원에 내접하는 정육각형과 외접하는 정사각형을 함께 제시한 그림에서 도형의 둘레 사이의 관계를 인식할 수 있게 합니다. 이때 내접하는 도형과 외접하는 도형의 이름은 강조하지 않아도 됩니다.

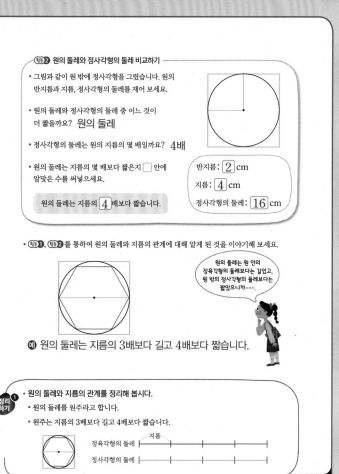

원리2 원의 둘레와 정사각형의 둘레 비교하기

• 그림과 같이 원 밖에 정사각형을 그렸습니다. 원의 반지름과 지름, 정사각형의 둘레를 재어 보세요.

• 원의 둘레와 정사각형의 둘레 중 어느 것이 더 짧을까요? **원의 둘레**

• 정사각형의 둘레는 원의 지름의 몇 배일까요? **4배**

• 원의 둘레는 지름의 몇 배보다 짧은지 ◯ 안에 알맞은 수를 써넣으세요.

반지름: 2 cm
지름: 4 cm
정사각형의 둘레: 16 cm

원의 둘레는 지름의 4 배보다 짧습니다.

• 원리1, 원리2를 통하여 원의 둘레와 지름의 관계에 대해 알게 된 것을 이야기해 보세요.

원의 둘레는 원 안의 정육각형의 둘레보다는 길었고, 원 밖의 정사각형의 둘레보다는 짧으니까……

예 원의 둘레는 지름의 3배보다 길고 4배보다 짧습니다.

정리하기 ①
• 원의 둘레와 지름의 관계를 정리해 봅시다.
• 원의 둘레를 원주라고 합니다.
• 원주는 지름의 3배보다 길고 4배보다 짧습니다.

정육각형의 둘레　　지름
정사각형의 둘레

91

이런 문제가 서술형으로 나와요

잘못 말한 사람의 이름을 쓰고, 내용을 바르게 고쳐 보세요.

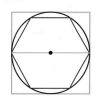

원주가 길어지면 원의 지름도 길어져.
승유

원주는 지름의 3배야.
한별

| 풀이 과정 |

❶ 잘못 말한 사람 찾기

잘못 말한 사람은 한별입니다.

❷ 바르게 고치기

예 원주는 지름의 3배보다 길고 4배보다 짧습니다.

◉ 수학 교과 역량 　🏃 추론　👫 의사소통

원의 둘레와 지름의 관계 알아보기

• 원, 정육각형, 정사각형의 둘레를 비교하는 활동을 통하여 원주는 지름의 3배보다 길고 4배보다 짧다는 것을 추측해 보는 과정에서 추론 능력을 기를 수 있습니다.

• 원, 정육각형, 정사각형의 둘레에 대해 이야기해 보는 과정에서 의사소통 능력을 기를 수 있습니다.

개념 확인 문제　　정답 및 풀이 216쪽

1 ◯ 안에 알맞은 말을 보기 에서 찾아 써넣으세요.

보기
반지름, 지름, 원주

원의 ◯

2 원주가 가장 짧은 원을 찾아 기호를 써 보세요.

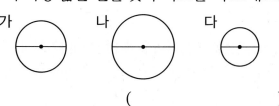

가　　나　　다

(　　　　)

3 ◯ 안에 알맞은 수를 써넣으세요.

원주는 지름의 ◯ 배보다 길고 ◯ 배보다 짧습니다.

4 지름이 2 cm인 원의 원주와 가장 비슷한 길이를 찾아 기호를 써 보세요.

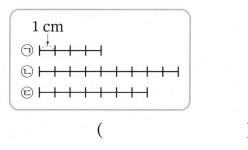

1 cm
㉠
㉡
㉢

(　　　　)

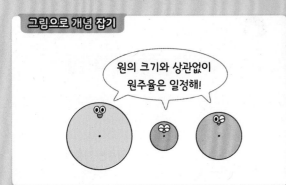

원의 크기와 상관없이 원주율은 일정해!

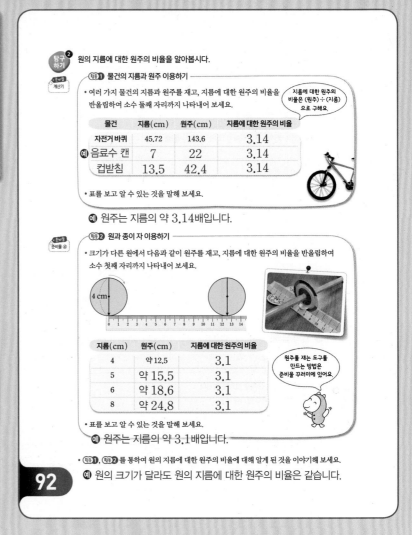

탐구하기 ❷

원의 지름에 대한 원주의 비율을 알아봅시다.

활동1 물건의 지름과 원주 이용하기

• 여러 가지 물건의 지름과 원주를 재고, 지름에 대한 원주의 비율을
반올림하여 소수 둘째 자리까지 나타내어 보세요.

지름에 대한 원주의 비율은 (원주)÷(지름) 으로 구해요

물건	지름(cm)	원주(cm)	지름에 대한 원주의 비율
자전거 바퀴	45.72	143.6	3.14
음료수 캔	7	22	3.14
컵받침	13.5	42.4	3.14

• 표를 보고 알 수 있는 것을 말해 보세요.

예 원주는 지름의 약 3.14배입니다.

활동2 원과 종이 자 이용하기

• 크기가 다른 원에서 다음과 같이 원주를 재고, 지름에 대한 원주의 비율을 반올림하여
소수 첫째 자리까지 나타내어 보세요.

지름(cm)	원주(cm)	지름에 대한 원주의 비율
4	약 12.5	3.1
5	약 15.5	3.1
6	약 18.6	3.1
8	약 24.8	3.1

원주를 재는 도구를 만드는 방법은 준비물 꾸러미에 있어요.

• 표를 보고 알 수 있는 것을 말해 보세요.

예 원주는 지름의 약 3.1배입니다.

• 활동1, 활동2를 통하여 원의 지름에 대한 원주의 비율에 대해 알게 된 것을 이야기해 보세요.

예 원의 크기가 달라도 원의 지름에 대한 원주의 비율은 같습니다.

92

교과서 개념 완성

탐구하기 ❷ 원의 지름에 대한 원주의 비율 알아보기

활동1 여러 가지 물건으로 원의 지름에 대한 원주의 비율 알아보기

• 자전거 바퀴: $143.6 \div 45.72 = 3.140\cdots$
 ➡ 3.14

• 음료수 캔: $22 \div 7 = 3.142\cdots$
 ➡ 3.14

• 컵받침: $42.4 \div 13.5 = 3.140\cdots$
 ➡ 3.14

➡ • 원주는 지름의 약 3.14배입니다.

 • 원의 크기가 달라도 (원주)÷(지름)의 값은 같습니다.

활동2 크기가 다른 네 원에서 원의 지름에 대한 원주의 비율 알아보기

• 지름이 4 cm인 원: $12.5 \div 4 = 3.125$ ➡ 3.1

• 지름이 5 cm인 원: $15.5 \div 5 = 3.1$

• 지름이 6 cm인 원: $18.6 \div 6 = 3.1$

• 지름이 8 cm인 원: $24.8 \div 8 = 3.1$

➡ • 원주는 지름의 약 3.1배입니다.

 • 원의 크기가 달라도 (원주)÷(지름)의 값은 같습니다.

활동1, 활동2를 통하여 알게 된 것 이야기하기

원의 크기가 달라도 원의 지름에 대한 원주의 비율은 같습니다.

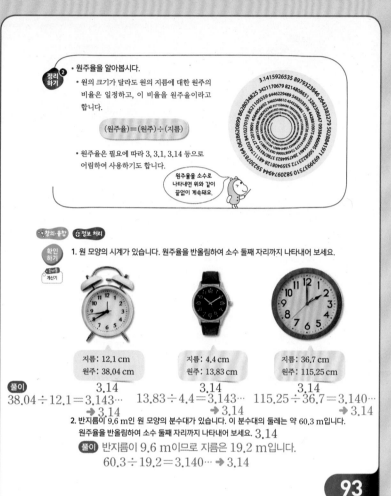

정리하기 2

- 원주율을 알아봅시다.
- 원의 크기가 달라도 원의 지름에 대한 원주의 비율은 일정하고, 이 비율을 원주율이라고 합니다.

$$(원주율)=(원주)\div(지름)$$

- 원주율은 필요에 따라 3, 3.1, 3.14 등으로 어림하여 사용하기도 합니다.

원주율을 소수로 나타내면 위와 같이 끝없이 계속돼요.

창의·융합   정보 처리

확인하기

1. 원 모양의 시계가 있습니다. 원주율을 반올림하여 소수 둘째 자리까지 나타내어 보세요.

지름: 12.1 cm
원주: 38.04 cm

지름: 4.4 cm
원주: 13.83 cm

지름: 36.7 cm
원주: 115.25 cm

풀이
$38.04\div12.1=3.143\cdots \rightarrow 3.14$ $13.83\div4.4=3.143\cdots \rightarrow 3.14$ $115.25\div36.7=3.140\cdots \rightarrow 3.14$

2. 반지름이 9.6 m인 원 모양의 분수대가 있습니다. 이 분수대의 둘레는 약 60.3 m입니다. 원주율을 반올림하여 소수 둘째 자리까지 나타내어 보세요. 3.14
풀이 반지름이 9.6 m이므로 지름은 19.2 m입니다.
$60.3\div19.2=3.140\cdots \rightarrow 3.14$

93

이런 문제가 서술형으로 나와요

원 모양의 고리의 원주는 69.1 cm, 지름은 22 cm입니다. 원주율을 반올림하여 소수 둘째 자리까지 나타내고, 원주율을 어림하여 사용하는 이유를 설명해 보세요.

| 풀이 과정 |

❶ 원주율을 반올림하여 소수 둘째 자리까지 나타내기
$(원주율)=(원주)\div(지름)$
$=69.1\div22=3.140\cdots \rightarrow 3.14$

❷ 원주율을 어림하여 사용하는 이유 설명하기
예 원주율은 나누어떨어지지 않고, 끝없이 계속되기 때문입니다.

수학 교과 역량   창의·융합   정보 처리

원 모양의 물건에서 원주율 구하기
계산기를 사용하여 여러 가지 둥근 물체의 원주율을 계산해 보는 과정에서 창의·융합 능력과 정보 처리 능력을 기를 수 있습니다.

개념 확인 문제   정답 및 풀이 216쪽

1 ☐ 안에 알맞은 말을 써넣으세요.

원의 지름에 대한 원주의 비율을 ☐ (이)라고 합니다.

2 바르게 말한 사람의 이름을 써 보세요.

서호 : $(원주율)=(원주)\div(지름)$이야.
예영 : 원주율은 3.14뿐이야.

(   )

3 냄비 받침을 보고 원주율을 반올림하여 소수 둘째 자리까지 나타내어 보세요.

원주: 50.26 cm
지름: 16 cm

(   )

4 크기가 다른 두 원의 $(원주)\div(지름)$을 비교하여 ◯ 안에 >, =, <를 알맞게 써넣으세요.

 10 cm   ◯   6 cm

원주: 31 cm   원주: 18.6 cm

4 차시

2 | 원주와 지름 구하기

학습 목표

원주율을 이용하여 원주 또는 지름을 구할 수 있습니다.

그림으로 개념 잡기

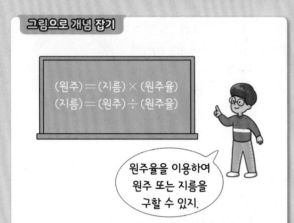

(원주)＝(지름)×(원주율)
(지름)＝(원주)÷(원주율)

원주율을 이용하여
원주 또는 지름을
구할 수 있지.

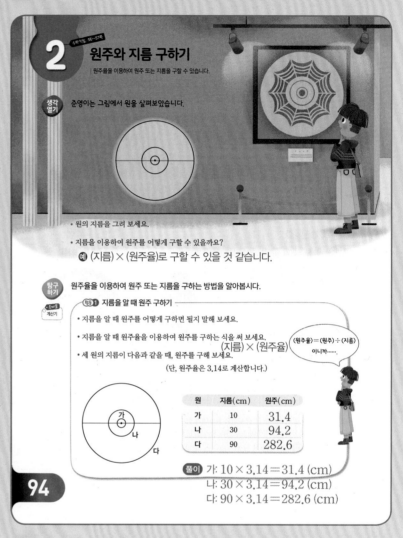

교과서 개념 완성

탐구하기 원주율을 이용하여 원주 또는 지름을 구하는 방법 알아보기

활동1 지름을 알 때 원주 구하기

· (원주율)＝(원주)÷(지름)이므로
(원주)＝(지름)×(원주율)입니다.

· 가의 원주: $10 \times 3.14 = 31.4$ (cm)
나의 원주: $30 \times 3.14 = 94.2$ (cm)
다의 원주: $90 \times 3.14 = 282.6$ (cm)

학부모 코칭 Tip

원주율을 나타내는 값은 상황에 따라 달라질 수 있음을 알게 하고, 원주를 기계적으로 계산하지 않도록 합니다.

활동2 원주를 알 때 지름 구하기

· (원주율)＝(원주)÷(지름)이므로
(지름)＝(원주)÷(원주율)입니다.

· (왼쪽): $71.3 \div 3.1 = 23$ (cm)
(가운데): $124 \div 3.1 = 40$ (cm)
(오른쪽): $263.5 \div 3.1 = 85$ (cm)

활동1, **활동2** 를 통하여 알게 된 것 이야기하기

(원주)＝(지름)×(원주율), (지름)＝(원주)÷(원주율)입니다.

확인하기 원주율을 이용하여 원주 또는 지름 구하기

1. (원주)＝(지름)×(원주율)＝$10 \times 3.14 = 31.4$ (cm)

2. (지름)＝(원주)÷(원주율)＝$157 \div 3.14 = 50$ (cm)

풀이 $71.3 \div 3.1 = 23$ (cm), $124 \div 3.1 = 40$ (cm), $263.5 \div 3.1 = 85$ (cm)

활동 2 원주를 알 때 지름 구하기

- 원주를 알 때 지름을 어떻게 구하면 될지 말해 보세요.
- 원주를 알 때 원주율을 이용하여 지름을 구하는 식을 써 보세요. (원주) ÷ (원주율)
- 원주가 다음과 같을 때, 원의 지름을 구해 보세요. (단, 원주율은 3.1로 계산합니다.)

원주(cm)	71.3	124	263.5
지름(cm)	23	40	85

- **활동1**, **활동2** 를 통하여 알게 된 것을 이야기해 보세요.

예 원주는 (지름) × (원주율), 지름은 (원주) ÷ (원주율)을 계산하여 구할 수 있습니다.

정리하기 · 원주율을 이용하여 원주 또는 지름을 구하는 방법을 정리해 봅시다.

(원주) = (지름) × (원주율)　　(지름) = (원주) ÷ (원주율)

- ☐ 안에 알맞은 수를 써넣으세요. (단, 원주율은 3.14로 계산합니다.)

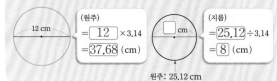

(원주) = $\boxed{12}$ × 3.14 = $\boxed{37.68}$ (cm)

(지름) = $\boxed{25.12}$ ÷ 3.14 = $\boxed{8}$ (cm)

원주: 25.12 cm

확인하기 1. 프로펠러의 길이가 10 cm인 드론이 있습니다. 이 프로펠러 한 개가 돌 때 생기는 원의 원주는 몇 cm인지 구해 보세요. **31.4 cm**
(단, 원주율은 3.14로 계산합니다.)
풀이 $10 × 3.14 = 31.4$ (cm)

2. 길이가 157 cm인 굵은 철사로 겹치지 않게 구부려서 원 모양의 굴렁쇠를 만들었습니다. 만들어진 원의 지름은 몇 cm인지 구해 보세요. **50 cm**
(단, 원주율은 3.14로 계산하며, 철사의 굵기는 생각하지 않습니다.)
풀이 $157 ÷ 3.14 = 50$ (cm)

95

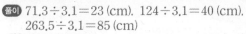
이런 문제가 **서술형**으로 나와요

원주가 긴 것부터 차례로 기호를 쓰려고 합니다. 풀이 과정을 쓰고, 답을 구해 보세요. (원주율: 3)

㉠ 반지름이 6 cm인 원
㉡ 지름이 18 cm인 원
㉢ 원주가 48 cm인 원

| 풀이 과정 |

❶ ㉠의 원주 구하기

반지름이 6 cm이므로 지름은 12 cm입니다.
(원주) = (지름) × (원주율)
　　　　= $12 × 3 = 36$ (cm)

❷ ㉡의 원주 구하기

(원주) = (지름) × (원주율)
　　　　= $18 × 3 = 54$ (cm)

❸ 원주가 긴 것부터 차례로 기호 쓰기

54 > 48 > 36이므로 원주가 긴 것부터 차례로 기호를 쓰면 ㉡, ㉢, ㉠입니다.

답 ㉡, ㉢, ㉠

개념 확인 문제　　　정답 및 풀이 216쪽

1 원주를 구해 보세요. (원주율: 3.1)

7 cm

(　　　　　)

2 원의 지름을 구해 보세요. (원주율: 3)

원주: 48 cm

(　　　　　)

3 원 모양인 접시의 원주가 46.5 cm입니다. 접시의 지름을 구해 보세요. (원주율: 3.1)

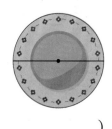

(　　　　　)

4 반지름이 3 cm인 원 모양의 바퀴를 한 바퀴 굴렸을 때, 굴러간 거리는 몇 cm인지 구해 보세요. (원주율: 3.14)

(　　　　　)

3 | 원의 넓이 어림하기

학습 목표

원의 넓이를 어림할 수 있습니다.

그림으로 개념 잡기

> 원의 넓이는 원 안의 정사각형의 넓이보다 크고 원 밖의 정사각형의 넓이보다는 작구나.

정육각형으로 원의 넓이 어림하기

- 삼각형 ㄱㅇㄷ의 넓이 가 40 cm²일 때 원 밖의 정육각형의 넓 이는
  $40 \times 6 = 240 \ (\text{cm}^2)$입니다.
- 삼각형 ㄹㅇㅂ의 넓이가 30 cm²일 때 원 안의 정육각형의 넓이는
  $30 \times 6 = 180 \ (\text{cm}^2)$입니다.
- 원의 넓이는 약 210 cm²라고 어림할 수 있습니다.

 참고

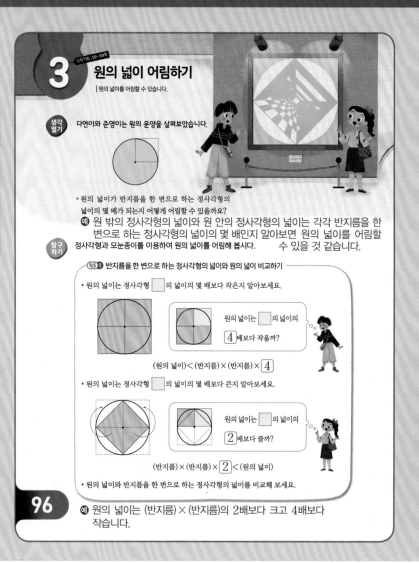

3 원의 넓이 어림하기

| 원의 넓이를 어림할 수 있습니다.

생각 열기 다연이와 준영이는 원의 문양을 살펴보았습니다.

- 원의 넓이가 반지름을 한 변으로 하는 정사각형의 넓이의 몇 배가 되는지 어떻게 어림할 수 있을까요?
  예 원 밖의 정사각형의 넓이와 원 안의 정사각형의 넓이는 각각 반지름을 한 변으로 하는 정사각형의 넓이의 몇 배인지 알아보면 원의 넓이를 어림할 수 있을 것 같습니다.

탐구 하기 정사각형과 모눈종이를 이용하여 원의 넓이를 어림해 봅시다.

활동1 반지름을 한 변으로 하는 정사각형의 넓이와 원의 넓이 비교하기

- 원의 넓이는 정사각형 □의 넓이의 몇 배보다 작은지 알아보세요.

  원의 넓이는 □의 넓이의 **4**배보다 작을까?

  (원의 넓이) < (반지름) × (반지름) × **4**

- 원의 넓이는 정사각형 □의 넓이의 몇 배보다 큰지 알아보세요.

  원의 넓이는 □의 넓이의 **2**배보다 클까?

  (반지름) × (반지름) × **2** < (원의 넓이)

- 원의 넓이와 반지름을 한 변으로 하는 정사각형의 넓이를 비교해 보세요.

예 원의 넓이는 (반지름) × (반지름)의 2배보다 크고 4배보다 작습니다.

96

교과서 개념 완성

탐구하기 정사각형과 모눈종이를 이용하여 원의 넓이 어림하기

활동1 반지름을 한 변으로 하는 정사각형의 넓이와 원의 넓이 비교하기 ┌(반지름을 한 변으로 하는 정사각형의 넓이)×4

- (원의 넓이) < (원 밖에 있는 정사각형의 넓이)
  → (원의 넓이) < (반지름) × (반지름) × 4
  ┌(반지름을 한 변으로 하는 정사각형의 넓이)×2
- (원 안에 있는 정사각형의 넓이) < (원의 넓이)
  → (반지름) × (반지름) × 2 < (원의 넓이)
- 원의 넓이는 (반지름) × (반지름)의 2배보다 크고 4배보다 작습니다.

활동2 모눈종이를 이용하여 원의 넓이 어림해 보기

- (노란색 모눈의 넓이) < (원의 넓이)
  → 노란색 모눈은 모두 276칸이므로
    276 cm² < (반지름이 10 cm인 원의 넓이)
- (원의 넓이) < (원 밖의 빨간색 선 안쪽 모눈의 넓이)
  → 빨간색 선 안쪽 모눈은 모두 344칸이므로
    (반지름이 10 cm인 원의 넓이) < 344 cm²
- 예 원의 넓이는 276 cm²보다 크고 344 cm²보다 작으므로 약 310 cm²라고 어림할 수 있습니다.

학부모 코칭 Tip

원의 넓이가 (반지름) × (반지름)의 2배보다 크고 4배보다 작다는 것을 알아보는 활동을 통하여 실제 원의 넓이에 가깝게 어림하는 방법의 필요성을 인식하게 합니다.

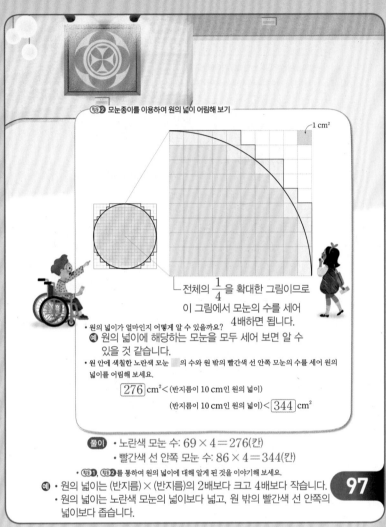

활동2 모눈종이를 이용하여 원의 넓이 어림해 보기

1 cm²

전체의 $\frac{1}{4}$을 확대한 그림이므로
이 그림에서 모눈의 수를 세어
4배하면 됩니다.

• 원의 넓이가 얼마인지 어떻게 알 수 있을까요?
예 원의 넓이에 해당하는 모눈을 모두 세어 보면 알 수 있을 것 같습니다.
• 원 안에 색칠한 노란색 모눈 ▨ 의 수와 원 밖의 빨간색 선 안쪽 모눈의 수를 세어 원의 넓이를 어림해 보세요.

276 cm² < (반지름이 10 cm인 원의 넓이)
(반지름이 10 cm인 원의 넓이) < 344 cm²

풀이 • 노란색 모눈 수: 69 × 4 = 276(칸)
• 빨간색 선 안쪽 모눈 수: 86 × 4 = 344(칸)

• 활동1, 활동2를 통해 원의 넓이에 대해 알게 된 것을 이야기해 보세요.
예 • 원의 넓이는 (반지름) × (반지름)의 2배보다 크고 4배보다 작습니다.
• 원의 넓이는 노란색 모눈의 넓이보다 넓고, 원 밖의 빨간색 선 안쪽의 넓이보다 좁습니다.

97

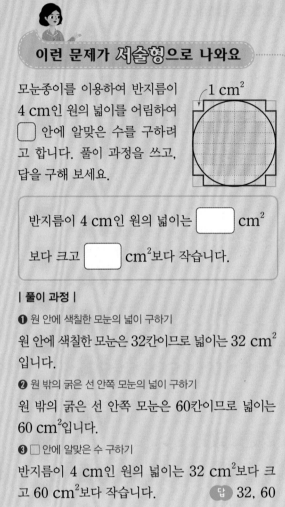

이런 문제가 서술형으로 나와요

모눈종이를 이용하여 반지름이 4 cm인 원의 넓이를 어림하여 ☐ 안에 알맞은 수를 구하려고 합니다. 풀이 과정을 쓰고, 답을 구해 보세요.

1 cm²

반지름이 4 cm인 원의 넓이는 [   ] cm²
보다 크고 [   ] cm²보다 작습니다.

| 풀이 과정 |

❶ 원 안에 색칠한 모눈의 넓이 구하기
원 안에 색칠한 모눈은 32칸이므로 넓이는 32 cm² 입니다.

❷ 원 밖의 굵은 선 안쪽 모눈의 넓이 구하기
원 밖의 굵은 선 안쪽 모눈은 60칸이므로 넓이는 60 cm²입니다.

❸ ☐ 안에 알맞은 수 구하기
반지름이 4 cm인 원의 넓이는 32 cm²보다 크고 60 cm²보다 작습니다.   답 32, 60

 개념 확인 문제   정답 및 풀이 216쪽

[1~3] 반지름이 6 cm인 원의 넓이를 정사각형을 이용하여 어림하려고 합니다. 물음에 답해 보세요.

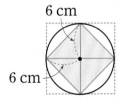
6 cm   6 cm
6 cm   6 cm

1 ○ 안에 >, =, <를 알맞게 써넣으세요.

(원 안의 정사각형의 넓이) ○ (원의 넓이)

(원의 넓이) ○ (원 밖의 정사각형의 넓이)

2 물음에 답해 보세요.
(1) 원 안의 정사각형의 넓이를 구해 보세요.
(   )
(2) 원 밖의 정사각형의 넓이를 구해 보세요.
(   )

3 ☐ 안에 알맞은 수를 써넣으세요.

반지름이 6 cm인 원의 넓이는 [   ] cm²보다
크고 [   ] cm²보다 작습니다.

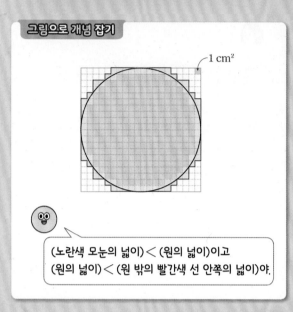

(노란색 모눈의 넓이) < (원의 넓이)이고
(원의 넓이) < (원 밖의 빨간색 선 안쪽의 넓이)야.

참고 모눈 한 칸의 크기가 작아질수록 원의 넓이에 더 가깝게 어림할 수 있습니다.

학부모 코칭 **Tip**
원의 넓이를 어림하는 활동을 통하여 원의 넓이는 (반지름)×(반지름)의 2배와 4배 사이 정도가 된다는 것을 인식하게 합니다.

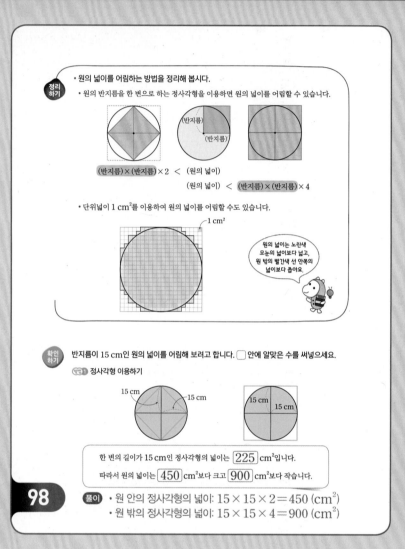

정리 하기
• 원의 넓이를 어림하는 방법을 정리해 봅시다.
• 원의 반지름을 한 변으로 하는 정사각형을 이용하면 원의 넓이를 어림할 수 있습니다.

(반지름)×(반지름)×2 < (원의 넓이)
(원의 넓이) < (반지름)×(반지름)×4

• 단위넓이가 1 cm²를 이용하여 원의 넓이를 어림할 수도 있습니다.

원의 넓이는 노란색 모눈의 넓이보다 크고, 원 밖의 빨간색 선 안쪽의 넓이보다 좁아요.

확인 하기
반지름이 15 cm인 원의 넓이를 어림해 보려고 합니다. ☐ 안에 알맞은 수를 써넣으세요.

방법1 정사각형 이용하기

한 변의 길이가 15 cm인 정사각형의 넓이는 **225** cm²입니다.
따라서 원의 넓이는 **450** cm²보다 크고 **900** cm²보다 작습니다.

풀이 • 원 안의 정사각형의 넓이: $15 \times 15 \times 2 = 450$ (cm²)
• 원 밖의 정사각형의 넓이: $15 \times 15 \times 4 = 900$ (cm²)

98

교과서 개념 완성

확인하기 **정사각형과 모눈종이를 이용하여 원의 넓이 어림하기**

방법1 정사각형 이용하기

• 원 안의 정사각형의 넓이는 한 변의 길이가 15 cm인 정사각형의 넓이의 2배와 같습니다.
→ $15 \times 15 \times 2 = 450$ (cm²)

• 원 밖의 정사각형의 넓이는 한 변의 길이가 15 cm인 정사각형의 넓이의 4배와 같습니다.
→ $15 \times 15 \times 4 = 900$ (cm²)

• 원의 넓이는 원 안의 정사각형의 넓이보다 크고 원 밖의 정사각형의 넓이보다 작습니다.

→ 450 cm² < (원의 넓이)
(원의 넓이) < 900 cm²

방법2 모눈 1개의 넓이가 1 cm²인 모눈종이 이용하기

• 모눈 1개의 넓이는 1 cm²이고 색칠한 모눈은 모두 648칸이므로 그 넓이는 648 cm²입니다.

• 색칠한 부분을 포함하여 원에 걸쳐 있는 부분의 모눈은 모두 756칸이므로 그 넓이는 756 cm²입니다.

• 원의 넓이는 원 안의 색칠한 부분의 넓이보다 크고 색칠한 부분을 포함하여 원에 걸쳐 있는 부분의 넓이보다 작습니다.

→ 648 cm² < (원의 넓이)
(원의 넓이) < 756 cm²

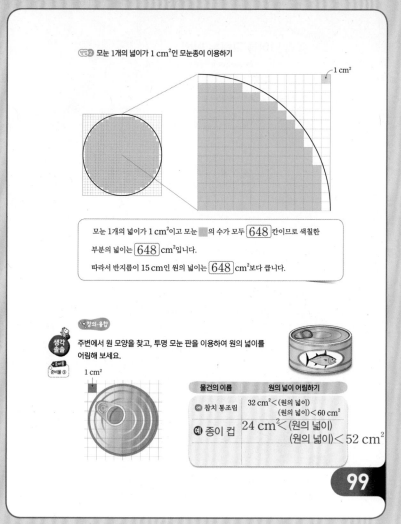

활동2 모눈 1개의 넓이가 1 cm²인 모눈종이 이용하기

1 cm²

모눈 1개의 넓이가 1 cm²이고 모눈 ▓의 수가 모두 648 칸이므로 색칠한 부분의 넓이는 648 cm²입니다.

따라서 반지름이 15 cm인 원의 넓이는 648 cm²보다 큽니다.

생각 열기 · 창의·융합

준비물 ③ 주변에서 원 모양을 찾고, 투명 모눈 판을 이용하여 원의 넓이를 어림해 보세요.

1 cm²

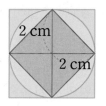

물건의 이름	원의 넓이 어림하기
예 참치 통조림	32 cm² < (원의 넓이) (원의 넓이) < 60 cm²
예 종이 컵	24 cm² < (원의 넓이) (원의 넓이) < 52 cm²

99

 이런 문제가 **서술형**으로 나와요

정사각형의 넓이를 이용하여 원의 넓이는 약 몇 cm²인지 어림하려고 합니다. 풀이 과정을 쓰고, 답을 구해 보세요.

22 cm

| 풀이 과정 |

❶ 원 안의 정사각형의 넓이 구하기

한 변이 11 cm인 정사각형 넓이의 2배이므로 $11 \times 11 \times 2 = 242$ (cm²)입니다.

❷ 원 밖의 정사각형의 넓이 구하기

한 변이 11 cm인 정사각형 넓이의 4배이므로 $11 \times 11 \times 4 = 484$ (cm²)입니다.

❸ 원의 넓이 어림하기

예 원의 넓이는 242 cm²보다 크고 484 cm²보다 작으므로 363 cm²라고 어림할 수 있습니다.

답 약 363 cm²

수학 교과 역량 · 창의·융합

투명 모눈 판을 이용하여 원의 넓이 어림하기
주변에서 원 모양을 찾아 원의 넓이를 어림해 보는 과정에서 창의·융합 능력을 기를 수 있습니다.

 개념 확인 문제 ꞏ정답 및 풀이 217쪽

1 반지름이 2 cm인 원의 넓이를 정사각형을 이용하여 어림하려고 합니다. ▢ 안에 알맞은 수를 써넣으세요.

2 cm
2 cm

(1) 원 안의 정사각형의 넓이는 ▢ cm²입니다.

(2) 원 밖의 정사각형의 넓이는 ▢ cm²입니다.

(3) ▢ cm² < (원의 넓이)이고
(원의 넓이) < ▢ cm²입니다.

2 모눈종이를 이용하여 지름이 10 cm인 원의 넓이를 어림하려고 합니다. ㉠, ㉡에 알맞은 수를 구해 보세요.

1 cm²

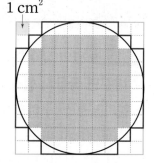

지름이 10 cm인 원의 넓이는
㉠ cm²보다 크고 ㉡ cm²보다 작습니다.

㉠ (　　　　　　)
㉡ (　　　　　　)

4 | 원의 넓이를 구하는 방법

학습 목표

원의 넓이를 구하는 방법을 이해하고 넓이를 구할 수 있습니다.

그림으로 개념 잡기

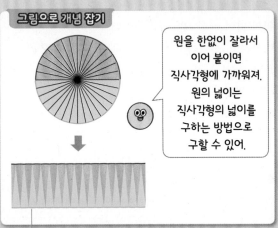

원을 한없이 잘라서 이어 붙이면 직사각형에 가까워져. 원의 넓이는 직사각형의 넓이를 구하는 방법으로 구할 수 있어.

└ 원을 자르는 횟수가 많아질수록 점점 직사각형의 모양이 됩니다.

참고 반지름이 길어지면 원의 넓이는 넓어집니다.

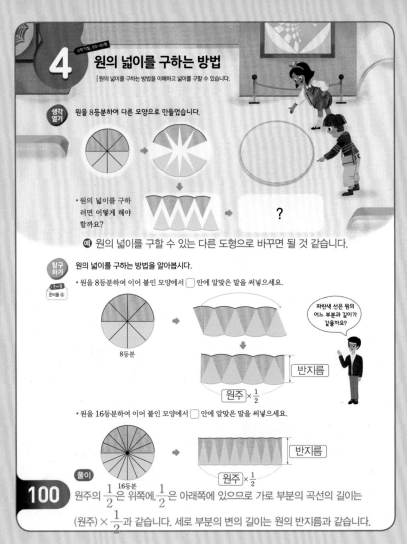

4 원의 넓이를 구하는 방법

| 원의 넓이를 구하는 방법을 이해하고 넓이를 구할 수 있습니다.

생각열기 원을 8등분하여 다른 모양으로 만들었습니다.

• 원의 넓이를 구하려면 어떻게 해야 할까요?

예 원의 넓이를 구할 수 있는 다른 도형으로 바꾸면 될 것 같습니다.

탐구하기 원의 넓이를 구하는 방법을 알아봅시다.

• 원을 8등분하여 이어 붙인 모양에서 ☐ 안에 알맞은 말을 써넣으세요.

8등분

파란색 선은 원의 어느 부분과 길이가 같을까요?

반지름

원주 × 1/2

• 원을 16등분하여 이어 붙인 모양에서 ☐ 안에 알맞은 말을 써넣으세요.

반지름

원주 × 1/2

풀이 원주의 1/2은 위쪽에, 1/2은 아래쪽에 있으므로 가로 부분의 곡선의 길이는 (원주) × 1/2과 같습니다. 세로 부분의 변의 길이는 원의 반지름과 같습니다.

교과서 개념 완성

생각열기 원의 넓이를 구하기 위해 원을 어떤 도형으로 바꾸면 좋을지 생각하기

• 원의 넓이를 구하려면 원을 넓이를 구할 수 있는 다른 도형으로 바꾸면 될 것 같습니다.

• 원을 8등분하여 만들어보면 사각형과 비슷한 모양이 될 것 같습니다.

학부모 코칭 Tip

다각형의 넓이는 밑변과 높이를 이용한다는 것을 바탕으로 원의 넓이를 구하기 위해 원을 밑변과 높이가 있는 직사각형, 평행사변형, 삼각형 등으로 바꿀 필요가 있다는 것을 알게 합니다.

확인하기 원의 넓이 구하기

• 원의 반지름은 $60 \div 2 = 30$ (cm)입니다.

➔ (원의 넓이) = (반지름) × (반지름) × (원주율)
$$= 30 \times 30 \times 3.1$$
$$= 2790 \text{ (cm}^2)$$

• 원의 반지름은 8 cm입니다.

➔ (원의 넓이) = (반지름) × (반지름) × (원주율)
$$= 8 \times 8 \times 3.1$$
$$= 198.4 \text{ (cm}^2)$$

학부모 코칭 Tip

원의 넓이를 구하는 공식을 생각하지 못할 경우에는 원을 직사각형 모양으로 만들었을 때, 가로와 세로가 각각 원의 무엇과 같은지 생각하게 하여 원의 넓이를 구할 수 있도록 합니다.

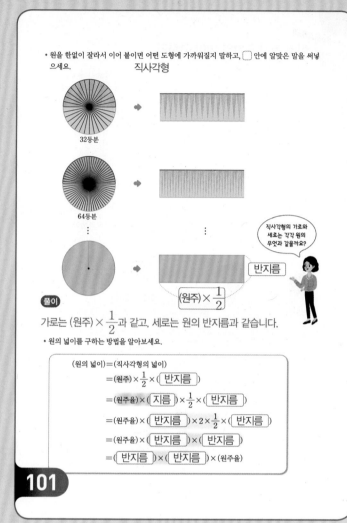

・원을 한없이 잘라서 이어 붙이면 어떤 도형에 가까워질지 말하고, ☐ 안에 알맞은 말을 써넣으세요.

직사각형

32등분

64등분

직사각형의 가로와 세로는 각각 원의 무엇과 같을까요?

반지름

(원주) × $\frac{1}{2}$

풀이

가로는 (원주) × $\frac{1}{2}$ 과 같고, 세로는 원의 반지름과 같습니다.

・원의 넓이를 구하는 방법을 알아보세요.

(원의 넓이) = (직사각형의 넓이)

= (원주) × $\frac{1}{2}$ × (반지름)

= (원주율) × (지름) × $\frac{1}{2}$ × (반지름)

= (원주율) × (반지름) × 2 × $\frac{1}{2}$ × (반지름)

= (원주율) × (반지름) × (반지름)

= (반지름) × (반지름) × (원주율)

101

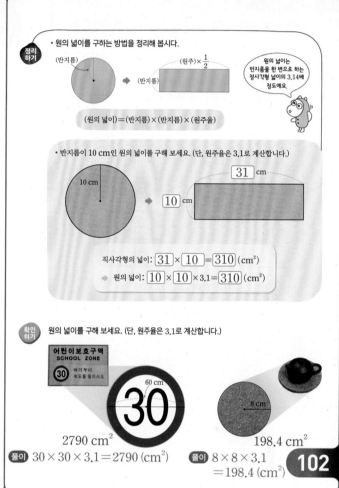

정리하기

・원의 넓이를 구하는 방법을 정리해 봅시다.

(반지름)

(원주) × $\frac{1}{2}$

(반지름)

원의 넓이는 반지름을 한 변으로 하는 정사각형 넓이의 3.14배 정도예요.

(원의 넓이) = (반지름) × (반지름) × (원주율)

・반지름이 10 cm인 원의 넓이를 구해 보세요. (단, 원주율은 3.1로 계산합니다.)

10 cm

31 cm

10 cm

직사각형의 넓이: $31 × 10 = 310$ (cm²)

➡ 원의 넓이: $10 × 10 × 3.1 = 310$ (cm²)

확인하기

원의 넓이를 구해 보세요. (단, 원주율은 3.1로 계산합니다.)

어린이보호구역
SCHOOL ZONE
30 여기부터 속도를 줄이세요

60 cm

30

2790 cm²

풀이 $30 × 30 × 3.1 = 2790$ (cm²)

8 cm

198.4 cm²

풀이 $8 × 8 × 3.1$
$= 198.4$ (cm²)

102

개념 확인 문제 정답 및 풀이 217쪽

1 반지름이 6 cm인 원을 한없이 잘라서 이어 붙여 직사각형을 만들었습니다. ☐ 안에 알맞은 수를 써넣고, 원의 넓이를 구해 보세요.

(원주율: 3)

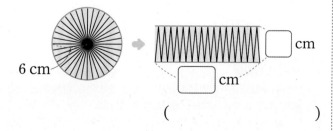

6 cm

☐ cm

☐ cm

(   )

2 원의 넓이를 구해 보세요. (원주율: 3.14)

(1)

7 cm

(2)

10 cm

(   ) (   )

3 원주가 24 cm인 원의 넓이를 구해 보세요.

(원주율: 3)

(   )

5 | 여러 가지 도형의 넓이 구하기

학습 목표

원의 넓이를 이용하여 여러 가지 도형의 넓이를 구할 수 있습니다.

그림으로 개념 잡기

> 도형의 일부분을 옮겨서 구할 수 있어.

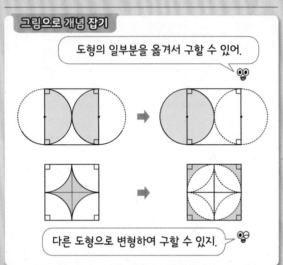

> 다른 도형으로 변형하여 구할 수 있지.

참고 색칠한 부분의 넓이를 구하는 방법

- 원을 등분한 부분으로 구하거나 일부분을 옮겨서 구할 수 있습니다.
- 원의 넓이를 이용할 수 있도록 다른 도형으로 변형하여 구할 수 있습니다.
- 전체의 넓이에서 부분의 넓이를 빼어서 구할 수 있습니다.

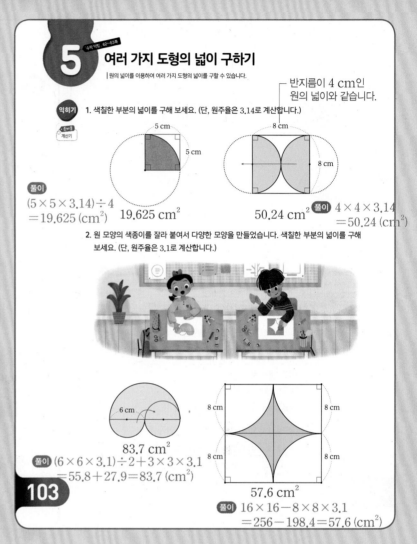

5 여러 가지 도형의 넓이 구하기

원의 넓이를 이용하여 여러 가지 도형의 넓이를 구할 수 있습니다.

익히기 1. 색칠한 부분의 넓이를 구해 보세요. (단, 원주율은 3.14로 계산합니다.)

반지름이 4 cm인 원의 넓이와 같습니다.

풀이
$(5 \times 5 \times 3.14) \div 4$
$= 19.625 \,(\text{cm}^2)$

19.625 cm²

50.24 cm²

풀이 $4 \times 4 \times 3.14$
$= 50.24 \,(\text{cm}^2)$

2. 원 모양의 색종이를 잘라 붙여서 다양한 모양을 만들었습니다. 색칠한 부분의 넓이를 구해 보세요. (단, 원주율은 3.1로 계산합니다.)

83.7 cm²

풀이 $(6 \times 6 \times 3.1) \div 2 + 3 \times 3 \times 3.1$
$= 55.8 + 27.9 = 83.7 \,(\text{cm}^2)$

57.6 cm²

풀이 $16 \times 16 - 8 \times 8 \times 3.1$
$= 256 - 198.4 = 57.6 \,(\text{cm}^2)$

103

교과서 개념 완성

도전 원, 직각삼각형, 정사각형 등의 넓이를 이용하여 색칠한 부분의 넓이 구하기

방법1 − (+)

(색칠한 부분의 넓이)=(정사각형의 넓이)−(색칠하지 않은 부분의 넓이)

= (정사각형의 넓이)
　　− {(정사각형의 넓이)−(사분원의 넓이)} × 2
= (14 × 14)
　　− {14 × 14 − (14 × 14 × 3.14) ÷ 4} × 2
= 196 − (196 − 153.86) × 2 = 111.72 (cm²)

방법2 (−) × 2

(색칠한 부분의 넓이)
= {(사분원의 넓이)−(직각삼각형의 넓이)} × 2
= {(14 × 14 × 3.14) ÷ 4 − (14 × 14 ÷ 2)} × 2
= (153.86 − 98) × 2
= 111.72 (cm²)

학부모 코칭 Tip

- 문제를 해결하는 방법은 여러 가지가 있으므로 학생들 스스로 문제 해결 계획을 세워서 해결하도록 합니다.
- 원, 직각삼각형, 정사각형 등의 넓이를 이용하여 색칠한 부분의 넓이를 구할 수 있도록 합니다.

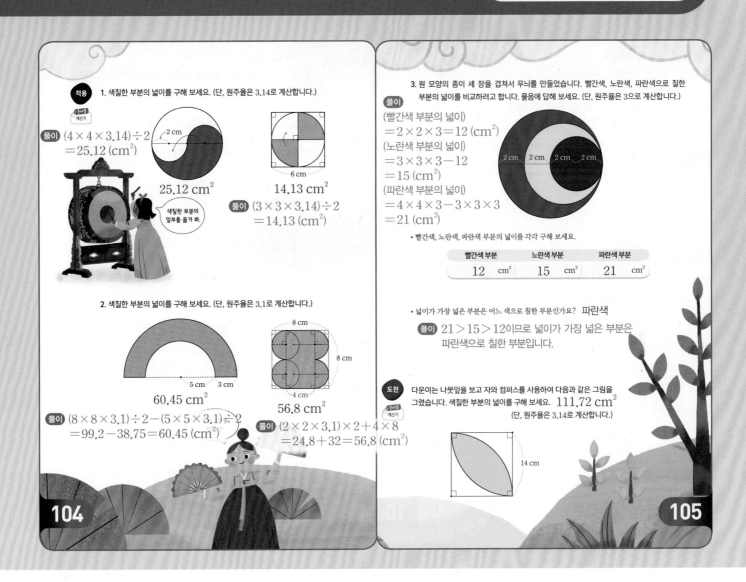

104

적용

1. 색칠한 부분의 넓이를 구해 보세요. (단, 원주율은 3.14로 계산합니다.)

풀이 $(4 \times 4 \times 3.14) \div 2$
$= 25.12 \ (\text{cm}^2)$

25.12 cm²

색칠한 부분의 일부를 옮겨 봐.

14.13 cm²

풀이 $(3 \times 3 \times 3.14) \div 2$
$= 14.13 \ (\text{cm}^2)$

2. 색칠한 부분의 넓이를 구해 보세요. (단, 원주율은 3.1로 계산합니다.)

60.45 cm²

8 cm

8 cm

4 cm

56.8 cm²

풀이 $(8 \times 8 \times 3.1) \div 2 - (5 \times 5 \times 3.1) \div 2$
$= 99.2 - 38.75 = 60.45 \ (\text{cm}^2)$

풀이 $(2 \times 2 \times 3.1) \times 2 + 4 \times 8$
$= 24.8 + 32 = 56.8 \ (\text{cm}^2)$

105

3. 원 모양의 종이 세 장을 겹쳐서 무늬를 만들었습니다. 빨간색, 노란색, 파란색으로 칠한 부분의 넓이를 비교하려고 합니다. 물음에 답해 보세요. (단, 원주율은 3으로 계산합니다.)

풀이
(빨간색 부분의 넓이)
$= 2 \times 2 \times 3 = 12 \ (\text{cm}^2)$
(노란색 부분의 넓이)
$= 3 \times 3 \times 3 - 12$
$= 15 \ (\text{cm}^2)$
(파란색 부분의 넓이)
$= 4 \times 4 \times 3 - 3 \times 3 \times 3$
$= 21 \ (\text{cm}^2)$

2 cm 2 cm 2 cm 2 cm

• 빨간색, 노란색, 파란색 부분의 넓이를 각각 구해 보세요.

빨간색 부분	노란색 부분	파란색 부분
12 cm²	15 cm²	21 cm²

• 넓이가 가장 넓은 부분은 어느 색으로 칠한 부분인가요? 파란색

풀이 $21 > 15 > 12$이므로 넓이가 가장 넓은 부분은 파란색으로 칠한 부분입니다.

도전

다운이는 나뭇잎을 보고 자와 컴퍼스를 사용하여 다음과 같은 그림을 그렸습니다. 색칠한 부분의 넓이를 구해 보세요. 111.72 cm²
(단, 원주율은 3.14로 계산합니다.)

14 cm

개념 확인 문제

정답 및 풀이 217쪽

1 색칠한 부분의 넓이를 구하려고 합니다. 물음에 답해 보세요. (원주율: 3)

4 cm

(1) 큰 원의 넓이를 구해 보세요.

(   )

(2) 작은 원의 넓이를 구해 보세요.

(   )

(3) 색칠한 부분의 넓이를 구해 보세요.

(   )

2 색칠한 부분의 넓이를 구해 보세요.

(원주율: 3.1)

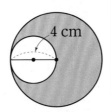

(1)
2 cm
2 cm

(   )

(2)
10 cm
10 cm

(   )

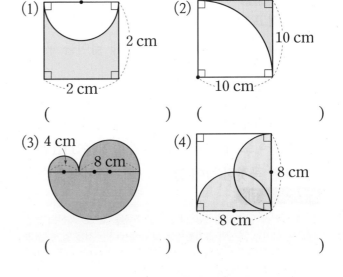

(3) 4 cm
8 cm

(   )

(4)
8 cm
8 cm

(   )

문제 해결력 | 쑥쑥

염소가 움직일 수 있는 영역은 얼마일까요

학습 목표

· 그림 그리기 전략을 이용하여 문제를 해결하고, 어떻게 해결하였는지 설명할 수 있습니다.
· 문제에서 필요 없는 정보를 찾을 수 있습니다.

문제 해결 전략 그림 그리기 전략

수학 교과 역량 ▣문제해결 ✦추론

염소가 움직일 수 있는 영역은 얼마일까요

· 문제의 조건을 확인하고 문제 해결에 적절한 전략을 선택하는 과정에서 문제 해결 능력을 기를 수 있습니다.
· 문제를 해결하기 위해 그림을 그려 조건에 맞는 경우를 추측하고 확인하는 과정에서 추론 능력을 기를 수 있습니다.

문제 해결 Tip 먼저 모눈종이 위에 가로가 3 m, 세로가 2 m인 직사각형을 그리고 염소가 움직일 수 있는 영역을 그려 봅니다.

문제 해결력 쑥쑥

▣문제해결 ✦추론

염소가 움직일 수 있는 영역은 얼마일까요

그림과 같이 밑 부분이 직사각형 모양인 집의 한 꼭짓점 ㄱ에 줄의 길이가 5 m가 되도록 염소를 묶어 놓았습니다. 집 밖에서 염소가 움직일 수 있는 영역의 최대 넓이는 몇 m²인지 구해 보세요. (단, 원주율은 3으로 계산하고, 끈의 매듭의 길이와 염소의 크기는 생각하지 않습니다.)

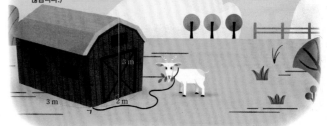

문제 이해하기
· 구하려고 하는 것은 무엇인가요? 예 염소가 움직일 수 있는 영역의 최대 넓이입니다.
· 알고 있는 것은 무엇인가요? 예 집의 밑 부분은 가로가 3 m이고, 세로가 2 m인 직사각형 모양입니다.

계획 세우기
· 어떤 방법으로 문제를 해결할 수 있을지 계획을 세워 보세요.

예 · 모눈종이 위에 그림을 그려 보면 염소가 움직일 수 있는 최대 영역을 나타낼 수 있습니다.
· 집이 있는 직사각형 영역으로는 염소가 움직일 수 없습니다.

106

교과서 개념 완성

문제 이해하기

>> **구하려고 하는 것**

염소가 움직일 수 있는 영역의 최대 넓이를 구하려고 합니다.

>> **알고 있는 것**

· 집의 밑 부분은 가로가 3 m, 세로가 2 m인 직사각형 모양이고, 염소를 묶은 줄의 길이는 5 m입니다.
· 집의 한 꼭짓점 ㄱ에 염소를 줄로 묶어 놓았습니다.

학부모 코칭 Tip

문제 상황을 단순하게 생각하도록 원주율을 3으로 계산하고 끈의 매듭의 길이와 염소의 크기를 생각하지 않는다는 것을 알게 합니다.

계획 세우기

· 모눈종이 위에 그림을 그려 보면 줄을 반지름으로 하는 원 모양이 만들어질 것 같습니다.
· 집이 있는 직사각형 영역으로는 염소가 움직일 수 없습니다.

계획대로 풀기

(ㄱ의 넓이)$= (5 \times 5 \times 3) \div 2 = 37.5 \, (m^2)$

(ㄴ의 넓이)$= (5 \times 5 \times 3) \div 4 = 18.75 \, (m^2)$

(ㄷ의 넓이)$= (3 \times 3 \times 3) \div 4 = 6.75 \, (m^2)$

(ㄹ의 넓이)$= (2 \times 2 \times 3) \div 4 = 3 \, (m^2)$

➡ 염소가 움직일 수 있는 영역의 최대 넓이는 $37.5 + 18.75 + 6.75 + 3 = 66 \, (m^2)$입니다.

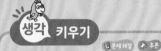

생각 키우기

문제 해결 추론

문제 이해하기

》 구하려고 하는 것

염소가 움직일 수 있는 영역의 최대 넓이를 구하려고 합니다.

》 알고 있는 것

- 집의 밑 부분은 가로가 3 m, 세로가 2 m인 직사각형 모양이고, 염소를 묶은 줄의 길이는 5 m입니다.
- 길이가 2 m인 변의 한가운데 점 ㄴ에 염소를 줄로 묶어 놓았습니다.

계획 세우기

모눈종이 위에 그림을 그려 보면 염소가 움직일 수 있는 최대 영역을 나타낼 수 있습니다.

계획대로 풀기

(㉠의 넓이)$=(5 \times 5 \times 3) \div 2 = 37.5$ (m²)

(㉡의 넓이)$=(4 \times 4 \times 3) \div 4 = 12$ (m²)

(㉢의 넓이)$=(1 \times 1 \times 3) \div 4 = 0.75$ (m²)

➡ ㉡, ㉢과 같은 부분이 하나씩 더 있으므로 염소가 움직일 수 있는 영역의 최대 넓이는

$37.5 + (12 + 0.75) \times 2 = 63$ (m²)입니다.

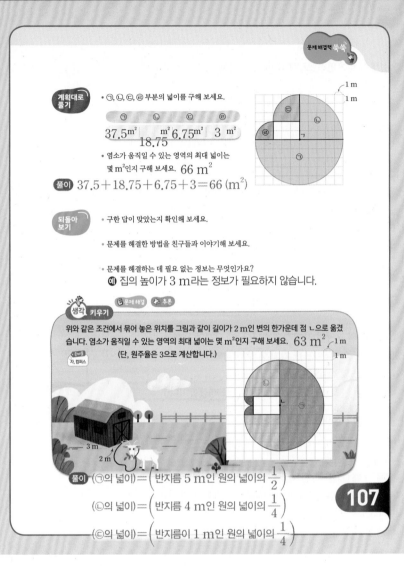

문제 해결력 쑥쑥

계획대로 풀기
- ㉠, ㉡, ㉢, ㉣ 부분의 넓이를 구해 보세요.

| ㉠ | ㉡ | ㉢ | ㉣ |
| 37.5m² | 18.75 m² | 6.75m² | 3 m² |

- 염소가 움직일 수 있는 영역의 최대 넓이는 몇 m²인지 구해 보세요. 66 m²

풀이 $37.5 + 18.75 + 6.75 + 3 = 66$ (m²)

되돌아 보기
- 구한 답이 맞았는지 확인해 보세요.
- 문제를 해결한 방법을 친구들과 이야기해 보세요.
- 문제를 해결하는 데 필요 없는 정보는 무엇인가요?
  예 집의 높이가 3 m라는 정보가 필요하지 않습니다.

생각 키우기 문제 해결 추론

위와 같은 조건에서 묶어 놓은 위치를 그림과 같이 길이가 2 m인 변의 한가운데 점 ㄴ으로 옮겼습니다. 염소가 움직일 수 있는 영역의 최대 넓이는 몇 m²인지 구해 보세요. 63 m²
(단, 원주율은 3으로 계산합니다.)
준비물: 자, 컴퍼스

풀이 (㉠의 넓이)$=\left($반지름 5 m인 원의 넓이의 $\dfrac{1}{2}\right)$

(㉡의 넓이)$=\left($반지름 4 m인 원의 넓이의 $\dfrac{1}{4}\right)$

(㉢의 넓이)$=\left($반지름이 1 m인 원의 넓이의 $\dfrac{1}{4}\right)$

107

문제 해결력 문제

정답 및 풀이 218쪽

[1~2] 그림과 같이 한 변의 길이가 2 m인 정사각형 모양의 울타리의 한 꼭짓점 ㄱ에 줄의 길이가 3 m가 되도록 염소를 묶어 놓았습니다. 울타리 밖에서 염소가 움직일 수 있는 영역의 최대 넓이는 몇 m²인지 구하려고 합니다. 물음에 답해 보세요. (단, 원주율은 3으로 계산하고, 끈의 매듭의 길이와 염소의 크기는 생각하지 않습니다.)

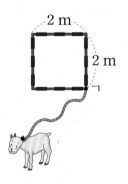

1 모눈종이 위에 염소가 움직일 수 있는 최대 영역을 그려 보세요.

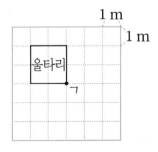

2 염소가 움직일 수 있는 영역의 최대 넓이는 몇 m²인지 구해 보세요.

(   )

추론

원주와 원주율 이해하기

▶자습서 104~107쪽

학부모 코칭 Tip

원주의 의미를 알고, 원의 지름에 대한 원주의 비율이 일정함을 이해하게 합니다.

---

1 원에 대한 설명이 맞으면 ○표, 틀리면 ×표 하세요.

90~93쪽

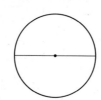

- 원의 둘레를 원주라고 합니다. (○)
- 원주는 정확히 지름의 3배입니다. (×)
- (원주율)＝(원주)÷(지름)입니다. (○)
- 원이 커지면 원주율도 커집니다. (×)

풀이
- 원주율은 필요에 따라 3, 3.1, 3.14 등으로 사용합니다.
- 원이 커지면 지름과 원주는 길어져도 원주율은 일정합니다.

문제 해결 추론

지름을 알 때, 원주율을 이용하여 원주 구하기

▶자습서 108~109쪽

학부모 코칭 Tip

- 원주는 지름의 약 3배가 된다는 것을 바탕으로 (원주)＝(지름)×(원주율)을 생각하도록 합니다.
- 종이테이프를 사용하고 남은 길이는 (처음 길이)−(사용한 길이)로 생각하여 식을 세우도록 합니다.

---

2 지름이 30 cm인 원 모양의 시계가 있습니다. 이 시계의 둘레에 길이가 95 cm인 종이테이프를 겹치지 않게 붙일 때, 붙이고 남는 종이테이프는 몇 cm인지 구해 보세요.

94쪽

(단, 원주율은 3.1로 계산합니다.)

식   예 95−(30×3.1)＝2

답   2 cm

풀이
- 지름을 알 때 (지름)×(원주율)을 계산하면 원주를 구할 수 있습니다. 따라서 벽시계의 둘레를 붙이는 데 사용한 종이테이프의 길이는 30×3.1＝93 (cm)입니다.
- 남은 종이테이프의 길이는 95−93＝2 (cm)입니다.

문제 해결 추론

원주를 알 때, 원주율을 이용하여 지름 구하기

▶자습서 108~109쪽

학부모 코칭 Tip

- 큰 바퀴의 원주는 작은 바퀴 원주의 2배가 된다는 것을 생각해 보게 합니다.
- (원주)÷(지름)＝(원주율)을 이용하여 (원주)÷(원주율)＝(지름)임을 알게 합니다.

---

3 큰 바퀴의 원주는 작은 바퀴의 원주의 2배이고, 작은 바퀴의 원주는 46.5 cm입니다. 큰 바퀴의 지름은 몇 cm인지 구해 보세요. (단, 원주율은 3.1로 계산합니다.)

95쪽

식   예 (46.5×2)÷3.1＝30

답   30 cm

풀이
- 큰 바퀴의 원주는 작은 바퀴의 원주의 2배이므로 46.5×2＝93 (cm)입니다.
- 원주를 알 때 (원주)÷(원주율)을 계산하여 지름을 구할 수 있습니다. 따라서 큰 바퀴의 지름은 93÷3.1＝30 (cm)입니다.

108

4 지름을 재어 보고, 원주와 원의 넓이를 구해 보세요. (단, 원주율은 3.14로 계산합니다.)

95쪽, 101쪽

준비물
자,
계산기

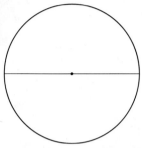

지름	원주	원의 넓이
5 cm	15.7 cm	19.625 cm^2

풀이 ·지름은 5 cm입니다. / 원주는 $5 \times 3.14 = 15.7$ (cm)입니다.
·원의 넓이는 $2.5 \times 2.5 \times 3.14 = 19.625$ (cm^2)입니다.

후론 정보 처리

지름, 원주, 원의 넓이 구하기
▶자습서 108~109쪽, 114~115쪽

학부모 코칭 **Tip**

· 지름을 재어
(원주)=(지름)×(원주율)을
알고 계산해 보게 합니다.
· 원의 넓이는
(반지름)×(반지름)×(원주율)
을 알고 계산해 보게 합니다.

생각 넓히기   문제 해결   창의·융합

5 다연이는 놀이공원에서 세 가지 모양의 꽃밭을 보았습니다. 꽃밭의 넓이를 각각 구하고, 어느 색 꽃밭이 가장 넓은지 써 보세요. (단, 원주율은 3으로 계산합니다.)

103~105쪽

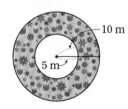
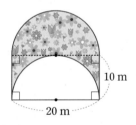
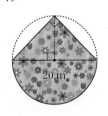

꽃밭	보라색 꽃밭	노란색 꽃밭	분홍색 꽃밭
넓이(m^2)	225	200	250

(분홍색 꽃밭   )

풀이 ·보라색 꽃밭의 넓이는 큰 원의 넓이에서 작은 원의 넓이를 빼면 되므로
$(10 \times 10 \times 3) - (5 \times 5 \times 3) = 225$ (m^2)입니다.
·노란색 꽃밭의 넓이는 위 반원을 밑으로 옮기면 가로 20 m, 세로 10 m인 직사각형의
넓이와 같으므로 $20 \times 10 = 200$ (m^2)입니다.
·분홍색 꽃밭의 넓이는 반원의 넓이와 직각삼각형의 넓이를 더하면 되므로
$(10 \times 10 \times 3) \div 2 + (20 \times 10) \div 2 = 250$ (m^2)입니다.
·넓이가 가장 넓은 꽃밭은 분홍색 꽃밭입니다.

문제 해결 창의·융합

원의 넓이를 이용하여 여러 가지
도형의 넓이 구하고 비교하기
▶자습서 116~117쪽

학부모 코칭 **Tip**

전체에서 부분의 넓이를 빼거나
도형의 일부분을 옮기거나 주어
진 도형을 원, 직사각형, 삼각형
으로 나누어 구하기 쉬운 도형
으로 바꾸어 넓이를 구하도록
합니다.

109

12 차시 • 놀이 속으로 | 풍덩 • 이야기로 키우는 | 생각

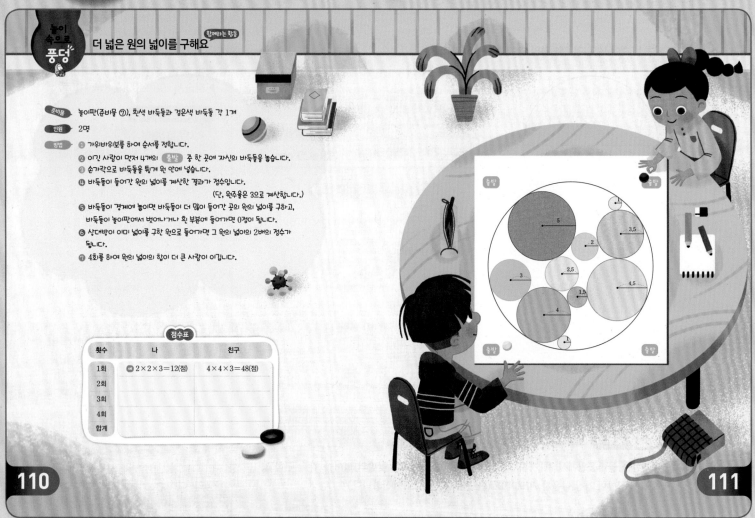

놀이 속으로 풍덩 더 넓은 원의 넓이를 구해요 [함께하는 활동]

준비물 놀이판(준비물 ㉠), 흰색 바둑돌과 검은색 바둑돌 각 1개

인원 2명

방법
1. 가위바위보를 하여 순서를 정합니다.
2. 이긴 사람이 먼저 4개의 [출발] 중 한 곳에 자신의 바둑돌을 놓습니다.
3. 손가락으로 바둑돌을 튕겨 원 안에 넣습니다.
4. 바둑돌이 들어간 원의 넓이를 계산한 결과가 점수입니다.
    (단, 원주율은 3으로 계산합니다.)
5. 바둑돌이 경계에 놓이면 바둑돌이 더 많이 들어간 곳의 원의 넓이를 구하고, 바둑돌이 놀이판에서 벗어나거나 흰 부분에 들어가면 0점이 됩니다.
6. 상대방이 이미 넓이를 구한 원으로 들어가면 그 원의 넓이의 2배가 점수가 됩니다.
7. 4회를 하여 원의 넓이의 합이 더 큰 사람이 이깁니다.

점수표

횟수	나	친구
1회	ⓔ 2×2×3=12(점)	4×4×3=48(점)
2회		
3회		
4회		
합계		

110

111

교과서 개념 완성

놀이 속으로 풍덩

ⓔ 1회: 제 바둑돌은 반지름이 2인 원 안에 들어갔습니다.
→ 2×2×3=12(점)
친구 바둑돌은 반지름이 4인 원 안에 들어갔습니다. → 4×4×3=48(점)

2회: 제 바둑돌은 흰 부분에 들어갔습니다. → 0점
친구 바둑돌은 반지름이 2.5인 원 안에 들어갔습니다. → 2.5×2.5×3=18.75(점)

3회: 제 바둑돌은 반지름이 5인 원 안에 들어갔습니다.
→ 5×5×3=75(점)

친구 바둑돌은 놀이판에서 벗어났습니다. → 0점

4회: 제 바둑돌은 반지름이 1.5인 원 안에 들어갔습니다. → 1.5×1.5×3=6.75(점)
친구 바둑돌은 반지름이 2인 원 안에 들어갔습니다. 반지름이 2인 원은 이미 구했습니다.
→ 12×2=24(점)

횟수	나	친구
1회	2×2×3=12(점)	4×4×3=48(점)
2회	0점	2.5×2.5×3=18.75(점)
3회	5×5×3=75(점)	0점
4회	1.5×1.5×3=6.75(점)	12×2=24(점)
합계	12+0+75+6.75=93.75(점)	48+18.75+0+24=90.75(점)

→ 원의 넓이의 합이 더 큰 사람은 나입니다.

이야기로 키우는 생각 (창의력 키우기)

원주율의 역사

원주율이란 원주를 원의 지름으로 나눈 비율을 말합니다. 곧 원주가 지름의 몇 배인지를 나타내는 것입니다. 모든 원의 원주율은 약 3.14입니다. 실제로 원주율은 3.14159265358979323846…으로 끝없이 계속되는 소수이기 때문에 어림값인 3.14를 사용하는 것입니다.

그렇다면 먼 옛날에는 원주율을 어떻게 구했을까요?

아주 오랜 옛날부터 사람들은 원주율을 구하기 위해 많은 노력을 했습니다. 기원전 2000년경 고대 이집트 시대에 당시 이집트인들은 나일강 주변의 모래판 위에서 막대와 끈만으로 원주율을 계산했습니다.

이렇게 해서 얻은 원주율의 값은 $3+\dfrac{1}{7}=3.142857\cdots$이었습니다.

① 끈의 한쪽을 막대로 고정하고, 다른 쪽으로 원을 그립니다.

② 다른 끈을 이용하여 원의 지름을 잽니다.

3번을 두르면 지름의 $\dfrac{1}{7}$만큼 남네.

③ 원의 지름만큼의 끈을 원의 둘레를 따라 두릅니다.

112

또 고대 이집트인들의 실생활 문제를 수록한 세계 최초의 수학책 『린드 파피루스』에는 기원전 1850년 이집트인들이 원주율의 값으로 3.16049…를 사용했다는 것이 기록되어 있습니다.

이 책에서는 원의 넓이가 원의 지름의 $\dfrac{8}{9}$이 되는 길이를 한 변으로 하는 정사각형의 넓이와 같다고 생각하여 원주율을 계산했습니다. 즉 원의 반지름을 1이라고 하면 정사각형의 한 변의 길이는 $2\times\dfrac{8}{9}=\dfrac{16}{9}$이 되어

(원주율)$=\dfrac{16}{9}\times\dfrac{16}{9}=\dfrac{256}{81}$
$=3.16049\cdots$

가 되는 것입니다.

[출처] 심진경 외, 『초등학교 개념사전』

『린드 파피루스』

113

이야기로 키우는 생각 ★ 참고 자료

원주율 π(파이)

원주율을 기호 π로 나타냅니다.

고대 그리스의 수학자 아르키메데스는 계산을 통하여 원주율을 구한 최초의 사람으로 알려져 있습니다. 그는 원에 외접하는 정다각형과 내접하는 정다각형을 이용하여 원의 둘레는 외접하는 정다각형의 둘레보다 짧고, 내접하는 정다각형의 둘레보다는 길다고 생각하였습니다. 아르키메데스는 외접하는 정96각형, 내접하는 정96각형 2개를 이용하여 원주율이 $\dfrac{223}{71}$과

$\dfrac{22}{7}$ 사이에 있음을 알아내었습니다.

이 시기에는 소수의 개념이 없어 분수로 값을 표기했는데, 이를 소수점 아래 셋째 자리에서 반올림할 경우 약 3.14가 됩니다. 우리가 계산할 때 사용하는 소수점 아래 둘째 자리까지의 원주율을 아르키메데스가 완성한 셈입니다.

이처럼 소수점 아래 둘째 자리까지 계산을 한 아르키메데스로부터 현재에 이르기까지 많은 사람들은 원주율의 정확한 값을 알아내기 위해 끊임없이 노력하고 있습니다.

원주율의 값은 2021년 기준으로 무려 소수점 아래 약 62조 8000억 번째 자리까지 계산되었습니다.

[출처] 『동아사이언스』, 2021. 3.13.

개념 ÷ 확인

교과서 개념을 익히고 확인 문제를 풀면서 단원을 마무리해 보아요.

개념

⊕ 원주율

- 원의 둘레를 원주라고 합니다.
- 원주는 지름의 3배보다 길고 4배보다 짧습니다.
- 원의 크기가 달라도 원의 지름에 대한 원주의 비율은 일정하고, 이 비율을 원주율이라고 합니다.

> (원주율)＝(원주)÷(지름)

- 원주율은 필요에 따라 3, 3.1, 3.14 등으로 어림하여 사용하기도 합니다.

⊕ 원주와 지름 구하기

원주율을 이용하여 원주 또는 지름을 구할 수 있습니다.

> (원주)＝(지름)×(원주율)

> (지름)＝(원주)÷(원주율)

⑩ • 원주율이 3이고 지름이 12 cm인 원의 원주
→ $12 \times 3 = 36$ (cm)
- 원주율이 3.1이고 원주가 31 cm인 원의 지름
→ $31 \div 3.1 = 10$ (cm)

⊕ 원의 넓이 어림하기

- 원의 반지름을 한 변으로 하는 정사각형을 이용하면 원의 넓이를 어림할 수 있습니다.

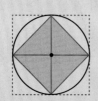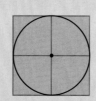

(반지름)

(반지름)

- 단위넓이 1 cm²를 이용하여 원의 넓이를 어림할 수도 있습니다.

확인 문제

1 다음 설명 중 틀린 것을 찾아 기호를 써 보세요.

> ㉠ 원주율은 항상 일정합니다.
> ㉡ 원주가 길어지면 원의 반지름은 짧아집니다.
> ㉢ 원의 지름에 대한 원주의 비율을 원주율이라고 합니다.

(   )

2 (원주)÷(지름)을 구하여 빈칸에 알맞은 수를 써넣으세요.

원주(cm)	지름(cm)	(원주)÷(지름)
15.7	5	
43.96	14	

3 그림과 같이 컴퍼스를 벌려서 원을 그렸습니다. 그린 원의 원주는 몇 cm인지 구해 보세요. (원주율: 3.14)

(   )

4 모눈종이를 이용하여 원의 넓이를 어림하려고 합니다. ☐ 안에 알맞은 수를 써넣으세요.

1 cm²

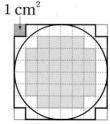

> 원의 넓이는 ☐ cm²보다 크고
> ☐ cm²보다 작습니다.

→ 정답 및 풀이 218쪽

공부한 날   월   일

개념

⊕ 원의 넓이를 구하는 방법

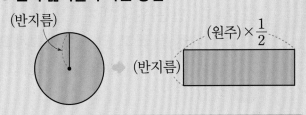

$$\boxed{(원의 넓이)=(반지름)\times(반지름)\times(원주율)}$$

예 원주율이 3.1이고 반지름이 3 cm인 원의 넓이

→ $3\times3\times3.1=27.9\,(cm^2)$

⊕ 여러 가지 도형의 넓이 구하기

여러 가지 도형의 넓이를 구하는 방법

• 원을 등분한 부분으로 구하거나 일부분을 옮겨서 도형의 넓이를 구할 수 있습니다.

• 원의 넓이를 이용할 수 있도록 다른 도형으로 변형하여 도형의 넓이를 구할 수 있습니다.

• 전체에서 부분의 넓이를 빼어서 도형의 넓이를 구할 수 있습니다.

• 원, 직각삼각형, 정사각형 등의 넓이를 이용하여 도형의 넓이를 구할 수 있습니다.

예
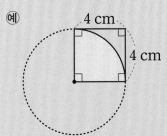

색칠한 부분의 넓이는 반지름이 4 cm인 원의 넓이의 $\frac{1}{4}$입니다. (원주율: 3)

→ (색칠한 부분의 넓이)

　$=(4\times4\times3)\div4=12\,(cm^2)$

확인 문제

5 원을 한없이 잘라서 이어 붙여 직사각형을 만들었습니다. ☐ 안에 알맞은 수를 써넣고, 원의 넓이를 구해 보세요. (원주율: 3.1)

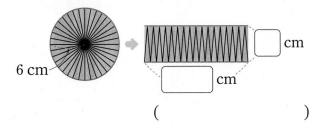

(　　　　　　　)

6 원의 넓이를 구해 보세요.

(원주율: 3.14)

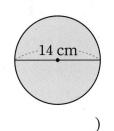

(　　　　　　　)

[7~8] 색칠한 부분의 넓이를 구해 보세요.

(원주율: 3.14)

7
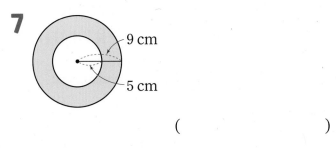

(　　　　　　　)

8
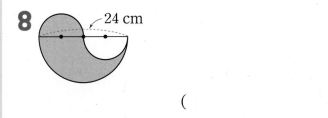

(　　　　　　　)

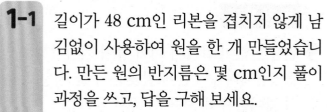
1-1 길이가 48 cm인 리본을 겹치지 않게 남김없이 사용하여 원을 한 개 만들었습니다. 만든 원의 반지름은 몇 cm인지 풀이 과정을 쓰고, 답을 구해 보세요.

(원주율: 3) [8점]

❶ 원의 원주가 48 cm입니다.

(지름)=(원주)÷(☐)

=48÷☐=☐ (cm)

❷ (반지름)=(☐)÷2

=☐÷2=☐ (cm)

답

1-2 쌍둥이 길이가 37.68 cm인 색 테이프를 겹치지 않게 남김없이 사용하여 원을 한 개 만들었습니다. 만든 원의 반지름은 몇 cm인지 풀이 과정을 쓰고, 답을 구해 보세요.

(원주율: 3.14) [12점]

풀이

답

1-3 유사 길이가 24.8 cm인 철사를 구부려서 만들 수 있는 가장 큰 원을 한 개 만들었습니다. 만든 원의 반지름은 몇 cm인지 풀이 과정을 쓰고, 답을 구해 보세요.

(원주율: 3.1) [15점]

24.8 cm

풀이

답

1-4 실전 둘레가 60 cm인 원 모양의 접시가 있습니다. 이 접시의 넓이는 몇 cm²인지 풀이 과정을 쓰고, 답을 구해 보세요. (원주율: 3)

[15점]

풀이

답

➜ 정답 및 풀이 219쪽

2-1 색칠한 부분의 넓이는 몇 cm²인지 풀이 과정을 쓰고, 답을 구해 보세요.

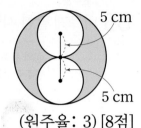

5 cm
5 cm

(원주율: 3) [8점]

풀이

❶ (반지름이 10 cm인 원의 넓이)

$$= \boxed{} \times \boxed{} \times 3 = \boxed{} \text{ (cm}^2)$$

(반지름이 5 cm인 원의 넓이)

$$= \boxed{} \times \boxed{} \times 3 = \boxed{} \text{ (cm}^2)$$

❷ (색칠한 부분의 넓이)

$$= \boxed{} - \boxed{} - \boxed{}$$

$$= \boxed{} \text{ (cm}^2)$$

답 _____

2-2 쌍둥이

색칠한 부분의 넓이는 몇 cm²인지 풀이 과정을 쓰고, 답을 구해 보세요.

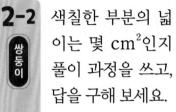 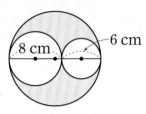

8 cm   6 cm

(원주율: 3) [12점]

풀이

답 _____

2-3 유사

그림에서 작은 원 3개의 반지름은 모두 같습니다. 색칠한 부분의 넓이는 몇 cm²인지 풀이 과정을 쓰고, 답을 구해 보세요. (원주율: 3) [15점]

4 cm

풀이

답 _____

2-4 실전

색칠한 부분의 넓이는 몇 cm²인지 풀이 과정을 쓰고, 답을 구해 보세요. (원주율: 3) [15점]

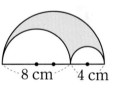

8 cm   4 cm

풀이

답 _____

| 원주율, 원주와 지름 구하기 |

01 ☐ 안에 알맞은 말을 써넣으세요.
하

(1) (원주율)=(☐)÷(☐)

(2) (원주)=(☐)×(원주율)

(3) (지름)=(☐)÷(☐)

| 원주와 지름 구하기 |

02 원주가 87.92 cm인 원의 반지름을 구해 보
하 세요. (원주율: 3.14)

(   )

| 원의 넓이를 구하는 방법 |

03 원의 넓이를 구해 보세요.
하   (원주율: 3.14)

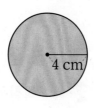

4 cm

(   )

| 원의 넓이 어림하기 |

04 원 안의 정사각형과 원 밖의 정사각형의 넓
하 이를 이용하여 원의 넓이를 어림하려고 합
니다. ☐ 안에 알맞은 수를 써넣으세요.

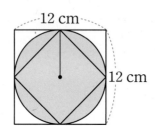

12 cm

12 cm

☐ cm² < (원의 넓이)

(원의 넓이) < ☐ cm²

| 원주율 |

05 바르게 말한 사람의 이름을 써 보세요.
중

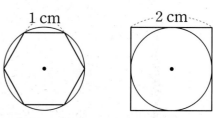

원의 둘레를
원주라고 해.

원주율은 3.14로
정확한 값이야.

유영   정현

(   )

| 원주율 |

06 한 변의 길이가 1 cm인 정육각형, 지름이
중 2 cm인 원, 한 변의 길이가 2 cm인 정사각
형이 있습니다. 물음에 답해 보세요.

1 cm   2 cm

(1) 정육각형의 둘레를 구해 보세요.

(   )

(2) 정사각형의 둘레를 구해 보세요.

(   )

(3) ☐ 안에 알맞은 수를 써넣으세요.

원주는 원의 지름의 ☐ 배보다 길고
☐ 배보다 짧습니다.

| 여러 가지 도형의 넓이 |

07 색칠한 부분의 넓이를 구
중 해 보세요. (원주율: 3.1)

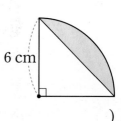

6 cm

(   )

| 원주율 |

08 세현이가 원 모양의 시계의 원주와 지름을 재었더니 원주는 47.12 cm, 지름은 15 cm 이었습니다. 원주율을 반올림하여 소수 둘째 자리까지 나타내어 보세요.

(　　　　　)

| 원의 넓이를 구하는 방법 |

09 바닥이 원 모양인 냄비가 있습니다. 냄비 바닥의 지름이 24 cm일 때 냄비 바닥의 넓이는 몇 cm²인지 구해 보세요. (원주율: 3.1)

(　　　　　)

| 원주와 지름 구하기 |

10 원주가 긴 것부터 차례로 기호를 써 보세요.

(원주율: 3)

> ㉠ 지름이 25 cm인 원
> ㉡ 원주가 69 cm인 원
> ㉢ 반지름이 13 cm인 원

(　　　　　)

| 여러 가지 도형의 넓이 구하기 |

11 색칠한 부분의 넓이를 구해 보세요.

(원주율: 3)

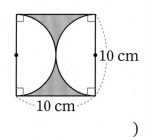

10 cm

10 cm

(　　　　　)

| 원주율 |

12 반지름이 1 cm인 원을 만들고 자 위에서 한 바퀴 굴렸습니다. 원주가 얼마쯤 될지 자에 ↓로 표시해 보세요.

1 cm

| 원주와 지름 구하기 |

13 놀이공원의 자동차가 지름이 9 m인 원 모양의 도로 위를 8바퀴 돌았습니다. 자동차가 달린 거리는 몇 m인지 식을 쓰고 답을 구해 보세요. (원주율: 3.1)

 식 _____

답 _____

| 원의 넓이를 구하는 방법 |

14 직사각형 모양의 종이를 잘라 만들 수 있는 가장 큰 원의 넓이는 몇 cm²인지 구해 보세요.

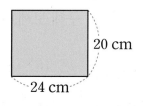

20 cm

24 cm

(원주율: 3.14)

(　　　　　)

| 여러 가지 도형의 넓이 구하기 |

15 색칠한 부분의 넓이를 구해 보세요.

(원주율: 3.14)

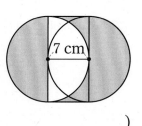

7 cm

(　　　　　)

| 원주와 지름 구하기, 원의 넓이를 구하는 방법 | **서술형**

16 정사각형 안에 꼭 맞게 원
중 을 그렸습니다. 그린 원의
원주가 62 cm라면 정사각
형의 넓이는 몇 cm²인지 풀
이 과정을 쓰고, 답을 구해 보세요.

(원주율: 3.1)

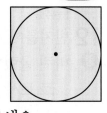

풀이

답

| 원주와 지름 구하기, 원의 넓이를 구하는 방법 |

17 넓이가 446.4 cm²인 원의 둘레는 몇 cm인
중 지 구해 보세요. (원주율: 3.1)

(   )

| 여러 가지 도형의 넓이 구하기 |

18 색칠한 부분의 넓이
상 를 구해 보세요.

(원주율: 3)

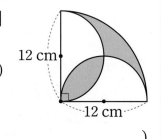

12 cm

12 cm

(   )

| 원주와 지름 구하기 | **서술형**

19 반지름이 8 cm인 둥근
상 기둥 모양의 참치 캔 3개
를 끈으로 겹치지 않게 둘
렀습니다. 사용한 끈의 길
이는 몇 cm인지 풀이 과
정을 쓰고, 답을 구해 보세요. (원주율: 3)
(단, 매듭의 길이와 끈의 두께는 생각하지
않습니다.)

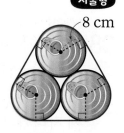

8 cm

풀이

답

| 원의 넓이 어림하기 | **서술형**

20 고대 이집트에서는
상 큰 정사각형을 작은
정사각형 9개로 나
눈 후 팔각형의 넓이
를 이용하여 원의 넓
이를 구했습니다. 실제 원의 넓이와 팔각형
의 넓이의 차는 몇 cm²인지 풀이 과정을 쓰
고, 답을 구해 보세요. (원주율: 3.14)

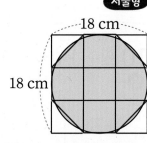

18 cm

18 cm

풀이

답

파이의 날!

3.14159265358979323384626433⋯.
그 다음이 생각이 나지 않네.
난 더 이상 외우지는 못할 거 같아.

그게 뭔데?
왜 외우는거야?

오늘은 파이의 날이라서
한 번 외워봤어.

파이의 날?
파이의 날이 뭐야?

수학시간에 배운 원주율 알지?
원주율은 원의 둘레를 지름으로 나눈 수인데
소수로 나타내면 3.141592⋯처럼 끝없이 이어져.
수학자 오일러가 원주율을 기호 π로 최초로 사용했고,
π은 '파이'라고 읽어.

π 3.1415⋯

그래서 미국은 원주율을
어림하여 소수 둘째 자리까지
나타낸 수 3.14에서
3월 14일을 파이의 날로
정했다네.

아하, 그렇구나!
난 파이를 먹는 날인줄
알았네.

파이를 먹기도 해. 원주율 파이가 먹는 파이와 발음이 같아서
파이를 먹는 대회가 열리기도 하지.
나처럼 원주율을 외우는 대회가 열리기도 하고!
여기! 먹어. 파이의 날을 기념하여 내가 파이를 가지고 왔지.

우와

우와, 고마워.
파이 먹는 대회가 열리면
내가 일등 할 수 있을 것 같아.

으이그, 여기 있다.
하나 더 먹어라!

와구   와구

5

비례식과 비례배분

- 두 사람이 마법 빗자루를 타는 장면이 있습니다. 빗자루의 길이는 각각 1.5 m와 1.6 m입니다.
- 두 빗자루의 길이의 비 1.5 : 1.6을 간단한 자연수의 비로 나타내는 방법을 궁금해하고 있습니다.

그림 속 상황

자/기/주/도/학/습

학습 내용		계획 및 확인(공부한 날)		
예습	**1차시** | 단원 도입 / 준비 **팡팡**	132~135쪽	월	일
진도	**2차시** | **1** 비의 성질	136~137쪽	월	일
	3차시 | **2** 간단한 자연수의 비로 나타내기	138~139쪽	월	일
	4차시 | **3** 비례식	140~141쪽	월	일
	5차시 | **4** 비례식의 성질	142~143쪽	월	일
	6차시 | **5** 비례식의 활용	144~145쪽	월	일
	7차시 | **6** 비례배분	146~147쪽	월	일
	8차시 | 문제 해결력 **쏙쏙**	148~149쪽	월	일
	9차시 | 단원 마무리 **척척**	150~151쪽	월	일
	10~11차시 | 사진 속으로 **찰칵** 이야기로 키우는 생각	152~153쪽	월	일
평가	개념+확인 / 서술형 문제 해결하기	154~157쪽	월	일
	단원 평가 / 재미있는 수학 이야기	158~161쪽	월	일

1 차시

준비 팡팡

'무엇을 알고 있나요'와 '함께 생각해 볼까요'를 통하여 단원을 준비할 수 있습니다.

🔷 비의 의미를 알고 비로 나타내기

마법 지팡이의 수는 5, 마법 빗자루의 수는 3이므로 두 수를 비로 나타내면 5 : 3입니다.

학부모 코칭 Tip

비의 의미를 알고 두 수를 기호 ':' 를 이용하여 비로 나타낼 수 있는지 확인합니다.

🔷 비율의 의미를 알고 비율로 나타내기

빨간색 모자가 7개, 파란색 모자가 3개로 모두 10개임을 파악하고 표를 완성합니다.

🔷 기약분수로 나타내기

$\cdot \dfrac{2}{4}=\dfrac{2\div2}{4\div2}=\dfrac{1}{2},\ \dfrac{4}{8}=\dfrac{4\div4}{8\div4}=\dfrac{1}{2}$

$\cdot \dfrac{3}{9}=\dfrac{3\div3}{9\div3}=\dfrac{1}{3},\ \dfrac{9}{27}=\dfrac{9\div9}{27\div9}=\dfrac{1}{3}$

학부모 코칭 Tip

분수를 가장 간단한 분수인 기약분수로 나타낼 수 있는지 확인합니다. 또 약분과 기약분수의 공통점과 차이점을 알고 있는지 확인합니다.

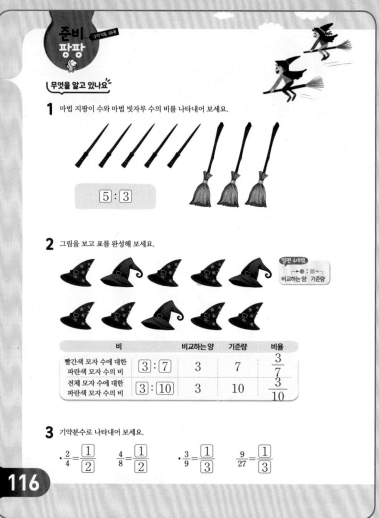

준비 팡팡

무엇을 알고 있나요

1 마법 지팡이 수와 마법 빗자루 수의 비를 나타내어 보세요.

$\boxed{5}:\boxed{3}$

2 그림을 보고 표를 완성해 보세요.

알면 쉬워요
□ : ● = □/●
비교하는 양 기준량

	비	비교하는 양	기준량	비율
빨간색 모자 수에 대한 파란색 모자 수의 비	$\boxed{3}:\boxed{7}$	3	7	$\dfrac{3}{7}$
전체 모자 수에 대한 파란색 모자 수의 비	$\boxed{3}:\boxed{10}$	3	10	$\dfrac{3}{10}$

3 기약분수로 나타내어 보세요.

$\cdot \dfrac{2}{4}=\dfrac{\boxed{1}}{\boxed{2}}$ $\dfrac{4}{8}=\dfrac{\boxed{1}}{\boxed{2}}$ $\cdot \dfrac{3}{9}=\dfrac{\boxed{1}}{\boxed{3}}$ $\dfrac{9}{27}=\dfrac{\boxed{1}}{\boxed{3}}$

116

교과서 개념 완성 | 배운 것을 다시 생각하기

🔷 비 알아보기

• 두 수를 나눗셈으로 비교할 때 기호 ':'를 사용하여 나타낸 것을 비라고 합니다.

• 비 7 : 15에서 기호 ':'의 오른쪽에 있는 15는 기준량이고, 왼쪽에 있는 7은 비교하는 양입니다.

$$7 : 15 \rightarrow$$

비교하는 양 ┘ └ 기준량

- 7 대 15
- 7 과 15의 비
- 7 의 15에 대한 비
- 15에 대한 7의 비

🔷 비율 알아보기

• 기준량에 대한 비교하는 양의 크기를 비율이라고 합니다.

$$(\text{비율})=(\text{비교하는 양})\div(\text{기준량})=\dfrac{(\text{비교하는 양})}{(\text{기준량})}$$

• 비 5 : 20을 비율로 나타내면

$$5\div20=\dfrac{5}{20}\ \text{또는 } 0.25\text{입니다.}$$

■ : ●
비교하는 양 ┘ └ 기준량   비율 → ■ ÷ ● = $\dfrac{■}{●}$

함께 생각해 볼까요?

1 계산한 결과가 자연수가 되도록 ☐ 안에 알맞은 수를 보기 에서 모두 찾아 써 보세요.

보기
1, 2, 3, 4, 5, 6, 7, 8, 9, 10, 11, 12, 13, 14, 15

・$\frac{1}{2} \times$ ☐ ⟹ (　2, 4, 6, 8, 10, 12, 14　)

・$\frac{1}{3} \times$ ☐ ⟹ (　3, 6, 9, 12, 15　)

풀이 3의 배수를 곱합니다.

⟹ $\frac{1}{3} \times 3 = 1$, $\frac{1}{3} \times 6 = 2$, $\frac{1}{3} \times 9 = 3$,

　$\frac{1}{3} \times 12 = 4$, $\frac{1}{3} \times 15 = 5$

2 ☐ 안에 알맞은 수를 써넣으세요.

・10의 $\frac{2}{5}$는 4 입니다. ⟹ $10 \times \frac{2}{5} =$ 4

・10의 $\frac{3}{5}$은 6 입니다. ⟹ $10 \times \frac{3}{5} =$ 6

117

🟦 계산한 결과가 자연수가 되도록 만들기

─2의 배수를 곱합니다.

⟹ $\frac{1}{2} \times 2 = 1$, $\frac{1}{2} \times 4 = 2$, $\frac{1}{2} \times 6 = 3$,

　$\frac{1}{2} \times 8 = 4$, $\frac{1}{2} \times 10 = 5$, $\frac{1}{2} \times 12 = 6$,

　$\frac{1}{2} \times 14 = 7$

학부모 코칭 Tip

비율이 같은 간단한 자연수의 비로 나타내는 데 도움을 주기 위한 활동입니다. 계산 결과가 자연수가 되려면 각 분수에 어떤 수를 곱해야 하는지 생각해 보게 합니다.

🟦 자연수의 분수만큼의 의미와 (자연수)×(분수)의 계산 원리 이해하기

・$\overset{2}{10} \times \frac{2}{\underset{1}{5}} = 4$　　・$\overset{2}{10} \times \frac{3}{\underset{1}{5}} = 6$

학부모 코칭 Tip

비례배분하는 상황을 이해하는 데 도움을 주기 위한 활동입니다. 『수학 3─2』에서 학습한 자연수의 분수만큼의 의미와 『수학 5─2』에서 학습한 (자연수)×(분수)의 계산 원리 사이에 어떤 관계를 가지는지 생각해 보게 합니다.

 개념 확인 문제　　정답 및 풀이 222쪽

| 6-1 | 4. 비와 비율 |

1 그림을 보고 ☐ 안에 알맞은 수를 써넣으세요.

(1) 아이스크림 수와 사탕 수의 비

⟹ ☐ : ☐

(2) 아이스크림 수에 대한 사탕 수의 비

⟹ ☐ : ☐

| 6-1 | 4. 비와 비율 |

2 주어진 비를 보고 비율을 분수와 소수로 각각 나타내어 보세요.

3 : 20

분수 (　　　　　)

소수 (　　　　　)

| 6-1 | 4. 비와 비율 |

3 세혁이가 과녁에 화살을 던졌습니다. 화살 25개 중 6개를 맞혔을 때 세혁이의 성공률을 소수로 구해 보세요.

(　　　　　)

학습 목표

비의 성질을 이해합니다.

그림으로 개념 잡기

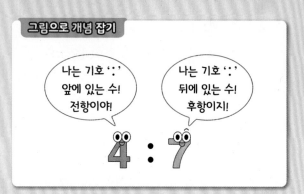

나는 기호 ':' 앞에 있는 수! 전항이야!

나는 기호 ':' 뒤에 있는 수! 후항이지!

4 : 7

참고
- 4 : 7의 전항과 후항에 각각 0을 곱하면 0 : 0이 되므로 0을 곱할 수 없습니다.
- 어떤 수도 0으로는 나눌 수가 없습니다.

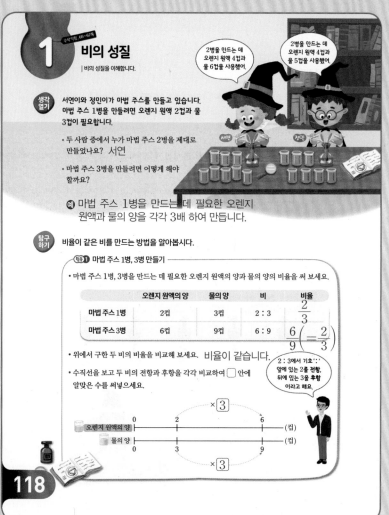

1 (수학 익힘 66~67쪽) **비의 성질**

| 비의 성질을 이해합니다.

2병을 만드는 데 오렌지 원액 4컵과 물 6컵을 사용했어.

2병을 만드는 데 오렌지 원액 4컵과 물 5컵을 사용했어.

생각 열기 서연이와 정민이가 마법 주스를 만들고 있습니다. 마법 주스 1병을 만들려면 오렌지 원액 2컵과 물 3컵이 필요합니다.

- 두 사람 중에서 누가 마법 주스 2병을 제대로 만들었나요? 서연
- 마법 주스 3병을 만들려면 어떻게 해야 할까요?

예 마법 주스 1병을 만드는 데 필요한 오렌지 원액과 물의 양을 각각 3배 하여 만듭니다.

탐구 하기 비율이 같은 비를 만드는 방법을 알아봅시다.

활동1 마법 주스 1병, 3병 만들기

- 마법 주스 1병, 3병을 만드는 데 필요한 오렌지 원액의 양과 물의 양의 비율을 써 보세요.

	오렌지 원액의 양	물의 양	비	비율
마법 주스 1병	2컵	3컵	2 : 3	$\frac{2}{3}$
마법 주스 3병	6컵	9컵	6 : 9	$\frac{6}{9}\left(=\frac{2}{3}\right)$

- 위에서 구한 두 비의 비율을 비교해 보세요. 비율이 같습니다.
- 수직선을 보고 두 비의 전항과 후항을 각각 비교하여 ☐ 안에 알맞은 수를 써넣으세요.

2 : 3에서 기호 ':' 앞에 있는 2를 전항, 뒤에 있는 3을 후항 이라고 해요.

×③

오렌지 원액의 양 ────── 0   2   6 ─ (컵)

물의 양 ────── 0   3   9 ─ (컵)

×③

118

교과서 개념 완성

탐구하기 비율이 같은 비 만들기

활동1 마법 주스 1병, 3병 만들기

- 마법 주스 1병과 마법 주스 3병을 만들 때 오렌지 원액의 양과 물의 양의 비율은 $\frac{2}{3}$로 같습니다.

- 2 : 3의 전항과 후항에 3을 곱하면 6 : 9가 됩니다.

×3
2 : 3 ➡ 6 : 9
×3

활동2 마법 주스 10병, 5병 만들기

- 마법 주스 10병과 마법 주스 5병을 만들 때 오렌지 원액의 양과 물의 양의 비율은 $\frac{2}{3}$로 같습니다.

- 20 : 30의 전항과 후항을 2로 나누면 10 : 15가 됩니다.

÷2
20 : 30 ➡ 10 : 15
÷2

활동1, **활동2**를 통하여 비율이 같은 비를 만드는 방법 이야기하기

- 비의 전항과 후항에 0이 아닌 같은 수를 곱하면 비율이 같은 비를 만들 수 있습니다.
- 비의 전항과 후항을 0이 아닌 같은 수로 나누면 비율이 같은 비를 만들 수 있습니다.

활동2 마법 주스 10병, 5병 만들기

- 마법 주스 10병, 5병을 만드는 데 필요한 오렌지 원액의 양과 물의 양의 비와 비율을 각각 써 보세요.

	오렌지 원액의 양	물의 양	비	비율
마법 주스 10병	20컵	30컵	20 : 30	$\dfrac{20}{30}\left(=\dfrac{2}{3}\right)$
마법 주스 5병	10컵	15컵	10 : 15	$\dfrac{10}{15}\left(=\dfrac{2}{3}\right)$

- 위에서 구한 두 비의 비율을 비교해 보세요. 비율이 같습니다.
- 수직선을 보고 두 비의 전항과 후항을 각각 비교하여 □ 안에 알맞은 수를 써넣으세요.

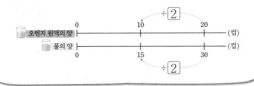

- 활동1, 활동2 를 통하여 비율이 같은 비를 만드는 방법을 이야기해 보세요.

정리하기 　 비의 성질을 정리해 봅시다.

- 비의 전항과 후항에 0이 아닌 같은 수를 곱하여도 비율은 같습니다.
- 비의 전항과 후항을 0이 아닌 같은 수로 나누어도 비율은 같습니다.

- 두 비의 비율이 같도록 □ 안에 알맞은 수를 써넣으세요.

　3 : 7 ➡ 6 : 14 　　　 25 : 75 ➡ 5 : 15

확인하기 　 비의 성질을 이용하여 12 : 18과 비율이 같은 비를 2개 써 보세요. 예 24 : 36, 2 : 3

풀이 　 12 : 18의 전항과 후항에 2를 곱하면 24 : 36이 됩니다.
12 : 18의 전항과 후항을 6으로 나누면 2 : 3이 됩니다.

119

이런 문제가 서술형으로 나와요

가로와 세로의 비가 5 : 4와 비율이 같은 액자를 찾아 기호를 쓰려고 합니다. 풀이 과정을 쓰고, 답을 구해 보세요.

가
15 cm
20 cm

나
18 cm
24 cm

다
12 cm
15 cm

| 풀이 과정 |

❶ 각 액자의 가로와 세로의 비의 전항과 후항을 0이 아닌 같은 수로 나누어 보기

가: 20 : 15의 전항과 후항을 5로 나누면
　　4 : 3입니다.

나: 24 : 18의 전항과 후항을 6으로 나누면
　　4 : 3입니다.

다: 15 : 12의 전항과 후항을 3으로 나누면
　　5 : 4입니다.

❷ 가로와 세로의 비가 5 : 4와 비율이 같은 액자 찾기

가로와 세로의 비가 5 : 4와 비율이 같은 액자는 다입니다. 　　　 답 다

개념 확인 문제 　 정답 및 풀이 222쪽

1 전항에 △표, 후항에 ○표 하세요.

(1)　 7 : 11 　　 (2)　 15 : 2

2 두 비율이 같도록 □ 안에 알맞은 수를 써넣으세요.

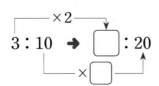
×2
3 : 10 ➡ □ : 20
×□

3 두 비율이 같도록 □ 안에 알맞은 수를 써넣으세요.

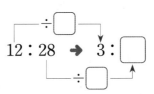
÷□
12 : 28 ➡ 3 : □
÷□

4 비의 성질을 이용하여 비율이 같은 비를 찾아 선으로 이어 보세요.

4 : 9	● 　 ● 20 : 7
160 : 56	● 　 ● 20 : 45

학습 목표

비의 성질을 이용하여 비율이 같은 간단한 자연수의 비로 나타낼 수 있습니다.

그림으로 개념 잡기

$$0.4 : 1.6$$
$$\downarrow \times 10 \quad \downarrow \times 10$$
$$4 : 16$$

$$4 : 16$$
$$\downarrow \div 4 \quad \downarrow \div 4$$
$$1 : 4$$

전항과 후항에 10을 곱하자!

전항과 후항을 두 수의 최대공약수로 나누자!

참고
- 자연수의 비: 전항과 후항을 두 수의 최대공약수로 나눕니다.
- 소수의 비: 전항과 후항에 10, 100, 1000, ……을 곱합니다.
- 분수의 비: 전항과 후항에 두 분모의 최소공배수를 곱합니다.

---

2 간단한 자연수의 비로 나타내기

| 비의 성질을 이용하여 비율이 같은 간단한 자연수의 비로 나타낼 수 있습니다.

생각 열기 마법 지팡이의 길이는 0.4 m, 마법 빗자루의 길이는 1.6 m입니다.

- 마법 지팡이의 길이와 마법 빗자루의 길이의 비를 써 보세요. 0.4 : 1.6

- 위에 쓴 비를 자연수의 비로 어떻게 나타낼 수 있을까요?
예 비의 전항과 후항에 10을 곱하면 자연수의 비로 나타낼 수 있을 것 같습니다.

탐구 하기 0.4 : 1.6을 간단한 자연수의 비로 나타내는 방법을 알아봅시다.

- 비의 성질을 이용하여 □ 안에 알맞은 수를 써넣고, 자연수의 비로 나타내어 보세요.

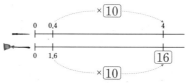

$$0.4 : 1.6$$
$$\downarrow$$
$$4 : \boxed{16}$$

- 비의 성질을 이용하여 □ 안에 알맞은 수를 써넣고, 위에서 나타낸 자연수의 비를 더 간단한 자연수의 비로 나타내어 보세요.

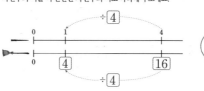

$$4 : \boxed{16}$$
$$\downarrow$$
$$1 : \boxed{4}$$

- 0.4 : 1.6을 간단한 자연수의 비로 어떻게 나타내었는지 이야기해 보세요.
예 비의 성질을 이용하였습니다.
비의 전항과 후항에 같은 수를 곱하여 간단한 자연수의 비인 4 : 16으로 나타내었습니다.
4 : 16의 전항과 후항을 각각 같은 수로 나누어 더 간단한 자연수의 비인 1 : 4로 나타내었습니다.

120

 교과서 개념 완성

확인하기 **간단한 자연수의 비로 나타내기**

1. 간단한 자연수의 비로 나타내기

· 7.2 : 1.6

$$7.2 : 1.6$$
$$\downarrow \times 10 \quad \downarrow \times 10$$
$$72 : 16$$

$$72 : 16$$
$$\downarrow \div 8 \quad \downarrow \div 8$$
$$9 : 2$$

· $\dfrac{2}{15} : \dfrac{1}{9}$

$$\dfrac{2}{15} : \dfrac{1}{9}$$
$$\downarrow \times 45 \quad \downarrow \times 45$$
$$6 : 5$$

· $\dfrac{1}{2} : 0.4$

$$\dfrac{1}{2} : 0.4$$
$$\downarrow \times 10 \quad \downarrow \times 10$$
$$5 : 4$$

2. 처음 연필의 길이와 길어진 연필의 길이의 비를 간단한 자연수의 비로 나타내기

0.15 : 2

➜ 전항과 후항에 100을 곱하면 15 : 200입니다.
이 비의 전항과 후항을 5로 나누면 3 : 40입니다.

$$0.15 : 2$$
$$\downarrow \times 100 \quad \downarrow \times 100$$
$$15 : 200$$

$$15 : 200$$
$$\downarrow \div 5 \quad \downarrow \div 5$$
$$3 : 40$$

정리하기
• 간단한 자연수의 비로 나타내는 방법을 정리해 봅시다.
• 분수 또는 소수의 비는 전항과 후항에 같은 수를 곱하여 자연수의
  비로 나타낼 수 있습니다.

$$0.4 : 1.6$$
$$\times 10 \quad \times 10$$
$$4 : 16$$

• 자연수의 비는 전항과 후항을 두 항의 최대공약수로 나누어 더
  간단한 자연수의 비로 나타낼 수 있습니다.

$$4 : 16$$
$$\div 4 \quad \div 4$$
$$1 : 4$$

• $\frac{1}{4} : \frac{1}{6}$ 을 간단한 자연수의 비로 나타내려고 합니다. ☐ 안에 알맞은 수를 써넣으세요.

$$\frac{1}{4} : \frac{1}{6} \rightarrow \boxed{3} : \boxed{2}$$
$$\times \boxed{12}$$

★ 추론   ✋ 태도 및 실천

확인하기
1. 간단한 자연수의 비로 나타내어 보세요.

7.2 : 1.6 예 9 : 2 $\frac{2}{15} : \frac{1}{9}$ 예 6 : 5 $\frac{1}{2} : 0.4$ 예 5 : 4

풀이 • 전항과 후항에 10을 곱하면 72 : 16입니다.
       이 비의 전항과 후항을 8로 나누면 9 : 2입니다.
     • 전항과 후항에 45를 곱하면 6 : 5입니다.
     • 전항과 후항에 10을 곱하면 5 : 4입니다.

2. 마법 지팡이를 이용하여 길이가 0.15 m인 연필을 2 m인 연필로
   만들었습니다. 처음 연필의 길이와 길어진 연필의 길이의 비를
   간단한 자연수의 비로 나타내어 보세요. 예 3 : 40

풀이 0.15 : 2의 전항과 후항에 100을
     곱하면 15 : 200입니다.
     이 비의 전항과 후항을 5로
     나누면 3 : 40입니다.

121

이런 문제가 **서술형**으로 나와요

나연이네 반 학생 25명 중 남학생은 15명입니다. 전체 학생 수에 대한 남학생 수의 비를 간단한 자연수의 비로 나타내려고 합니다. 풀이 과정을 쓰고, 답을 구해 보세요.

| 풀이 과정 |

❶ 전체 학생 수에 대한 남학생 수의 비 구하기

전체 학생 수에 대한 남학생 수의 비는 15 : 25 입니다.

❷ 간단한 자연수의 비로 나타내기

15 : 25의 전항과 후항을 5로 나누면 3 : 5입니다.

답 예 3 : 5

수학 교과 역량 ★ 추론   ✋ 태도 및 실천

간단한 자연수의 비로 나타내기

• 비의 성질을 이용하여 간단한 자연수의 비를 만드는 과정에서 추론 능력을 기를 수 있습니다.
• 일상생활에서 분수나 소수의 비를 간단한 자연수의 비로 나타내어야 하는 경우를 찾아 필요성을 느껴 보는 과정에서 태도 및 실천 능력을 기를 수 있습니다.

개념 확인 문제   정답 및 풀이 222쪽

1 $\frac{1}{4} : \frac{1}{5}$ 을 간단한 자연수의 비로 나타낸 것입니다. ☐ 안에 알맞은 수를 써넣으세요.

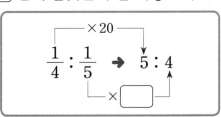

$$\frac{1}{4} : \frac{1}{5} \rightarrow 5 : 4$$

2 0.45 : 2.73을 간단한 자연수의 비로 나타내려면 전항과 후항에 얼마를 곱해야 하는지 구해 보세요. (   )

3 간단한 자연수의 비로 나타내어 보세요.

(1) $0.2 : \frac{3}{5}$ (   )

(2) $\frac{7}{4} : 1.5$ (   )

4 성진이는 초콜릿 12개와 사탕 30개를 가지고 있습니다. 성진이가 가지고 있는 초콜릿 수와 사탕 수의 비를 간단한 자연수의 비로 나타내어 보세요.

(   )

3 | 비례식

학습 목표

비례식을 알고, 비율이 같은 두 비를 비례식으로 나타낼 수 있습니다.

그림으로 개념 잡기

$$1 : 3 = 3 : 9$$

비율은 $\dfrac{1}{3}$ ← → 비율은 $\dfrac{3}{9}=\dfrac{1}{3}$

> 비율이 같은 두 비를 기호 '='를 사용하여 나타낸 식이 바로 비례식이야.

비율이 같은 비를 찾는 방법

참고
① 비율을 분수로 나타냅니다.
② 분수를 기약분수로 나타냅니다.
③ 크기가 같은 기약분수를 찾습니다.

학부모 코칭 Tip

기호 '='는 연산의 결과를 나타내기도 하지만 양쪽이 같다는 의미임을 생각할 수 있는 기회를 제공합니다.
예) 2+3=5 / 2+3=4+1

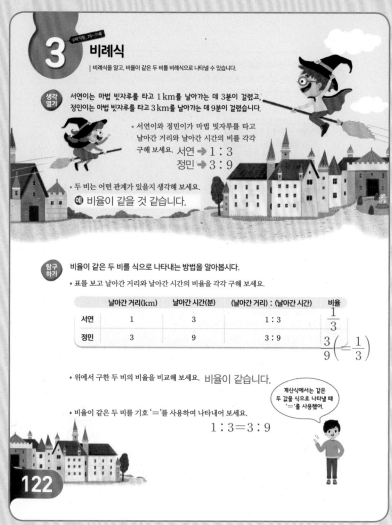

교과서 개념 완성

탐구하기 비율이 같은 두 비를 식으로 나타내는 방법 알아보기

	비	비율
서연	1 : 3	$\dfrac{1}{3}$
정민	3 : 9	$\dfrac{3}{9}\left(=\dfrac{1}{3}\right)$

두 비의 비율이 같습니다.

• 비율이 같은 두 비를 기호 '='를 사용하여 나타내면 1 : 3 = 3 : 9입니다.

확인하기 비례식으로 나타내기

1. • 5 : 4는 전항과 후항에 8을 곱한 비 40 : 32와 그 비율이 같습니다.

• 36 : 63은 전항과 후항을 9로 나눈 비 4 : 7과 그 비율이 같습니다.

2. $12 : 9 = 4 : 3$, $\dfrac{1}{3} : \dfrac{1}{4} = 4 : 3$ 등입니다.

$\div 3$ · $\times 12$ · $\div 3$ · $\times 12$

학부모 코칭 Tip

주어진 비에 분수 또는 소수가 포함되어 있어서 비례식을 세우는 것을 어려워하는 학생들에게는 간단한 자연수의 비로 나타내어 보면 비율이 같은 두 비를 빠르게 찾을 수 있다는 것을 이해하도록 합니다.

정리하기

• 비례식을 알아봅시다.

비율이 같은 두 비를 기호 '='를 사용하여

$$1:3=3:9$$

와 같이 나타낼 수 있습니다. 이와 같은 식을 비례식이라고 합니다.

• 비의 성질을 이용하여 비례식을 세워 보세요.

비의 전항과 후항에 0이 아닌 같은 수를 곱하거나 전항과 후항을 0이 아닌 같은 수로 나누어도 비율은 변하지 않아요.

• $2:5$는 전항과 후항에 4를 곱한 비 $8:20$과/와 그 비율이 같습니다.

$$2:5=\boxed{8}:\boxed{20}$$ (×4)

• $40:15$는 전항과 후항을 5로 나눈 비 $8:3$과/와 그 비율이 같습니다.

$$40:15=\boxed{8}:\boxed{3}$$ (÷5)

확인하기

1. 비례식이 되도록 ☐ 안에 알맞은 수를 써넣으세요.

$$5:4=\boxed{40}:32$$ (×8)

$$36:63=4:\boxed{7}$$ (÷9)

2. 비율이 같은 두 비를 찾아 비례식을 세워 보세요.

$$\frac{1}{4}:\frac{1}{3} \quad 12:9 \quad \frac{1}{3}:\frac{1}{4} \quad 4:3$$

비례식 예 $12:9=4:3$, $\frac{1}{3}:\frac{1}{4}=4:3$

123

이런 문제가 서술형으로 나와요

비율이 같은 두 비를 찾아 비례식을 세우려고 합니다. 풀이 과정을 쓰고, 답을 구해 보세요.

$$\frac{1}{5}:\frac{1}{6} \quad 3:8 \quad 6:5 \quad \frac{1}{8}:\frac{1}{3}$$

| 풀이 과정 |

❶ 분수의 비를 간단한 자연수의 비로 나타내기

$$\frac{1}{5}:\frac{1}{6}=6:5, \quad \frac{1}{8}:\frac{1}{3}=3:8$$ (×30) (×24)

❷ 비율이 같은 두 비를 찾아 비례식 세우기

$$\frac{1}{5}:\frac{1}{6}=6:5, \quad \frac{1}{8}:\frac{1}{3}=3:8$$ 등입니다.

답 예 $\frac{1}{5}:\frac{1}{6}=6:5$, $\frac{1}{8}:\frac{1}{3}=3:8$

개념 확인 문제

정답 및 풀이 222쪽

1 ☐ 안에 알맞은 수를 써넣어 비례식을 세워 보세요.

$4:9$의 비율 ➡ $\dfrac{\boxed{}}{9}$

$24:54$의 비율 ➡ $\dfrac{\boxed{}}{54}=\dfrac{\boxed{}}{9}$

$$4:9=\boxed{}:\boxed{}$$

2 비례식인 것에 ○표 하세요.

$$2:7=8:28$$

(   )

$$\frac{10}{9}=\frac{50}{45}$$

(   )

3 ☐ 안에 알맞은 수를 써넣으세요.

$$0.6:2.2=3:\boxed{}$$ (×5)

5 차시

4 | 비례식의 성질

학습 목표

비례식의 성질을 이해합니다.

그림으로 개념 잡기

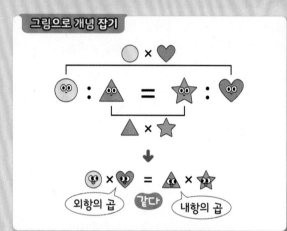

참고 | 옳은 비례식 찾는 방법
• 외항의 곱과 내항의 곱이 같은지 확인합니다.
• 전항과 후항에 0이 아닌 같은 수를 곱하거나 나누어도 비율이 같은지 확인합니다.

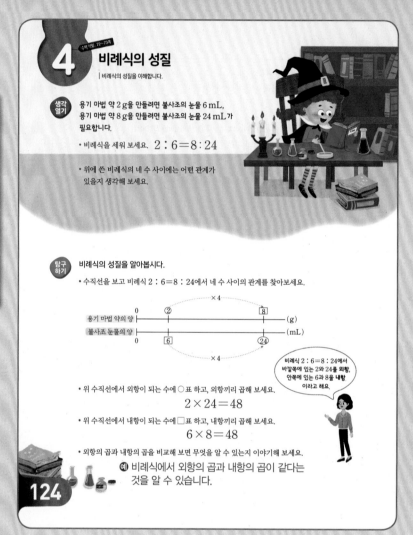

 교과서 개념 완성

생각열기 **비례식을 세우고, 네 수 사이의 관계 생각하기**

	비	비율
용기 마법 약 2 g	2 : 6	$\frac{2}{6}\left(=\frac{1}{3}\right)$
용기 마법 약 8 g	8 : 24	$\frac{8}{24}\left(=\frac{1}{3}\right)$

두 비의 비율이 같습니다.

➡ 용기 마법 약 2 g과 8 g의 두 비의 비율이 같으므로 비례식을 세우면 2 : 6 = 8 : 24입니다.

• 네 수 사이의 곱셈, 나눗셈 등의 관계를 생각해 봅니다.

확인하기 **비례식의 성질 활용하기**

1. • 외항의 곱: $4 \times 12 = 48$, 내항의 곱: $8 \times 6 = 48$
   ➡ 외항의 곱과 내항의 곱이 같으므로 비례식이 맞습니다.

   • 외항의 곱: $2 \times \frac{1}{5} = \frac{2}{5}$, 내항의 곱: $5 \times \frac{1}{2} = \frac{5}{2}$
   ➡ 외항의 곱과 내항의 곱이 같지 않으므로 비례식이 아닙니다.

2. • $5 : 10 = 4 : \square$에서
   $5 \times \square = 10 \times 4$, $5 \times \square = 40$, $\square = 8$

   • $3 : 0.6 = 100 : \square$에서
   $3 \times \square = 0.6 \times 100$, $3 \times \square = 60$, $\square = 20$

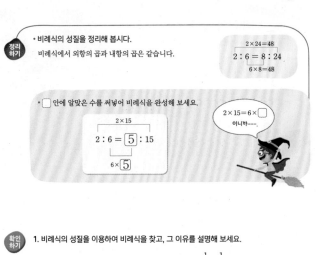

- 비례식의 성질을 정리해 봅시다.

정리하기

비례식에서 외항의 곱과 내항의 곱은 같습니다.

$2 \times 24 = 48$
$2 : 6 = 8 : 24$
$6 \times 8 = 48$

- □ 안에 알맞은 수를 써넣어 비례식을 완성해 보세요.

2×15
$2 : 6 = \boxed{5} : 15$
$6 \times \boxed{5}$

$2 \times 15 = 6 \times \boxed{}$
이니까……

확인하기

1. 비례식의 성질을 이용하여 비례식을 찾고, 그 이유를 설명해 보세요.

$4 : 8 = 6 : 12$　　　　$2 : 5 = \frac{1}{2} : \frac{1}{5}$

비례식은 $4 : 8 = 6 : 12$입니다.
그 이유는 외항의 곱과 내항의 곱이 같기 때문입니다.

2. 비례식의 성질을 이용하여 □ 안에 알맞은 수를 써넣으세요.

$5 : 10 = 4 : \boxed{8}$　　　　$3 : 0.6 = 100 : \boxed{20}$

생각 열기

📊 정보 처리　💡 창의·융합　🔭 의사소통

수 카드 중 4장을 골라 비례식을 세우고, 만든 방법을 설명해 보세요.

계산기

| 4 | 6 | 9 | 12 | 16 | 36 | → | $\boxed{4} : \boxed{9} = \boxed{16} : \boxed{36}$ |

예 $9 : 4 = 36 : 16$, $16 : 36 = 4 : 9$, $36 : 16 = 9 : 4$
주어진 수 카드에서 두 수의 곱이 같은 카드를 찾아서 각각 외항과 내항에 놓아 비례식을 만들었습니다.

125

이런 문제가 **서술형**으로 나와요

다음 비례식에서 외항의 곱이 240일 때, ㉠과 ㉡에 알맞은 수는 각각 얼마인지 풀이 과정을 쓰고, 답을 구해 보세요.

$㉠ : 4 = ㉡ : 16$

| 풀이 과정 |

❶ ㉠에 알맞은 수 구하기

외항의 곱이 240이므로
$㉠ \times 16 = 240$, $㉠ = 15$입니다.

❷ ㉡에 알맞은 수 구하기

비례식에서 외항의 곱과 내항의 곱은 같으므로
$4 \times ㉡ = 240$, $㉡ = 60$입니다.

답 ㉠: 15, ㉡: 60

수학 교과 역량　📊 정보 처리　💡 창의·융합　🔭 의사소통

수 카드를 이용하여 비례식 만들기
주어진 정보를 이용하여 스스로 비례식을 만들고, 만든 방법을 설명해 보는 과정에서 정보 처리 능력과 창의·융합 능력 및 의사소통 능력을 기를 수 있습니다.

 개념 확인 문제　　　정답 및 풀이 223쪽

1 비례식을 보고 □ 안에 알맞은 수를 써넣고, ○ 안에 >, =, <를 알맞게 써넣으세요.

$3 : 7 = 12 : 28$

(1) (외항의 곱) ➡ $3 \times \boxed{} = \boxed{}$

(2) (내항의 곱) ➡ $7 \times \boxed{} = \boxed{}$

(3) (외항의 곱) ○ (내항의 곱)

2 비례식의 성질을 이용하여 □ 안에 알맞은 수를 써넣으세요.

(1) $2 : 11 = 12 : \boxed{}$

(2) $6 : \boxed{} = 18 : 15$

3 옳은 비례식을 찾아 기호를 써 보세요.

㉠ $2 : 5 = 18 : 40$
㉡ $0.4 : 1.2 = 3 : 9$
㉢ $4 : 14 = 6 : 22$

(　　　　　　)

5 | 비례식의 활용

비례식의 성질을 활용하여 간단한 비례식 문제를 해결할 수 있습니다.

그림으로 개념 잡기

① $100 : 60 = 20 : \square \Rightarrow \square = 12$

（÷5, ÷5）

② $100 : 60 = 20 : \square \Rightarrow \square = 12$

（$100 \times \square$, 60×20）

비례식 문제는
① 비의 성질을 이용하거나
② 비례식의 성질을 이용해서
해결할 수 있어!

참고

비례식을 문제를 해결하는 방법
① 구하려고 하는 것을 $\square$라고 합니다.
② $\square$를 이용하여 조건에 맞게 비례식을 세웁니다.
③ 비의 성질이나 비례식의 성질을 이용하여 $\square$의 값을 구합니다.
④ 단위를 사용하여 답을 나타냅니다.

5 비례식의 활용

비례식의 성질을 활용하여 간단한 비례식 문제를 해결할 수 있습니다.

생각 열기

마법을 이용하여 가로가 100 cm, 세로가 60 cm인 책상을 작게 만들었습니다.

• 작아진 책상의 가로가 20 cm일 때, 세로를 $\square$ cm라고 하여 비례식을 세워 보세요.

$$100 : 60 = 20 : \square$$

• 작아진 책상의 세로의 길이는 어떻게 구할 수 있을지 생각해 보세요.

예 비의 성질을 이용하여 구할 수 있습니다. / 비례식의 성질을 이용하여 구할 수 있습니다.

탐구하기

비례식을 이용하여 문제를 해결해 봅시다.

• 서연이는 작아진 책상의 세로의 길이를 다음과 같이 구했습니다. 어떤 방법으로 해결했나요?

$100 : 60 = 20 : \square \Rightarrow \square = 12$
（÷5, ÷5）

따라서 작아진 책상의 세로는 12 cm입니다.

예 비의 전항과 후항을 같은 수로 나누어서 $\square$의 값을 구했습니다.

• 정민이는 작아진 책상의 세로의 길이를 다음과 같이 구했습니다. 어떤 방법으로 해결했나요?

$100 : 60 = 20 : \square \Rightarrow \square = 12$
（$100 \times \square$, 60×20）

따라서 작아진 책상의 세로는 12 cm입니다.

예 비례식에서 외항의 곱과 내항의 곱이 같다는 것을 이용하여 $\square$의 값을 구했습니다.

• 위의 두 가지 해결 방법을 비교해 보고, 비례식 문제를 해결하는 방법을 이야기해 보세요.

예 서연이는 비의 성질을 이용하여 문제를 해결했고, 정민이는 비례식의 성질을 이용하여 문제를 해결했습니다.

126

교과서 개념 완성

탐구하기
비례식에서 비의 성질과 비례식의 성질을 이용하여 $\square$의 값을 구하는 방법 알아보기

• $100 : 60 = 20 : \square$에서 전항 100을 5로 나누면 $100 \div 5 = 20$이므로 $\square = 60 \div 5 = 12$입니다.
➔ 서연이는 비의 전항과 후항을 같은 수로 나누어서 $\square$의 값을 구했습니다.

• $100 : 60 = 20 : \square$에서 $100 \times \square = 60 \times 20$, $100 \times \square = 1200$, $\square = 12$입니다.
➔ 정민이는 비례식에서 외항의 곱과 내항의 곱이 같다는 것을 이용하여 $\square$의 값을 구했습니다.

확인하기
비례식을 활용하여 문제 해결하기

1. $3 : 6000 = 5 : \square$에서 $3 \times \square = 6000 \times 5$, $3 \times \square = 30000$, $\square = 10000$
따라서 사과 5개는 10000원입니다.

2. • [비의 성질 이용]
$5 : 3 = 30 : \square$에서 전항 5에 6을 곱하면 $5 \times 6 = 30$이므로 $\square = 3 \times 6 = 18$입니다.
따라서 물은 18컵을 넣어야 합니다.

• [비례식의 성질 이용]
$5 : 3 = 30 : \square$에서 $5 \times \square = 3 \times 30$, $5 \times \square = 90$, $\square = 18$입니다.
따라서 물은 18컵을 넣어야 합니다.

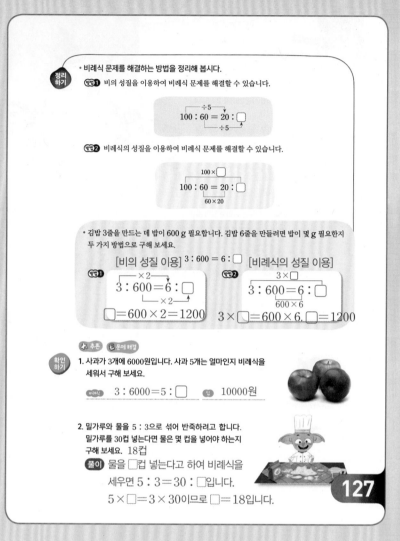

• 비례식 문제를 해결하는 방법을 정리해 봅시다.

정리하기

방법1 비의 성질을 이용하여 비례식 문제를 해결할 수 있습니다.

$$100 : 60 = 20 : \square$$
$\div 5$ … $\div 5$

방법2 비례식의 성질을 이용하여 비례식 문제를 해결할 수 있습니다.

$$100 : 60 = 20 : \square$$
$100 \times \square$ … 60×20

• 김밥 3줄을 만드는 데 밥이 600 g 필요합니다. 김밥 6줄을 만들려면 밥이 몇 g 필요한지 두 가지 방법으로 구해 보세요.

[비의 성질 이용] $3 : 600 = 6 : \square$ [비례식의 성질 이용]

방법1
$$3 : 600 = 6 : \square$$
$\times 2$ … $\times 2$
$$\square = 600 \times 2 = 1200$$

방법2
$$3 : 600 = 6 : \square$$
$3 \times \square$ … 600×6
$$3 \times \square = 600 \times 6, \square = 1200$$

추론 문제해결

확인하기

1. 사과가 3개에 6000원입니다. 사과 5개는 얼마인지 비례식을 세워서 구해 보세요.

비례식 $3 : 6000 = 5 : \square$ 답 10000원

2. 밀가루와 물을 5 : 3으로 섞어 반죽하려고 합니다. 밀가루를 30컵 넣는다면 물은 몇 컵을 넣어야 하는지 구해 보세요. 18컵

풀이 물을 □컵 넣는다고 하여 비례식을 세우면 5 : 3 = 30 : □입니다.
$5 \times \square = 3 \times 30$이므로 □ = 18입니다.

127

이런 문제가 서술형으로 나와요

보라색 물감을 만들기 위해 빨간색 물감과 파란색 물감을 2 : 3으로 섞으려고 합니다. 빨간색 물감의 양이 50 mL라면 파란색 물감은 몇 mL가 필요한지 풀이 과정을 쓰고, 답을 구해 보세요.

| 풀이 과정 |

❶ 필요한 파란색 물감의 양을 □mL라고 하여 비례식 세우기

$2 : 3 = 50 : \square$

❷ □의 값 구하기

외항의 곱과 내항의 곱은 같으므로
$2 \times \square = 3 \times 50, 2 \times \square = 150, \square = 75$

❸ 필요한 파란색 물감은 몇 mL인지 구하기

필요한 파란색 물감은 75 mL입니다.

답 75 mL

수학 교과 역량 추론 문제해결

비례식을 활용하여 문제 해결하기

비례식에서 비의 성질과 비례식의 성질을 이용하여 □의 값을 구해 보는 과정에서 추론 능력과 문제 해결 능력을 기를 수 있습니다.

개념 확인 문제
정답 및 풀이 223쪽

1 직사각형의 가로와 세로의 비는 7 : 5입니다. 직사각형의 가로가 28 cm라면 세로는 몇 cm인지 두 가지 방법으로 구해 보세요.

28 cm

방법1

방법2

2 소금물 8 L를 증발시켜 소금 84 g을 얻었습니다. 소금물 40 L를 증발시키면 소금을 몇 g 얻을 수 있는지 구해 보세요.

(   )

3 초콜릿이 3개에 2000원입니다. 8000원으로 초콜릿을 몇 개 살 수 있는지 구해 보세요.

(   )

학습 목표

비례배분을 알고, 주어진 양을 비례배분할 수 있습니다.

그림으로 개념 잡기

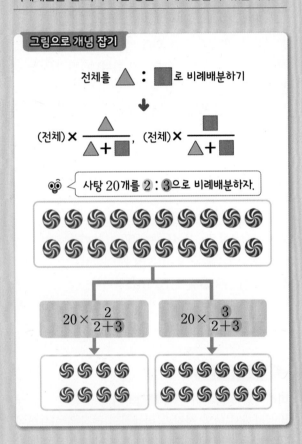

전체를 △ : ■ 로 비례배분하기

↓

$$(전체) \times \frac{△}{△+■} , (전체) \times \frac{■}{△+■}$$

사탕 20개를 2 : 3 으로 비례배분하자.

$$20 \times \frac{2}{2+3}$$ $$20 \times \frac{3}{2+3}$$

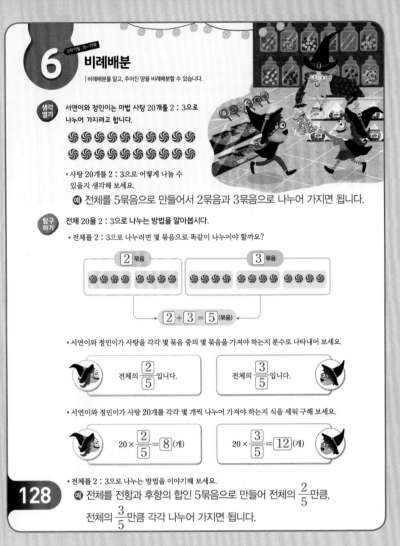

6 비례배분

비례배분을 알고, 주어진 양을 비례배분할 수 있습니다.

생각 열기 서연이와 정민이는 마법 사탕 20개를 2 : 3으로 나누어 가지려고 합니다.

• 사탕 20개를 2 : 3으로 어떻게 나눌 수 있을지 생각해 보세요.

예 전체를 5묶음으로 만들어서 2묶음과 3묶음으로 나누어 가지면 됩니다.

탐구 하기 전체 20을 2 : 3으로 나누는 방법을 알아봅시다.

• 전체를 2 : 3으로 나누려면 몇 묶음으로 똑같이 나누어야 할까요?

2 묶음   3 묶음

$$2 + 3 = 5 (묶음)$$

• 서연이와 정민이가 사탕을 각각 몇 묶음 중의 몇 묶음을 가져야 하는지 분수로 나타내어 보세요.

전체의 $\frac{2}{5}$ 입니다.   전체의 $\frac{3}{5}$ 입니다.

• 서연이와 정민이가 사탕 20개를 각각 몇 개씩 나누어 가져야 하는지 식을 세워 구해 보세요.

$$20 \times \frac{2}{5} = 8 (개)$$ $$20 \times \frac{3}{5} = 12 (개)$$

• 전체를 2 : 3으로 나누는 방법을 이야기해 보세요.

예 전체를 전항과 후항의 합인 5묶음으로 만들어 전체의 $\frac{2}{5}$ 만큼, 전체의 $\frac{3}{5}$ 만큼 각각 나누어 가지면 됩니다.

128

 교과서 개념 완성

탐구하기 비례배분하는 방법 알아보기

• 전체를 2 : 3으로 나누려면 전체가 (2묶음)+(3묶음)=(5묶음)이 되어야 합니다.

• 서연 ➡ $$20 \times \frac{2}{2+3} = 20 \times \frac{2}{5} = 8 (개)$$

　전체 20개　　2 : 3　　서연이는 2묶음

• 정민 ➡ $$20 \times \frac{3}{2+3} = 20 \times \frac{3}{5} = 12 (개)$$

　전체 20개　　2 : 3　　정민이는 3묶음

학부모 코칭 Tip

$$\overset{4}{20} \times \frac{2}{\underset{1}{5}}$$ 에서 약분하기 전의 분모 5의 의미와 20을 약분한 4의 의미를 이해하게 합니다.

확인하기 비례배분 문제 해결하기

• 보라색 병 ➡ $$200 \times \frac{3}{3+7} = 200 \times \frac{3}{10} = 60 (mL)$$

　전체 200 mL　　3 : 7　　보라색 병은 3묶음

• 파란색 병 ➡ $$200 \times \frac{7}{3+7} = 200 \times \frac{7}{10} = 140 (mL)$$

　전체 200 mL　　3 : 7　　파란색 병은 7묶음

정리하기 · 비례배분을 알아봅시다.

· 전체를 주어진 비로 나누는(배분하는) 것을 비례배분이라고 합니다.

· 20개를 2 : 3으로 나누면 다음과 같습니다.

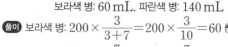

$$20 \times \frac{2}{2+3} = 20 \times \frac{2}{5} = 8(개), \quad 20 \times \frac{3}{2+3} = 20 \times \frac{3}{5} = 12(개)$$

· 도토리 14개를 갈색 다람쥐와 회색 다람쥐에게 4 : 3으로 나누어 주려고 합니다. 갈색 다람쥐와 회색 다람쥐가 각각 도토리를 몇 개씩 가지게 되는지 ☐ 안에 알맞은 수를 써넣으세요.

$$14 \times \frac{\boxed{4}}{\boxed{4}+\boxed{3}} = 14 \times \frac{\boxed{4}}{\boxed{7}}$$
$$= \boxed{8}(개)$$

$$14 \times \frac{\boxed{3}}{\boxed{4}+\boxed{3}} = 14 \times \frac{\boxed{3}}{\boxed{7}}$$
$$= \boxed{6}(개)$$

확인하기 · 문제 해결 · 태도 및 실천

마법 약 200 mL를 보라색 병과 파란색 병에 3 : 7로 나누어 담으려고 합니다. 두 병에 담는 마법 약은 각각 몇 mL인지 구해 보세요.

보라색 병: 60 mL, 파란색 병: 140 mL

풀이 보라색 병: $200 \times \frac{3}{3+7} = 200 \times \frac{3}{10} = 60$ (mL)

파란색 병: $200 \times \frac{7}{3+7} = 200 \times \frac{7}{10} = 140$ (mL)

129

이런 문제가 서술형으로 나와요

초록색 색연필과 노란색 색연필이 모두 합하여 45자루 있습니다. 초록색 색연필 수가 노란색 색연필 수의 2배일 때 초록색 색연필은 몇 자루인지 풀이 과정을 쓰고, 답을 구해 보세요.

| 풀이 과정 |

❶ 초록색 색연필 수와 노란색 색연필 수의 비 구하기

초록색 색연필 수가 노란색 색연필 수의 2배이므로 초록색 색연필 수와 노란색 색연필 수의 비는 2 : 1입니다.

❷ 초록색 색연필은 몇 자루인지 구하기

$$45 \times \frac{2}{2+1} = 45 \times \frac{2}{3} = 30(자루)$$

답 30자루

수학 교과 역량 · 문제 해결 · 태도 및 실천

비례배분 문제 해결하기

전체를 주어진 비로 비례배분하는 문제를 해결하는 과정과 일상생활에서 비례배분이 사용되는 상황을 찾아보는 과정에서 문제 해결 능력과 태도 및 실천 능력을 기를 수 있습니다.

개념 확인 문제
정답 및 풀이 223쪽

1 색종이 32장을 형과 동생이 1 : 3으로 나누어 가지려고 합니다. 형과 동생은 색종이를 각각 몇 장씩 가지게 되는지 ☐ 안에 알맞은 수를 써넣으세요.

형: $32 \times \frac{\boxed{}}{1+3} = \boxed{}$(장)

동생: $32 \times \frac{\boxed{}}{1+3} = \boxed{}$(장)

2 성희와 태주가 빵 35개를 3 : 4로 나누어 가지려고 합니다. 성희와 태주가 가지게 되는 빵은 각각 몇 개인지 구해 보세요.

성희 (   )

태주 (   )

3 나무 450그루를 공원과 가로수에 2 : 7로 나누어 심었습니다. 공원에 심은 나무는 몇 그루인지 구해 보세요.

(   )

8 차시

문제 해결력 | 쑥쑥

나누어 가진 사탕의 개수를 구해요

학습 목표

- 표 만들기, 규칙 찾기 전략을 이용하여 문제를 해결하고, 해결한 방법을 설명할 수 있습니다.
- 문제 해결 전략을 비교할 수 있습니다.

문제 해결 전략 표 만들기, 규칙 찾기 전략

수학 교과 역량 문제 해결 추론

나누어 가진 사탕의 개수를 구해요

- 문제의 조건을 확인하고 문제 해결에 적절한 전략을 선택하는 과정에서 문제 해결 능력을 기를 수 있습니다.
- 문제를 해결하기 위해 일어날 수 있는 가능성을 여러 가지로 생각해 보는 과정에서 추론 능력을 기를 수 있습니다.

문제 해결 Tip 먼저 슬기가 3개, 6개, 9개를 가지면 그에 따라 지혜는 몇 개를 가지는지 알아봅니다.

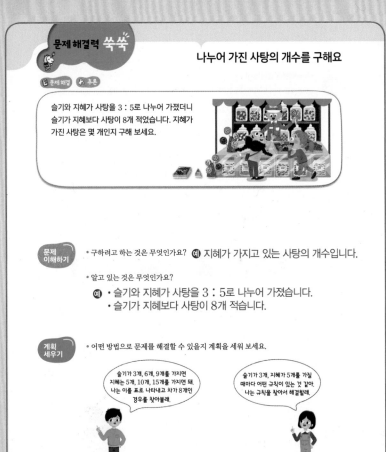

문제 해결력 쑥쑥

나누어 가진 사탕의 개수를 구해요

문제 해결 추론

슬기와 지혜가 사탕을 3 : 5로 나누어 가졌더니 슬기가 지혜보다 사탕이 8개 적었습니다. 지혜가 가진 사탕은 몇 개인지 구해 보세요.

문제 이해하기
- 구하려고 하는 것은 무엇인가요? 예 지혜가 가지고 있는 사탕의 개수입니다.

- 알고 있는 것은 무엇인가요?
  예 • 슬기와 지혜가 사탕을 3 : 5로 나누어 가졌습니다.
  • 슬기가 지혜보다 사탕이 8개 적습니다.

계획 세우기
- 어떤 방법으로 문제를 해결할 수 있을지 계획을 세워 보세요.

슬기가 3개, 6개, 9개를 가지면 지혜는 5개, 10개, 15개를 가지면 돼. 나는 이를 표로 나타내고 차가 8개인 경우를 찾아볼래.

슬기가 3개, 지혜가 5개를 가질 때마다 어떤 규칙이 있는 것 같아. 나는 규칙을 찾아서 해결할래.

130

교과서 개념 완성

문제 이해하기

>> **구하려고 하는 것**

지혜가 가지고 있는 사탕의 개수를 구하려고 합니다.

>> **알고 있는 것**

- 슬기와 지혜가 사탕을 3 : 5로 나누어 가졌습니다.
- 슬기가 지혜보다 사탕이 8개 적습니다.

계획 세우기

- 슬기가 3개, 6개, 9개를 가지면 그에 따라 지혜는 5개, 10개, 15개를 가지게 됩니다. 이를 표로 나타내고 차가 8개인 경우를 찾으면 될 것 같습니다.

- 슬기가 3개, 지혜가 5개를 가질 때마다 규칙을 찾아서 해결할 수 있을 것 같습니다.

계획대로 풀기

- 바름:

슬기의 사탕 수(개)	3	6	9	12	15
지혜의 사탕 수(개)	5	10	15	20	25
사탕 수의 차(개)	2	4	6	8	10

➜ 사탕 수의 차가 8개 되는 때는 슬기가 12개, 지혜가 20개일 때이므로 지혜가 가진 사탕은 20개입니다.

- 새롬: 슬기가 3개, 지혜가 5개일 때 그 차이가 2개이고, 차이 8개는 2개의 4배이므로 지혜가 가진 사탕은 $5 \times 4 = 20$(개)입니다.

생각 키우기　📋 문제 해결　✈ 추론

문제 이해하기

» 구하려고 하는 것

전체 구슬의 개수를 구하려고 합니다.

» 알고 있는 것

• 준우와 민주가 구슬을 4 : 7로 나누어 가졌습니다.

• 민주가 준우보다 구슬 30개를 더 가지게 되었습니다.

계획 세우기

표를 만들거나 규칙을 찾아 해결할 수 있습니다.

계획대로 풀기

준우의 구슬 수(개)	4	8	12	16	⋯	40
민주의 구슬 수(개)	7	14	21	28	⋯	70
구슬 수의 차(개)	3	6	9	12	⋯	30

민주가 준우보다 구슬 30개를 더 가지게 되는 때는 민주가 70개, 준우가 40개일 때입니다.

따라서 전체 구슬은 40＋70＝110(개)입니다.

• 준우가 4개, 민주가 7개일 때 그 차이가 3개이고, 차이 30개는 3개의 10배입니다.

준우: 4×10＝40(개), 민주: 7×10＝70(개)

따라서 전체 구슬은 40＋70＝110(개)입니다.

 문제 해결력 쑥쑥

예 사탕 수의 차가 8개 되는 때는 슬기가 12개, 지혜가 20개일 때입니다.
따라서 지혜가 가진 사탕은 20개입니다.

 계획대로 풀기

• 바름이가 생각한 방법대로 문제를 해결해 보세요.

슬기의 사탕 수(개)	3	6	9	12	15
지혜의 사탕 수(개)	5	10	15	20	25
사탕 수의 차(개)	2	4	6	8	10

• 새롬이가 생각한 방법대로 문제를 해결해 보세요.

예 슬기가 3개, 지혜가 5개일 때 그 차이가 2개이고, 차이 8개는 2개의 4배입니다.
따라서 지혜가 가진 사탕은 5개를 4배 한 20개입니다.

 되돌아 보기

• 구한 답이 맞았는지 확인해 보세요.

• 문제를 해결한 두 가지 방법을 비교해 보세요.

• 두 사람이 가진 사탕이 80개 차이가 난다면 어떤 방법이 더 적절할지 친구들과 이야기해 보세요.

 생각 키우기　📋 문제 해결　✈ 추론

준우와 민주가 구슬을 4 : 7로 나누어 가졌더니 민주가 준우보다 구슬 30개를 더 가지게 되었습니다. 전체 구슬은 몇 개인지 구해 보세요. 110개

131

 문제 해결력 문제　정답 및 풀이 223쪽

1 유리와 현욱이가 귤을 6 : 5로 나누어 가졌더니 유리가 현욱이보다 5개 많았습니다. 현욱이가 가진 귤은 몇 개인지 구하려고 합니다. 물음에 답해 보세요.

(1) 표를 완성하여 현욱이가 가진 귤은 몇 개인지 구해 보세요.

유리의 귤 수(개)	6				
현욱이의 귤 수(개)	5				
귤 수의 차(개)	1				

(　　　　　　)

(2) 규칙을 찾아 현욱이가 가진 귤은 몇 개인지 구해 보세요.

(　　　　　　)

2 은혜와 준상이가 공을 3 : 7로 나누어 가졌더니 은혜가 준상이보다 공 28개를 덜 가지게 되었습니다. 전체 공은 몇 개인지 구해 보세요.

(　　　　　　)

추론

비의 성질 이해하기
▶ 자습서 136~137쪽

학부모 코칭 Tip

· 전항이나 후항의 수가 커졌으면 전항에 어떤 수를 곱하였는지 생각해 보게 합니다.
· 전항이나 후항의 수가 작아졌으면 어떤 수로 나누었는지 생각해 보게 합니다.

추론

주어진 비를 간단한 자연수의 비로 나타내기
▶ 자습서 138~139쪽

학부모 코칭 Tip

비의 성질을 이해하고 주어진 비를 간단한 자연수의 비로 나타낼 수 있게 합니다.

추론

비율이 같은 두 비를 찾아 비례식 세우기
▶ 자습서 140~141쪽

학부모 코칭 Tip

$\frac{3}{7}$과 같은 분수를 제시하고 분모의 크기를 크게 하거나 작게 하여 동분모 만드는 과정을 알게 합니다.

추론

비례식의 성질을 이용하여 비례식 풀기
▶ 자습서 142~143쪽

학부모 코칭 Tip

비례식에서 외항과 내항을 찾아 외항의 곱과 내항의 곱이 같음을 이용하여 해결할 수 있도록 합니다.

---

1 비의 성질을 이용하여 ☐ 안에 알맞은 수를 써넣으세요.
118쪽, 119쪽

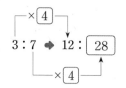

$$3 : 7 \Rightarrow 12 : \boxed{28}$$

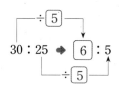

$$30 : 25 \Rightarrow \boxed{6} : 5$$

풀이 · 비의 전항과 후항에 4를 곱하여 비율이 같은 비를 만듭니다.
· 비의 전항과 후항을 5로 나누어 비율이 같은 비를 만듭니다.

2 간단한 자연수의 비로 나타내어 보세요.
120쪽

0.8 : 2.4   예 8 : 24, 1 : 3   45 : 63   예 15 : 21, 5 : 7

$\frac{2}{5} : \frac{1}{3}$ 예 6 : 5, 12 : 10 $\frac{1}{2} : 0.7$ 예 5 : 7, 10 : 14

풀이
· 0.8	:	2.4		· 45	:	63
↓×10		↓×10		↓÷3		↓÷3
8	:	24		15	:	21
↓÷8		↓÷8		↓÷3		↓÷3
1	:	3		5	:	7

· $\frac{2}{5}$	:	$\frac{1}{3}$		· $\frac{1}{2}$	:	0.7
↓×15		↓×15		↓×10		↓×10
6	:	5		5	:	7
↓×2		↓×2		↓×2		↓×2
12	:	10		10	:	14

3 비율이 같은 두 비를 찾아 비례식을 세워 보세요.
122쪽

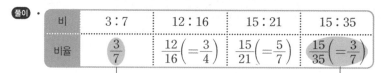

3 : 7   12 : 16   15 : 21   15 : 35

예 $\boxed{3} : \boxed{7} = \boxed{15} : \boxed{35}$

풀이 ·
비	3 : 7	12 : 16	15 : 21	15 : 35
비율	$\frac{3}{7}$	$\frac{12}{16}\left(=\frac{3}{4}\right)$	$\frac{15}{21}\left(=\frac{5}{7}\right)$	$\frac{15}{35}\left(=\frac{3}{7}\right)$

비율이 같습니다.

· 3 : 7 = 15 : 35입니다.

4 ☐ 안에 알맞은 수를 써넣으세요.
124쪽

3 : 2 = 90 : $\boxed{60}$ 8 : 5 = $\boxed{160}$: 100

21 : $\boxed{12}$ = 7 : 4 $\boxed{3}$: 11 = 9 : 33

풀이 · 3 : 2 = 90 : ☐에서 3 × ☐ = 2 × 90, 3 × ☐ = 180, ☐ = 60
· 8 : 5 = ☐ : 100에서 8 × 100 = 5 × ☐, 800 = 5 × ☐, ☐ = 160
· 21 : ☐ = 7 : 4에서 21 × 4 = ☐ × 7, 84 = ☐ × 7, ☐ = 12
· ☐ : 11 = 9 : 33에서 ☐ × 33 = 11 × 9, ☐ × 33 = 99, ☐ = 3

132

5 가로와 세로의 비가 3 : 2인 직사각형 모양의 액자를 만들려고 합니다. 액자의 가로를
126쪽 45 cm로 하면 액자의 세로를 몇 cm로 해야 하는지 비례식을 세워서 구해 보세요.

45 cm

비례식 $3 : 2 = 45 : \boxed{}$ 답 30 cm

풀이 비례식을 세우면 3 : 2 = 45 : □입니다.
$3 \times \square = 2 \times 45$, $3 \times \square = 90$, □=30입니다.
따라서 액자의 세로는 30 cm로 해야 합니다.

 생각 넓히기 문제 해결 의사소통

6 민희는 30000원, 민희의 동생은 20000원을 가지고 있습니다.
128쪽 부모님께 드릴 선물로 45000원인 꽃바구니를 사는 데 각자 가지고
있는 돈의 액수의 비로 나누어 내려고 합니다. 민희와 민희의 동생은
각각 얼마씩 내야 하는지 풀이 과정을 쓰고, 답을 구해 보세요.

풀이

예) 민희와 민희의 동생이 가지고 있는 돈의 액수의 비는 30000 : 20000이고,
간단한 자연수의 비로 나타내면 3 : 2입니다.

민희: $45000 \times \dfrac{3}{3+2} = 45000 \times \dfrac{3}{5} = 27000$(원)

민희의 동생: $45000 \times \dfrac{2}{3+2} = 45000 \times \dfrac{2}{5} = 18000$(원)

답 민희 (27000원   ), 민희의 동생 (18000원   )

문제 해결 창의·융합

비례식을 활용하여 문제 해결하기
▶자습서 144~145쪽

학부모 코칭 Tip
두 비의 전항과 후항에 해당하
는 것을 찾아 각각 비로 나타낸
다음, 비례식으로 나타내고 비례
식의 성질을 이용하여 문제를
해결할 수 있도록 합니다.

문제 해결 의사소통

주어진 양을 비례배분하기
▶자습서 146~147쪽

학부모 코칭 Tip
구체적인 조작 활동을 통하여 비
례배분의 개념을 이해하게 한 다
음, 해결 과정을 말로 설명하면
서 수식으로 만드는 과정을 알게
합니다.

교과서 개념 완성

사진 속으로 찰칵

방법

❶ 모둠 친구들과 함께 카메라 앱을 이용하여 사진 촬영에 적절한 화면 비율을 설정하고, 졸업 기념 인물 사진이나 풍경 사진을 찍습니다.

❷ 자신의 모둠이 찍은 사진과 다른 모둠이 찍은 사진을 비교해 봅니다.

❸ 액자를 만들 A4 도화지의 크기를 고려하여 프린터를 이용하여 사진을 출력합니다.

❹ 사진의 크기를 고려하여 액자를 만들고, 띠 골판지로 꾸며 완성합니다.

❺ 개인별로 완성한 액자를 전시하고, 친구들과 함께 전시회를 관람합니다.

학부모 코칭 Tip

• 활동 방법을 읽어 보고 모둠에서 각자 할 일을 알도록 합니다.
• 비율 및 비례식에 대한 내용을 놀이 활동에 적용하여 사진과 액자를 완성해 봄으로써 수학의 유용성을 알고 흥미를 가지며 서로 협력하는 태도를 기르도록 합니다.
• 함께 만든 사진과 액자에 대한 각자의 느낌을 이야기해 보도록 합니다.

이야기로 키우는 생각 〔참고 자료〕

세계의 불가사의, 피라미드

이집트 카이로 근교에는 크고 작은 피라미드가 여러 개 있는데 대표적인 것이 쿠푸왕의 피라미드, 카프레왕의 피라미드, 멘카우레왕의 피라미드입니다.

세 피라미드 중 가장 오래되고 규모가 큰 피라미드는 북쪽에 세워진 쿠푸왕의 피라미드로, '대피라미드'라고도 불리며, 그 거대함으로 인해 매우 불가사의 한 건축물로 꼽힙니다. 각 능선이 정확히 동서남북을 가리키도록 평균 2.5 t의 돌이 230만 개나 쌓아 올려져 있는데, 이 크고 무거운 석재들을 어떻게 옮기고 쌓아 올렸는지는 정확히 알려져 있지 않습니다.

당시 이집트인이 사용한 공구는 돌덩어리를 나무에 묶는 원형 망치나 날카롭게 갈은 칼과 같은 돌 종류와 동으로 만든 원시적인 도구들뿐이었음에도, 쿠푸왕의 피라미드는 방위와 공간 배열이 매우 정확하다고 합니다.

첨단 과학을 바탕으로 조사한 결과 한 변이 230 m에 달하는 거대한 피라미드 바닥 면의 기울기가 16 mm에 지나지 않았다고 하니, 수천 년의 긴 세월이 지난 오늘날에 측정한 것을 생각한다면 쿠푸왕의 피라미드가 얼마나 불가사의한 건축물인지 짐작할 수 있습니다.

[출처] 이형준, 『교과서에 나오는 유네스코 세계문화유산』

개념

비의 성질

- 비의 전항과 후항에 0이 아닌 같은 수를 곱하여도 비율은 같습니다.

예

$$2 : 5 \rightarrow \text{비율}\ \frac{2}{5}$$

$\downarrow \times 2 \quad \downarrow \times 2$

$$4 : 10 \rightarrow \text{비율}\ \frac{4}{10} = \frac{2}{5}$$

→ 비의 전항과 후항에 2를 곱하여도 비율은 같습니다.

- 비의 전항과 후항을 0이 아닌 같은 수로 나누어도 비율은 같습니다.

예

$$15 : 18 \rightarrow \text{비율}\ \frac{15}{18} = \frac{5}{6}$$

$\downarrow \div 3 \quad \downarrow \div 3$

$$5 : 6 \rightarrow \text{비율}\ \frac{5}{6}$$

→ 비의 전항과 후항을 3으로 나누어도 비율은 같습니다.

간단한 자연수의 비로 나타내기

- 분수 또는 소수의 비는 전항과 후항에 같은 수를 곱하여 자연수의 비로 나타낼 수 있습니다.
- 자연수의 비는 전항과 후항을 두 항의 최대공약수로 나누어 더 간단한 자연수의 비로 나타낼 수 있습니다.

비례식

비율이 같은 두 비를 다음과 같이 기호 '='를 사용하여 나타낼 수 있습니다.

$$3 : 4 = 12 : 16$$

이와 같은 식을 비례식이라고 합니다.

확인 문제

1 전항이 2, 후항이 9인 비를 써 보세요.

(　　　　　　　　)

2 $0.3 : \dfrac{4}{5}$ 를 간단한 자연수의 비로 나타내려고 합니다. ☐ 안에 알맞은 수를 써넣으세요.

$0.3 : \dfrac{4}{5}$ 의 전항과 후항에 ☐ 을 곱하면 $3 : $ ☐ 이/가 됩니다.

3 간단한 자연수의 비로 나타내어 보세요.

(1) $0.2 : 0.05$　　（　　　　　　）

(2) $5 : \dfrac{40}{9}$　　（　　　　　　）

4 （　　　） 안에 알맞은 비는 어느 것일까요?

(　　　　　　)

$$4 : 7 = (\qquad)$$

① $2 : 3$　　② $4 : 5$　　③ $8 : 15$

④ $12 : 21$　　⑤ $16 : 35$

개념

✿ 비례식의 성질
비례식에서 외항의 곱과 내항의 곱은 같습니다.

예

$$3 : 4 = 12 : 16$$

외항의 곱 $3 \times 16 = 48$

내항의 곱 $4 \times 12 = 48$

✿ 비례식의 활용

방법 1 비의 성질 이용

$$10 : 20 = 30 : \boxed{}$$

전항 10에 3을 곱하면 30이므로 후항 20에도 3을 곱하면 $\boxed{} = 20 \times 3 = 60$입니다.

방법 2 비례식의 성질 이용

$$10 : 20 = 30 : \boxed{}$$

외항의 곱과 내항의 곱은 같으므로
$10 \times \boxed{} = 20 \times 30$, $10 \times \boxed{} = 600$,
$\boxed{} = 60$입니다.

✿ 비례배분
전체를 주어진 비로 나누는(배분하는) 것을 비례배분이라고 합니다.

예 민정이와 병현이가 사탕 18개를 2 : 1로 나누어 가지면 다음과 같습니다.

민정: $18 \times \dfrac{2}{2+1} = 18 \times \dfrac{2}{3} = 12$(개)

병현: $18 \times \dfrac{1}{2+1} = 18 \times \dfrac{1}{3} = 6$(개)

확인 문제

5 비례식의 성질을 이용하여 □ 안에 알맞은 수를 써넣으세요.

(1) $6 : 7 = 24 : \boxed{}$

(2) $5 : \boxed{} = 30 : 54$

6 찹쌀가루와 고춧가루를 7 : 5로 섞어 고추장을 만들려고 합니다. 찹쌀가루를 350 g 넣었다면 고춧가루는 몇 g을 넣어야 하는지 구해 보세요.

(   )

7 맞물려 돌아가는 두 톱니바퀴 ㉮와 ㉯가 있습니다. ㉮의 톱니 수는 15개이고, ㉯의 톱니 수는 12개입니다. ㉮가 28번 돌 때, ㉯는 몇 번 도는지 구해 보세요.

(   )

8 쿠키 56개를 형과 동생이 3 : 5로 나누어 가지려고 합니다. 형과 동생은 각각 몇 개씩 가지게 되는지 구해 보세요.

형 (   )

동생 (   )

1-1 조건에 맞게 비례식을 세우려고 합니다. 풀이 과정을 쓰고, 답을 구해 보세요. [8점]

조건
내항의 곱이 280입니다.

$$5 : 8 = \boxed{} : \boxed{}$$

풀이

❶ 5 : 8 = ㉠ : ㉡에서
내항의 곱이 280이므로
$\boxed{} \times$ ㉠ $= 280,$ ㉠ $= \boxed{}$ 입니다.

❷ 또, 외항의 곱도 280이므로
$\boxed{} \times$ ㉡ $= 280,$ ㉡ $= \boxed{}$ 입니다.

❸ 비례식을 세우면
$$5 : 8 = \boxed{} : \boxed{}$$ 입니다.

답 ....

1-2 쌍둥이 조건에 맞게 비례식을 세우려고 합니다. 풀이 과정을 쓰고, 답을 구해 보세요. [12점]

조건
외항의 곱이 165입니다.

$$3 : 11 = \boxed{} : \boxed{}$$

풀이

답 ....

1-3 유사 조건에 맞게 비례식을 세우려고 합니다. 풀이 과정을 쓰고, 답을 구해 보세요. [15점]

조건
내항의 곱이 168입니다.

$$24 : \boxed{} = 6 : \boxed{}$$

풀이

답 ....

1-4 실전 조건에 맞게 비례식을 세우려고 합니다. 풀이 과정을 쓰고, 답을 구해 보세요. [15점]

조건
· 비율은 $\dfrac{3}{4}$입니다.
· 외항의 곱은 120입니다.

$$\boxed{} : 8 = \boxed{} : \boxed{}$$

풀이

답 ....

공부한 날   월   일

→ 정답 및 풀이 224쪽

2-1 직사각형의 가로와 세로의 비가 2 : 9입니다. 이 직사각형의 둘레가 110 cm일 때 가로와 세로는 각각 몇 cm인지 풀이 과정을 쓰고, 답을 구해 보세요. [8점]

풀이

❶ (가로)＋(세로)

$=$ (직사각형의 둘레) $÷ \boxed{}$

$=110 ÷ \boxed{} = \boxed{}$ (cm)

❷ 가로: $\boxed{} × \dfrac{\boxed{}}{2+9} = \boxed{}$ (cm)

세로: $\boxed{} × \dfrac{\boxed{}}{2+9} = \boxed{}$ (cm)

답 가로 (   ), 세로 (   )

2-2 쌍둥이 직사각형의 가로와 세로의 비가 15 : 8입니다. 이 직사각형의 둘레가 230 cm일 때 가로와 세로는 각각 몇 cm인지 풀이 과정을 쓰고, 답을 구해 보세요. [12점]

풀이

답 가로 (   ), 세로 (   )

2-3 유사 직사각형의 가로와 세로의 비가 3 : 5입니다. 이 직사각형의 둘레가 48 cm일 때 이 직사각형의 넓이는 몇 cm²인지 풀이 과정을 쓰고, 답을 구해 보세요. [15점]

풀이

답

2-4 실전 높이가 같은 두 삼각형 ㉮, ㉯의 넓이의 합은 65 cm²입니다. 삼각형 ㉯의 넓이는 몇 cm²인지 풀이 과정을 쓰고, 답을 구해 보세요. [15점]

㉮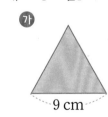
9 cm

㉯
4 cm

풀이

답

| 비의 성질 |

01 두 비의 비율이 같도록 ☐ 안에 알맞은 수를 써넣으세요.
하

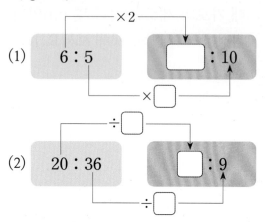

(1)
6 : 5   ☐ : 10

(2)
20 : 36   ☐ : 9

| 비례식의 성질 |

02 비례식에서 외항에 ○표, 내항에 △표를 해 보세요.
하

$$10 : 7 = 30 : 21$$

| 비례식의 성질 |

03 비례식에서 외항의 곱과 내항의 곱을 각각 구해 보세요.
하

$$5 : 6 = 20 : 24$$

외항의 곱 (   )

내항의 곱 (   )

| 간단한 자연수의 비로 나타내기 |

04 간단한 자연수의 비로 나타내어 보세요.
하

(1) 28 : 91   (   )

(2) $3\frac{3}{4}$: 5   (   )

| 비례식의 활용 |

05 휘발유 3 L로 27 km를 달리는 자동차가 있습니다. 이 자동차가 81 km를 달리려면 휘발유는 몇 L가 필요한지 두 가지 방법으로 구해 보세요.
중

방법❶

방법❷

| 비례배분 |

06 길이가 510 cm인 리본을 지호와 혜정이에게 8 : 7로 나누어 주었습니다. 지호와 혜정이가 받은 리본의 길이는 각각 몇 cm인지 구해 보세요.
중

지호 (   )

혜정 (   )

| 비의 성질 |

07 비의 성질을 이용하여 30 : 42와 비율이 같은 비를 2개만 써 보세요.
중

(,   )

| 비의 성질 |

08 비의 성질을 이용하여 비율이 같은 비를 찾
중 아 선으로 이어 보세요.

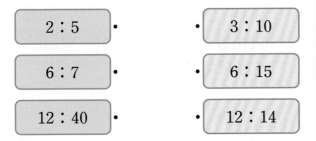

| 비례식 |

09 비율이 같은 두 비를 찾아 비례식을 세워
중 보세요.

$$4:5 \qquad 7:2 \qquad 21:8 \qquad 20:25$$

(　　　　　　　　　)

| 비례식의 성질 |

10 비례식에서 외항의 곱이 600일 때 ㉠과 ㉡
중 에 알맞은 수의 합을 구해 보세요.

$$8:㉠=40:㉡$$

(　　　　　　　　　)

| 비례배분 |

11 수빈이는 6000원, 현우는 7500원을 가지
중 고 있습니다. 9000원짜리 롤케이크를 사
는데 각자 가지고 있는 돈의 비로 나누어
돈을 내려고 합니다. 현우가 내야 할 돈은
얼마인지 구해 보세요.

(　　　　　　　　　)

| 간단한 자연수의 비로 나타내기 |

12 집에서 학교까지의 거리와 집에서 서점까지
중 의 거리의 비를 간단한 자연수의 비로 나타
내어 보세요.

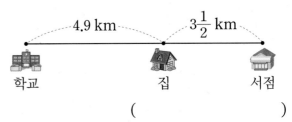

(　　　　　　　　　)

| 비례식의 활용 | **서술형**

13 $40\frac{1}{5}$ m²의 벽을 페인트로 칠하는 데 3시간
중 이 걸렸습니다. 같은 빠르기로 5시간 동안
몇 m²의 벽을 칠할 수 있는지 풀이 과정을
쓰고, 답을 구해 보세요.

풀이

답

| 간단한 자연수의 비로 나타내기 |

14 직사각형과 정사각형의 넓이의 비를 간단한
중 자연수의 비로 나타내어 보세요.

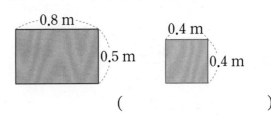

(　　　　　　　　　)

| 비례식의 성질 |

15 비례식에서 ㉠과 ㉡에 알맞은 수를 소수로
중 각각 구해 보세요.

$$8 : 15 = ㉠ : 6$$

$$㉡ : 3\frac{3}{5} = 4 : 3$$

㉠ (   )

㉡ (   )

| 간단한 자연수의 비로 나타내기 |

16 비 $\dfrac{\square}{9} : \dfrac{7}{12}$ 을 간단한 자연수의 비로 나타
중 내었더니 16 : 21이었습니다. $\square$ 안에 알맞
은 수를 구해 보세요.

(   )

| 비의 성질 |

17 비의 성질을 이용하여 36 : 32와 비율이 같
중 은 비로 9 : 8을 구했습니다. 비의 성질 중
어느 것을 이용했는지 바르게 말한 사람은
누구인지 이름을 써 보세요.

비의 전항과 후항에 0이 아닌
같은 수를 더하여도 비율은
같다는 성질을 이용했어.

비의 전항과 후항을 0이 아닌
같은 수로 나누어도 비율은
같다는 성질을 이용했어.

 지수

 태현

(   )

| 비례식의 활용 |

18 삼각형에서 변 ㄱㄴ의
상 길이와 변 ㄴㄷ의 길
이의 비는 3 : 5입니
다. 변 ㄴㄷ의 길이가
6 cm일 때 삼각형의 넓이는 몇 cm²인지 구
해 보세요.

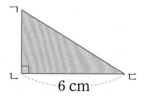

6 cm

(   )

| 간단한 자연수의 비로 나타내기, 비례식의 성질 | **서술형**

19 같은 책을 읽는데 민영이는 3시간, 지환이
상 는 4시간이 걸렸습니다. 민영이와 지환이가
한 시간 동안 읽은 책의 양의 비를 간단한
자연수의 비로 나타내려고 합니다. 풀이 과
정을 쓰고, 답을 구해 보세요.

 풀이

답

| 비례배분 | **서술형**

20 성윤이와 현서가 각각 120만 원, 180만 원
상 을 함께 투자하여 얻은 이익금을 투자한 금
액의 비로 나누어 가졌습니다. 성윤이가 받
은 이익금이 26만 원이라면 두 사람이 얻은
전체 이익금은 얼마인지 풀이 과정을 쓰고,
답을 구해 보세요.

 풀이

답

비례배분하여 쿠키를 나누어볼까?

청소 도와줘서 고마워.
청소 다 끝나면 맛있는 쿠키를 줄게.

네!

아 힘들어.
조금만 쉬었다가 할래.
TV 볼까나?

청소를 다 끝냈으니 쿠키를 먹자.
일한 시간만큼 쿠키를 나누어 먹으렴!

와, 맛있겠다.
먹어야지!

잠깐!
나는 1시간 30분 동안 일을 했고,
너는 1시간 동안 일을 했지?

나와 네가 일한 시간의 비는 $1\frac{1}{2} : 1$이고,

간단한 자연수의 비로 나타내면 3 : 2야. 쿠키는 모두 15개니까

나: $15 \times \dfrac{3}{3+2} = 9$(개), 너: $15 \times \dfrac{2}{3+2} = 6$(개)

이렇게 나누어 먹으면 되겠다!

싫어 싫어.
내가 다 먹어 버릴테다!

안 돼!

6

원기둥, 원뿔, 구

• 조각 공원에서 기둥 모양, 뿔 모양, 공 모양의 조각과 지구본 모양의 조각을 살펴보고 있습니다.
• 기둥 모양, 뿔 모양, 공 모양을 무엇이라고 부르면 좋을지 궁금해하고 있습니다.

그림 속 상황

자/기/주/도/학/습

준비 팡팡

'무엇을 알고 있나요'와 '함께 생각해 볼까요'를 통하여 단원을 준비할 수 있습니다.

📘 각기둥과 각뿔 알아보기

각기둥은 가, 다이고, 각뿔은 나, 마입니다.

- 각기둥은 두 면이 서로 평행하고 합동인 다각형으로 이루어진 기둥 모양의 입체도형이고, 각뿔은 한 면이 다각형이고 다른 면이 모두 삼각형인 뿔 모양의 입체도형이라는 것을 상기하게 합니다.
- 라는 각뿔대라고 하며 초등학교에서는 다루지 않는 용어입니다.

📘 각기둥과 각뿔의 구성 요소 알아보기

각기둥과 각뿔의 구성 요소를 써넣어 봅니다.

📘 원의 반지름, 지름, 원주 구하기

반지름은 5 cm, 지름은 $2 \times 5 = 10 \text{ (cm)}$, 원주는 (지름)$\times$(원주율)이므로 $10 \times 3 = 30 \text{ (cm)}$입니다.

원주는 원의 둘레를 뜻하며 원주율은 지름에 대한 원주의 비율로 약 3배 정도 된다는 것을 상기하게 합니다.

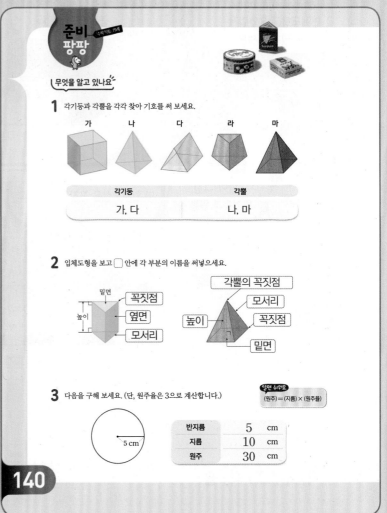

준비 팡팡

무엇을 알고 있나요

1 각기둥과 각뿔을 각각 찾아 기호를 써 보세요.

가　나　다　라　마

각기둥	각뿔
가, 다	나, 마

2 입체도형을 보고 ☐ 안에 각 부분의 이름을 써넣으세요.

밑면 / 꼭짓점 / 옆면 / 모서리 / 높이
각뿔의 꼭짓점 / 모서리 / 높이 / 꼭짓점 / 밑면

3 다음을 구해 보세요. (단, 원주율은 3으로 계산합니다.)

(원주) = (지름) × (원주율)

반지름	5	cm
지름	10	cm
원주	30	cm

140

교과서 개념 완성 | 배운 것을 다시 생각하기

➡ 각기둥과 각뿔 알아보기

- 두 면이 서로 평행하고 합동인 다각형으로 이루어진 기둥 모양의 입체도형을 각기둥이라고 합니다.
  - ➡ 각기둥은 밑면의 모양에 따라 삼각기둥, 사각기둥, 오각기둥, ...이라고 합니다.
    각기둥은 밑면이 2개입니다.
- 한 면이 다각형이고, 다른 면이 모두 삼각형인 뿔 모양의 입체도형을 각뿔이라고 합니다.
  - ➡ 각뿔은 밑면의 모양에 따라 삼각뿔, 사각뿔, 오각뿔, ...이라고 합니다.
    각뿔은 밑면이 1개입니다.

➡ 원주율과 원의 넓이 알아보기

- 원의 크기가 달라도 원의 지름에 대한 원주의 비율은 일정하고, 이 비율을 원주율이라고 합니다.
  - ➡ (원주율) = (원주) ÷ (지름)
- 원을 한없이 잘라서 이어 붙이면
  (가로) = (원주) $\times \dfrac{1}{2}$, (세로) = (원의 반지름)인 직사각형에 가까워집니다.

(반지름)　(원주) $\times \dfrac{1}{2}$　(반지름)

- ➡ (원의 넓이) = (반지름) $\times$ (반지름) $\times$ (원주율)

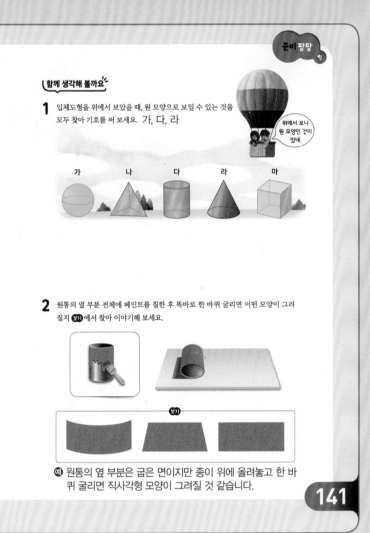

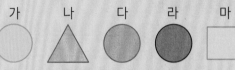

입체도형을 위에서 보았을 때, 원 모양으로 보일 수 있는 것 알아보기

가 ~ 마를 위에서 본 모양은 차례로 다음과 같습니다.

가　나　다　라　마

따라서 위에서 보았을 때 원 모양으로 보일 수 있는 입체도형은 가, 다, 라입니다.

학부모 코칭 Tip

원기둥, 원뿔, 구의 특징을 알아보는 데 도움을 주기 위한 활동입니다. 위에서 본 모양을 분류 기준으로 입체도형을 분류할 수 있다는 것을 생각해 보도록 합니다.

원통의 옆 부분 전체에 페인트를 칠한 후 똑바로 한 바퀴 굴리면 어떤 모양이 그려질지 알아보기

원통의 옆 부분을 종이 위에 올려놓고 한 바퀴 굴리면 어떤 모양일지 생각해 봅니다.

학부모 코칭 Tip

원기둥의 전개도의 모양을 알아보는 데 도움을 주기 위한 활동입니다. 똑바로 굴린다는 의미를 파악하고 어떤 모양일지 추측해 보게 합니다.

개념 확인 문제　정답 및 풀이 228쪽 ●

| 6-1 | 2. 각기둥과 각뿔 |

1 팔각기둥에서 두 밑면에 수직인 면은 모두 몇 개인지 구해 보세요.

(　　　　　)

| 6-1 | 2. 각기둥과 각뿔 |

2 밑면과 옆면의 모양이 오른쪽과 같은 뿔 모양인 입체도형의 이름을 써 보세요.

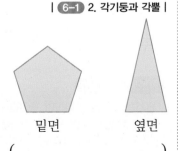

밑면　옆면

(　　　　　)

| 6-2 | 4. 원주율과 원의 넓이 |

3 원주가 36 cm인 원의 지름은 몇 cm인지 구해 보세요. (원주율: 3)

(　　　　　　　　　)

| 6-2 | 4. 원주율과 원의 넓이 |

4 색칠한 부분의 넓이는 몇 cm²인지 구해 보세요.

(원주율: 3)

6 cm

(　　　　　　　　　)

1 | 원기둥

원기둥을 알고, 원기둥의 구성 요소와 성질을 이해합니다.

그림으로 개념 잡기

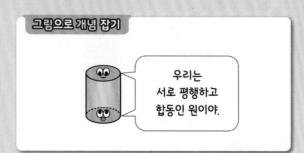

우리는 서로 평행하고 합동인 원이야.

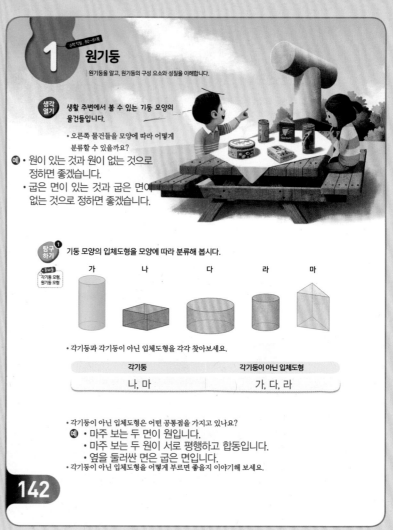

1 원기둥

원기둥을 알고, 원기둥의 구성 요소와 성질을 이해합니다.

생각 열기 생활 주변에서 볼 수 있는 기둥 모양의 물건들입니다.

• 오른쪽 물건들을 모양에 따라 어떻게 분류할 수 있을까요?

예 • 원이 있는 것과 원이 없는 것으로 정하면 좋겠습니다.
• 굽은 면이 있는 것과 굽은 면이 없는 것으로 정하면 좋겠습니다.

탐구하기 ❶ 기둥 모양의 입체도형을 모양에 따라 분류해 봅시다.

주제 탐구 각기둥 모형, 원기둥 모형

가   나   다   라   마

• 각기둥과 각기둥이 아닌 입체도형을 각각 찾아보세요.

각기둥	각기둥이 아닌 입체도형
나, 마	가, 다, 라

• 각기둥이 아닌 입체도형은 어떤 공통점을 가지고 있나요?
예 • 마주 보는 두 면이 원입니다.
• 마주 보는 두 원이 서로 평행하고 합동입니다.
• 옆을 둘러싼 면은 굽은 면입니다.
• 각기둥이 아닌 입체도형을 어떻게 부르면 좋을지 이야기해 보세요.

142

교과서 개념 완성

탐구하기 ❶ 기둥 모양의 입체도형을 모양에 따라 분류하기

• 둥근 기둥 모양, 사각기둥, 삼각기둥이 있습니다. 각기둥은 나, 마이고, 각기둥이 아닌 입체도형은 가, 다, 라입니다.

• 각기둥이 아닌 입체도형의 공통점:
마주 보는 두 면이 원입니다.
마주 보는 두 원이 서로 평행하고 합동입니다.
옆을 둘러싼 면은 굽은 면입니다.

탐구하기 ❷ 원기둥의 구성 요소와 성질 알아보기

• 원기둥에서 평평한 두 면을 밑면이라고 합니다. 두 밑면은 서로 평행하고 합동입니다.

밑면
옆면
높이
밑면

• 두 밑면과 만나는 면을 옆면이라고 합니다. 옆면은 굽은 면입니다.

• 두 밑면에 수직인 선분의 길이를 높이라고 합니다.

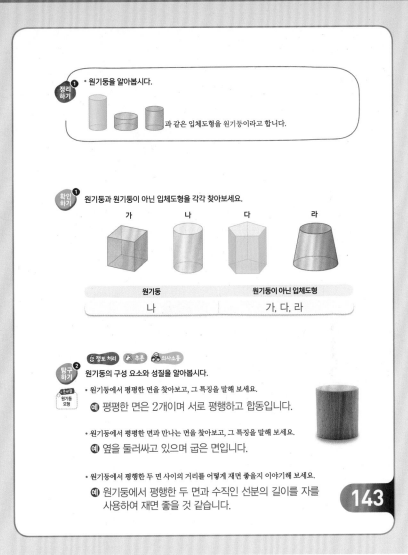

정리
하기 ❶ • 원기둥을 알아봅시다.

과 같은 입체도형을 원기둥이라고 합니다.

확인
하기 ❶ 원기둥과 원기둥이 아닌 입체도형을 각각 찾아보세요.

가 나 다 라

원기둥	원기둥이 아닌 입체도형
나	가, 다, 라

정보 처리 추론 의사소통

탐구
하기 ❷ 원기둥의 구성 요소와 성질을 알아봅시다.

준비물
원기둥
모형

• 원기둥에서 평평한 면을 찾아보고, 그 특징을 말해 보세요.
  예 평평한 면은 2개이며 서로 평행하고 합동입니다.

• 원기둥에서 평평한 면과 만나는 면을 찾아보고, 그 특징을 말해 보세요.
  예 옆을 둘러싸고 있으며 굽은 면입니다.

• 원기둥에서 평행한 두 면 사이의 거리를 어떻게 재면 좋을지 이야기해 보세요.
  예 원기둥에서 평행한 두 면과 수직인 선분의 길이를 자를 사용하여 재면 좋을 것 같습니다.

143

 이런 문제가 서술형으로 나와요

오른쪽과 같은 입체도형의 이름과 마주 보는 두 면은 어떤 도형인지 쓰려고 합니다. 풀이 과정을 쓰고, 답을 구해 보세요.

| 풀이 과정 |

❶ 입체도형의 이름 말하기
마주 보는 두 면이 서로 평행하고 합동인 원으로 이루어진 입체도형을 원기둥이라고 합니다.

❷ 마주 보는 두 면은 어떤 도형인지 말하기
원기둥에서 마주 보는 두 면은 원입니다.

답 원기둥, 원

수학 교과 역량  정보 처리 추론 의사소통

원기둥의 구성 요소와 성질 알아보기
원기둥 모형을 관찰하여 원기둥의 특징을 파악하고, 구성 요소와 성질을 이야기해 보는 과정에서 정보 처리 능력과 추론 능력 및 의사소통 능력을 기를 수 있습니다.

 개념 확인 문제 정답 및 풀이 228쪽

1 원기둥을 모두 찾아 기호를 써 보세요.

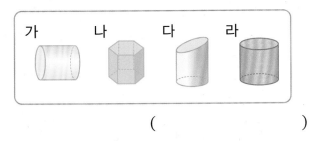

가 나 다 라

(   )

2 ☐ 안에 알맞은 말 또는 수를 써넣으세요.

(1) 원기둥의 마주 보는 두 면은 ☐입니다.

(2) 원기둥에서 평평한 면은 ☐개입니다.

3 원기둥을 위, 앞에서 본 모양을 찾아 기호를 써 보세요.

위

앞

가 나 다

위에서 본 모양 (   )
앞에서 본 모양 (   )

내가 바로
원기둥의 높이야.

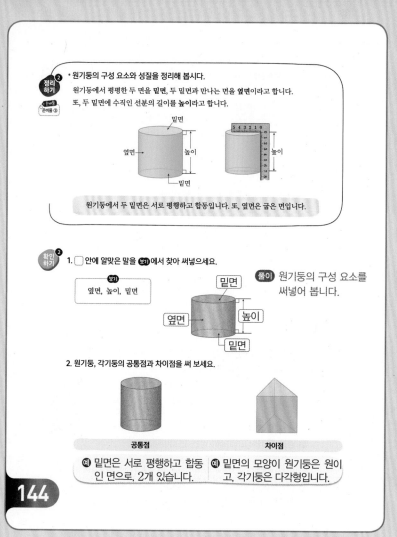

정리
하기 ② · 원기둥의 구성 요소와 성질을 정리해 봅시다.
원기둥에서 평행한 두 면을 **밑면**, 두 밑면과 만나는 면을 **옆면**이라고 합니다.
또, 두 밑면에 수직인 선분의 길이를 **높이**라고 합니다.

밑면
옆면 ↔ 높이
밑면

높이

원기둥에서 두 밑면은 서로 평행하고 합동입니다. 또, 옆면은 굽은 면입니다.

확인
하기 ② 1. ☐ 안에 알맞은 말을 보기에서 찾아 써넣으세요.

보기
옆면, 높이, 밑면

밑면
옆면 ↔ 높이
밑면

풀이 원기둥의 구성 요소를
써넣어 봅니다.

2. 원기둥, 각기둥의 공통점과 차이점을 써 보세요.

공통점	차이점
예 밑면은 서로 평행하고 합동인 면으로, 2개 있습니다.	예 밑면의 모양이 원기둥은 원이고, 각기둥은 다각형입니다.

참고

원기둥을 위, 앞, 옆에서 본 모양

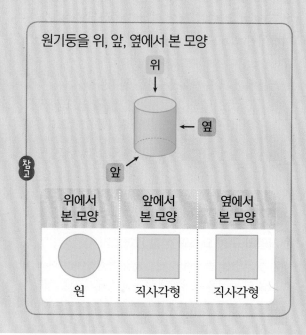

위
옆 →
앞

위에서 본 모양	앞에서 본 모양	옆에서 본 모양
원	직사각형	직사각형

144

 교과서 개념 완성

확인하기 ②

1. 원기둥의 구성 요소 찾기

원기둥에서 평평한 두 면을 밑면, 두 밑면과 만나는 면을 옆면이라고 합니다. 또, 두 밑면에 수직인 선분의 길이를 높이라고 합니다.

2. 원기둥과 각기둥의 공통점, 차이점 설명하기

· 원기둥과 각기둥의 공통점:
기둥 모양의 입체도형입니다.
밑면은 서로 평행하고 합동인 면으로, 2개 있습니다.
옆면이 있습니다.

두 밑면에 수직인 선분의 길이로 높이를 구합니다.
· 원기둥과 각기둥의 차이점

	원기둥	각기둥
밑면의 모양	원	다각형
옆면	굽은 면	직사각형
꼭짓점, 모서리	없음	있음

생각 솔솔 회전체로 원기둥 이해하기

· 한 변을 기준으로 직사각형 모양의 종이를 돌리면 원기둥이 됩니다.
· 만들어진 원기둥의 밑면의 지름은 18 cm이고, 높이는 15 cm입니다.

🔆 정보 처리

생각 열기 한 변을 기준으로 직사각형 모양의 종이를 돌려 보고, 물음에 답해 보세요.

준비물 직사각형 모양의 종이, 나무젓가락, 절착테이프

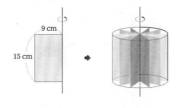

• 어떤 입체도형이 되는지 말하고, 그림을 완성해 보세요. 원기둥이 됩니다.

풀이 원기둥의 그림을 완성해 봅니다.

• 만들어진 입체도형의 높이와 밑면의 지름은 각각 몇 cm인지 말해 보세요.

밑면의 지름은 18 cm이고, 높이는 15 cm입니다.

풀이 돌리기 전의 직사각형의 가로의 길이는 원기둥의 밑면의 반지름과 같고, 직사각형의 세로의 길이는 원기둥의 높이와 같습니다.

145

이런 문제가 서술형으로 나와요

원기둥과 각기둥에 대하여 이야기하고 있습니다. 잘못 설명한 사람의 이름을 쓰고, 내용을 바르게 고쳐 보세요.

원기둥과 각기둥은 모두 모서리가 있어.
도준

원기둥에는 굽은 면이 있고, 각기둥에는 굽은 면이 없어.
지은

| 풀이 과정 |

❶ 잘못 말한 사람 찾기
잘못 말한 사람은 도준입니다.

❷ 바르게 고치기
예 원기둥은 모서리가 없고, 각기둥은 모서리가 있습니다.

◆ 수학 교과 역량 🔆 정보 처리

회전체로 원기둥 이해하기
직사각형 모양의 종이를 돌리면 원기둥이 된다는 것을 알아보는 과정에서 정보 처리 능력을 기를 수 있습니다.

 개념 확인 문제   정답 및 풀이 228쪽 ●

1 ☐ 안에 알맞은 말 또는 수를 써넣으세요.

(1) 원기둥의 밑면은 ☐개입니다.

(2) 원기둥에서 두 밑면과 만나는 면을 ☐ 이라고 합니다.

2 원기둥의 높이는 몇 cm인 지 구해 보세요.

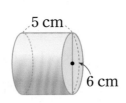
5 cm
6 cm

(   )

3 한 변을 기준으로 직사각형 모양의 종이를 한 바퀴 돌렸습니다. 물음에 답해 보세요.

(1) 만들어진 입체도형의 이름을 써 보세요.

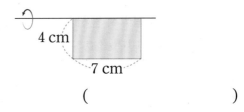
4 cm
7 cm

(   )

(2) 만들어진 입체도형의 밑면의 지름은 몇 cm 인지 구해 보세요.

(   )

2 | 원기둥의 전개도

학습 목표

원기둥의 전개도를 이해하고, 원기둥의 전개도를 그릴 수 있습니다.

그림으로 개념 잡기

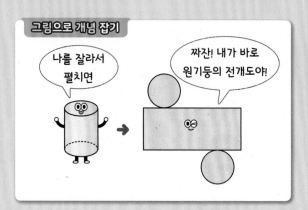

나를 잘라서 펼치면

짜잔! 내가 바로 원기둥의 전개도야!

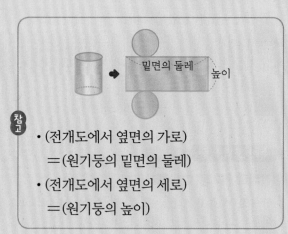

참고

• (전개도에서 옆면의 가로)
  =(원기둥의 밑면의 둘레)

• (전개도에서 옆면의 세로)
  =(원기둥의 높이)

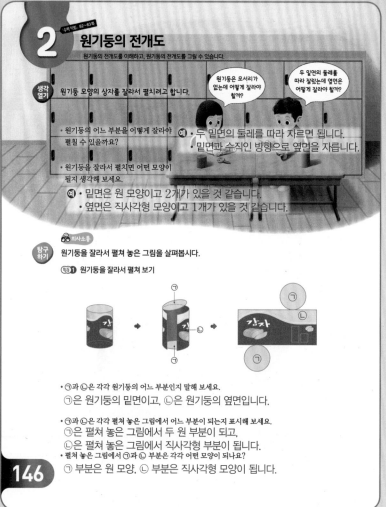

2 원기둥의 전개도

원기둥의 전개도를 이해하고, 원기둥의 전개도를 그릴 수 있습니다.

생각 열기 원기둥 모양의 상자를 잘라서 펼치려고 합니다.

• 원기둥의 어느 부분을 어떻게 잘라야 펼칠 수 있을까요?

• 원기둥을 잘라서 펼치면 어떤 모양이 될지 생각해 보세요.

원기둥은 모서리가 없는데 어떻게 잘라야 할까?

두 밑면의 둘레를 따라 잘랐는데 옆면은 어떻게 잘라야 할까?

예 • 두 밑면의 둘레를 따라 자르면 됩니다.
  • 밑면과 수직인 방향으로 옆면을 자릅니다.

예 • 밑면은 원 모양이고 2개가 있을 것 같습니다.
  • 옆면은 직사각형 모양이고 1개가 있을 것 같습니다.

탐구하기 의사소통 원기둥을 잘라서 펼쳐 놓은 그림을 살펴봅시다.

활동1 원기둥을 잘라서 펼쳐 보기

• ㉠과 ㉡은 각각 원기둥의 어느 부분인지 말해 보세요.
  ㉠은 원기둥의 밑면이고, ㉡은 원기둥의 옆면입니다.

• ㉠과 ㉡은 각각 펼쳐 놓은 그림에 어느 부분이 되는지 표시해 보세요.
  ㉠은 펼쳐 놓은 그림에서 두 원 부분이 되고,
  ㉡은 펼쳐 놓은 그림에서 직사각형 부분이 됩니다.

• 펼쳐 놓은 그림에서 ㉠과 ㉡ 부분은 각각 어떤 모양이 되나요?
  ㉠ 부분은 원 모양, ㉡ 부분은 직사각형 모양이 됩니다.

146

교과서 개념 완성

탐구하기 원기둥을 잘라서 펼쳐 놓은 그림 살펴보기

활동1 원기둥을 잘라서 펼쳐 보기

• ㉠: 원기둥의 밑면이고, 펼쳐 놓은 그림에서 두 원 부분이 됩니다.

• ㉡: 원기둥의 옆면이고, 펼쳐 놓은 그림에서 직사각형 부분이 됩니다.

학부모 코칭 Tip

원기둥 모양의 상자를 직접 잘라서 펼쳐 보는 활동을 위해 칼이나 가위 등을 사용할 경우 안전에 유의하도록 합니다.

활동2 원기둥을 잘라서 펼쳐 놓은 그림에서 각 부분의 길이 알아보기

• 원기둥의 밑면의 둘레와 길이가 같은 선분
  ➡ 직사각형의 가로

• 원기둥의 높이와 길이가 같은 선분
  ➡ 직사각형의 세로

• (직사각형의 가로의 길이)
  =(밑면의 원주)
  =(밑면의 지름)×(원주율)
  =6×3.1=18.6 (cm)

• 밑면의 반지름 ➡ 3 cm

• 직사각형의 세로 ➡ 8 cm

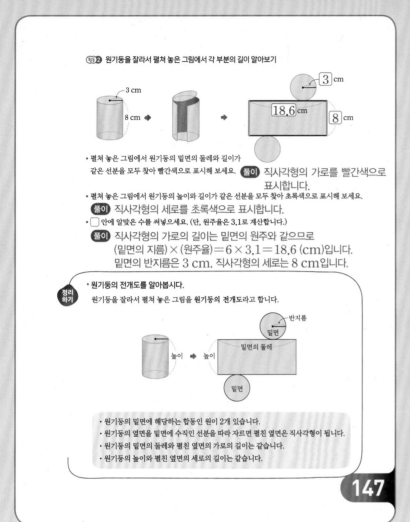

정한 원기둥을 잘라서 펼쳐 놓은 그림에서 각 부분의 길이 알아보기

- 펼쳐 놓은 그림에서 원기둥의 밑면의 둘레와 길이가 같은 선분을 모두 찾아 빨간색으로 표시해 보세요. **풀이** 직사각형의 가로를 빨간색으로 표시합니다.
- 펼쳐 놓은 그림에서 원기둥의 높이와 길이가 같은 선분을 모두 찾아 초록색으로 표시해 보세요. **풀이** 직사각형의 세로를 초록색으로 표시합니다.
- ☐ 안에 알맞은 수를 써넣으세요. (단, 원주율은 3.1로 계산합니다.) **풀이** 직사각형의 가로의 길이는 밑면의 원주와 같으므로 (밑면의 지름)×(원주율)＝6×3.1＝18.6 (cm)입니다. 밑면의 반지름은 3 cm, 직사각형의 세로는 8 cm입니다.

정리하기 • 원기둥의 전개도를 알아봅시다.
원기둥을 잘라서 펼쳐 놓은 그림을 원기둥의 전개도라고 합니다.

- 원기둥의 밑면에 해당하는 합동인 원이 2개 있습니다.
- 원기둥의 옆면을 밑면에 수직인 선분을 따라 자르면 펼친 옆면은 직사각형이 됩니다.
- 원기둥의 밑면의 둘레와 펼친 옆면의 가로의 길이는 같습니다.
- 원기둥의 높이와 펼친 옆면의 세로의 길이는 같습니다.

147

이런 문제가 서술형으로 나와요

원기둥을 펼쳐 전개도를 만들었을 때, 옆면의 가로와 세로의 길이를 차례로 구하려고 합니다. 풀이 과정을 쓰고, 답을 구해 보세요. (원주율: 3.1)

| 풀이 과정 |

❶ 옆면의 가로 구하기
(옆면의 가로)＝(밑면의 둘레)
　　　　　＝5×2×3.1＝31 (cm)

❷ 옆면의 세로 구하기
(옆면의 세로)＝(원기둥의 높이)＝11 cm

답 31 cm, 11 cm

수학 교과 역량 🔵의사소통

원기둥을 잘라서 펼쳐 놓은 그림 살펴보기
원기둥을 잘라서 펼쳐 놓은 그림을 보고 원기둥의 높이와 밑면의 둘레에 해당하는 부분을 찾아 설명해 보는 과정에서 의사소통 능력을 기를 수 있습니다.

 개념 확인 문제 　 정답 및 풀이 228쪽

1 원기둥의 전개도를 보고 물음에 답해 보세요.

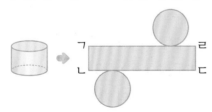

(1) 전개도에서 원기둥의 밑면의 둘레와 길이가 같은 선분을 모두 찾아 써 보세요.
(　　　　　)

(2) 선분 ㄱㄴ의 길이는 원기둥의 무엇과 같은지 써 보세요. (　　　　　)

2 원기둥의 전개도에서 옆면의 가로는 몇 cm인지 구해 보세요. (원주율: 3.1)

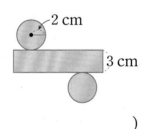

(　　　　　)

3 한 밑면의 둘레가 18 cm이고 높이가 5 cm인 원기둥의 옆면의 넓이는 몇 cm²인지 구해 보세요.

(　　　　　)

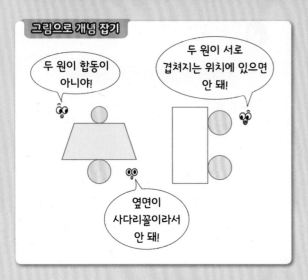

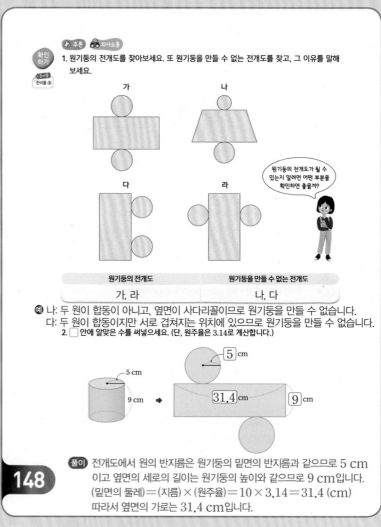

원기둥의 전개도	원기둥을 만들 수 없는 전개도
가, 라	나, 다

예 나: 두 원이 합동이 아니고, 옆면이 사다리꼴이므로 원기둥을 만들 수 없습니다.
　　다: 두 원이 합동이지만 서로 겹쳐지는 위치에 있으므로 원기둥을 만들 수 없습니다.

2. ☐안에 알맞은 수를 써넣으세요. (단, 원주율은 3.14로 계산합니다.)

풀이 전개도에서 원의 반지름은 원기둥의 밑면의 반지름과 같으므로 5 cm
　　이고 옆면의 세로의 길이는 원기둥의 높이와 같으므로 9 cm입니다.
　　(밑면의 둘레)＝(지름)×(원주율)＝10×3.14＝31.4 (cm)
　　따라서 옆면의 가로는 31.4 cm입니다.

148

교과서 개념 완성

확인하기

1. 원기둥의 전개도와 원기둥을 만들 수 없는 전개도 찾기

- 원기둥의 전개도를 찾으려면 밑면과 옆면이 있는 지, 전개도의 각 부분의 길이가 맞는지 등을 확인 합니다.
- 원기둥의 전개도는 가, 라입니다.
- 나: 두 원이 합동이 아니고, 옆면이 사다리꼴이므 로 원기둥을 만들 수 없습니다.

　다: 두 원이 합동이지만 서로 겹쳐지는 위치에 있 으므로 원기둥을 만들 수 없습니다.

2. 원기둥의 전개도에서 각 부분의 길이 알아보기

- 원기둥의 밑면의 반지름 ➡ 5 cm, 높이 ➡ 9 cm
- (전개도에서 원의 반지름)
  ＝(원기둥의 밑면의 반지름)＝5 cm
- (전개도에서 옆면의 세로의 길이)
  ＝(원기둥의 높이)＝9 cm
- (전개도에서 옆면의 가로의 길이)
  ＝(원기둥의 밑면의 둘레)
  ＝(지름)×(원주율)
  ＝10×3.14＝31.4 (cm)
- ➡ 밑면의 반지름은 5 cm, 옆면의 가로는
  31.4 cm, 옆면의 세로는 9 cm입니다.

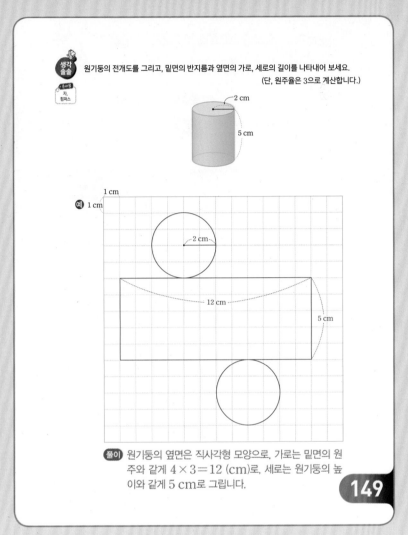

생각 솔솔
원기둥의 전개도를 그리고, 밑면의 반지름과 옆면의 가로, 세로의 길이를 나타내어 보세요.
(단, 원주율은 3으로 계산합니다.)

2 cm
5 cm

1 cm
예 1 cm
2 cm
12 cm
5 cm

풀이 원기둥의 옆면은 직사각형 모양으로, 가로는 밑면의 원주와 같게 $4 \times 3 = 12$ (cm)로, 세로는 원기둥의 높이와 같게 5 cm로 그립니다.

149

이런 문제가 **서술형**으로 나와요

원기둥의 전개도가 아닌 이유를 2가지 써 보세요.

| 풀이 과정 |

❶ 첫 번째 이유 쓰기

예 밑면인 두 원이 서로 겹쳐지는 위치에 있습니다.

❷ 두 번째 이유 쓰기

예 옆면이 직사각형이 아닌 사다리꼴입니다.

◆ **수학 교과 역량** 추론 의사소통

원기둥의 전개도와 원기둥을 만들 수 없는 전개도 찾고 원기둥의 전개도에서 각 부분의 길이 알아보기

• 주어진 전개도를 사용하여 원기둥을 만들 수 있는지 예상해 보는 과정에서 추론 능력을 기를 수 있습니다.

• 원기둥을 만들 수 없는 전개도를 찾고 그 이유를 설명해 보는 과정에서 의사소통 능력을 기를 수 있습니다.

개념 확인 문제   정답 및 풀이 229쪽

1 원기둥의 전개도로 알맞은 것에 ○표 하세요.

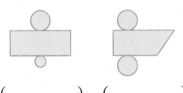

(   ) (   ) (   )

2 원기둥을 펼쳐 전개도를 그렸을 때 옆면의 가로와 세로의 차는 몇 cm인지 구해 보세요.
(원주율: 3)

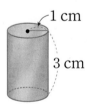

4 cm
8 cm

(   )

3 원기둥의 전개도를 그리고, 옆면의 가로는 몇 cm인지 구해 보세요. (원주율: 3)

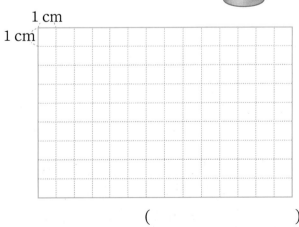

1 cm
3 cm

1 cm
1 cm

(   )

학습 목표

원뿔을 알고, 원뿔의 구성 요소와 성질을 이해합니다.

그림으로 개념 잡기

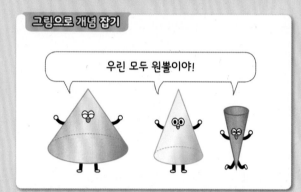

우린 모두 원뿔이야!

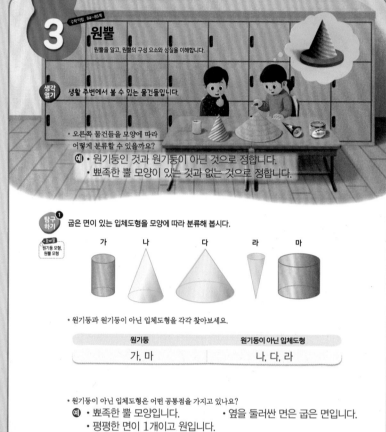

3 원뿔

원뿔을 알고, 원뿔의 구성 요소와 성질을 이해합니다.

생각열기 · 생활 주변에서 볼 수 있는 물건들입니다.

· 오른쪽 물건들을 모양에 따라 어떻게 분류할 수 있을까요?
예 · 원기둥인 것과 원기둥이 아닌 것으로 정합니다.
· 뾰족한 뿔 모양이 있는 것과 없는 것으로 정합니다.

탐구하기 1 굽은 면이 있는 입체도형을 모양에 따라 분류해 봅시다.

가   나   다   라   마

· 원기둥과 원기둥이 아닌 입체도형을 각각 찾아보세요.

원기둥	원기둥이 아닌 입체도형
가, 마	나, 다, 라

· 원기둥이 아닌 입체도형은 어떤 공통점을 가지고 있나요?
예 · 뾰족한 뿔 모양입니다.   · 옆을 둘러싼 면은 굽은 면입니다.
· 평평한 면이 1개이고 원입니다.

· 원기둥이 아닌 입체도형을 어떻게 부르면 좋을지 이야기해 보세요.

150

학부모 코칭 Tip

원기둥과 원뿔 모형을 직접 제시하여 학생들이 충분히 관찰할 수 있게 합니다. 원기둥이 아닌 입체도형의 이름은 이들 도형의 공통점을 반영하여 생각하게 합니다.

교과서 개념 완성

탐구하기 1 굽은 면이 있는 입체도형을 모양에 따라 분류하기

· 원기둥과 뾰족한 뿔 모양이 있습니다.
원기둥은 가, 마이고, 원기둥이 아닌 입체도형은 나, 다, 라입니다.

· 원기둥이 아닌 입체도형의 공통점:
뾰족한 뿔 모양입니다.
평평한 면이 1개이고 원입니다.
옆을 둘러싼 면은 굽은 면입니다.

탐구하기 2 원뿔의 구성 요소와 성질 알아보기

· 평평한 면은 ㉠이고 원 모양이며 1개입니다.
굽은 면은 ㉡이고 1개입니다.

· 뾰족한 점 ㉢과 평평한 면 ㉠을 수직으로 이은 선분 ㉣의 길이를 원뿔의 높이라고 생각합니다.

· 예

학부모 코칭 Tip

원뿔 모형을 이용하여 평평한 면과 굽은 면을 손으로 직접 만져 보고, 뾰족한 부분과 평평한 면 사이의 거리 등을 재어 보는 활동을 통하여 원뿔의 구성 요소와 성질을 탐구하게 합니다.

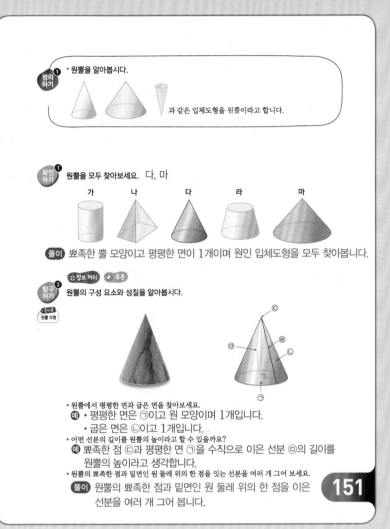

정리하기 ❶ 원뿔을 알아봅시다.

과 같은 입체도형을 원뿔이라고 합니다.

확인하기 ❶ 원뿔을 모두 찾아보세요. 다, 마

가   나   다   라   마

풀이 뾰족한 뿔 모양이고 평평한 면이 1개이며 원인 입체도형을 모두 찾아봅니다.

탐구하기 [정보 처리] [추론]
준비물 원뿔 모형

원뿔의 구성 요소와 성질을 알아봅시다.

• 원뿔에서 평평한 면과 굽은 면을 찾아보세요.
  예 • 평평한 면은 ㉠이고 원 모양이며 1개입니다.
     • 굽은 면은 ㉡이고 1개입니다.
• 어떤 선분의 길이를 원뿔의 높이라고 할 수 있을까요?
  예 뾰족한 점 ㉢과 평평한 면 ㉠을 수직으로 이은 선분 ㉣의 길이를 원뿔의 높이라고 생각합니다.
• 원뿔의 뾰족한 점과 밑면인 원 둘레 위의 한 점을 잇는 선분을 여러 개 그어 보세요.
  풀이 원뿔의 뾰족한 점과 밑면인 원 둘레 위의 한 점을 이은 선분을 여러 개 그어 봅니다.

151

 이런 문제가 **서술형**으로 나와요

입체도형을 두 종류로 분류하고, 분류한 두 입체도형의 공통점을 한 가지 써 보세요.

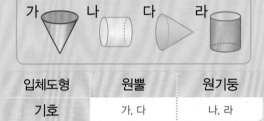
가   나   다   라

입체도형	원뿔	원기둥
기호	가, 다	나, 라

| 풀이 과정 |

❶ 입체도형을 분류하기

원뿔은 가, 다이고, 원기둥은 나, 라입니다.

❷ 공통점 쓰기

예 평평한 면이 있고 원 모양입니다.
   옆을 둘러싼 면은 굽은 면입니다.

◆ 수학 교과 역량 [정보 처리] [추론]

원뿔의 구성 요소와 성질 알아보기

원뿔 모형을 관찰하여 원뿔의 구성 요소와 성질을 찾아내는 과정에서 정보 처리 능력과 추론 능력을 기를 수 있습니다.

 개념 확인 문제   정답 및 풀이 229쪽

1 원뿔이 아닌 것을 모두 찾아 기호를 써 보세요.

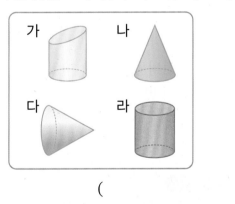
가   나
다   라

(   )

2 원뿔을 앞에서 본 모양과 위에서 본 모양을 찾아 선으로 이어 보세요.

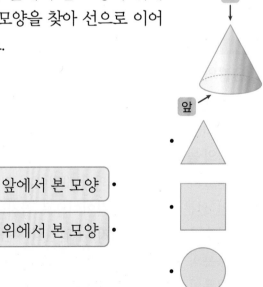

위
앞

앞에서 본 모양 •

위에서 본 모양 •

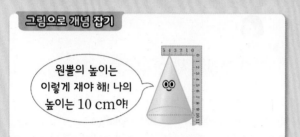

원뿔의 높이는 이렇게 재야 해! 나의 높이는 10 cm야!

참고
• 한 원뿔에서 모선의 길이는 모두 같습니다.
• 한 원뿔에서 모선의 길이는 항상 높이보다 깁니다.

참고
원뿔을 위, 앞, 옆에서 본 모양

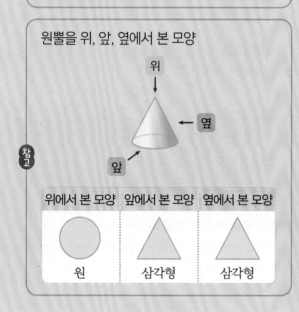

위에서 본 모양	앞에서 본 모양	옆에서 본 모양
원	삼각형	삼각형

정리하기 ② • 원뿔의 구성 요소와 성질을 정리해 봅시다.
• 원뿔에서 평평한 면을 밑면, 옆을 둘러싼 굽은 면을 옆면이라고 합니다.

밑면은 원이고 한 개입니다.

• 원뿔에서 뾰족한 부분의 점을 원뿔의 꼭짓점이라고 합니다. 원뿔의 꼭짓점에서 밑면에 수직인 선분을 그어 잰 길이를 높이라고 합니다.
• 원뿔의 꼭짓점과 밑면인 원의 둘레 위의 한 점을 이은 선분을 모선이라고 합니다.

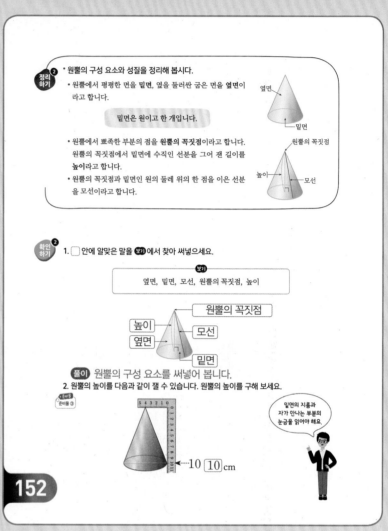

확인하기 ② 1. ◻ 안에 알맞은 말을 보기 에서 찾아 써넣으세요.

보기
옆면, 밑면, 모선, 원뿔의 꼭짓점, 높이

풀이 원뿔의 구성 요소를 써넣어 봅니다.

2. 원뿔의 높이를 다음과 같이 잴 수 있습니다. 원뿔의 높이를 구해 보세요.
준비물 ①

밑면의 지름과 자가 만나는 부분의 눈금을 읽어야 해요.

10 [10] cm

152

교과서 개념 완성

확인하기 ②

1. 원뿔의 구성 요소 찾기

원뿔에서 평평한 면을 밑면, 옆을 둘러싼 굽은 면을 옆면이라고 합니다.

2. 원뿔의 높이 구하기

• 원뿔의 높이는 원뿔의 꼭짓점에서 밑면에 수직인 선분을 그어 잰 길이이므로 곱자(직각자)를 사용하여 곱자(직각자)와 밑면의 지름이 만나는 부분의 눈금을 읽습니다.
• 원뿔의 높이는 10 cm입니다.

생각 솔솔 **회전체로 원뿔 이해하기**

• 한 변을 기준으로 직각삼각형 모양의 종이를 돌리면 원뿔이 됩니다.
• 만들어진 원뿔의 밑면의 지름은 24 cm이고, 높이는 12 cm입니다.
➡ 돌리기 전의 직각삼각형의 밑변의 길이는 원뿔의 밑면의 반지름과 같고, 직각삼각형과 원뿔의 높이는 같습니다.

학부모 코칭 Tip

회전체로 만든 원뿔에서 높이, 모선의 길이, 밑면의 지름 등을 설명하게 합니다.

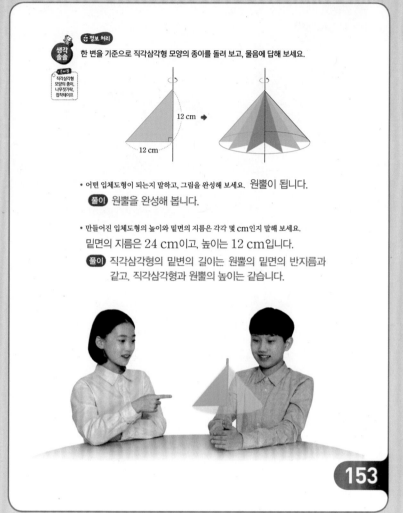

생각 솔솔

정보 처리

한 변을 기준으로 직각삼각형 모양의 종이를 돌려 보고, 물음에 답해 보세요.

준비물 직각삼각형 모양의 종이, 나무젓가락, 접착테이프.

12 cm

12 cm

- 어떤 입체도형이 되는지 말하고, 그림을 완성해 보세요. **원뿔이 됩니다.**

  풀이 원뿔을 완성해 봅니다.

- 만들어진 입체도형의 높이와 밑면의 지름은 각각 몇 cm인지 말해 보세요.

  밑면의 지름은 24 cm이고, 높이는 12 cm입니다.

  풀이 직각삼각형의 밑변의 길이는 원뿔의 밑면의 반지름과 같고, 직각삼각형과 원뿔의 높이는 같습니다.

153

이런 문제가 **서술형**으로 나와요

두 입체도형의 높이의 합은 몇 cm인지 풀이 과정을 쓰고, 답을 구해 보세요.

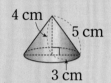

4 cm

5 cm

3 cm

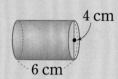

4 cm

6 cm

| 풀이 과정 |

❶ 원뿔의 높이 구하기

원뿔의 높이는 4 cm입니다.

❷ 원기둥의 높이 구하기

원기둥의 높이는 6 cm입니다.

❸ 두 입체도형의 높이의 합 구하기

두 입체도형의 높이의 합은 4+6=10 (cm)입니다.

답 10 cm

수학 교과 역량 **정보 처리**

회전체로 원뿔 이해하기

직각삼각형 모양의 종이를 돌리면 원뿔이 된다는 것을 알아보는 과정에서 정보 처리 능력을 기를 수 있습니다.

개념 확인 문제 ▶ 정답 및 풀이 229쪽

1 원뿔의 밑면은 어떤 모양인지 써 보세요.

（　　　　　　　）

2 원뿔을 보고 ◯ 안에 알맞은 수를 써넣으세요.

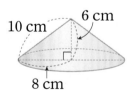

10 cm　6 cm

8 cm

(1) 원뿔의 모선의 길이는 ◻ cm입니다.

(2) 원뿔의 밑면의 반지름은 ◻ cm입니다.

(3) 원뿔의 높이는 ◻ cm입니다.

3 한 변을 기준으로 직각삼각형 모양의 종이를 한 바퀴 돌렸습니다. 물음에 답해 보세요.

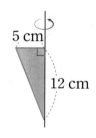

5 cm

12 cm

(1) 만들어진 입체도형의 이름을 써 보세요.

（　　　　　　　）

(2) 만들어진 입체도형의 높이는 몇 cm인지 구해 보세요.

（　　　　　　　）

(3) 만들어진 입체도형의 밑면의 지름은 몇 cm인지 구해 보세요.

（　　　　　　　）

6 차시

4 | 구

학습 목표

구를 알고, 구의 구성 요소와 성질을 이해합니다.

그림으로 개념 잡기

구는 어느 방향에서 보아도 원 모양이란다.

참고

• 원기둥, 원뿔, 구는 굽은 면이 있습니다.

• 구의 반지름이 길수록 구의 크기가 큽니다.

원기둥, 원뿔, 구의 비교

참고		원기둥	원뿔	구
	밑면의 수	2	1	0
	밑면의 모양	원	원	굽은 면으로 둘러싸여 있습니다.
	옆면	굽은 면	굽은 면	
	꼭짓점	없음	있음	없음

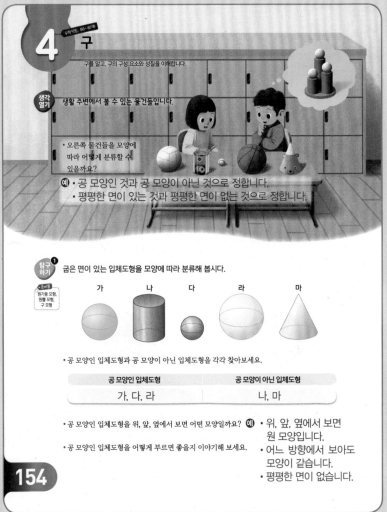

4 구

구를 알고, 구의 구성 요소와 성질을 이해합니다.

생각 열기 생활 주변에서 볼 수 있는 물건들입니다.

• 오른쪽 물건들을 모양에 따라 어떻게 분류할 수 있을까요?

예 • 공 모양인 것과 공 모양이 아닌 것으로 정합니다.
• 평평한 면이 있는 것과 평평한 면이 없는 것으로 정합니다.

탐구하기 ① 굽은 면이 있는 입체도형을 모양에 따라 분류해 봅시다.

준비물: 원기둥 모형, 원뿔 모형, 구 모형

가　나　다　라　마

• 공 모양인 입체도형과 공 모양이 아닌 입체도형을 각각 찾아보세요.

공 모양인 입체도형	공 모양이 아닌 입체도형
가, 다, 라	나, 마

• 공 모양인 입체도형을 위, 앞, 옆에서 보면 어떤 모양일까요?　**예** • 위, 앞, 옆에서 보면 원 모양입니다.
• 어느 방향에서 보아도 모양이 같습니다.
• 평평한 면이 없습니다.

• 공 모양인 입체도형을 어떻게 부르면 좋을지 이야기해 보세요.

154

교과서 개념 완성

생각 열기 여러 가지 물건들의 분류 기준 생각하기

• 그림에서 책상 위에는 배구공, 통조림, 테니스공, 농구공, 고깔모자가 있습니다.

• 공 모양인 것과 공 모양이 아닌 것으로 분류할 수 있습니다.

• 평평한 면이 있는 것과 평평한 면이 없는 것으로 분류할 수 있습니다.

학부모 코칭 Tip

앞에서 학습한 원기둥 모양과 원뿔 모양을 찾아보고 남은 물건들의 모양을 인지한 후, 생활 주변에서 그 모양들을 찾아보는 활동을 통하여 구에 대해 탐색하도록 유도합니다.

탐구하기 ① 굽은 면이 있는 입체도형을 모양에 따라 분류하기

• 공 모양인 입체도형은 가, 다, 라입니다.
  공 모양이 아닌 입체도형은 나, 마입니다.

• 공 모양인 입체도형을 위, 앞, 옆에서 보면 원 모양입니다.
  공 모양인 입체도형은 어느 방향에서 보아도 모양이 같습니다.
  공 모양인 입체도형은 평평한 면이 없습니다.

학부모 코칭 Tip

구와 구가 아닌 모형을 직접 제시하여 학생들이 충분히 관찰할 수 있게 합니다. 공 모양인 입체도형의 이름은 이들 도형의 공통점을 반영하여 생각하게 합니다.

정리하기 ❶ 구를 알아봅시다.

과 같은 입체도형을 구라고 합니다.

 구는 어느 방향에서 보아도 원 모양인 입체도형이에요.

탐구하기 ❷ 구 모형을 만지고 분해하여 구의 구성 요소와 성질을 알아봅시다.

준비물 구 모형

• 구 모형을 만지고 살펴보며 특징을 설명해 보세요.
　예 굽은 면으로 둘러싸여 있고 잘 굴러갑니다.

• 구를 반으로 분해하여 나오는 면의 가장 안쪽에 있는 점을 무엇이라고 하면 좋을까요?
　예 구의 중심이라고 하면 좋을 것 같습니다.

• 구의 가장 안쪽에 있는 점과 구의 겉면 위의 한 점을 이은 선분을 무엇이라고 하면 좋을까요?
　예 구의 반지름이라고 하면 좋을 것 같습니다.

• 구의 가장 안쪽에 있는 점에서 구의 겉면 위의 한 점을 이은 선분들의 길이는 어떨까요?
　선분의 길이는 모두 같습니다.

155

이런 문제가 서술형으로 나와요

두 입체도형의 이름을 각각 쓰고, 공통점과 차이점을 써 보세요.

가　　　　　나

| 풀이 과정 |

❶ 가와 나의 이름 각각 쓰기

가는 원뿔, 나는 구입니다.

❷ 공통점 쓰기

예 위에서 본 모양이 원입니다.
　굽은 면이 있습니다.

❸ 차이점 쓰기

예 원뿔에는 꼭짓점이 있지만 구에는 꼭짓점이 없습니다.
　원뿔은 앞에서 본 모양이 삼각형이고 구는 앞에서 본 모양이 원입니다.

 개념 확인 문제　　　정답 및 풀이 229쪽

1 어느 방향에서 보아도 원 모양인 것을 찾아 기호를 써 보세요.

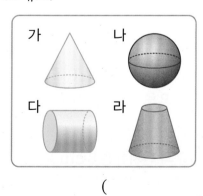

（　　　　　　　　）

2 원기둥, 원뿔, 구에 대한 설명으로 옳은 것은 ○표, 틀린 것은 ×표 하세요.

(1) 구를 앞에서 본 모양은 원입니다. (　　　)

(2) 원기둥, 원뿔, 구에는 모두 평평한 면이 있습니다. 　　　　　　　　　　　（　　　）

(3) 원기둥과 원뿔은 밑면이 있고, 구는 밑면이 없습니다. 　　　　　　　　　　（　　　）

(4) 구는 어느 방향에서 보아도 모양이 모두 원입니다. 　　　　　　　　　　　（　　　）

(5) 원뿔에는 굽은 면이 없지만 구에는 굽은 면이 있습니다. 　　　　　　　　　（　　　）

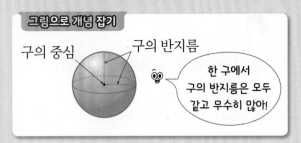

구의 중심   구의 반지름

한 구에서
구의 반지름은 모두
같고 무수히 많아!

구를 위, 앞, 옆에서 본 모양

위

옆

앞

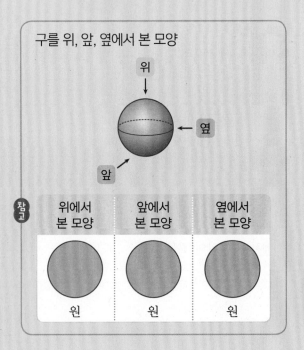

위에서 본 모양	앞에서 본 모양	옆에서 본 모양
원	원	원

참고

정리하기 ² 구의 구성 요소와 성질을 정리해 봅시다.

구의 가장 안쪽에 있는 점을 구의 중심이라 하고,
구의 중심과 구의 겉면 위의 한 점을 이은 선분을
구의 반지름이라고 합니다.

구의 중심   구의 반지름

· 구의 반지름은 모두 같습니다.
· 구의 지름은 반지름의 2배입니다.

★ 추론 🔭 의사소통

확인하기 1. 구를 보고 ☐ 안에 각 부분의 이름을 써넣으세요.

구의 중심   구의 반지름

풀이 구의 구성 요소를 써넣어 봅니다.

2. 구, 원기둥의 공통점과 차이점을 써 보세요.

공통점	차이점
예 · 굽은 면으로 둘러싸여 있습니다. · 뾰족한 부분이 없습니다.	예 · 구는 밑면이 없지만 원기둥은 밑면이 있습니다. · 구는 구의 중심이 있지만 원기둥은 없습니다.

156

 교과서 개념 완성

확인하기 구와 원기둥의 공통점, 차이점 설명하기

· 구와 원기둥의 공통점:

굽은 면으로 둘러싸여 있습니다.

뾰족한 부분이 없습니다.

위에서 본 모양은 원입니다.

· 구와 원기둥의 차이점:

구는 밑면이 없지만 원기둥은 밑면이 있습니다.

구는 구의 중심이 있지만 원기둥은 없습니다.

구는 공 모양이고 원기둥은 기둥 모양입니다.

앞과 옆에서 본 모양은 구와 원기둥이 서로 다릅니다.

구와 원기둥의 공통점, 차이점을 생김새와 위, 앞, 옆에서 본 모양을 기준으로도 설명할 수 있게 합니다.

생각 솔솔 회전체로 구 이해하기

· 지름을 기준으로 반원 모양의 종이를 돌리면 구가 됩니다.

· 만들어진 구의 반지름은 8 cm입니다.

➡ 돌리기 전의 반원의 반지름과 구의 반지름이 같습니다.

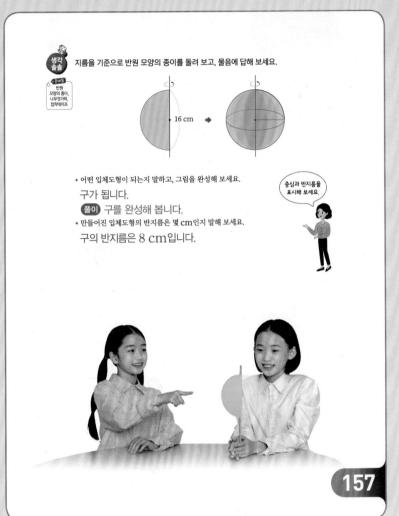

생각
솔솔

지름을 기준으로 반원 모양의 종이를 돌려 보고, 물음에 답해 보세요.

준비물
반원
모양의 종이,
나무젓가락,
접착테이프

16 cm →

• 어떤 입체도형이 되는지 말하고, 그림을 완성해 보세요.

구가 됩니다.

풀이 구를 완성해 봅니다.

중심과 반지름을
표시해 보세요.

• 만들어진 입체도형의 반지름은 몇 cm인지 말해 보세요.

구의 반지름은 8 cm입니다.

157

이런 문제가 서술형으로 나와요

두 구의 반지름의 합을 구하려고 합니다. 풀이 과정을 쓰고, 답을 구해 보세요.

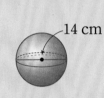 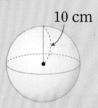

14 cm   10 cm

| 풀이 과정 |

❶ 왼쪽 구의 반지름 구하기

왼쪽 구의 반지름은 $14 \div 2 = 7$ (cm)입니다.

❷ 오른쪽 구의 반지름 구하기

오른쪽 구의 반지름은 10 cm입니다.

❸ 두 구의 반지름의 합 구하기

두 구의 반지름의 합은 $7 + 10 = 17$ (cm)입니다.

답 17 cm

◆ 수학 교과 역량 ◆ 추론   의사소통

구와 원기둥의 공통점, 차이점 설명하기

구와 원기둥의 공통점, 차이점을 설명해 보는 과정에서 추론 능력과 의사소통 능력을 기를 수 있습니다.

개념 확인 문제   정답 및 풀이 229쪽

1 지름을 기준으로 반원 모양의 종이를 한 바퀴 돌리면 어떤 입체도형이 만들어지는지 찾아 기호를 써 보세요.

가   나   다

(   )

2 구의 반지름은 몇 cm인지 구해 보세요.

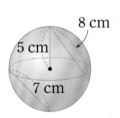

8 cm
5 cm
7 cm

(   )

3 지름을 기준으로 반원 모양의 종이를 한 바퀴 돌려서 만든 구의 반지름은 몇 cm인지 구해 보세요.

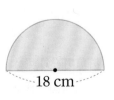

18 cm

(   )

문제 해결력 | 쑥쑥

최대한 높은 상자를 만들어요

• 논리적 추론을 이용하여 문제를 해결하고, 어떻게 해결 하였는지 설명할 수 있습니다.
• 문제 해결 과정의 타당성을 검토할 수 있습니다.

문제 해결 전략 논리적 추론

• **수학 교과 역량** 문제 해결 · 추론 · 의사소통

최대한 높은 상자를 만들어요

• 문제의 조건을 확인하고 문제 해결에 적절한 전략을 선택하는 과정과 문제를 논리적으로 추론 하는 과정 에서 문제 해결 능력과 추론 능력을 기를 수 있습니 다.
• 자신이 추론한 것이 맞는지 설명하는 과정에서 의사 소통 능력을 기를 수 있습니다.

문제 해결 Tip 먼저 원기둥의 전개도에서 옆면의 가 로를 구해 봅니다.

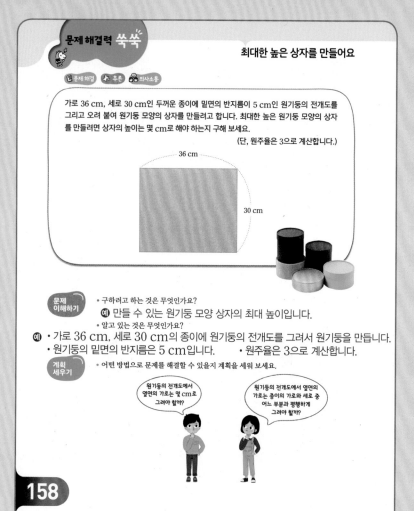

158

교과서 개념 완성

문제 이해하기

» 구하려고 하는 것

만들 수 있는 원기둥 모양 상자의 최대 높이입니다.

» 알고 있는 것

가로 36 cm, 세로 30 cm의 종이에 밑면의 반지름이 5 cm인 원기둥의 전개도를 그려서 원기둥을 만듭니다.

계획 세우기

• 최대한 높은 원기둥을 만들려면 원기둥의 전개도에 서 옆면의 가로는 종이의 가로와 세로 중 어느 부분 과 평행하게 그려야 하는지 찾습니다.

• 종이의 가로나 세로의 길이에서 지름의 길이를 2번 빼면 원기둥의 전개도에서 옆면의 세로 길이를 구 할 수 있습니다.

계획대로 풀기

• (옆면의 가로)
  $=10 \times 3 = 30$ (cm)
• 종이의 가로가 더 길므로 원 기둥의 전개도에서 옆면의 가로를 종이의 세로와 평행하게 그립니다.
• 상자의 높이는 종이의 가로의 길이에서 원의 지름의 길이를 2번 뺀 것이므로 $36 - 10 - 10 = 16$ (cm) 입니다.

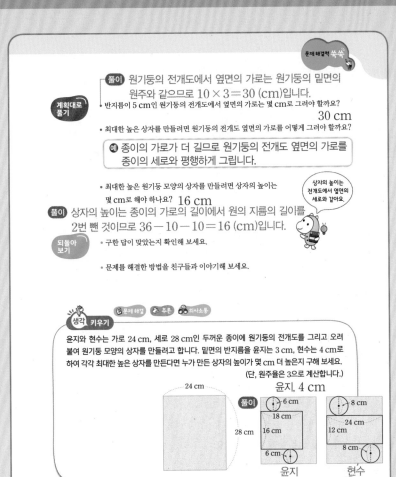

문제 해결력 쑥쑥

계획대로 풀기

풀이 원기둥의 전개도에서 옆면의 가로는 원기둥의 밑면의 원주와 같으므로 $10 \times 3 = 30$ (cm)입니다.

• 반지름이 5 cm인 원기둥의 전개도에서 옆면의 가로는 몇 cm로 그려야 할까요?

30 cm

• 최대한 높은 상자를 만들려면 원기둥의 전개도 옆면의 가로를 어떻게 그려야 할까요?

예 종이의 가로가 더 길므로 원기둥의 전개도 옆면의 가로를 종이의 세로와 평행하게 그립니다.

• 최대한 높은 원기둥 모양의 상자를 만들려면 상자의 높이는 몇 cm로 해야 하나요? 16 cm

상자의 높이는 전개도에서 옆면의 세로와 같아요.

풀이 상자의 높이는 종이의 가로의 길이에서 원의 지름의 길이를 2번 뺀 것이므로 $36 - 10 - 10 = 16$ (cm)입니다.

되돌아 보기

• 구한 답이 맞았는지 확인해 보세요.

• 문제를 해결한 방법을 친구들과 이야기해 보세요.

생각 키우기   문제 해결 추론 의사소통

윤지와 현수는 가로 24 cm, 세로 28 cm인 두꺼운 종이에 원기둥의 전개도를 그리고 오려 붙여 원기둥 모양의 상자를 만들려고 합니다. 밑면의 반지름을 윤지는 3 cm, 현수는 4 cm로 하여 각각 최대한 높은 상자를 만든다면 누가 만든 상자의 높이가 몇 cm 더 높은지 구해 보세요.
(단, 원주율은 3으로 계산합니다.)

윤지, 4 cm

159

생각 키우기   문제 해결 추론 의사소통

문제 이해하기

≫ 구하려고 하는 것

누가 만든 상자의 높이가 몇 cm 더 높은지입니다.

≫ 알고 있는 것

가로 24 cm, 세로 28 cm의 종이에 높이가 최대한 높은 원기둥 모양의 상자를 만들려고 합니다.

계획 세우기

• 최대한 높은 원기둥을 만들려면 원기둥의 전개도에서 옆면의 가로는 종이의 가로와 세로 중 어느 부분과 평행하게 그려야 하는지 찾습니다.

• 종이의 가로나 세로의 길이에서 지름의 길이를 2번 빼면 원기둥의 전개도에서 옆면의 세로의 길이를 구할 수 있습니다.

계획대로 풀기

• 옆면의 가로는 윤지는 $3 \times 2 \times 3 = 18$ (cm)이고 현수는 $4 \times 2 \times 3 = 24$ (cm)입니다.

• 종이의 세로가 더 길므로 원기둥의 전개도에서 옆면의 가로를 종이의 가로와 평행하게 그립니다. 상자의 높이는 윤지는 $28 - 6 - 6 = 16$ (cm)이고, 현수는 $28 - 8 - 8 = 12$ (cm)입니다.

• 윤지가 만든 상자의 높이가 4 cm 더 높습니다.

문제 해결력 문제   정답 및 풀이 229쪽

1 가로 22 cm, 세로 18 cm인 직사각형 모양의 종이에 밑면의 반지름이 3 cm인 원기둥의 전개도를 그리고 오려 붙여 원기둥 모양의 상자를 만들려고 합니다. 최대한 높은 상자를 만들려면 상자의 높이는 몇 cm로 해야 하는지 구해 보세요. (원주율: 3)

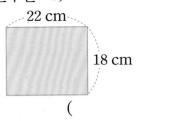

(   )

2 도희와 성균이는 가로 30 cm, 세로 40 cm인 직사각형 모양의 종이에 원기둥의 전개도를 그리고 오려 붙여 원기둥 모양의 상자를 만들려고 합니다. 밑면의 반지름을 도희는 5 cm, 성균이는 4 cm로 하여 각각 최대한 높은 상자를 만든다면 누가 만든 상자의 높이가 몇 cm 더 높은지 구해 보세요. (원주율: 3)

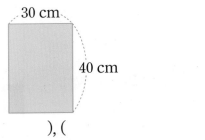

(   ), (   )

 추론

원기둥, 원뿔, 구의 의미 알기
▶ 자습서 166쪽, 174쪽, 178쪽

학부모 코칭 Tip

밑면의 수, 꼭짓점의 유무, 위, 앞, 옆에서 본 모양 등을 확인하여 비교하게 합니다.

추론 정보 처리

원기둥과 원뿔의 구성 요소 알기
▶ 자습서 168쪽, 176쪽

학부모 코칭 Tip

원기둥, 원뿔 모형을 이용하여 밑면, 옆면, 높이, 꼭짓점, 모선을 찾아보게 합니다.

창의·융합 의사소통

원기둥, 원뿔, 구의 성질 알기
▶ 자습서 166~181쪽

학부모 코칭 Tip

• 원기둥과 원뿔의 차이점을 찾아 원뿔의 밑면이 1개라는 것을 확인하게 합니다.
• 구 모형을 관찰하여 어느 방향에서 보아도 모두 원으로 보인다는 것을 확인하게 합니다.

---

1 입체도형을 보고 원기둥, 원뿔, 구를 각각 찾아 기호를 써 보세요.

142쪽, 150쪽, 154쪽

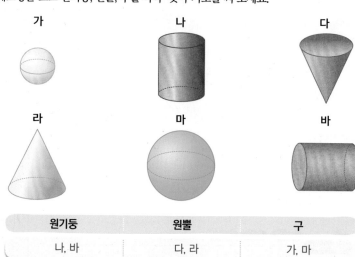

가   나   다
라   마   바

원기둥	원뿔	구
나, 바	다, 라	가, 마

풀이 원기둥은 나, 바, 원뿔은 다, 라, 구는 가, 마입니다.

2 입체도형을 보고 ☐ 안에 알맞은 말을 써넣으세요.

144쪽, 152쪽

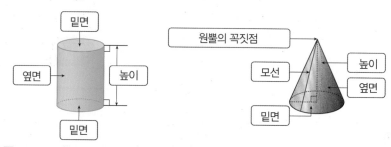

밑면   원뿔의 꼭짓점
옆면   높이   모선   높이   옆면
밑면   밑면

풀이 원기둥과 원뿔의 구성 요소를 써넣어 봅니다.

3 원기둥, 원뿔, 구에 대한 설명으로 맞으면 ○표, 틀리면 ✕표 하세요.

142~157쪽

• 원기둥의 두 밑면은 합동이고 서로 평행합니다.   (○)
• 원뿔의 밑면은 2개입니다.   (✕)
• 구는 보는 방향에 따라 모양이 다릅니다.   (✕)
• 원기둥, 원뿔, 구에는 모두 굽은 면이 있습니다.   (○)
• 원기둥, 원뿔, 구의 밑면의 모양은 모두 원입니다.   (○)

풀이 • 원뿔의 밑면은 1개입니다.
• 구는 어느 방향에서 보아도 모두 원으로 보입니다.

160

4 한 변을 기준으로 직각삼각형 모양의 종이를 한 바퀴 돌려 원뿔을 만들었습니다. 원뿔의
153쪽 높이, 밑면의 지름을 각각 구해 보세요.

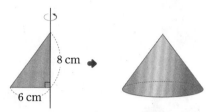

| 높이 | 8 | cm |
| 밑면의 지름 | 12 | cm |

풀이 • 원뿔의 높이는 직각삼각형의 높이와 같으므로 8 cm입니다.
   • 밑면의 지름은 직각삼각형의 밑변의 2배이므로 12 cm입니다.

추론 정보 처리

원뿔의 높이, 밑면의 지름 구하기
▶자습서 177쪽

학부모 코칭 Tip
직각삼각형 모양의 종이를 한 바퀴 돌려 원뿔 모양을 만들어 본 다음, 원뿔의 높이와 밑면의 지름 부분을 확인하게 합니다.

5 원기둥을 보고 전개도의 나머지 부분을 그려 보세요. (단, 원주율은 3으로 계산합니다.)
147쪽

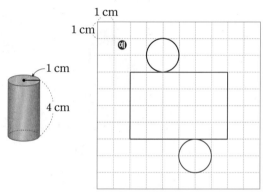

풀이 (옆면의 가로)=(밑면의 둘레)
      =2×1×3=6 (cm)

추론 정보 처리

원기둥의 전개도 그리기
▶자습서 171쪽

학부모 코칭 Tip
• 두 밑면이 합동이고 옆면을 기준으로 마주 보는 위치에 있어야 함을 확인하게 합니다.
• 옆면의 가로는 밑면의 원주와 같으므로 (지름)×(원주율)로 계산하고, 세로는 원기둥의 높이와 같음을 확인하게 합니다.

6 다음 조건을 만족하는 원기둥의 높이를 구해 보세요. (단, 원주율은 3으로 계산합니다.)
147쪽

조건
• 전개도에서 옆면의 가로는 24 cm입니다.
• 원기둥의 높이와 밑면의 지름은 같습니다.

8 cm

풀이 원기둥의 높이와 밑면의 지름이 같고, 원주율은 3으로 계산하므로
   (옆면의 가로)=(밑면의 원주)
         =(밑면의 지름)×3
         =(원기둥의 높이)×3입니다.
   옆면의 가로가 24 cm이므로 24=(원기둥의 높이)×3입니다.
   따라서 (원기둥의 높이)=24÷3=8 (cm)입니다.

문제 해결 추론

원기둥의 높이 구하기
▶자습서 171쪽

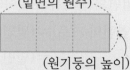

(밑면의 원주)

(원기둥의 높이)

(원기둥의 높이)=(밑면의 지름)
➡ (옆면의 가로)=(밑면의 원주)
➡ (밑면의 원주)
   =(밑면의 지름)×(원주율)

161

162

163

 교과서 개념 완성

 미술 속으로 | 풍덩

❶ 만들려고 하는 원기둥 모양 상자의 크기를 정하여 밑면의 반지름의 길이와 높이를 정합니다.

❷ (옆면의 가로) = (밑면의 원주)

= (밑면의 지름) × (원주율)

임을 알고 계산기를 사용하여 전개도의 옆면의 가로의 길이를 구합니다.

이때 원주율은 3.14로 계산합니다.

전개도의 옆면의 세로는 원기둥의 높이와 같음을 알고 옆면의 세로를 구합니다.

❸ 원기둥의 가로의 길이는 올림하여 소수 첫째 자리까지 나타내고, 자와 컴퍼스를 사용하여 두꺼운 종이에 원기둥의 전개도를 그립니다.

❹ 그린 원기둥의 전개도를 가위로 오립니다.

❺ 원기둥의 전개도를 접어 투명 테이프로 붙여 원기둥 모양의 상자를 만듭니다.

❻ 색종이와 사인펜을 사용하여 상자를 꾸밉니다.

학부모 코칭 Tip

• 원기둥의 전개도의 각 부분의 길이를 바르게 구하여 전개도를 그릴 수 있도록 합니다.
• 선물 상자를 만들기 위해 그린 원기둥의 전개도에 대하여 설명해 보도록 합니다.

이야기로 키우는 생각

데굴데굴 굴러가는, 둥근 구 （창의력 키우기）

★ 공은 모두 구 모양인가요?

강한 홈런을 날리는 야구, 발로 공을 시원하게 차서 골을 넣는 축구, 멋있게 슛을 쏘는 농구, 강스파이크의 배구, 퐁당퐁당 탁구 등 공으로 하는 운동 경기는 아주 많습니다. 공은 어떤 방향으로도 잘 구르고 멀리 날아가는 특징이 있습니다.

통통 튀는 농구공이나 탁구공은 공이 바닥에 맞고 어디로 튈지, 튀는 방향을 어느 정도 예측할 수 있어야 합니다. 그래야 공을 다시 받거나 공격을 할 수 있기 때문입니다. 만일 공이 구 모양이 아니라면 공이 어디로 튈지 모르기 때문에 공을 다루기가 어려울 것입니다.

그런데 모든 공이 구 모양일까요?

그렇지 않습니다. 럭비나 미식축구에 사용하는 공은 구 모양이 아닌 양쪽으로 길쭉한 모양입니다. 아이스하키에서는 '퍽'이라고 부르는 납작한 원반 모양의 공을 사용합니다. 아이스하키는 얼음 위에서 스케이트를 신고 하는 경기로, 만약 경기에서 축구공이나 탁구공처럼 둥근 구 모양의 공을 사용한다면 공이 너무 빨라서 공을 다루기가 무척 어려울 것입니다.

164

★ 축구공은 완벽한 구인가요?

축구공은 거의 완벽한 구의 형태를 띠고 있습니다. 축구공을 자세히 들여다볼까요?

축구공 속에 정오각형과 정육각형이 들어 있는 모습을 볼 수 있을 것입니다. 축구공은 바로 12개의 정오각형과 20개의 정육각형 조각들로 이루어졌습니다. 왜일까요?

앞에서 살펴보았듯이 공은 둥근 구 모양이어야 어떤 방향으로도 잘 굴러가고 멀리 날아갈 수 있는데, 축구공을 만드는 단단하고 평평한 가죽으로는 완벽한 구 모양을 만드는 것이 쉽지 않았습니다. 그래서 사람들은 구 모양에 가장 가까운 공을 만들기 위해 연구를 했고, 마침내 정오각형 12개와 정육각형 20개를 섞어서 이어 붙여 거의 완벽한 구 모양의 공을 만들어 냈습니다. 이렇게 만들어진 축구공은 1970년 멕시코 월드컵 때 첫선을 보였고, 덕분에 전 세계의 모든 사람들이 둥근 축구공으로 축구를 할 수 있게 되었습니다.

[출처] 『천재학습백과』, 2021.

165

이야기로 키우는 생각　（참고 자료）

원뿔, 구, 원기둥의 부피 사이의 관계

높이가 밑면의 반지름의 두 배인 원기둥 모양의 용기에 물을 가득 채운 다음, 반지름이 원기둥 밑면의 반지름과 같은 구를 원기둥 모양의 용기에 넣었다가 빼내는 실험을 해 보면 원기둥 모양의 용기에 물이 $\frac{1}{3}$만큼 남아 있는 것을 확인할 수 있습니다.

이 실험으로부터 구의 부피는 원기둥의 부피의 $\frac{2}{3}$가 됨을 알 수 있습니다.

이제 원기둥 모양의 용기에 남아 있던 물을 밑면의 반지름과 높이가 같은 원뿔 모양의 용기에 넣어 봅니다.

원기둥 모양의 용기에 남는 물이 없이 원뿔 모양의 용기가 가득 채워집니다.

다시 말해 원뿔의 부피는 원기둥의 부피의 $\frac{1}{3}$이 되는 것입니다.

정리하면 원기둥의 부피를 1로 볼 때, 구는 $\frac{2}{3}$, 원뿔은 $\frac{1}{3}$이 되고, 각각 3배를 해 보면 원기둥, 구, 원뿔의 부피의 비는 3 : 2 : 1이 됩니다.

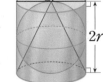

결국 원뿔, 구, 원기둥 부피 사이의 관계는 1 : 2 : 3이 됨을 알 수 있습니다.

[출처] 교실 속 스쿨잼, 2017.

개념

원기둥

· 과 같은 입체도형을 원기둥이라고 합니다.

· 원기둥에서 평평한 두 면을 **밑면**, 두 밑면과 만나는 면을 **옆면**이라고 합니다.

· 또, 두 밑면에 수직인 선분의 길이를 **높이**라고 합니다.

> 원기둥에서 두 밑면은 서로 평행하고 합동입니다. 또, 옆면은 굽은 면입니다.

원기둥의 전개도

원기둥을 잘라서 펼쳐 놓은 그림을 **원기둥의 전개도**라고 합니다.

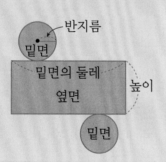

> · 원기둥의 밑면에 해당하는 합동인 원이 2개 있습니다.
> · 원기둥의 옆면을 밑면에 수직인 선분을 따라 자르면 펼친 옆면은 직사각형이 됩니다.
> · 원기둥의 밑면의 둘레와 펼친 옆면의 가로 길이는 같습니다.
> · 원기둥의 높이와 펼친 옆면의 세로 길이는 같습니다.

확인 문제

1 원기둥을 모두 찾아 기호를 써 보세요.

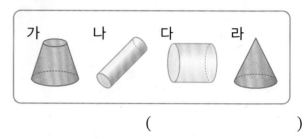

(   )

2 한 변을 기준으로 직사각형 모양의 종이를 한 바퀴 돌려서 만든 입체도형의 높이는 몇 cm 인지 구해 보세요.

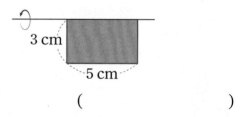

(   )

3 원기둥을 펼쳐 전개도를 그렸을 때 옆면의 가로와 세로를 각각 구해 보세요.
(원주율: 3)

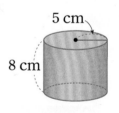

가로 (   )

세로 (   )

4 원기둥의 전개도에서 옆면의 넓이는 몇 cm^2 인지 구해 보세요. (원주율: 3.1)

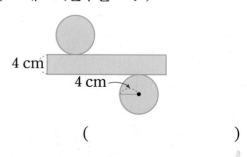

(   )

개념

원뿔

과 같은 입체도형을 원뿔이라고 합니다.

- 원뿔에서 평평한 면을 **밑면**, 옆을 둘러싼 굽은 면을 **옆면**이라고 합니다.
- 원뿔에서 뾰족한 부분의 점을 **원뿔의 꼭짓점**이라 하고, 원뿔의 꼭짓점에서 밑면에 수직인 선분을 그어 잰 길이를 **높이**라고 합니다.
- 원뿔의 꼭짓점과 밑면인 원의 둘레 위의 한 점을 이은 선분을 모선이라고 합니다.

구

과 같은 입체도형을 구라고 합니다.

- 구의 가장 안쪽에 있는 점을 **구의 중심**이라 하고, 구의 중심과 구의 겉면 위의 한 점을 이은 선분을 **구의 반지름**이라고 합니다.

- 구의 반지름은 모두 같습니다.
- 구의 지름은 반지름의 2배입니다.

확인 문제

5 원뿔을 보고 ☐ 안에 알맞은 말을 써넣으세요.

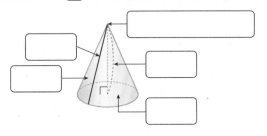

6 한 변을 기준으로 직각삼각형 모양의 종이를 한 바퀴 돌려서 만든 입체도형의 밑면의 지름과 높이를 각각 구해 보세요.

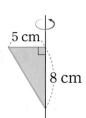

밑면의 지름 (   )
높이 (   )

7 구를 찾아 기호를 써 보세요.

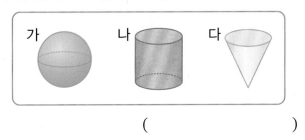

(   )

8 지름을 기준으로 반원 모양의 종이를 한 바퀴 돌렸습니다. 만들어진 입체도형의 반지름은 몇 cm인지 구해 보세요.

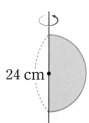

(   )

1-1 한 변을 기준으로 직사각형 모양의 종이 ㉮, ㉯를 한 바퀴 돌렸습니다. 만들어진 두 입체도형의 높이의 차는 몇 cm인지 풀이 과정을 쓰고, 답을 구해 보세요. [8점]

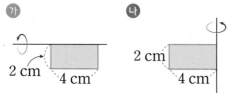

풀이

❶ ㉮는 높이가 ☐ cm인 원기둥이 만들어집니다.

❷ ㉯는 높이가 ☐ cm인 원기둥이 만들어집니다.

❸ (두 입체도형의 높이의 차)

$$= ☐ - ☐ = ☐ \text{(cm)}$$

답

1-2 쌍둥이 한 변을 기준으로 직각삼각형 모양의 종이 ㉮와 직사각형 모양의 종이 ㉯를 한 바퀴 돌렸습니다. 만들어진 두 입체도형의 높이의 합은 몇 cm인지 풀이 과정을 쓰고, 답을 구해 보세요. [12점]

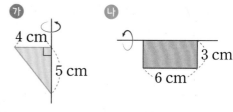

풀이

답

1-3 유사 한 변을 기준으로 직사각형 모양의 종이 ㉮와 직각삼각형 모양의 종이 ㉯를 한 바퀴 돌렸습니다. 만들어진 두 입체도형의 한 밑면의 지름의 합은 몇 cm인지 풀이 과정을 쓰고, 답을 구해 보세요. [15점]

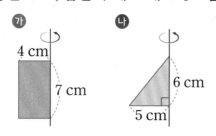

풀이

답

1-4 실전 한 변을 기준으로 직사각형 모양의 종이 ㉮와 직각삼각형 모양의 종이 ㉯를 한 바퀴 돌렸습니다. 만들어진 두 입체도형의 한 밑면의 넓이의 합은 몇 cm²인지 풀이 과정을 쓰고, 답을 구해 보세요.

(원주율: 3) [15점]

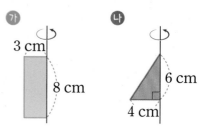

풀이

답

2-1 구를 앞에서 본 모양의 둘레는 몇 cm인지 풀이 과정을 쓰고, 답을 구해 보세요.

(원주율: 3) [8점]

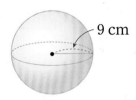

풀이

❶ 구를 앞에서 본 모양은 원이고 원의 반지름의 길이는 ☐ cm입니다.

❷ (둘레) = ☐ × 2 × 3

　= ☐ (cm)

답

2-2 쌍둥이 지름을 기준으로 반원 모양의 종이를 한 바퀴 돌렸습니다. 만들어진 입체도형을 앞에서 본 모양의 둘레는 몇 cm인지 풀이 과정을 쓰고, 답을 구해 보세요.

(원주율: 3) [12점]

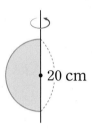

풀이

답

2-3 유사 원기둥을 앞에서 본 모양의 넓이는 몇 cm²인지 풀이 과정을 쓰고, 답을 구해 보세요. [15점]

풀이

답

2-4 실전 원뿔을 앞에서 본 모양의 넓이는 몇 cm²인지 풀이 과정을 쓰고, 답을 구해 보세요. [15점]

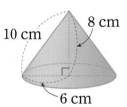

풀이

답

[01~02] 원기둥을 보고 물음에 답해 보세요.

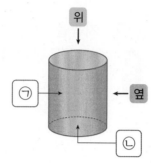

| 원기둥 |

01 ㉠과 ㉡에 알맞은 말을 각각 써 보세요.
하

㉠ (   )

㉡ (   )

| 원기둥 |

02 원기둥을 위, 옆에서 본 모양을 각각 써 보세요.
하

위에서 본 모양 (   )

옆에서 본 모양 (   )

[03~04] 입체도형을 보고 물음에 답해 보세요.

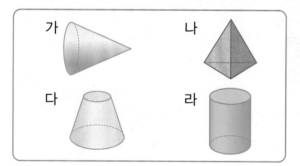

| 원뿔 |

03 원뿔을 찾아 기호를 써 보세요.
하

(   )

| 원뿔 |

04 입체도형 나가 원뿔이 아닌 이유를 한 가지 써 보세요.
하

··

··

| 원기둥의 전개도 |

05 원기둥의 전개도를 바르게 그린 것을 찾아 ○표 하세요.
중

(   ) (   ) (   )

| 구 |

06 구의 지름은 몇 cm인지 구해 보세요.
중

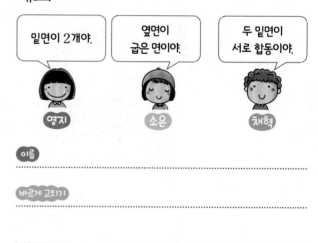

(   )

| 원기둥 |

07 원기둥과 각기둥의 공통점을 잘못 설명한 사람의 이름을 쓰고, 내용을 바르게 고쳐 보세요.
중

| 밑면이 2개야. | 옆면이 굽은 면이야. | 두 밑면이 서로 합동이야. |

영지   소은   채혁

이름
··

바르게 고치기
··

··

| 원뿔 |

08 원뿔에서 모선의 길이와 높이의 합은 몇 cm인지 구해 보세요.
중

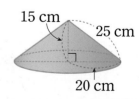

(   )

| 구 |

09 지름을 기준으로 반원 모양의 종이를 한 바퀴 돌렸습니다. ◻ 안에 알맞은 수를 써넣으세요.
중

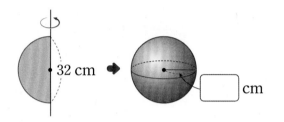

| 원뿔, 구 |

10 다음 입체도형을 위, 앞, 옆에서 본 모양을 각각 써 보세요.
중

입체도형	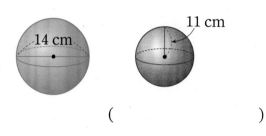	
위에서 본 모양		
앞에서 본 모양		
옆에서 본 모양		

| 원기둥, 원뿔 |

11 원기둥과 원뿔의 공통점을 모두 찾아 기호를 써 보세요.
중

> ㉠ 밑면이 원 모양입니다.
> ㉡ 꼭짓점이 있습니다.
> ㉢ 옆면은 굽은 면입니다.
> ㉣ 밑면이 2개입니다.

(   )

| 구 |

12 두 구의 반지름의 차는 몇 cm인지 구해 보세요.
중

14 cm   11 cm

(   )

| 원기둥의 전개도 |

13 원기둥의 옆면의 가운데에 폭이 3 cm인 색종이를 겹치지 않게 붙이려고 합니다. 필요한 색종이의 넓이는 몇 cm²인지 구해 보세요. (원주율: 3.1)
중

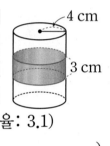

(   )

| 원기둥 | 서술형

14 한 변을 기준으로 직사각형 모양의 종이를 한 바퀴 돌렸습니다. 만들어진 입체도형의 한 밑면의 넓이는 몇 cm²인지 풀이 과정을 쓰고, 답을 구해 보세요. (원주율: 3.14)
중

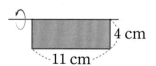

풀이

답

| 원뿔 |

15 한 변을 기준으로 돌려
중 서 오른쪽 원뿔을 만들
수 있는 직각삼각형을
찾아 기호를 써 보세요.

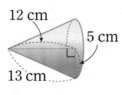

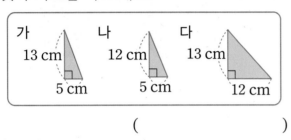

(   )

| 원기둥의 전개도 |

16 원기둥의 전개도를 그
중 렸을 때 옆면의 둘레
는 몇 cm인지 구해 보
세요. (원주율: 3.1)

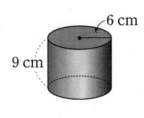

(   )

| 원기둥 |

17 원기둥을 위에서 본 모양은 반지름이 8 cm
중 인 원이고, 앞에서 본 모양은 정사각형입니
다. 이 원기둥의 높이는 몇 cm인지 구해 보
세요.

(   )

| 원기둥의 전개도 |

18 원기둥의 전개도에서 옆면의 넓이가 434 cm²
상 일 때 원기둥의 밑면의 지름은 몇 cm인지
구해 보세요. (원주율: 3.1)

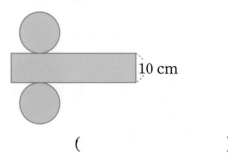

(   )

| 구 | 서술형

19 반지름이 2 cm인 구의
상 겉면에 원을 그리려고
합니다. 그릴 수 있는 원
중에서 가장 큰 원의 넓
이는 몇 cm²인지 풀이 과정을 쓰고, 답을 구
해 보세요. (원주율: 3)

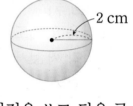

풀이

답

| 원뿔 | 서술형

20 직각삼각형 ㄱㄴㄷ
상 을 변 ㄴㄷ을 기준으
로 한 바퀴 돌려서
만든 입체도형의 밑
면의 둘레는 몇 cm인지 풀이 과정을 쓰고,
답을 구해 보세요. (원주율: 3.1)

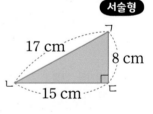

풀이

답

유레카!

아하! 이제 알겠다. 유레카!

유레카? 그게 무슨 말이야?

유레카를 모르니? 무언가를 깨달았을 때 '알겠다!'라는 뜻으로 '유레카!'라고 하는 거야.

아하! 나는 몰랐어. 그 말은 누가 먼저 쓴거야?

Eureka

아르키메데스라는 수학자가 있었는데 왕이 왕관을 새로 만들어 이것이 진짜 순금인지를 알아오라고 했대. 고민을 하던 아르키메데스는 물이 가득 찬 목욕통에 들어가자 목욕통 안의 물이 밖으로 흘러넘치는 것을 보고 벌거벗은 채 목욕통에서 뛰쳐나오며 '유레카'라고 외쳤다고 해.

우와. 아르키메데스는 대단한 수학자였구나.

맞아. 아르키메데스는 우리가 배운 원기둥, 원뿔, 구에 대해서도 연구했었어.

원기둥 안에 꼭 맞게 들어가는 구가 있을 때 구, 원기둥의 부피 사이의 관계는 2 : 3이 된다는 것을 알아냈대. 아르키메데스는 너무 기뻐서 나중에 자신이 죽으면 비석에 이것을 새겨달라고 부탁을 하기도 했다네.

그렇구나. 멋진 수학자다. 비석에까지 수학적인 내용을 적다니! 나중에 내가 죽거든 내 비석에는 '세상에서 제일 잘생긴 아이가 살았었다.'라고 써주렴.

못 말려. 진짜!

수학 6-2

5~6학년군

수학 다잡기

정답 및 풀이

정답 및 풀이

★기약분수 또는 대분수로 나타내지 않아도 정답으로 인정합니다.

개념 확인 문제 9쪽

1 (1) 15 (2) 33

2 $4\frac{2}{3}\left(=\frac{14}{3}\right)$ cm²

3 (1) $\frac{3}{8}$ (2) $\frac{5}{28}$

4 $\frac{3}{20}$ m

풀이

1 (1) $\frac{5}{\underset{1}{9}} \times \overset{3}{27} = 15$

(2) $21 \times 1\frac{4}{7} = \overset{3}{21} \times \frac{11}{\underset{1}{7}} = 33$

2 $2\frac{4}{5} \times 1\frac{2}{3} = \frac{14}{\underset{1}{5}} \times \frac{\overset{1}{5}}{3}$

$= \frac{14}{3} = 4\frac{2}{3}$ (cm²)

3 (1) $3 \div 8 = \frac{3}{8}$

(2) $\frac{5}{7} \div 4 = \frac{5}{7} \times \frac{1}{4} = \frac{5}{28}$

4 (리본 한 도막의 길이)

＝(전체 리본의 길이)÷(도막의 수)

$= \frac{9}{10} \div 6 = \frac{\overset{3}{9}}{10} \times \frac{1}{\underset{2}{6}}$

$= \frac{3}{20}$ (m)

개념 확인 문제 11쪽

1 3번

2 4, 2, 4, 2, 2

3 (1) 5 (2) 3 (3) 2 (4) 7

4 <

풀이

1 $\frac{3}{4}$은 $\frac{1}{4}$이 3개이고, $\frac{1}{4}$은 $\frac{1}{4}$이 1개이므로 $\frac{3}{4}$에는 $\frac{1}{4}$이 3번 들어갑니다.

3 (1) $\frac{5}{6} \div \frac{1}{6} = 5 \div 1 = 5$

(2) $\frac{9}{10} \div \frac{3}{10} = 9 \div 3 = 3$

(3) $\frac{6}{7} \div \frac{3}{7} = 6 \div 3 = 2$

(4) $\frac{14}{17} \div \frac{2}{17} = 14 \div 2 = 7$

4 $\frac{8}{9} \div \frac{4}{9} = 8 \div 4 = 2$, $\frac{10}{11} \div \frac{2}{11} = 10 \div 2 = 5$

➡ $2 < 5$

개념 확인 문제 13쪽

1 7, 4, 4, $\frac{7}{4}$, $1\frac{3}{4}$

2 (1) $1\frac{2}{7}\left(=\frac{9}{7}\right)$ (2) $7\frac{1}{2}\left(=\frac{15}{2}\right)$

3 (○)( )( )

4 $\frac{7}{8}$배

풀이

2 (1) $\frac{9}{10} \div \frac{7}{10} = 9 \div 7 = \frac{9}{7} = 1\frac{2}{7}$

(2) $\frac{15}{17} \div \frac{2}{17} = 15 \div 2 = \frac{15}{2} = 7\frac{1}{2}$

3 $\frac{3}{5} \div \frac{2}{5} = 3 \div 2 = \frac{3}{2} = 1\frac{1}{2}$,

$\frac{8}{13} \div \frac{3}{13} = 8 \div 3 = 2\frac{2}{3}$,

$\frac{11}{15} \div \frac{4}{15} = 11 \div 4 = \frac{11}{4} = 2\frac{3}{4}$

자연수 부분이 가장 작은 것이 $1\frac{1}{2}$이므로 계산 결과가 가장 작은 것은 $\frac{3}{5} \div \frac{2}{5}$입니다.

4 $\frac{7}{9} \div \frac{8}{9} = 7 \div 8 = \frac{7}{8}$(배)

개념 확인 문제 15쪽

1 (1) $\dfrac{1}{5}\div\dfrac{1}{4}=\dfrac{4}{20}\div\dfrac{5}{20}=4\div5=\dfrac{4}{5}$

(2) $\dfrac{5}{8}\div\dfrac{7}{16}=\dfrac{10}{16}\div\dfrac{7}{16}=10\div7=\dfrac{10}{7}=1\dfrac{3}{7}$

2 $1\dfrac{5}{7}$ **3** ㉢

풀이

2 $\dfrac{4}{5}=\dfrac{12}{15}$에서 $\dfrac{7}{15}<\dfrac{4}{5}$이므로 $\dfrac{4}{5}$를 $\dfrac{7}{15}$로 나눕니다.

$\dfrac{4}{5}\div\dfrac{7}{15}=\dfrac{12}{15}\div\dfrac{7}{15}=12\div7=\dfrac{12}{7}=1\dfrac{5}{7}$

3 ㉠ $\dfrac{5}{6}\div\dfrac{4}{7}=\dfrac{35}{42}\div\dfrac{24}{42}=\dfrac{35}{24}=1\dfrac{11}{24}$

㉡ $\dfrac{1}{9}\div\dfrac{2}{3}=\dfrac{1}{9}\div\dfrac{6}{9}=1\div6=\dfrac{1}{6}$

㉢ $\dfrac{3}{4}\div\dfrac{3}{8}=\dfrac{6}{8}\div\dfrac{3}{8}=6\div3=2$

 개념 확인 문제 17쪽

1 9, 72

2 (1) 35   (2) 36   (3) 28   (4) 8

3 4   **4** 6 km

풀이

2 (1) $7\div\dfrac{1}{5}=7\times5=35$

(2) $12\div\dfrac{1}{3}=12\times3=36$

(3) $14\div\dfrac{1}{2}=14\times2=28$

(4) $1\div\dfrac{1}{8}=1\times8=8$

3 $3\div\dfrac{1}{\square}=3\times\square=12$, $3\times4=12$이므로 $\square=4$입니다.

4 $2\div\dfrac{1}{3}=2\times3=6$ (km)

개념 확인 문제 19쪽

1 (1) 8   (2) 20   **2** 12, 28

3 $\dfrac{4}{9}$ **4** 8750원

풀이

1 (1) $6\div\dfrac{3}{4}=(6\div3)\times4$
$=2\times4=8$

(2) $12\div\dfrac{3}{5}=(12\div3)\times5$
$=4\times5=20$

2 $10\div\dfrac{5}{6}=(10\div5)\times6=12$

$8\div\dfrac{2}{7}=(8\div2)\times7=28$

3 $\blacksquare\div\dfrac{\blacktriangle}{\bullet}=(\blacksquare\div\blacktriangle)\times\bullet$임을 이용하여

$\square$ 안에 알맞은 분수를 구하면 $\dfrac{4}{9}$입니다.

➡ $8\div\dfrac{4}{9}=(8\div4)\times9$

4 (딸기 1 kg의 가격)
$=\left(딸기\ \dfrac{4}{7}\ kg의\ 가격\right)\div\dfrac{4}{7}$
$=(5000\div4)\times7=8750$(원)

개념 확인 문제 21쪽

1

2 (1) $1\dfrac{10}{11}\left(=\dfrac{21}{11}\right)$ (2) $\dfrac{3}{4}$

3 16, 16, 16, $5\dfrac{1}{3}$ / $\dfrac{10}{3}$, 16, $5\dfrac{1}{3}$

4 $\dfrac{16}{27}$

정답 및 풀이

 **풀이**

2 (1) $\dfrac{6}{11} \div \dfrac{2}{7} = \dfrac{\overset{3}{\cancel{6}}}{11} \times \dfrac{7}{\underset{1}{\cancel{2}}} = \dfrac{21}{11} = 1\dfrac{10}{11}$

(2) $\dfrac{5}{12} \div \dfrac{5}{9} = \dfrac{\overset{1}{\cancel{5}}}{\underset{4}{\cancel{12}}} \times \dfrac{\overset{3}{\cancel{9}}}{\underset{1}{\cancel{5}}} = \dfrac{3}{4}$

4 어떤 수를 □라고 하면 $\dfrac{4}{9} \div □ = \dfrac{3}{4}$이므로

□$= \dfrac{4}{9} \div \dfrac{3}{4} = \dfrac{4}{9} \times \dfrac{4}{3} = \dfrac{16}{27}$입니다.

 개념 확인 문제   23쪽 ●

1 (1) $1\dfrac{3}{4}\left(=\dfrac{7}{4}\right)$ (2) $7\dfrac{1}{2}\left(=\dfrac{15}{2}\right)$

2 가, $\dfrac{5}{8}$ **3** $6\dfrac{3}{4}$

4 6번

풀이

1 (1) $\dfrac{7}{9} \div \dfrac{4}{9} = \dfrac{7}{\underset{1}{\cancel{9}}} \times \dfrac{\overset{1}{\cancel{9}}}{4} = \dfrac{7}{4} = 1\dfrac{3}{4}$

(2) $8\dfrac{3}{4} \div 1\dfrac{1}{6} = \dfrac{35}{4} \div \dfrac{7}{6}$

$= \dfrac{\overset{5}{\cancel{35}}}{\underset{2}{\cancel{4}}} \times \dfrac{\overset{3}{\cancel{6}}}{\underset{1}{\cancel{7}}} = \dfrac{15}{2} = 7\dfrac{1}{2}$

2 가: $\dfrac{1}{3} \div \dfrac{8}{15} = \dfrac{1}{\underset{1}{\cancel{3}}} \times \dfrac{\overset{5}{\cancel{15}}}{8} = \dfrac{5}{8}$

3 $6\dfrac{4}{5} \div \dfrac{8}{45} = \dfrac{34}{5} \div \dfrac{8}{45}$

$= \dfrac{\overset{17}{\cancel{34}}}{\underset{1}{\cancel{5}}} \times \dfrac{\overset{9}{\cancel{45}}}{\underset{4}{\cancel{8}}} = \dfrac{153}{4}$

□$= \dfrac{153}{4} \div 5\dfrac{2}{3} = \dfrac{153}{4} \div \dfrac{17}{3}$

$= \dfrac{\overset{9}{\cancel{153}}}{4} \times \dfrac{3}{\underset{1}{\cancel{17}}} = \dfrac{27}{4} = 6\dfrac{3}{4}$

---

4 (더 넣어야 하는 물의 양)

$= 6\dfrac{8}{11} - 2\dfrac{1}{11} = 4\dfrac{7}{11}$ (L)

$4\dfrac{7}{11} \div \dfrac{17}{22} = \dfrac{51}{11} \div \dfrac{17}{22} = \dfrac{\overset{3}{\cancel{51}}}{\underset{1}{\cancel{11}}} \times \dfrac{\overset{2}{\cancel{22}}}{\underset{1}{\cancel{17}}} = 6$(번)

문제 해결력 문제   25쪽 ●

1 75 cm

2 $14\dfrac{7}{10}\left(=\dfrac{147}{10}\right)$ m

풀이

1 보라색 공을 떨어뜨린 처음 높이의 $\dfrac{4}{5}$가 80 cm이

므로 공을 떨어뜨린 처음 높이는

$80 \div \dfrac{4}{5} = \overset{20}{\cancel{80}} \times \dfrac{5}{\underset{1}{\cancel{4}}} = 100$ (cm)입니다.

따라서 초록색 공이 튀어 오른 높이는

$\overset{25}{\cancel{100}} \times \dfrac{3}{\underset{1}{\cancel{4}}} = 75$ (cm)입니다.

2 첫 번째 튀어 오른 공의 높이는

$4\dfrac{4}{5} \div \dfrac{4}{7} = \dfrac{\overset{6}{\cancel{24}}}{5} \times \dfrac{7}{\underset{1}{\cancel{4}}} = \dfrac{42}{5} = 8\dfrac{2}{5}$ (m)입니다.

처음 공을 떨어뜨린 때의 높이는

$\dfrac{42}{5} \div \dfrac{4}{7} = \dfrac{\overset{21}{\cancel{42}}}{5} \times \dfrac{7}{\underset{2}{\cancel{4}}} = \dfrac{147}{10} = 14\dfrac{7}{10}$ (m)입니다.

개념÷확인   30~31쪽

1 (1) 3   (2) 2   (3) $1\dfrac{1}{2}\left(=\dfrac{3}{2}\right)$ (4) $3\dfrac{1}{8}\left(=\dfrac{25}{8}\right)$

2 <   **3** 7

4 $1\dfrac{1}{9}\left(=\dfrac{10}{9}\right)$배

5 (1) 30   (2) 21   (3) $1\dfrac{1}{15}\left(=\dfrac{16}{15}\right)$

(4) $1\dfrac{4}{45}\left(=\dfrac{49}{45}\right)$

6 ㉡

7 방법❶ $1\dfrac{5}{6} \div \dfrac{2}{3} = \dfrac{11}{6} \div \dfrac{2}{3} = \dfrac{11}{6} \div \dfrac{4}{6}$

$= 11 \div 4 = \dfrac{11}{4} = 2\dfrac{3}{4}$

방법❷ $1\dfrac{5}{6} \div \dfrac{2}{3} = \dfrac{11}{6} \div \dfrac{2}{3}$

$= \dfrac{11}{\overset{}{\underset{2}{6}}} \times \dfrac{\overset{1}{3}}{2} = \dfrac{11}{4} = 2\dfrac{3}{4}$

8 $6\dfrac{11}{24}\left(=\dfrac{155}{24}\right)$ cm

풀이

1 (1) $\dfrac{3}{8} \div \dfrac{1}{8} = 3 \div 1 = 3$

(2) $\dfrac{8}{15} \div \dfrac{4}{15} = 8 \div 4 = 2$

(3) $\dfrac{6}{7} \div \dfrac{4}{7} = 6 \div 4 = \dfrac{6}{4} = \dfrac{3}{2} = 1\dfrac{1}{2}$

(4) $\dfrac{5}{7} \div \dfrac{8}{35} = \dfrac{25}{35} \div \dfrac{8}{35} = 25 \div 8 = \dfrac{25}{8} = 3\dfrac{1}{8}$

2 $\dfrac{3}{10} \div \dfrac{6}{7} = \dfrac{21}{70} \div \dfrac{60}{70} = 21 \div 60 = \dfrac{\overset{7}{\cancel{21}}}{\underset{20}{\cancel{60}}} = \dfrac{7}{20}$

$\dfrac{4}{9} \div \dfrac{1}{6} = \dfrac{8}{18} \div \dfrac{3}{18} = 8 \div 3 = \dfrac{8}{3} = 2\dfrac{2}{3}$

➡ $\dfrac{7}{20} < 2\dfrac{2}{3}$

3 $\dfrac{35}{41} \div \dfrac{\square}{41} = 35 \div \square$ 이므로 $35 \div \square = 5$에서

$\square = 35 \div 5 = 7$입니다.

4 $\dfrac{5}{6} \div \dfrac{3}{4} = \dfrac{10}{12} \div \dfrac{9}{12} = 10 \div 9 = \dfrac{10}{9} = 1\dfrac{1}{9}$(배)

5 (1) $6 \div \dfrac{1}{5} = 6 \times 5 = 30$

(2) $9 \div \dfrac{3}{7} = (9 \div 3) \times 7 = 3 \times 7 = 21$

(3) $\dfrac{8}{9} \div \dfrac{5}{6} = \dfrac{8}{\underset{3}{9}} \times \dfrac{\overset{2}{6}}{5} = \dfrac{16}{15} = 1\dfrac{1}{15}$

(4) $1\dfrac{2}{5} \div \dfrac{9}{7} = \dfrac{7}{5} \div \dfrac{9}{7} = \dfrac{7}{5} \times \dfrac{7}{9} = \dfrac{49}{45} = 1\dfrac{4}{45}$

6 ㉠ $\dfrac{8}{9} \div \dfrac{4}{5} = \dfrac{8}{9} \times \dfrac{5}{\underset{1}{4}} = \dfrac{10}{9} = 1\dfrac{1}{9}$

㉡ $\dfrac{4}{5} \div \dfrac{3}{8} = \dfrac{4}{5} \times \dfrac{8}{3} = \dfrac{32}{15} = 2\dfrac{2}{15}$

㉢ $1\dfrac{1}{2} \div 1\dfrac{5}{6} = \dfrac{3}{2} \div \dfrac{11}{6} = \dfrac{3}{\underset{1}{2}} \times \dfrac{\overset{3}{6}}{11} = \dfrac{9}{11}$

$2\dfrac{2}{15} > 1\dfrac{1}{9} > \dfrac{9}{11}$이므로 계산 결과가 가장 큰 것은 ㉡입니다.

8 $5\dfrac{1}{6} \div \dfrac{4}{5} = \dfrac{31}{6} \div \dfrac{4}{5} = \dfrac{31}{6} \times \dfrac{5}{4} = \dfrac{155}{24}$

$= 6\dfrac{11}{24}$ (cm)

서술형 문제 해결하기 32~33쪽

1-1 ❶ 45, 3 ❷ 3, 31, 3, 31, 3, 62, 6, 8

/ $6\dfrac{8}{9}\left(=\dfrac{62}{9}\right)$ m²

1-2 예 ❶ 60분이 1시간이므로 80분을 시간으로 나타내면 $\dfrac{80}{60} = \dfrac{4}{3}$(시간)입니다.

❷ 한 시간 동안 $10\dfrac{5}{6} \div \dfrac{4}{3} = \dfrac{65}{6} \div \dfrac{4}{3}$

$= \dfrac{65}{\underset{2}{6}} \times \dfrac{\overset{1}{3}}{4} = \dfrac{65}{8} = 8\dfrac{1}{8}$ (m²)를 일군

셈입니다.

/ $8\dfrac{1}{8}\left(=\dfrac{65}{8}\right)$ m²

1-3 예 ❶ 60분이 1시간이므로 25분을 시간으로 나타내면 $\dfrac{25}{60} = \dfrac{5}{12}$(시간)입니다.

❷ 한 시간 동안 $9\dfrac{1}{8} \div \dfrac{5}{12} = \dfrac{73}{8} \div \dfrac{5}{12}$

$= \dfrac{73}{\underset{2}{8}} \times \dfrac{\overset{3}{12}}{5} = \dfrac{219}{10} = 21\dfrac{9}{10}$ (m²)

를 칠할 수 있습니다.

/ $21\dfrac{9}{10}\left(=\dfrac{219}{10}\right)$ m²

1-4 예 ❶ 현아는 한 시간에 $1\frac{1}{5} \div \frac{20}{60} = \frac{6}{5} \div \frac{1}{3}$

$= \frac{6}{5} \times 3 = \frac{18}{5} = 3\frac{3}{5}$ (km)를 걸을

수 있습니다.

❷ 민주는 한 시간에 $2\frac{1}{5} \div \frac{35}{60}$

$= \frac{11}{5} \div \frac{7}{12} = \frac{11}{5} \times \frac{12}{7} = \frac{132}{35}$

$= 3\frac{27}{35}$ (km)를 걸을 수 있습니다.

❸ $3\frac{3}{5} = 3\frac{21}{35} < 3\frac{27}{35}$ 이므로 민주가 더

빨리 걷습니다.

/ 민주

2-1 ❶ 3, 4, 3, 16   ❷ 16, 16, $\frac{4}{3}$, 64, 1, 19

/ $1\frac{19}{45}\left(=\frac{64}{45}\right)$

2-2 예 ❶ 어떤 수를 □라고 하면 $□ \times \frac{2}{3} = \frac{2}{7}$ 이

므로 $□ = \frac{2}{7} \div \frac{2}{3} = \frac{\overset{1}{2}}{7} \times \frac{3}{\underset{1}{2}} = \frac{3}{7}$ 입니다.

❷ 바르게 계산하면

$\frac{3}{7} \div \frac{2}{3} = \frac{3}{7} \times \frac{3}{2} = \frac{9}{14}$ 입니다.

/ $\frac{9}{14}$

2-3 예 ❶ 어떤 수를 □라고 하면

$□ \times 1\frac{3}{5} = 1\frac{5}{11}$ 이므로

$□ = 1\frac{5}{11} \div 1\frac{3}{5} = \frac{16}{11} \div \frac{8}{5}$

$= \frac{\overset{2}{16}}{11} \times \frac{5}{\underset{1}{8}} = \frac{10}{11}$ 입니다.

❷ 바르게 계산하면

$\frac{10}{11} \div 1\frac{3}{5} = \frac{10}{11} \div \frac{8}{5} = \frac{\overset{5}{10}}{11} \times \frac{5}{\underset{4}{8}} = \frac{25}{44}$

입니다.

/ $\frac{25}{44}$

2-4 예 ❶ 어떤 수를 □라고 하면

$□ \times 1\frac{3}{4} = \frac{7}{9}$ 이므로

$□ = \frac{7}{9} \div 1\frac{3}{4} = \frac{7}{9} \div \frac{7}{4} = \frac{\overset{1}{7}}{9} \times \frac{4}{\underset{1}{7}}$

$= \frac{4}{9}$ 입니다.

❷ 바르게 계산하면

$\frac{4}{9} \div 1\frac{3}{4} = \frac{4}{9} \div \frac{7}{4} = \frac{4}{9} \times \frac{4}{7} = \frac{16}{63}$ 입

니다.

❸ $\frac{16}{63} \div \frac{1}{9} = \frac{16}{\underset{7}{63}} \times \overset{1}{9} = \frac{16}{7} = 2\frac{2}{7}$ 입니

다.

/ $2\frac{2}{7}\left(=\frac{16}{7}\right)$

풀이

1-1	채점 기준	❶ 45분을 시간으로 나타내기	4점
		❷ 한 시간 동안 심을 수 있는 꽃밭의 넓이 구하기	4점

1-2	채점 기준	❶ 80분을 시간으로 나타내기	6점
		❷ 한 시간 동안 일군 밭의 넓이 구하기	6점

1-3	채점 기준	❶ 25분을 시간으로 나타내기	7점
		❷ 한 시간 동안 칠할 수 있는 벽의 넓이 구하기	8점

1-4	채점 기준	❶ 현아가 한 시간에 걸을 수 있는 거리 구하기	6점
		❷ 민주가 한 시간에 걸을 수 있는 거리 구하기	6점
		❸ 더 빨리 걷는 사람 구하기	3점

2-1	채점 기준	❶ 어떤 수 구하기	4점
		❷ 바르게 계산한 값 구하기	4점

2-2	채점 기준	❶ 어떤 수 구하기	6점
		❷ 바르게 계산한 값 구하기	6점

2-3	채점 기준	❶ 어떤 수 구하기	8점
		❷ 바르게 계산한 값 구하기	7점

2-4	채점 기준	❶ 어떤 수 구하기	5점
		❷ 바르게 계산한 값 구하기	5점
		❸ 바르게 계산한 값을 $\frac{1}{9}$로 나눈 값 구하기	5점

단원 평가 34~36쪽

01 (1) 4 (2) 2 (3) 8 (4) 12

02 (1) $\dfrac{6}{8} \times \dfrac{15}{7}$ (2) $\dfrac{8}{15} \times \dfrac{5}{4}$

03 $1\dfrac{1}{14}\left(=\dfrac{15}{14}\right), \dfrac{5}{7}$ **04** $1\dfrac{13}{22}\left(=\dfrac{35}{22}\right)$

05

06 ㉡,

$$4\dfrac{2}{7} \div \dfrac{5}{6} = \dfrac{30}{7} \div \dfrac{5}{6} = \dfrac{\overset{6}{\cancel{30}}}{7} \times \dfrac{6}{\underset{1}{\cancel{5}}} = \dfrac{36}{7} = 5\dfrac{1}{7}$$

07 $1\dfrac{1}{2} \div \dfrac{3}{7} = \dfrac{3}{2} \div \dfrac{3}{7} = \dfrac{21}{14} \div \dfrac{6}{14} = 21 \div 6$

$$= \dfrac{\overset{7}{\cancel{21}}}{\underset{2}{\cancel{6}}} = \dfrac{7}{2} = 3\dfrac{1}{2}$$

08 ㉢, ㉡, ㉠   **09** 9

10 $3\dfrac{1}{7}\left(=\dfrac{22}{7}\right)$ **11** $\dfrac{8}{9}$배

12 5개   **13** 50분

14 $\dfrac{4}{5}$ kg   **15** $2\dfrac{1}{2}\left(=\dfrac{5}{2}\right)$ cm

16 예 ❶ 어떤 수를 □라고 하면

$$\square \times 2\dfrac{2}{5} = 3\dfrac{7}{10} \text{입니다.}$$

$$\square = 3\dfrac{7}{10} \div 2\dfrac{2}{5} = \dfrac{37}{10} \div \dfrac{12}{5} = \dfrac{37}{\underset{2}{\cancel{10}}} \times \dfrac{\overset{1}{\cancel{5}}}{12}$$

$$= \dfrac{37}{24} = 1\dfrac{13}{24}$$

❷ 어떤 수를 $\dfrac{5}{18}$로 나누면

$$1\dfrac{13}{24} \div \dfrac{5}{18} = \dfrac{37}{24} \div \dfrac{5}{18} = \dfrac{37}{\underset{4}{\cancel{24}}} \times \dfrac{\overset{3}{\cancel{18}}}{5}$$

$$= \dfrac{111}{20} = 5\dfrac{11}{20} \text{입니다.}$$

/ $5\dfrac{11}{20}\left(=\dfrac{111}{20}\right)$

17 $13\dfrac{1}{3}\left(=\dfrac{40}{3}\right)$ km

18 예 ❶ $8\dfrac{3}{4} \div 1\dfrac{5}{8} = \dfrac{35}{4} \div \dfrac{13}{8} = \dfrac{35}{\underset{1}{\cancel{4}}} \times \dfrac{\overset{2}{\cancel{8}}}{13}$

$$= \dfrac{70}{13} = 5\dfrac{5}{13}$$

❷ 우유를 $1\dfrac{5}{8}$ L씩 병 5개에 담고 남은 양을 병 1개에 담아야 하므로 병은 적어도 6개가 필요합니다.

/ 6개

19 예 ❶ 몫이 가장 큰 나눗셈식을 만들려면 가장 큰 진분수를 가장 작은 진분수로 나누어야 합니다.

가장 큰 진분수: $\dfrac{5}{6}$, 가장 작은 진분수: $\dfrac{4}{9}$

❷ $\dfrac{5}{6} \div \dfrac{4}{9} = \dfrac{15}{18} \div \dfrac{8}{18} = 15 \div 8 = \dfrac{15}{8} = 1\dfrac{7}{8}$

/ $1\dfrac{7}{8}\left(=\dfrac{15}{8}\right)$

20 (1) 10개   (2) 5개

풀이

01 (1) $\dfrac{4}{5} \div \dfrac{1}{5} = 4 \div 1 = 4$

(2) $\dfrac{3}{4} \div \dfrac{3}{8} = \dfrac{6}{8} \div \dfrac{3}{8} = 6 \div 3 = 2$

(3) $6 \div \dfrac{3}{4} = (6 \div 3) \times 4 = 8$

(4) $8 \div \dfrac{2}{3} = (8 \div 2) \times 3 = 12$

02 나눗셈을 곱셈으로 바꾸고 나누는 수의 분모와 분자를 바꿉니다.

참고 (분수)÷(분수)는 나누는 분수의 분모와 분자를 바꾸어 (분수)×(분수)로 계산합니다.

03 $\dfrac{6}{7} \div \dfrac{4}{5} = \dfrac{\overset{3}{\cancel{6}}}{7} \times \dfrac{5}{\underset{2}{\cancel{4}}} = \dfrac{15}{14} = 1\dfrac{1}{14}$,

$$\dfrac{15}{14} \div 1\dfrac{1}{2} = \dfrac{15}{14} \div \dfrac{3}{2} = \dfrac{\overset{5}{\cancel{15}}}{\underset{7}{\cancel{14}}} \times \dfrac{\overset{1}{\cancel{2}}}{\underset{1}{\cancel{3}}} = \dfrac{5}{7}$$

04 $2\dfrac{1}{3}>1\dfrac{7}{15}$이므로 $2\dfrac{1}{3}$을 $1\dfrac{7}{15}$로 나눕니다.

$2\dfrac{1}{3} \div 1\dfrac{7}{15} = \dfrac{7}{3} \div \dfrac{22}{15}$

$\qquad\qquad = \dfrac{7}{\overset{}{\underset{1}{3}}} \times \dfrac{\overset{5}{15}}{22}$

$\qquad\qquad = \dfrac{35}{22} = 1\dfrac{13}{22}$

05 $12 \div \dfrac{3}{4} = (12 \div 3) \times 4 = 16$,

$8 \div \dfrac{1}{6} = 8 \times 6 = 48$

$10 \div \dfrac{5}{8} = (10 \div 5) \times 8 = 16$,

$9 \div \dfrac{3}{5} = (9 \div 3) \times 5 = 15$,

$18 \div \dfrac{3}{8} = (18 \div 3) \times 8 = 48$

08 ㉠ $2\dfrac{1}{4} \div \dfrac{3}{4} = \dfrac{9}{4} \div \dfrac{3}{4}$

$\qquad\qquad = 9 \div 3 = 3$

㉡ $1\dfrac{3}{4} \div \dfrac{3}{10} = \dfrac{7}{4} \div \dfrac{3}{10} = \dfrac{35}{20} \div \dfrac{6}{20}$

$\qquad\qquad = 35 \div 6 = \dfrac{35}{6} = 5\dfrac{5}{6}$

㉢ $1\dfrac{1}{4} \div \dfrac{1}{5} = \dfrac{5}{4} \div \dfrac{1}{5} = \dfrac{5}{4} \times 5 = \dfrac{25}{4} = 6\dfrac{1}{4}$

➡ $6\dfrac{1}{4} > 5\dfrac{5}{6} > 3$

09 $\dfrac{\square}{17} \div \dfrac{3}{17} = \square \div 3$이므로 $\square \div 3 = 3$에서

$\square = 3 \times 3 = 9$입니다.

10 $\square = 2\dfrac{3}{4} \div \dfrac{7}{8} = \dfrac{11}{4} \div \dfrac{7}{8}$

$\qquad = \dfrac{11}{\overset{}{\underset{1}{4}}} \times \dfrac{\overset{2}{8}}{7} = \dfrac{22}{7} = 3\dfrac{1}{7}$

11 $\dfrac{8}{15} \div \dfrac{3}{5} = \dfrac{8}{15} \div \dfrac{9}{15}$

$\qquad\qquad = 8 \div 9 = \dfrac{8}{9}$(배)

12 $\dfrac{3}{5} \div \dfrac{13}{20} = \dfrac{3}{\overset{}{\underset{1}{5}}} \times \dfrac{\overset{4}{20}}{13} = \dfrac{12}{13}$,

$\dfrac{7}{8} \div \dfrac{1}{6} = \dfrac{7}{\overset{}{\underset{4}{8}}} \times \overset{3}{6} = \dfrac{21}{4} = 5\dfrac{1}{4}$

$\dfrac{12}{13} < \square < 5\dfrac{1}{4}$이므로 $\square$ 안에 들어갈 수 있는 자연수는 1, 2, 3, 4, 5의 5개입니다.

13 $10 \div \dfrac{1}{5} = 10 \times 5 = 50$(분)

14 $\dfrac{9}{10} \div \dfrac{9}{8} = \dfrac{\overset{1}{9}}{\underset{5}{10}} \times \dfrac{\overset{4}{8}}{\underset{1}{9}} = \dfrac{4}{5}$ (kg)

15 (높이)$= 2\dfrac{7}{24} \times 2 \div 1\dfrac{5}{6} = \dfrac{55}{24} \times 2 \div \dfrac{11}{6}$

$\qquad = \dfrac{\overset{5}{55}}{\underset{\underset{2}{4}}{24}} \times \overset{1}{2} \times \dfrac{\overset{1}{6}}{\underset{1}{11}} = \dfrac{5}{2} = 2\dfrac{1}{2}$ (cm)

16

채점기준	❶ 어떤 수 구하기	3점
	❷ 어떤 수를 $\dfrac{5}{18}$로 나눈 값 구하기	2점

17 $8\dfrac{1}{3} \div \dfrac{5}{8} = \dfrac{25}{3} \div \dfrac{5}{8} = \dfrac{\overset{5}{25}}{3} \times \dfrac{8}{\underset{1}{5}}$

$\qquad = \dfrac{40}{3} = 13\dfrac{1}{3}$ (km)

18

채점기준	❶ $8\dfrac{3}{4} \div 1\dfrac{5}{8}$의 값 구하기	3점
	❷ 병은 적어도 몇 개가 필요한지 구하기	2점

19

채점기준	❶ 가장 큰 진분수와 가장 작은 진분수 구하기	2점
	❷ 가장 큰 몫 구하기	3점

20 (1) $4 \div \dfrac{2}{5} = (4 \div 2) \times 5 = 10$(개)

(2) $6\dfrac{2}{3} \div 1\dfrac{1}{3} = \dfrac{20}{3} \div \dfrac{4}{3}$

$\qquad\qquad = 20 \div 4 = 5$(개)

② 공간과 입체

개념 확인 문제   41쪽

1 4개

2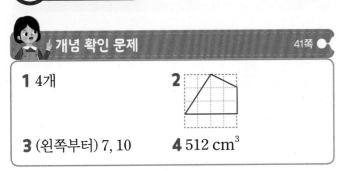

3 (왼쪽부터) 7, 10   **4** 512 cm³

풀이

1 쌓기나무가 1층에 3개, 2층에 1개 있으므로
3＋1＝4(개) 필요합니다.

2 도형을 시계 방향으로 90°만큼 돌리면 도형의 위
쪽 → 오른쪽, 오른쪽 → 아래쪽, 아래쪽 → 왼쪽, 왼
쪽 → 위쪽으로 바뀝니다.

3 직육면체에서 마주 보는 모서리는 길이가 같습니다.

4 (정육면체의 부피)
＝(한 모서리의 길이)×(한 모서리의 길이)
   ×(한 모서리의 길이)
＝8×8×8＝512 (cm³)

개념 확인 문제   43쪽

1 ㉡   **2** ㉢
3 나

풀이

1 가 방향에서 보면 물건들의 윗면이 보이므로 가 방
향에서 본 모양은 ㉡입니다.

2 다 방향에서 보면 상자가 앞에, 고깔이 뒤에 있으므
로 다 방향에서 본 모양은 ㉢입니다.

3 나 방향에서 보았을 때 상자 모양의 물건이 가장 뒤
에 보입니다.

개념 확인 문제   45쪽

1    **2** (예)

3

풀이

1 쌓기나무로 쌓은 모양을 보고 위에서 본 모양을 찾
습니다.

  [참고] 위에서 본 모양을 보면 쌓은 모양의 뒤쪽에 숨겨진
    쌓기나무가 있는지 없는지 쉽게 알 수 있습니다.

2 뒤에 숨겨진 쌓기나무를 찾아 위에서 본 모양을 그
립니다.

  [주의] 쌓기나무 8개로 쌓은 모양이므로 뒤쪽에 숨겨진 쌓
    기나무가 1개 있습니다.

3 뒤에 숨겨진 쌓기나무가 없으므로 위에서 본 모양을
그립니다.

개념 확인 문제   47쪽

1 (예) 앞에서 본 모양   옆에서 본 모양

2 9개   **3** 11개

풀이

1 앞에서 본 모양은 왼쪽부터 2층, 2층이고,
옆에서 본 모양은 왼쪽부터 2층, 2층, 1층입니다.

2 쌓기나무로 쌓은 모양은 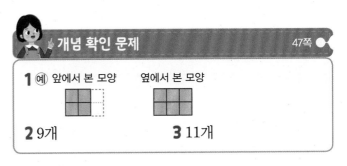이므로 필요한 쌓기

나무는 9개입니다.

3 쌀기나무로 쌓은 모양은 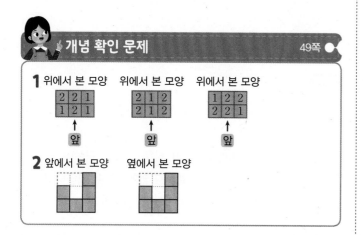 이므로 필요한 쌓기나무는 11개입니다.

개념 확인 문제 49쪽

1 위에서 본 모양　위에서 본 모양　위에서 본 모양

2 앞에서 본 모양　옆에서 본 모양

풀이

1 각 자리에 쌓인 쌓기나무의 개수를 세어 위에서 본 모양에 써넣습니다.

　참고　뒤에 숨겨진 쌓기나무가 있는 경우 몇 개가 숨겨져 있는지 잘 살펴봅니다.

2 앞, 옆에서 볼 때 각각 가장 큰 수가 적힌 자리가 보이는 면의 수와 같으므로 가장 큰 수만큼 그립니다.

개념 확인 문제 51쪽

1 2층　3층　　**2** 13개

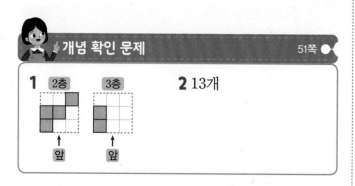

풀이

1 1층 모양을 보고 2층과 3층에 놓인 자리를 찾아 각각 그립니다.

2 필요한 쌓기나무는 1층에 6개, 2층에 5개, 3층에 2개로 모두 13개입니다.

개념 확인 문제 53쪽

1 가, 나

2 1층　2층

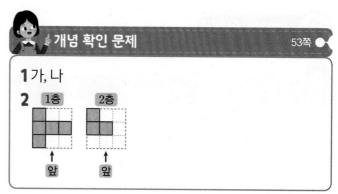

풀이

1 주어진 모양에 쌓기나무 1개를 더 붙여서 만들 수 있는 모양은 가, 나입니다.

2 다 모양에 가 모양을 세워서 돌린 후 붙이면 주어진 모양이 됩니다.
1층 모양은 위에서 본 모양과 같습니다.

문제 해결력 문제 55쪽

1 앞　위　오른쪽 , 34

2 앞　위　오른쪽 , 30

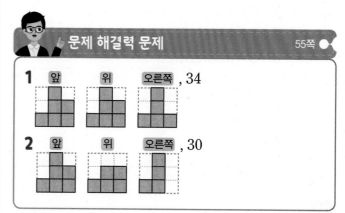

풀이

1 앞과 뒤, 위와 아래에서 본 모양의 넓이는 각각 $6\,\text{cm}^2$이고, 오른쪽과 왼쪽에서 본 모양의 넓이는 각각 $5\,\text{cm}^2$입니다.
　➡ (색칠한 부분의 넓이)
　　$=6+6+6+6+5+5=34\,(\text{cm}^2)$

2 앞과 뒤에서 본 모양의 넓이는 각각 $6\,\text{cm}^2$, 위와 아래에서 본 모양의 넓이는 각각 $5\,\text{cm}^2$, 오른쪽과 왼쪽에서 본 모양의 넓이는 각각 $4\,\text{cm}^2$입니다.
　➡ (색칠한 부분의 넓이)
　　$=6+6+5+5+4+4=30\,(\text{cm}^2)$

1 나

2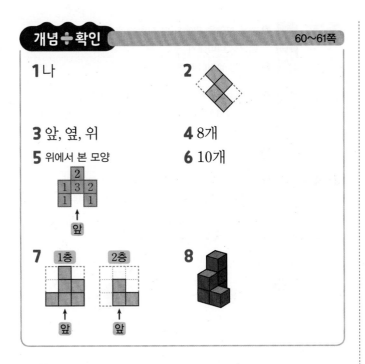

3 앞, 옆, 위

4 8개

5 위에서 본 모양

<table>
<tr><td></td><td>2</td><td></td></tr>
<tr><td>1</td><td>3</td><td>2</td><td>1</td></tr>
<tr><td>1</td><td></td><td>1</td></tr>
</table>
↑
앞

6 10개

7 1층 / 2층
↑ 앞   ↑ 앞

8

풀이

1 그릇의 윗면이 보이므로 나 방향에서 찍은 사진입니다.

2 쌓은 모양을 보고 뒤에 숨겨진 쌓기나무가 있는지 살펴보고 위에서 본 모양을 그립니다.

  참고 쌓기나무 7개로 쌓은 모양이므로 뒤에 숨겨진 쌓기나무가 없습니다.

3 위에서 본 모양: 1층에 놓인 모양과 같습니다.

앞에서 본 모양:

왼쪽부터 1층, 2층, 3층으로 보입니다.

옆에서 본 모양: 왼쪽부터 3층, 2층으로 보입니다.

4 필요한 쌓기나무는 1층에 4개, 2층에 3개, 3층에 1개로 모두 8개입니다.

5 위에서 본 모양은 1층에 놓인 모양과 같습니다.

각 자리에 쌓인 쌓기나무의 개수만큼 위에서 본 모양의 빈 자리에 수를 씁니다.

6 필요한 쌓기나무의 개수는 위에서 본 모양의 각 자리에 써넣은 수의 합과 같습니다.

➡ $2+1+3+2+1+1=10$(개)

7 1층 모양은 위에서 본 모양과 같습니다.

2층 모양은 1층 모양 위에 놓인 쌓기나무를 보고 2층 모양을 그립니다.

  주의 2층 모양을 그릴 때에는 색칠된 칸이 1층 모양 위에 놓이도록 그려야 함에 주의합니다.

8 파란색 쌓기나무 모양을 세우고 빨간색 쌓기나무 모양을 옆에 붙여서 새로운 모양을 만들었습니다.

1-1 ❶ 6   ❷ 5, 2, 13

/ 13개

1-2 예 ❶ 위에서 본 모양에서 1층에 놓인 쌓기나무는 6개입니다.

❷ 2층에 놓인 쌓기나무는 4개, 3층에 놓인 쌓기나무는 1개이므로 필요한 쌓기나무는 모두 $6+4+1=11$(개)입니다.

/ 11개

1-3 예 ❶ 주어진 모양과 똑같은 모양으로 쌓는 데 필요한 쌓기나무는 1층에 5개, 2층에 5개, 3층에 1개이므로 모두 $5+5+1=11$(개)입니다.

❷ 똑같은 모양으로 쌓고 남은 쌓기나무는 $15-11=4$(개)입니다.

/ 4개

1-4 예 ❶ 쌓기나무를 더 쌓아 가장 작은 정육면체 모양을 만들려면 한 층에 9개씩 쌓아야 하므로 필요한 쌓기나무는 모두 $9+9+9=27$(개)입니다.

❷ 주어진 모양과 똑같은 모양으로 쌓는 데 필요한 쌓기나무는 1층에 6개, 2층에 5개, 3층에 2개로 모두 $6+5+2=13$(개)이므로 더 필요한 쌓기나무는 $27-13=14$(개)입니다.

/ 14개

2-1 ❶
<table>
<tr><td></td><td>1</td><td>1</td></tr>
<tr><td></td><td>2</td><td>2</td></tr>
</table>
    ❷ 6

/ 6개

정답 및 풀이

2-2 예 ❶ 쌓은 모양을 위에서 본 모양에 수를 쓰는 방법으로 나타내면 │1│3│1│1│ 입니다.

❷ 똑같은 모양으로 쌓는 데 필요한 쌓기나무는 모두 $1+3+1+1+1=7$(개) 입니다.

/ 7개

2-3 예 ❶ 쌓기나무를 최대로 많이 사용하여 쌓은 모양을 위에서 본 모양에 수를 쓰는 방법으로 나타내면 │1│2│2│3│2│3│ 입니다.

❷ 똑같은 모양으로 쌓는 데 필요한 쌓기나무는 최대 $1+2+2+3+2+3=13$(개)입니다.

/ 13개

2-4 예 ❶ 쌓기나무를 가장 적게 사용하여 쌓은 모양을 위에서 본 모양에 수를 쓰는 방법으로 나타내면 │1│1│2│2│1│3│ 입니다.

❷ 앞과 옆에서 본 모양이 변하지 않도록 쌓기나무를 더 쌓는다면 ㉠과 ㉡ 자리에 1개씩 더 쌓을 수 있으므로 모두 2개까지 더 쌓을 수 있습니다.

위에서 본 모양

/ 2개

풀이

1-1	채점 기준	❶ 1층에 놓인 쌓기나무의 개수 구하기	3점
		❷ 필요한 쌓기나무의 개수 구하기	5점
1-2	채점 기준	❶ 1층에 놓인 쌓기나무의 개수 구하기	4점
		❷ 필요한 쌓기나무의 개수 구하기	8점
1-3	채점 기준	❶ 주어진 모양과 똑같은 모양으로 쌓는 데 필요한 쌓기나무의 개수 구하기	10점
		❷ 남은 쌓기나무의 개수 구하기	5점
1-4	채점 기준	❶ 가장 작은 정육면체 모양으로 쌓는 데 필요한 쌓기나무의 개수 구하기	10점
		❷ 더 필요한 쌓기나무의 개수 구하기	5점
2-1	채점 기준	❶ 쌓은 모양을 위에서 본 모양에 수를 쓰는 방법으로 나타내기	4점
		❷ 필요한 쌓기나무의 개수 구하기	4점
2-2	채점 기준	❶ 쌓은 모양을 위에서 본 모양에 수를 쓰는 방법으로 나타내기	8점
		❷ 필요한 쌓기나무의 개수 구하기	4점
2-3	채점 기준	❶ 쌓기나무를 최대로 많이 사용하여 쌓은 모양을 위에서 본 모양에 수를 쓰는 방법으로 나타내기	10점
		❷ 필요한 쌓기나무의 최대 개수 구하기	5점
2-4	채점 기준	❶ 쌓기나무를 가장 적게 사용하여 쌓은 모양을 위에서 본 모양에 수를 쓰는 방법으로 나타내기	8점
		❷ 더 쌓을 수 있는 쌓기나무의 개수 구하기	7점

참고 │1│2│1│ │1│2│3│ 과 같이 나타내면 위에서 본 모양 에서 ㉠과 ㉡ 자리에 1개씩 더 쌓을 수 있습니다.

단원 평가 64~66쪽

01 ㉡

02 앞에서 본 모양 옆에서 본 모양

03 (○) (　)

04 위에서 본 모양

05 11개 **06** ㉢

07 옆, 앞 **08** ㉢

09 가 **10** 나

11 12개 **12** 13개

13 예 ❶ 위에서 본 모양은 1층 모양과 같습니다.

❷ 3층의 자리에 3을 쓰고, 남은 2층의 자리에 2를 쓴 후 남은 자리에 1을 써넣습니다.

/ 위에서 본 모양

14 10개 **15** ㉣

16 2(1), 3, 1, 1(2), 1, 3

17 예 ❶ 쌓기나무를 더 쌓을 수 있는 자리는 ㉠ 또는 ㉣에 2층까지, ㉢과 ㉤에 3층까지 더 쌓을 수 있습니다.

❷ 쌓기나무를 $1+2+2=5$(개)까지 더 쌓을 수 있습니다.

/ 5개

18 　　　　　**19** 8가지

20 예 ❶ 위에서 본 모양에서 1층에는 쌓기나무가 3개 있습니다.

8개의 쌓기나무로 쌓은 것이므로 2층과 3층에는 5개가 있어야 하고, 2층에 3개, 3층에 2개가 있어야 합니다.

❷ 쌓은 모양을 위에서 본 모양에 수를 쓰는 방법으로 나타내면 다음과 같습니다.

`3 3 2`, `3 2 3`, `2 3 3` ➜ 3가지

/ 3가지

풀이

01 주어진 사진은 시계를 옆에서 본 그림이므로 ㉡에서 찍은 것입니다.

02 앞에서 본 모양은 왼쪽부터 3층, 1층, 1층이고 옆에서 본 모양은 왼쪽부터 1층, 3층, 2층입니다.

03

04 쌓은 모양을 위에서 본 모양은 1층에 놓인 모양과 같습니다.

보이는 자리에 놓인 쌓기나무 개수부터 쓰고, 남은 자리에 놓인 쌓기나무의 개수를 씁니다.

05 $3+3+2+1+1+1=11$(개)

06 ㉠ 쌓은 모양의 뒤쪽에 숨겨진 쌓기나무가 있는 경우입니다.

㉡ 쌓은 모양의 뒤쪽에 숨겨진 쌓기나무가 없는 경우입니다.

07 앞에서 본 모양은 왼쪽부터 2층, 3층, 2층이고 옆에서 본 모양은 왼쪽부터 2층, 2층, 3층입니다.

08 나에서 보면 왼쪽에 컵이 1개 있고 오른쪽에는 컵 2개가 겹쳐 보입니다.

09 ㉡은 위에서 본 그림이므로 가에서 찍은 사진입니다.

10 위, 앞, 옆에서 본 모양대로 쌓은 모양은 나입니다.

참고 위에서 본 모양대로 쌓은 모양을 먼저 찾은 후 앞, 옆에서 본 모양대로 쌓았는지 확인합니다.

11 $6+4+2=12$(개)

12 1층에 6개, 2층에 4개, 3층에 3개가 놓여 있으므로 필요한 쌓기나무는 모두 $6+4+3=13$(개)입니다.

13

채점 기준		
❶ 위에서 본 모양은 1층 모양과 같음을 알기	2점
❷ 2층과 3층에 놓인 자리를 찾아 1층 모양에 써넣기	3점

14 앞에서 본 모양에서 ㉢=1이고 옆에서 본 모양에서 ㉤, ㉥은 각각 1이므로 ㉡=2, ㉣=2, ㉠=3입니다.

따라서 필요한 쌓기나무는 $3+2+1+2+1+1=10$(개)입니다.

15 주어진 그림은 ㉣에서 본 그림과 같으므로 혜진이가 있는 곳은 ㉣입니다.

16 앞에서 본 모양에서 ㉥=3이고, 옆에서 본 모양에서 ㉢=1이므로 ㉡=3, ㉤=1이고, ㉠과 ㉣ 중 하나는 1 또는 2입니다.

17

채점 기준		
❶ 쌓기나무를 더 쌓을 수 있는 자리 찾기	3점
❷ 더 쌓을 수 있는 쌓기나무의 개수 구하기	2점

18 효진이가 쌓은 모양에 쌓기나무 2개를 더 쌓아 은찬이가 쌓은 모양이 되려면 뒤에 숨겨진 쌓기나무가 2개 더 있어야 합니다.

19 ➜ 8가지

20

채점 기준		
❶ 각 층에 쌓아야 할 쌓기나무의 개수 구하기	2점
❷ 만들 수 있는 모양은 몇 가지인지 구하기	3점

③ 소수의 나눗셈

개념 확인 문제　　　　71쪽

1 187, 18.7
2 276, 276, 92, 0.92
3 (1) 0.45　(2) 2.02
4 (1) >　(2) <

풀이

1 나누어지는 수가 $\frac{1}{10}$배가 되면 몫도 $\frac{1}{10}$배가 됩니다.

$$374÷2=187 \rightarrow 37.4÷2=18.7$$

2 소수 두 자리 수를 분모가 100인 분수로 고쳐서 분수의 나눗셈으로 계산합니다.

3 (1)
```
    0.4 5
8)3.6 0
    3 2
      4 0
      4 0
        0
```
(2)
```
    2.0 2
7)1 4.1 4
  1 4
      1 4
      1 4
        0
```

4 (1) 10.81÷23=0.47, 21.6÷48=0.45
　→ 0.47>0.45
(2) 11.33÷11=1.03, 9÷5=1.8
　→ 1.03<1.8

개념 확인 문제　　　　73쪽

1 (1)
（0 ～ 1 막대 그림）
(2) 2
2 455, 5, 455, 5, 91
3 (1) 68　(2) 27

풀이

1 (1) 0.8을 0.4씩 묶으면 2묶음이 됩니다.
(2) 0.4만큼씩 나누어 보면 0.8에 0.4가 2번 들어가므로 0.8÷0.4=2입니다.

2 45.5와 0.5를 분모가 10인 분수로 고쳐서 분모가 같은 분수의 나눗셈으로 계산합니다.

3 (1) 61.2÷0.9=612÷9=68
(2) 32.4÷1.2=324÷12=27

개념 확인 문제　　　　75쪽

1 161, 7, 161, 7, 23
2 100, 11, 65
3 (1) 36　(2) 19
4 11도막

풀이

1 두 소수를 분모가 100인 분수로 고쳐서 분모가 같은 분수의 나눗셈을 계산합니다.

2 두 소수를 각각 100배 하여 자연수로 고쳐서 자연수의 나눗셈을 계산합니다.

3 (1) 1.08÷0.03=108÷3=36
(2) 5.13÷0.27=513÷27=19

4 (자른 도막의 수)
=(전체 털실의 길이)÷(자르는 털실의 길이)
=4.62÷0.42
=462÷42=11(도막)

1

```
          1 6      / 16
   0.2)3.2
         2
        1 2
        1 2
          0
```

2 (1) 12　(2) 14

3 47

풀이

1 0.2와 3.2의 소수점을 똑같이 오른쪽으로 한 자리 옮겨서 계산합니다.

2 (1)
```
          1 2
   0.6)7.2
         6
        1 2
        1 2
          0
```
(2)
```
            1 4
  0.33)4.62
         3 3
        1 3 2
        1 3 2
            0
```

3
```
           4 7
  0.14)6.58
         5 6
         9 8
         9 8
           0
```

1
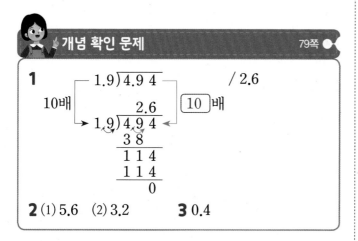

2 (1) 5.6　(2) 3.2　**3** 0.4

풀이

1 1.9를 19로 만들기 위해 10배 하고, 4.94도 10배 하여 49.4로 만들어 49.4÷19를 계산합니다. 이때 옮긴 소수점의 위치에 맞추어 몫의 소수점을 찍습니다.

2 (1)
```
           5.6
  0.2)1.1 2
       1 0
         1 2
         1 2
           0
```
(2)
```
           3.2
  1.3)4.1 6
       3 9
         2 6
         2 6
           0
```

3
```
            0.4
  7.6)3.0 4
       3 0 4
           0
```

1
```
          16    / 16
  25)4 0 0
      2 5
      1 5 0
      1 5 0
          0
```

2 (1) 25　(2) 12

3 20개

풀이

1 두 수를 각각 100배 하여 계산합니다.

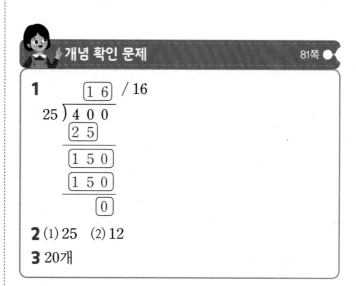

2 (1)
```
           2 5
  0.4)1 0.0
       8
       2 0
       2 0
         0
```
(2)
```
            1 2
  0.75)9.0 0
        7 5
        1 5 0
        1 5 0
            0
```

3 (만들 수 있는 쿠키 수)
　＝170÷8.5
　＝1700÷85＝20(개)

개념 확인 문제 83쪽

1 7.83   **2** 4.8
3 <   **4** 2.31 kg

풀이

1 $4.7 \div 0.6 = 7.833\cdots$

소수 둘째 자리 숫자가 3이므로 반올림하여 소수 둘째 자리까지 나타내면 7.83입니다.

2 $5.27 \div 1.1 = 4.79\cdots \rightarrow 4.8$

소수 둘째 자리 숫자가 9이므로 반올림하여 소수 첫째 자리까지 나타내면 4.8입니다.

3
```
      0.2 1 5
  13)2.8
      2 6
        2 0
        1 3
          7 0
          6 5
            5
```

$\rightarrow 2.8 \div 13 = 0.215\cdots$

몫을 반올림하여 소수 첫째 자리까지 나타내면 0.2이고 소수 둘째 자리까지 나타내면 0.22입니다.

$\rightarrow 0.2 < 0.22$

4 $34.6 \div 15 = 2.306\cdots$

소수 셋째 자리 숫자가 6이므로 반올림하여 소수 둘째 자리까지 나타내면 2.31이므로 하루에 먹은 쌀은 2.31 kg입니다.

개념 확인 문제 85쪽

1 0.4 / 4, 0.4, 2.4
2
```
       5
  0.7)3.8
     3 5
     0.3
```
/ 5봉지, 0.3 kg

/ $0.7 \times 5 + 0.3 = 3.8$ (kg)

풀이

1 나머지에서 소수점을 나누어지는 수와 같은 위치로 찍어 주면 남는 양이 됩니다.

확인 (처음 우유의 양)
  = (한 병에 담는 우유의 양) × (병의 수)
   + (남는 우유의 양)
  = $0.5 \times 4 + 0.4 = 2.4$ (L)

2 봉지의 수는 소수가 아닌 자연수이므로 몫을 자연수까지만 구해야 합니다.

```
        5  → 담을 수 있는 봉지의 수
  0.7)3.8
     3 5
     0.3  → 남는 콩의 무게
```

확인 (처음 콩의 무게)
  = (한 봉지에 담을 수 있는 콩의 무게) × (봉지 수)
   + (남는 콩의 무게)
  = $0.7 \times 5 + 0.3 = 3.8$ (kg)

문제 해결력 문제 87쪽

1 (1) 0.23 kg   (2) 5개
2 (1) 1.3 kg   (2) 0.25 kg

풀이

1 (1) (구슬 2개의 무게)
   = (구슬 6개가 든 상자의 무게)
    − (구슬 4개가 든 상자의 무게)
   = $1.73 - 1.27 = 0.46$ (kg)
  (구슬 1개의 무게) = $0.46 \div 2 = 0.23$ (kg)
  (2) (구슬 4개의 무게) = $0.23 \times 4 = 0.92$ (kg)
  (빈 상자의 무게)
   = (구슬 4개를 담은 상자의 무게)
    − (구슬 4개의 무게)
   = $1.27 - 0.92 = 0.35$ (kg)

1.5−0.35=1.15이고 1.15÷0.23=5이므로 빈 상자에 구슬 5개를 담으면 무게가 1.5 kg입니다.

2 (1) (두 비커의 무게의 차)
=3.63−1.55=2.08 (kg)
(두 비커의 들이의 차)=2.6−1=1.6 (L)
(액체 1 L의 무게)
=(두 비커의 무게의 차)÷(두 비커의 들이의 차)
=2.08÷1.6=1.3 (kg)
(2) (빈 비커의 무게)=1.55−1.3=0.25 (kg)

개념÷확인 92~93쪽

1
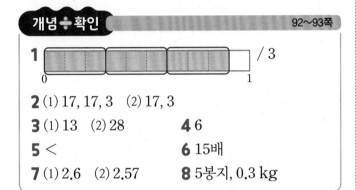
/ 3

2 (1) 17, 17, 3 (2) 17, 3
3 (1) 13 (2) 28   **4** 6
5 <   **6** 15배
7 (1) 2.6 (2) 2.57   **8** 5봉지, 0.3 kg

풀이

1 0.3만큼씩 나누어 보면 0.9에 0.3이 3번 들어가므로 0.9÷0.3=3입니다.

2 (1) 두 소수를 각각 분모가 100인 분수로 고쳐서 분수의 나눗셈으로 계산합니다.
(2) 두 소수를 각각 100배 하여 자연수로 고쳐서 자연수의 나눗셈으로 계산합니다.

3 (1)
```
          1 3
   0.8)1 0.4
        8
        2 4
        2 4
          0
```
(2)
```
            2 8
   0.21)5.8 8
          4 2
          1 6 8
          1 6 8
              0
```

4 25.8>8.6>4.3이므로 가장 큰 수는 25.8이고 가장 작은 수는 4.3입니다.
➡ 25.8÷4.3=258÷43=6

5
```
        2.5
  1.9)4.7 5
      3 8
        9 5
        9 5
          0
```
```
        2.7
  2.3)6.2 1
      4 6
      1 6 1
      1 6 1
          0
```
➡ 2.5<2.7

6 (빨간색 테이프의 길이)÷(파란색 테이프의 길이)
=48÷3.2=15(배)

7 (1) 7.7÷3=2.56… ➡ 2.6
└올림합니다.
(2) 7.7÷3=2.566… ➡ 2.57
└올림합니다.

8
```
          5  → 담을 수 있는 봉지 수
   0.7)3.8
       3 5
       0.3  → 남는 모래의 무게
```
따라서 담을 수 있는 봉지는 5봉지이고, 남는 모래는 0.3 kg입니다.

서술형 문제 해결하기 94~95쪽

1-1 ❶ 3 ❷ 3, 1, 2, 2
/ 2개

1-2 〈예〉 ❶ 3.15÷0.45=7
❷ 7>■이므로 ■에 들어갈 수 있는 자연수는 1, 2, 3, 4, 5, 6으로 모두 6개입니다.
/ 6개

1-3 〈예〉 ❶ 1.38÷0.3=4.6
❷ 4.6<■이므로 ■에 들어갈 수 있는 가장 작은 자연수는 5입니다.
/ 5

1-4 〈예〉 ❶ 6÷1.2=5, 2÷0.25=8
❷ 5<■<8이므로 ■에 들어갈 수 있는 자연수는 6, 7로 모두 2개입니다.
/ 2개

2-1 ❶
```
              4
   0.6)2.6
        2 4
        0.2
```
❷ 4
/ 4병

2-2 예 ❶

$$0.7\overline{)4.7}$$
$$\underline{4\ 2}$$
$$0.5$$
몫: 6

❷ 간장은 0.7 L씩 6병에 담을 수 있습니다.

/ 6병

2-3 예 ❶ (전체 보리의 양)
$$=4.92\times5=24.6\ (kg)$$

❷

$$4\overline{)24.6}$$
$$\underline{2\ 4}$$
$$0.6$$
몫: 6

따라서 보리는 4 kg씩 6자루에 담을
수 있습니다.

/ 6자루

2-4 예 ❶

$$3\overline{)22.8}$$
$$\underline{2\ 1}$$
$$1.8$$
몫: 7

블루베리를 7상자에 담고 1.8 kg이 남
습니다.

❷ 남는 블루베리 1.8 kg도 상자에 담아
야 하므로 상자는 적어도 7+1=8(상자)
필요합니다.

/ 8상자

풀이

1-1 채점 기준	❶ 2.4÷0.8의 몫 구하기	4점
	❷ ■에 들어갈 수 있는 자연수의 개수 구하기	4점

1-2 채점 기준	❶ 3.15÷0.45의 몫 구하기	6점
	❷ ■에 들어갈 수 있는 자연수의 개수 구하기	6점

1-3 채점 기준	❶ 1.38÷0.3의 몫 구하기	8점
	❷ ■에 들어갈 수 있는 가장 작은 자연수 구하기	7점

1-4 채점 기준	❶ 6÷1.2, 2÷0.25의 몫 각각 구하기	8점
	❷ ■에 들어갈 수 있는 자연수의 개수 구하기	7점

2-1 채점 기준	❶ 몇 병에 담을 수 있는지 구하는 나눗셈식을 세우고 몫을 자연수까지만 구하기	4점
	❷ 몇 병에 담을 수 있는지 구하기	4점

2-2 채점 기준	❶ 몇 병에 담을 수 있는지 구하는 나눗셈식을 세우고 몫을 자연수까지만 구하기	6점
	❷ 몇 병에 담을 수 있는지 구하기	6점

2-3 채점 기준	❶ 전체 보리의 양 구하기	8점
	❷ 몇 자루에 담을 수 있는지 구하기	7점

2-4 채점 기준	❶ 3 kg씩 담으면 몇 상자가 되고 몇 kg이 남는지 구하기	8점
	❷ 모두 담으려면 상자는 적어도 몇 상자 필요한지 구하기	7점

단원 평가 96~98쪽

01 ( )(○) **02** 6, 8, 8

03 $4.41\div0.49=\dfrac{441}{100}\div\dfrac{49}{100}=441\div49=9$

04 (1) 5 (2) 2.2 **05** ②

06 15, 25

07 예 옮긴 소수점의 위치에 소수점을 맞추어 찍어
서 몫이 4.7이어야 하는데 처음 나누어지는
소수의 소수점의 위치에 맞추어 찍어 틀렸습
니다.

08 4.17

09
$$1.3\overline{)7.0}$$
$$\underline{6\ 5}$$
$$0.5$$
몫: 5
/ 5병, 0.5 L
/ 1.3×5+0.5=7 (L)

10 ㉠ **11** 1.2배

12 나연 **13** 7개, 3.3 g

14 0.04 **15** 1.7

16 1.25

17 예 ❶ (간격의 수)=15.18÷0.66=23(군데)

❷ (심은 가로수의 수)
=(간격의 수)+1
=23+1=24(그루)

/ 24그루

18 24÷9.85 / 2.4

19 예 ❶ (어떤 수)÷0.8=6.3이므로
(어떤 수)=6.3×0.8=5.04입니다.

❷ 바르게 계산하면 5.04÷2.8=1.8입니다.

/ 1.8

20 14봉지

풀이

01 ・0.2의 10배는 2인데 1.8은 2보다 작으므로 몫은 10보다 작을 것 같습니다.

・0.03의 10배는 0.3인데 0.33은 0.3보다 크므로 몫은 10보다 클 것 같습니다.

02 두 소수를 각각 10배 하여 자연수로 고쳐서 자연수의 나눗셈으로 계산합니다.

03 두 소수를 각각 분모가 100인 분수로 고쳐서 분수의 나눗셈으로 계산합니다.

04 (1)
$$
\begin{array}{r}
5 \\
1{,}25\,\overline{)6{,}25} \\
6\,2\,5 \\
\hline
0
\end{array}
$$

(2)
$$
\begin{array}{r}
2.2 \\
5{,}2\,\overline{)11{,}4\,4} \\
1\,0\,4 \\
\hline
1\,0\,4 \\
1\,0\,4 \\
\hline
0
\end{array}
$$

05 $21 \div 1.4 = 210 \div 14 = 15$

① $21 \div 14 = 1.5$

③ $21 \div 140 = 0.15$

④ $2.1 \div 1.4 = 21 \div 14 = 1.5$

⑤ $210 \div 140 = 1.5$

06 ・$55.5 \div 3.7 = 555 \div 37 = 15$

・$120 \div 4.8 = 1200 \div 48 = 25$

07

채점기준	잘못된 부분을 찾아 이유 설명하기	5점

08 $9.6 \div 2.3 = 4.173\cdots$ ➡ 4.17

└ 버림합니다.

09 병의 수는 소수가 아니라 자연수이므로 몫을 자연수까지만 구합니다.

10 ㉠ $51.24 \div 7.32 = 5124 \div 732 = 7$

㉡ $33 \div 5.5 = 330 \div 55 = 6$

➡ $7 > 6$이므로 나눗셈의 몫이 더 큰 것은 ㉠입니다.

11 (도혜가 캔 무의 무게) ÷ (성민이가 캔 무의 무게)

$= 9 \div 7.5 = 90 \div 75 = 1.2$(배)

12
$$
\begin{array}{r}
3 \rightarrow \text{나누어 줄 수 있는 사람 수} \\
1.8\,\overline{)6.1} \\
5.4 \\
\hline
0.7 \rightarrow \text{남은 철사의 길이}
\end{array}
$$

➡ 3명까지 줄 수 있고, 남는 철사는 0.7 m입니다. 따라서 바르게 말한 사람은 나연입니다.

13
$$
\begin{array}{r}
7 \rightarrow \text{만들 수 있는 반지 수} \\
6\,\overline{)4\,5.3} \\
4\,2 \\
\hline
3.3 \rightarrow \text{남은 금의 무게}
\end{array}
$$

➡ 만들 수 있는 반지는 7개이고 이때 남는 금은 3.3 g입니다.

14 $3.2 \div 7 = 0.457\cdots$

몫을 반올림하여 소수 첫째 자리까지 나타내면 0.5, 소수 둘째 자리까지 나타내면 0.46이므로 두 값의 차는 $0.5 - 0.46 = 0.04$입니다.

15 $\square = 6.12 \div 3.6 = 61.2 \div 36 = 1.7$

16 $3.2 \times 2 \times \square = 8$, $6.4 \times \square = 8$

➡ $\square = 8 \div 6.4 = 1.25$

17

채점기준	❶ 간격의 수 구하기	3점
	❷ 심은 가로수의 수 구하기	2점

18 몫이 가장 작게 되려면 가장 작은 두 자리 수를 가장 큰 소수 두 자리 수로 나누면 됩니다.

가장 작은 두 자리 수는 24, 가장 큰 소수 두 자리 수는 9.85이므로 $24 \div 9.85 = 2.43\cdots$입니다.

따라서 몫을 반올림하여 소수 첫째 자리까지 나타내면 2.4입니다.

19

채점기준	❶ 어떤 수 구하기	2점
	❷ 바르게 계산하기	3점

20 (전체 콩의 양) $= 0.9 \times 6 = 5.4$ (kg)

$$
\begin{array}{r}
1\,3 \\
0{,}4\,\overline{)5{,}4} \\
4 \\
\hline
1\,4 \\
1\,2 \\
\hline
0.2
\end{array}
$$

➡ 0.4 kg씩 13봉지에 담고, 남는 콩은 0.2 kg입니다.

남는 콩 0.2 kg도 담아야 하므로 봉지는 적어도 $13 + 1 = 14$(봉지)가 필요합니다.

④ 원주율과 원의 넓이

개념 확인 문제   103쪽

1 4 cm   **2** 35 cm
3 (1) 12 cm²   (2) 8 cm²
    (3) 15 cm²   (4) 32 cm²

풀이

1 원의 지름이 8 cm이므로 반지름은 4 cm입니다.
2 (선분 ㄱㄴ의 길이)=5×7=35 (cm)
3 (1) 4×3=12 (cm²)
   (2) 4×2=8 (cm²)
   (3) 5×6÷2=15 (cm²)
   (4) (6+10)×4÷2=32 (cm²)

개념 확인 문제   105쪽

1 (위에서부터) 지름, 원주
2 다   **3** 3, 4
4 ㉢

풀이

2 원의 지름이 짧을수록 원주도 짧습니다.
3 원주는 지름의 3배보다 길고 4배보다 짧습니다.
4 지름이 2 cm인 원의 원주는 지름의 3배인 6 cm보
다 길고 지름의 4배인 8 cm보다 짧습니다.
따라서 원주와 가장 비슷한 길이는 ㉢입니다.

개념 확인 문제   107쪽

1 원주율   **2** 서호
3 3.14   **4** =

풀이

1 원의 지름에 대한 원주의 비율을 원주율이라고 합
니다.
2 예영: 원주율은 끝없이 계속되므로 필요에 따라 3,
     3.1, 3.14 등으로 어림하여 사용하기도 합니다.
따라서 바르게 말한 사람은 서호입니다.
3 (원주율)=50.26÷16=3.141… ➡ 3.14
4 31÷10=3.1, 18.6÷6=3.1
   ➡ 두 원의 (원주)÷(지름)은 같습니다.

개념 확인 문제   109쪽

1 21.7 cm   **2** 16 cm
3 15 cm   **4** 18.84 cm

풀이

1 (원주)=(지름)×(원주율)=7×3.1=21.7 (cm)
2 (지름)=(원주)÷(원주율)=48÷3=16 (cm)
3 (지름)=(원주)÷(원주율)=46.5÷3.1=15 (cm)
4 반지름이 3 cm이므로 지름은 6 cm입니다.
   (원주)=(지름)×(원주율)
          =6×3.14=18.84 (cm)

개념 확인 문제   111쪽

1 <, <
2 (1) 72 cm²   (2) 144 cm²
3 72, 144

풀이

1 원 안의 정사각형의 넓이는 원의 넓이보다 작습니다.
원의 넓이는 원 밖의 정사각형의 넓이보다 작습니다.
2 (1) 한 변이 6 cm인 정사각형 넓이의 2배이므로
     (원 안의 정사각형의 넓이)
       =6×6×2=72 (cm²)입니다.

(2) 한 변이 6 cm인 정사각형 넓이의 4배이므로
  (원 밖의 정사각형의 넓이)
    $=6 \times 6 \times 4 = 144$ (cm²)입니다.

3 반지름이 6 cm인 원의 넓이는 원 안의 정사각형의
  넓이 72 cm²보다 크고 원 밖의 정사각형의 넓이
  144 cm²보다 작습니다.

개념 확인 문제   113쪽 ●

1 (1) 8   (2) 16   (3) 8, 16
2 60, 88

풀이

1 (1) 한 변이 2 cm인 정사각형 넓이의 2배이므로
    (원 안의 정사각형의 넓이)
      $=2 \times 2 \times 2 = 8$ (cm²)입니다.
  (2) 한 변이 2 cm인 정사각형 넓이의 4배이므로
    (원 밖의 정사각형의 넓이)
      $=2 \times 2 \times 4 = 16$ (cm²)입니다.
  (3) 원의 넓이는 원 안의 정사각형의 넓이 8 cm²보
    다 크고 원 밖의 정사각형의 넓이 16 cm²보다 작
    습니다.

2 원 안의 주황색 모눈은 60칸이므로 넓이는 60 cm²
  입니다.
  원 밖의 굵은 선 안쪽 모눈은 88칸이므로 넓이는
  88 cm²입니다.
  ➡ 지름이 10 cm인 원의 넓이는 60 cm²보다 크고
    88 cm²보다 작습니다.

개념 확인 문제   115쪽 ●

1 (위에서부터) 6, 18 / 108 cm²
2 (1) 153.86 cm²   (2) 78.5 cm²
3 48 cm²

풀이

1 직사각형의 가로는 $12 \times 3 \times \frac{1}{2} = 18$ (cm),
  세로는 6 cm입니다.
  ➡ (원의 넓이)=(직사각형의 넓이)
      $=18 \times 6 = 108$ (cm²)

2 (1) (원의 넓이)$=7 \times 7 \times 3.14 = 153.86$ (cm²)
  (2) 원의 반지름이 5 cm이므로
    (원의 넓이)$=5 \times 5 \times 3.14 = 78.5$ (cm²)입니다.

3 원주가 24 cm이므로 원의 지름은
  $24 \div 3 = 8$ (cm)입니다.
  원의 반지름은 4 cm이므로
  (원의 넓이)$=4 \times 4 \times 3 = 48$ (cm²)입니다.

개념 확인 문제   117쪽 ●

1 (1) 48 cm²   (2) 12 cm²   (3) 36 cm²
2 (1) 2.45 cm²   (2) 22.5 cm²
  (3) 86.8 cm²   (4) 40.8 cm²

풀이

1 (1) 큰 원의 반지름은 4 cm이므로 넓이는
      $4 \times 4 \times 3 = 48$ (cm²)입니다.
  (2) 작은 원의 반지름은 2 cm이므로 넓이는
      $2 \times 2 \times 3 = 12$ (cm²)입니다.
  (3) (색칠한 부분의 넓이)
      =(큰 원의 넓이)-(작은 원의 넓이)
      $=48 - 12 = 36$ (cm²)

2 (1) (색칠한 부분의 넓이)
      =(한 변이 2 cm인 정사각형의 넓이)
        $-\left(\text{반지름이 1 cm인 원의 넓이의 } \frac{1}{2}\right)$
      $=2 \times 2 - (1 \times 1 \times 3.1) \div 2 = 2.45$ (cm²)
  (2) (색칠한 부분의 넓이)
      =(한 변이 10 cm인 정사각형의 넓이)
        $-\left(\text{반지름이 10 cm인 원의 넓이의 } \frac{1}{4}\right)$
      $=10 \times 10 - (10 \times 10 \times 3.1) \div 4 = 22.5$ (cm²)

(3) (색칠한 부분의 넓이)

$$= \left(반지름이\ 2\ cm인\ 원의\ 넓이의\ \frac{1}{2}\right)$$
$$+ \left(반지름이\ 4\ cm인\ 원의\ 넓이의\ \frac{1}{2}\right)$$
$$+ \left(반지름이\ 6\ cm인\ 원의\ 넓이의\ \frac{1}{2}\right)$$
$$= (2 \times 2 \times 3.1) \div 2 + (4 \times 4 \times 3.1) \div 2$$
$$+ (6 \times 6 \times 3.1) \div 2$$
$$= 86.8\ (cm^2)$$

(4)

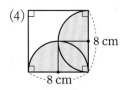

(색칠한 부분의 넓이)

$$= \left(반지름이\ 4\ cm인\ 원의\ 넓이의\ \frac{1}{2}\right)$$
$$+ (한\ 변이\ 4\ cm인\ 정사각형의\ 넓이)$$
$$= (4 \times 4 \times 3.1) \div 2 + 4 \times 4 = 40.8\ (cm^2)$$

문제 해결력 문제   119쪽

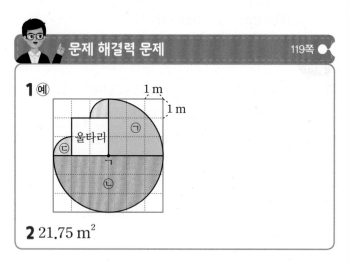

1 예

2 21.75 m²

풀이

1 모눈종이 위에 그림을 그려 보면 줄을 반지름으로 하는 원 모양이 만들어집니다.

2 (㉠의 넓이) = $(3 \times 3 \times 3) \div 4 = 6.75$ (m²)
(㉡의 넓이) = $(3 \times 3 \times 3) \div 2 = 13.5$ (m²)
(㉢의 넓이) = $(1 \times 1 \times 3) \div 4 = 0.75$ (m²)
➡ 염소가 움직일 수 있는 영역의 최대 넓이는
$6.75 + 13.5 + 0.75 \times 2 = 21.75$ (m²)입니다.

개념+확인   124~125쪽

1 ㉡
2 3.14, 3.14
3 18.84 cm
4 32, 60
5 (위에서부터) 6, 18.6 / 111.6 cm²
6 153.86 cm²
7 175.84 cm²
8 226.08 cm²

풀이

1 ㉡ 원주가 길어지면 원의 지름도 길어지고, 원의 반지름도 길어집니다.
따라서 틀린 것은 ㉡입니다.

2 · $15.7 \div 5 = 3.14$
· $43.96 \div 14 = 3.14$

3 컴퍼스를 벌린 만큼이 원이 반지름입니다.
따라서 반지름이 3 cm이므로 지름이 6 cm인 원을 그렸습니다.
➡ (원주) = $6 \times 3.14 = 18.84$ (cm)

4 원 안의 색칠된 모눈은 32칸이므로 넓이는 32 cm² 이고, 원 밖의 굵은선 안쪽 모눈은 60칸이므로 넓이는 60 cm²입니다.
따라서 원의 넓이는 32 cm²보다 크고 60 cm²보다 작습니다.

5 (직사각형의 가로) = $12 \times 3.1 \times \frac{1}{2} = 18.6$ (cm)
(직사각형의 세로) = (원의 반지름) = 6 cm
(원의 넓이) = $18.6 \times 6 = 111.6$ (cm²)

6 반지름이 7 cm이므로
(원의 넓이) = $7 \times 7 \times 3.14 = 153.86$ (cm²)입니다.

7 (큰 원의 넓이) = $9 \times 9 \times 3.14 = 254.34$ (cm²)
(작은 원의 넓이) = $5 \times 5 \times 3.14 = 78.5$ (cm²)
(색칠한 부분의 넓이)
$= 254.34 - 78.5 = 175.84$ (cm²)

8

그림과 같이 도형을 옮겨서 구합니다.

(색칠한 부분의 넓이)

$$=\left(\text{반지름이 } 12\,cm\text{인 원의 넓이의 } \frac{1}{2}\right)$$

$$=(12\times12\times3.14)\div2=226.08\,(cm^2)$$

서술형 문제 해결하기

126~127쪽

1-1 ❶ 원주율, 3, 16　❷ 지름, 16, 8

　/ 8 cm

1-2 예 ❶ 원의 원주가 37.68 cm입니다.

　　(지름)=(원주)÷(원주율)

　　　　　$=37.68\div3.14=12\,(cm)$

　　❷ (반지름)=(지름)÷2

　　　　　$=12\div2=6\,(cm)$

　/ 6 cm

1-3 예 ❶ 만들 수 있는 가장 큰 원의 원주는

　　24.8 cm입니다.

　　(지름)=(원주)÷(원주율)

　　　　　$=24.8\div3.1=8\,(cm)$

　　❷ (반지름)=(지름)÷2

　　　　　$=8\div2=4\,(cm)$

　/ 4 cm

1-4 예 ❶ 원의 원주가 60 cm입니다.

　　(접시의 지름)=(원주)÷(원주율)

　　　　　　$=60\div3=20\,(cm)$

　　❷ 반지름이 10 cm이므로 접시의 넓이는

　　　$10\times10\times3=300\,(cm^2)$입니다.

　　/ 300 cm²

2-1 ❶ 10, 10, 300, 5, 5, 75

　　❷ 300, 75, 75, 150

　　/ 150 cm²

2-2 예 ❶ (반지름이 7 cm인 원의 넓이)

　　　$=7\times7\times3=147\,(cm^2)$

(반지름이 4 cm인 원의 넓이)

　$=4\times4\times3=48\,(cm^2)$

(반지름이 3 cm인 원의 넓이)

　$=3\times3\times3=27\,(cm^2)$

　❷ (색칠한 부분의 넓이)

　　$=147-48-27=72\,(cm^2)$

/ 72 cm²

2-3 예 ❶ (반지름이 6 cm인 원의 넓이)

　　$=6\times6\times3=108\,(cm^2)$

(반지름이 2 cm인 원의 넓이)

　$=2\times2\times3=12\,(cm^2)$

　❷ (색칠한 부분의 넓이)

　　$=108-12-12-12=72\,(cm^2)$

/ 72 cm²

2-4 예 ❶ $\left(\text{반지름이 } 6\,cm\text{인 원의 넓이의 } \frac{1}{2}\right)$

　　$=(6\times6\times3)\div2=54\,(cm^2)$

$\left(\text{반지름이 } 4\,cm\text{인 원의 넓이의 } \frac{1}{2}\right)$

　$=(4\times4\times3)\div2=24\,(cm^2)$

$\left(\text{반지름이 } 2\,cm\text{인 원의 넓이의 } \frac{1}{2}\right)$

　$=(2\times2\times3)\div2=6\,(cm^2)$

　❷ (색칠한 부분의 넓이)

　　$=54-24-6=24\,(cm^2)$

/ 24 cm²

풀이

1-1	채점 기준	❶ 원의 지름 구하기	5점
		❷ 원의 반지름 구하기	3점
1-2	채점 기준	❶ 원의 지름 구하기	8점
		❷ 원의 반지름 구하기	4점
1-3	채점 기준	❶ 원의 지름 구하기	9점
		❷ 원의 반지름 구하기	6점
1-4	채점 기준	❶ 접시의 지름 구하기	9점
		❷ 접시의 넓이 구하기	6점
2-1	채점 기준	❶ 반지름이 10 cm, 5 cm인 원의 넓이 각각 구하기	5점
		❷ 색칠한 부분의 넓이 구하기	3점

2-2	채점 기준	❶ 반지름이 7 cm, 4 cm, 3 cm인 원의 넓이 각각 구하기	9점
		❷ 색칠한 부분의 넓이 구하기	3점
2-3	채점 기준	❶ 반지름이 6 cm, 2 cm인 원의 넓이 각각 구하기	10점
		❷ 색칠한 부분의 넓이 구하기	5점
2-4	채점 기준	❶ 반지름이 6 cm, 4 cm, 2 cm인 원의 넓 이의 $\frac{1}{2}$ 각각 구하기	12점
		❷ 색칠한 부분의 넓이 구하기	3점

단원 평가   128~130쪽

01 (1) 원주, 지름   (2) 지름   (3) 원주, 원주율
02 14 cm
03 50.24 cm²
04 72, 144
05 유영
06 (1) 6 cm   (2) 8 cm   (3) 3, 4
07 9.9 cm²
08 3.14
09 446.4 cm²
10 ㉢, ㉠, ㉡
11 25 cm²
12 예

13 식 예 $9 \times 3.1 \times 8 = 223.2$
   답 223.2 m
14 314 cm²
15 174.93 cm²
16 예 ❶ 원의 원주가 62 cm이므로
   (지름)$=62 \div 3.1 = 20$ (cm)입니다.
   ❷ 정사각형 안에 꼭 맞게 원을 그렸으므로
   정사각형의 한 변의 길이는 원의 지름과
   같습니다.
   ➡ (정사각형의 넓이)
   $= 20 \times 20 = 400$ (cm²)
   / 400 cm²
17 74.4 cm
18 36 cm²

19 예 ❶ 곡선 부분의 길이의 합은 반지름이 8 cm인
   원의 원주와 같으므로 $16 \times 3 = 48$ (cm)입
   니다.
   ❷ 직선 부분의 길이의 합은 $16 \times 3 = 48$ (cm)
   입니다.
   ❸ 사용한 끈의 길이는
   $48 + 48 = 96$ (cm)입니다.
   / 96 cm
20 예 ❶ 원의 지름이 18 cm이므로 반지름은
   9 cm입니다.
   (원의 넓이)$=9 \times 9 \times 3.14 = 254.34$ (cm²)
   ❷ 작은 정사각형의 한 변의 길이는
   $18 \div 3 = 6$ (cm)이므로
   (팔각형의 넓이)
   $=$(삼각형 4개의 넓이)
   $+$(작은 정사각형 5개의 넓이)
   $=(6 \times 6 \div 2) \times 4 + (6 \times 6) \times 5$
   $=72 + 180 = 252$ (cm²)
   ❸ 실제 원의 넓이와 팔각형의 넓이의 차는
   $254.34 - 252 = 2.34$ (cm²)입니다.
   / 2.34 cm²

풀이

02 (지름)$=87.92 \div 3.14 = 28$ (cm)
   따라서 반지름은 14 cm입니다.

03 (원의 넓이)$=4 \times 4 \times 3.14 = 50.24$ (cm²)

04 (원 안의 정사각형의 넓이)
   $=6 \times 6 \times 2 = 72$ (cm²)
   (원 밖의 정사각형의 넓이)
   $=6 \times 6 \times 4 = 144$ (cm²)
   ➡ 72 cm² < (원의 넓이)
   (원의 넓이) < 144 cm²

05 정현: 원주율은 끝없이 계속되므로 필요에 따라
   3, 3.1, 3.14 등으로 어림하여 사용하기도
   합니다.
   따라서 바르게 말한 사람은 유영입니다.

06 (1) (정육각형의 둘레)$=1 \times 6=6$ (cm)

(2) (정사각형의 둘레)$=2 \times 4=8$ (cm)

(3) 원주는 원의 지름의 3배보다 길고 4배보다 짧습니다.

07 $\left(\text{반지름이 6 cm인 원의 넓이의 } \frac{1}{4}\right)$

$=(6 \times 6 \times 3.1) \div 4=27.9$ (cm^2)

(삼각형의 넓이)$=6 \times 6 \div 2=18$ (cm^2)

(색칠한 부분의 넓이)$=27.9-18=9.9$ (cm^2)

08 (원주율)$=47.12 \div 15=3.141 \cdots \to 3.14$

09 냄비 바닥의 지름이 24 cm이므로 반지름은 12 cm입니다.

(냄비 바닥의 넓이)

$=12 \times 12 \times 3.1=446.4$ (cm^2)

10 ㉠ (원주)$=25 \times 3=75$ (cm)

㉢ 반지름이 13 cm이므로 지름은 26 cm입니다.

(원주)$=26 \times 3=78$ (cm)

따라서 $78>75>69$이므로 원주가 긴 것부터 차례로 기호를 쓰면 ㉢, ㉠, ㉡입니다.

11 두 반원을 합치면 반지름이 5 cm인 원이 됩니다.

(반지름이 5 cm인 원의 넓이)

$=5 \times 5 \times 3=75$ (cm^2)

(정사각형의 넓이)$=10 \times 10=100$ (cm^2)

(색칠한 부분의 넓이)$=100-75=25$ (cm^2)

12 원주는 지름의 약 3.14배이므로

(원주)$=2 \times 3.14=6.28$ (cm)입니다.

따라서 자의 6.28 cm 위치와 가까운 곳에 표시합니다.

13 (자동차가 한 바퀴 달린 거리)

$=$(원 모양의 도로의 원주)$=9 \times 3.1=27.9$ (m)

따라서 자동차가 8바퀴를 달린 거리는

$27.9 \times 8=223.2$ (m)입니다.

14 (만들 수 있는 가장 큰 원의 지름)

$=$(직사각형의 세로)$=20$ cm

➡ (만들 수 있는 가장 큰 원의 넓이)

$=10 \times 10 \times 3.14=314$ (cm^2)

15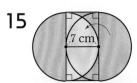

그림과 같이 도형을 옮겨서 구합니다.

$\left(\text{반지름이 7 cm인 원의 넓이의 } \frac{1}{2}\right)$

$=(7 \times 7 \times 3.14) \div 2=76.93$ (cm^2)

(가로가 7 cm, 세로가 14 cm인 직사각형의 넓이)

$=7 \times 14=98$ (cm^2)

(색칠한 부분의 넓이)$=76.93+98=174.93$ (cm^2)

16

채점기준		
❶ 원의 지름 구하기		3점
❷ 정사각형의 넓이 구하기		2점

17 (원의 넓이)$=$(반지름)$\times$(반지름)$\times 3.1=446.4$

(반지름)$\times$(반지름)$=446.4 \div 3.1=144$

이때 $12 \times 12=144$이므로 원의 반지름은 12 cm입니다.

따라서 원의 지름은 24 cm이므로

(원의 둘레)$=24 \times 3.1=74.4$ (cm)입니다.

18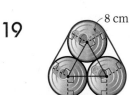

그림과 같이 도형을 옮겨서 구합니다.

$\left(\text{반지름이 12 cm인 원의 넓이의 } \frac{1}{4}\right)$

$=(12 \times 12 \times 3) \div 4=108$ (cm^2)

(삼각형의 넓이)$=12 \times 12 \div 2=72$ (cm^2)

(색칠한 부분의 넓이)$=108-72=36$ (cm^2)

19

채점기준		
❶ 곡선 부분의 길이의 합 구하기		2점
❷ 직선 부분의 길이의 합 구하기		2점
❸ 사용한 끈의 길이 구하기		1점

20

채점기준		
❶ 실제 원의 넓이 구하기		2점
❷ 팔각형의 넓이 구하기		2점
❸ 실제 원의 넓이와 팔각형의 넓이의 차 구하기		1점

5 비례식과 비례배분

 개념 확인 문제   135쪽 ●

1 (1) 3, 4   (2) 4, 3   **2** $\dfrac{3}{20}$ / 0.15

3 0.24

풀이

1 (1) 아이스크림 수와 사탕 수의 비는 사탕 수 4를 기준으로 하여 아이스크림 수 3을 비교한 비이므로 3 : 4입니다.

   (2) 아이스크림 수에 대한 사탕 수의 비는 아이스크림 수 3을 기준으로 하여 사탕 수 4를 비교한 비이므로 4 : 3입니다.

2 3 : 20 ➡ $\dfrac{3}{20} = \dfrac{15}{100} = 0.15$

3 전체 화살 수에 대한 맞힌 화살 수의 비는 6 : 25이므로 비율로 나타내면 $\dfrac{6}{25} = \dfrac{24}{100} = 0.24$입니다.

 개념 확인 문제   137쪽 ●

1 (1) 7에 △표, 11에 ○표   (2) 15에 △표, 2에 ○표
2 (위에서부터) 6, 2   **3** (위에서부터) 4, 7, 4
4 ✕

풀이

1 전항은 기호 ':' 앞에 있는 수이고, 후항은 기호 ':' 뒤에 있는 수입니다.

2 3 : 10의 전항과 후항에 2를 곱하면 6 : 20입니다.

3 12 : 28의 전항과 후항을 4로 나누면 3 : 7입니다.

4 ·4 : 9의 전항과 후항에 5를 곱하면 20 : 45입니다.
  ·160 : 56의 전항과 후항을 8로 나누면 20 : 7입니다.

개념 확인 문제   139쪽 ●

1 20
2 예) 100
3 (1) 예) 1 : 3   (2) 예) 7 : 6
4 예) 2 : 5

풀이

1 전항과 후항에 4와 5의 최소공배수 20을 곱하면 5 : 4입니다.

2 전항과 후항이 모두 소수 두 자리 수이므로 각각 100을 곱하면 자연수의 비로 나타낼 수 있습니다.

3 (1) 0.2 : $\dfrac{3}{5}$의 전항과 후항에 5를 곱하면 1 : 3입니다.

   (2) $\dfrac{7}{4}$: 1.5의 전항과 후항에 4를 곱하면 7 : 6입니다.

4 초콜릿 수와 사탕 수의 비를 나타내면 12 : 30입니다. 12 : 30의 전항과 후항을 6으로 나누면 2 : 5입니다.

개념 확인 문제   141쪽 ●

1 (위에서부터) 4, 24, 4 / 24, 54
2 (○) (   )
3 (위에서부터) 11, 5

풀이

1 4 : 9의 비율과 24 : 54의 비율이 같으므로 비례식 4 : 9 = 24 : 54로 나타낼 수 있습니다.

2 2 : 7 ➡ $\dfrac{2}{7}$, 8 : 28 ➡ $\dfrac{8}{28} = \dfrac{2}{7}$이므로 비례식은 2 : 7 = 8 : 28입니다.

3 0.6 : 2.2는 전항과 후항에 5를 곱한 비 3 : 11과 그 비율이 같습니다.

개념 확인 문제 143쪽

1 (1) 28, 84 (2) 12, 84 (3) =

2 (1) 66 (2) 5

3 ㉡

 풀이

2 (1) $2 \times \square = 11 \times 12$이므로

$2 \times \square = 132, \square = 66$

(2) $6 \times 15 = \square \times 18$이므로

$90 = \square \times 18, \square = 5$

3 ㉠ $2 : 5 = 18 : 40$에서

$2 \times 40 = 80, 5 \times 18 = 90$ (×)

㉡ $0.4 : 1.2 = 3 : 9$에서

$0.4 \times 9 = 3.6, 1.2 \times 3 = 3.6$ (○)

㉢ $4 : 14 = 6 : 22$에서

$4 \times 22 = 88, 14 \times 6 = 84$ (×)

따라서 옳은 비례식은 ㉡입니다.

 개념 확인 문제 145쪽

1 **방법①**

㉠ 직사각형의 세로를 $\square$ cm라고 하여 비례식을

세우면 $7 : 5 = 28 : \square$입니다.

전항 7에 4를 곱하면 28이므로

$\square = 5 \times 4 = 20$입니다.

따라서 직사각형의 세로는 20 cm입니다.

방법②

㉠ 직사각형의 세로를 $\square$ cm라고 하여 비례식을

세우면 $7 : 5 = 28 : \square$입니다.

외항의 곱과 내항의 곱은 같으므로

$7 \times \square = 5 \times 28, 7 \times \square = 140, \square = 20$입니다.

따라서 직사각형의 세로는 20 cm입니다.

2 420 g   **3** 12개

풀이

2 소금물 40 L를 증발시킬 때 얻을 수 있는 소금의 양

을 $\square$ g이라고 하여 비례식을 세우면 $8 : 84 = 40 : \square$

입니다.

외항의 곱과 내항의 곱은 같으므로

$8 \times \square = 84 \times 40, 8 \times \square = 3360, \square = 420$입니다.

따라서 소금물 40 L를 증발시키면 소금을 420 g 얻

을 수 있습니다.

3 8000원으로 살 수 있는 초콜릿을 $\square$개라고 하여 비

례식을 세우면 $3 : 2000 = \square : 8000$입니다.

외항의 곱과 내항의 곱은 같으므로

$3 \times 8000 = 2000 \times \square, 24000 = 2000 \times \square, \square = 12$

입니다.

따라서 8000원으로 초콜릿을 12개 살 수 있습니다.

 개념 확인 문제 147쪽

1 (위에서부터) 1, 8, 3, 24

2 15개, 20개   **3** 100그루

풀이

1 형: $32 \times \dfrac{1}{1+3} = 32 \times \dfrac{1}{4} = 8$(장)

동생: $32 \times \dfrac{3}{1+3} = 32 \times \dfrac{3}{4} = 24$(장)

2 성희: $35 \times \dfrac{3}{3+4} = 35 \times \dfrac{3}{7} = 15$(개)

태주: $35 \times \dfrac{4}{3+4} = 35 \times \dfrac{4}{7} = 20$(개)

3 공원에 심은 나무 수:

$450 \times \dfrac{2}{2+7} = 450 \times \dfrac{2}{9} = 100$(그루)

문제 해결력 문제 149쪽

1 (1) 표는 풀이 참조, 25개 (2) 25개

2 70개

풀이

1 (1)

유리의 귤 수(개)	6	12	18	24	30
현욱이의 귤 수(개)	5	10	15	20	25
귤 수의 차(개)	1	2	3	4	5

귤 수의 차가 5개 되는 때는 유리가 30개, 현욱이
가 25개일 때입니다.

따라서 현욱이가 가진 귤은 25개입니다.

(2) 유리가 6개, 현욱이가 5개일 때 그 차이가 1개이
고, 차이 5개는 1개의 5배입니다.

따라서 현욱이가 가진 귤은 $5 \times 5 = 25$(개)입니다.

2 방법❶

은혜의 공 수(개)	3	6	9	12	…	21
준상이의 공 수(개)	7	14	21	28	…	49
공 수의 차(개)	4	8	12	16	…	28

은혜가 준상이보다 공 28개를 덜 가지게 되는 때는
은혜가 21개, 준상이가 49개일 때입니다.

따라서 전체 공은 $21 + 49 = 70$(개)입니다.

방법❷

은혜가 3개, 준상이가 7개일 때 그 차이가 4개이고,
차이 28개는 4개의 7배입니다.

은혜: $3 \times 7 = 21$(개)

준상: $7 \times 7 = 49$(개)

따라서 전체 공은 $21 + 49 = 70$(개)입니다.

개념 확인
154~155쪽

1 $2 : 9$

2 $10, 8$

3 (1) 예 $4 : 1$ (2) 예 $9 : 8$

4 ④

5 (1) 28 (2) 9

6 250 g

7 35번

8 21개, 35개

풀이

3 (1) $0.2 : 0.05$의 전항과 후항에 100을 곱하면 $20 : 5$
가 되고, $20 : 5$의 전항과 후항을 5로 나누면
$4 : 1$이 됩니다.

(2) $5 : \dfrac{40}{9}$의 전항과 후항에 9를 곱하면 $45 : 40$이
되고, $45 : 40$의 전항과 후항을 5로 나누면 $9 : 8$
이 됩니다.

4 ④ 비 $4 : 7$의 전항과 후항에 3을 곱하면 $12 : 21$이 됩
니다.

5 (1) $6 : 7 = 24 : \square$에서 $6 \times \square = 7 \times 24$이므로
$6 \times \square = 168$, $\square = 28$

(2) $5 : \square = 30 : 54$에서 $5 \times 54 = \square \times 30$이므로
$270 = \square \times 30$, $\square = 9$

6 고춧가루를 $\square$ g 넣었다고 하여 비례식을 세우면
$7 : 5 = 350 : \square$입니다.

외항의 곱과 내항의 곱은 같으므로
$7 \times \square = 5 \times 350$, $7 \times \square = 1750$, $\square = 250$

따라서 고춧가루는 250 g을 넣어야 합니다.

7 ㉮의 톱니 수와 ㉯의 톱니 수의 비는 $15 : 12$입니다.
$15 : 12$의 전항과 후항을 3으로 나누면 $5 : 4$가 됩
니다.

㉮의 회전수와 ㉯의 회전수의 비는 $4 : 5$이므로 ㉯
가 $\square$번 돈다고 하여 비례식을 세우면
$4 : 5 = 28 : \square$입니다.

$4 \times \square = 5 \times 28$, $4 \times \square = 140$, $\square = 35$입니다.

따라서 ㉯는 35번 돕니다.

8 형: $56 \times \dfrac{3}{3+5} = 56 \times \dfrac{3}{8} = 21$(개)

동생: $56 \times \dfrac{5}{3+5} = 56 \times \dfrac{5}{8} = 35$(개)

서술형 문제 해결하기
156~157쪽

1-1 ❶ $8, 35$ ❷ $5, 56$ ❸ $35, 56$

/ $5 : 8 = 35 : 56$

1-2 예 ❶ $3 : 11 = ㉠ : ㉡$에서 외항의 곱이 165
이므로 $3 \times ㉡ = 165$, $㉡ = 55$입니다.

❷ 또, 내항의 곱도 165이므로
$11 × ㉠ = 165$, $㉠ = 15$입니다.
❸ 비례식을 세우면 $3 : 11 = 15 : 55$입니다.
 / $3 : 11 = 15 : 55$

1-3 예 ❶ $24 : ㉠ = 6 : ㉡$에서 내항의 곱이 168
이므로 $㉠ × 6 = 168$, $㉠ = 28$입니다.
❷ 또, 외항의 곱도 168이므로
$24 × ㉡ = 168$, $㉡ = 7$입니다.
❸ 비례식을 세우면 $24 : 28 = 6 : 7$입니다.
 / $24 : 28 = 6 : 7$

1-4 예 ❶ $㉠ : 8 = ㉡ : ㉢$에서 $㉠ : 8$의 비율이 $\dfrac{3}{4}$
이므로 $\dfrac{㉠}{8} = \dfrac{3}{4}$, $㉠ = 6$입니다.
❷ $6 : 8 = ㉡ : ㉢$에서 외항의 곱이 120이
므로 $6 × ㉢ = 120$, $㉢ = 20$입니다.
또, 내항의 곱도 120이므로
$8 × ㉡ = 120$, $㉡ = 15$입니다.
❸ 비례식을 세우면 $6 : 8 = 15 : 20$입니다.
 / $6 : 8 = 15 : 20$

2-1 ❶ (위에서부터) 2, 2, 55
❷ (위에서부터) 55, 2, 10, 55, 9, 45
/ 10 cm, 45 cm

2-2 예 ❶ (가로)＋(세로)
$=$(직사각형의 둘레)$÷2$
$=230÷2=115$ (cm)
❷ 가로: $115 × \dfrac{15}{15+8}$
$=115 × \dfrac{15}{23} = 75$ (cm)
세로: $115 × \dfrac{8}{15+8}$
$=115 × \dfrac{8}{23} = 40$ (cm)
/ 75 cm, 40 cm

2-3 예 ❶ (가로)＋(세로)
$=$(직사각형의 둘레)$÷2$
$=48÷2=24$ (cm)

❷ 가로: $24 × \dfrac{3}{3+5} = 24 × \dfrac{3}{8} = 9$ (cm)
세로: $24 × \dfrac{5}{3+5} = 24 × \dfrac{5}{8} = 15$ (cm)
❸ (직사각형의 넓이)$= 9 × 15$
$= 135$ (cm^2)
/ 135 cm^2

2-4 예 ❶ 두 삼각형의 높이가 같으므로 삼각형
㉮의 넓이와 삼각형 ㉯의 넓이의 비는
밑변의 길이의 비와 같은 9 : 4입니다.
❷ (삼각형 ㉯의 넓이)
$=65 × \dfrac{4}{9+4} = 65 × \dfrac{4}{13} = 20$ (cm^2)
/ 20 cm^2

풀이

1-1	채점 기준	❶ ㉠에 알맞은 수 구하기	3점
		❷ ㉡에 알맞은 수 구하기	3점
		❸ 비례식 세우기	2점

1-2	채점 기준	❶ ㉡에 알맞은 수 구하기	5점
		❷ ㉠에 알맞은 수 구하기	5점
		❸ 비례식 세우기	2점

1-3	채점 기준	❶ ㉠에 알맞은 수 구하기	6점
		❷ ㉡에 알맞은 수 구하기	6점
		❸ 비례식 세우기	3점

1-4	채점 기준	❶ ㉠에 알맞은 수 구하기	6점
		❷ ㉡, ㉢에 알맞은 수 구하기	6점
		❸ 비례식 세우기	3점

2-1	채점 기준	❶ 직사각형의 가로와 세로의 합 구하기	3점
		❷ 직사각형의 가로와 세로 구하기	5점

2-2	채점 기준	❶ 직사각형의 가로와 세로의 합 구하기	4점
		❷ 직사각형의 가로와 세로 구하기	8점

2-3	채점 기준	❶ 직사각형의 가로와 세로의 합 구하기	4점
		❷ 직사각형의 가로와 세로 구하기	6점
		❸ 직사각형의 넓이 구하기	5점

2-4	채점 기준	❶ 삼각형 ㉮의 넓이와 삼각형 ㉯의 넓이의 비 구하기	7점
		❷ 삼각형 ㉯의 넓이 구하기	8점

01 (1) (위에서부터) 12, 2　(2) (위에서부터) 4, 5, 4

02 10, 21에 ○표, 7, 30에 △표

03 120, 120

04 (1) 예 4 : 13　(2) 예 3 : 4

05 방법❶

예 필요한 휘발유의 양을 □ L라고 하여 비례식을 세우면 3 : 27 = □ : 81입니다.
후항 27에 3을 곱하면 81이므로
□ = 3 × 3 = 9입니다.
따라서 필요한 휘발유의 양은 9 L입니다.

방법❷

예 필요한 휘발유의 양을 □ L라고 하여 비례식을 세우면 3 : 27 = □ : 81입니다.
외항의 곱과 내항의 곱은 같으므로
3 × 81 = 27 × □, 243 = 27 × □, □ = 9입니다.
따라서 필요한 휘발유의 양은 9 L입니다.

06 272 cm, 238 cm　　**07** 예 60 : 84, 5 : 7

08

09 예 4 : 5 = 20 : 25　　**10** 90

11 5000원　　　　　　　**12** 예 7 : 5

13 예 ❶ 5시간 동안 칠할 수 있는 벽의 넓이를 □ m^2라고 하여 비례식을 세우면
$40\frac{1}{5}$: 3 = □ : 5입니다.

❷ 외항의 곱과 내항의 곱은 같으므로
$40\frac{1}{5}$ × 5 = 3 × □, 201 = 3 × □, □ = 67입니다.
따라서 5시간 동안 67 m^2의 벽을 칠할 수 있습니다. / 67 m^2

14 예 5 : 2　　　　　**15** 3.2, 4.8

16 4　　　　　　　　**17** 태현

18 10.8 cm^2

19 예 ❶ 한 시간 동안 민영이는 전체의 $\frac{1}{3}$, 지환이는 전체의 $\frac{1}{4}$을 읽었습니다.

❷ 민영이와 지환이가 한 시간 동안 읽은 책의 양을 비로 나타내면 $\frac{1}{3}$: $\frac{1}{4}$이고,
$\frac{1}{3}$: $\frac{1}{4}$의 전항과 후항에 12를 곱하면 4 : 3이 됩니다.
/ 예 4 : 3

20 예 ❶ 성윤이와 현서가 투자한 금액을 비로 나타내면 120만 : 180만이고, 이 비의 전항과 후항을 60만으로 나누면 2 : 3입니다.

❷ 전체 이익금을 □만 원이라고 하면 성윤이가 받은 이익금이 26만 원이므로
□ × $\frac{2}{2+3}$ = 26, □ × $\frac{2}{5}$ = 26,
□ = 26 ÷ $\frac{2}{5}$ = 26 × $\frac{5}{2}$ = 65
따라서 두 사람이 얻은 전체 이익금은 65만 원입니다.
/ 65만 원

풀이

01 (1) 6 : 5의 전항과 후항에 2를 곱하면 12 : 10이 됩니다.
(2) 20 : 36의 전항과 후항을 4로 나누면 5 : 9가 됩니다.

02 10 : 7 = 30 : 21에서 바깥쪽에 있는 10, 21을 외항, 안쪽에 있는 7, 30을 내항이라고 합니다.

03 외항의 곱: 5 × 24 = 120, 내항의 곱: 6 × 20 = 120

04 (1) 28 : 91의 전항과 후항을 7로 나누면 4 : 13이 됩니다.
(2) $3\frac{3}{4}$ = $\frac{15}{4}$이므로 $\frac{15}{4}$: 5입니다.
$\frac{15}{4}$: 5의 전항과 후항에 4를 곱하면 15 : 20이 되고, 15 : 20의 전항과 후항을 5로 나누면 3 : 4가 됩니다.

05 방법❶ 비의 성질을 이용하여 문제를 해결합니다.
방법❷ 비례식의 성질을 이용하여 문제를 해결합니다.

06 지호: $510 \times \dfrac{8}{8+7} = 510 \times \dfrac{8}{15} = 272$ (cm)

혜정: $510 \times \dfrac{7}{8+7} = 510 \times \dfrac{7}{15} = 238$ (cm)

07 30 : 42의 전항과 후항에 2를 곱하면 60 : 84가 됩니다.

30 : 42의 전항과 후항을 6으로 나누면 5 : 7이 됩니다.

08 · 2 : 5의 전항과 후항에 3을 곱하면 6 : 15가 됩니다.

· 6 : 7의 전항과 후항에 2를 곱하면 12 : 14가 됩니다.

· 12 : 40의 전항과 후항을 4로 나누면 3 : 10이 됩니다.

09 4 : 5의 전항과 후항에 5를 곱하면 20 : 25가 되므로 4 : 5＝20 : 25입니다.

10 외항의 곱이 600이므로

$8 \times ㉡ = 600$, $㉡ = 75$입니다.

또, 내항의 곱도 600이므로

$㉠ \times 40 = 600$, $㉠ = 15$입니다.

따라서 ㉠과 ㉡에 알맞은 수의 합은 15＋75＝90 입니다.

11 수빈이와 현우가 가지고 있는 돈을 비로 나타내면 6000 : 7500이고 이 비의 전항과 후항을 1500으로 나누면 4 : 5입니다.

현우: $9000 \times \dfrac{5}{4+5} = 9000 \times \dfrac{5}{9} = 5000$(원)

12 집에서 학교까지의 거리와 집에서 서점까지의 거리를 비로 나타내면 $4.9 : 3\dfrac{1}{2}$입니다.

$3\dfrac{1}{2} = 3.5$이므로 4.9 : 3.5입니다.

4.9 : 3.5의 전항과 후항에 10을 곱하면 49 : 35가 되고, 49 : 35의 전항과 후항을 7로 나누면 7 : 5가 됩니다.

13

채점기준		
❶ 5시간 동안 칠할 수 있는 벽의 넓이를 □ m²라고 하여 비례식 세우기		2점
❷ 5시간 동안 몇 m²의 벽을 칠할 수 있는지 구하기		3점

14 (직사각형의 넓이)＝$0.8 \times 0.5 = 0.4$ (m²)

(정사각형의 넓이)＝$0.4 \times 0.4 = 0.16$ (m²)

직사각형과 정사각형의 넓이를 비로 나타내면 0.4 : 0.16입니다.

0.4 : 0.16의 전항과 후항에 100을 곱하면 40 : 16이 되고, 40 : 16의 전항과 후항을 8로 나누면 5 : 2가 됩니다.

15 8 : 15＝㉠ : 6에서 $8 \times 6 = 15 \times ㉠$이므로

$48 = 15 \times ㉠$, $㉠ = 3.2$입니다.

$3\dfrac{3}{5} = 3.6$이므로 ㉡ : 3.6＝4 : 3입니다.

㉡ : 3.6＝4 : 3에서 $㉡ \times 3 = 3.6 \times 4$이므로

$㉡ \times 3 = 14.4$, $㉡ = 4.8$입니다.

16 $\dfrac{□}{9} : \dfrac{7}{12}$의 전항과 후항에 36을 곱하면

$□ \times 4 : 21$이 됩니다.

후항이 21일 때 전항이 16이므로

$□ \times 4 = 16$, $□ = 4$입니다.

17 36 : 32의 전항과 후항을 4로 나누면 9 : 8이 됩니다.

따라서 바르게 말한 사람은 태현입니다.

18 변 ㄱㄴ의 길이를 □ cm라고 하여

비례식을 세우면 3 : 5＝□ : 6입니다.

3 : 5＝□ : 6에서 $3 \times 6 = 5 \times □$,

$18 = 5 \times □$, $□ = 3.6$입니다.

변 ㄱㄴ의 길이는 3.6 cm이므로

(삼각형의 넓이)＝$6 \times 3.6 \div 2 = 10.8$ (cm²)

19

채점기준		
❶ 한 시간 동안 민영이와 지환이가 읽은 책의 양 구하기		2점
❷ 민영이와 지환이가 한 시간 동안 읽은 책의 양의 비를 간단한 자연수의 비로 나타내기		3점

20

채점기준		
❶ 성윤이와 현서가 투자한 금액의 비를 간단한 자연수의 비로 나타내기		2점
❷ 두 사람이 얻은 전체 이익금 구하기		3점

6 원기둥, 원뿔, 구

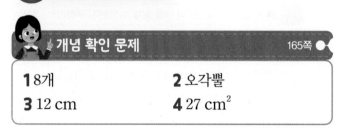

개념 확인 문제 165쪽

1 8개   **2** 오각뿔
3 12 cm   **4** 27 cm^2

풀이

1 각기둥의 두 밑면은 옆면과 모두 수직으로 만나므로 팔각기둥에서 밑면에 수직인 면은 8개입니다.

> **참고** 각기둥에서 서로 평행하고 합동인 두 면을 밑면, 두 밑면과 만나는 면을 옆면이라고 합니다. 각기둥의 두 밑면은 옆면과 수직으로 만납니다.

2 밑면이 오각형이고 옆면이 삼각형인 뿔 모양인 입체도형은 오각뿔입니다.

> **참고** 각뿔의 밑면은 다각형이고, 옆면은 모두 삼각형입니다.
> 각뿔의 밑면의 모양에 따라 삼각뿔, 사각뿔, 오각뿔, …이라고 합니다.

3 (지름)=(원주)÷(원주율)
    =36÷3=12 (cm)

4 색칠한 부분의 넓이는 반지름이 3 cm인 원의 넓이와 같습니다.
(색칠한 부분의 넓이)=3×3×3=27 (cm^2)

개념 확인 문제 167쪽

1 가, 라   **2** (1) 원   (2) 2
3 가, 다

풀이

1 위와 아래에 있는 면이 서로 평행하고 합동인 원으로 이루어진 입체도형을 모두 찾으면 가, 라입니다.

3 원기둥을 위에서 본 모양은 원이고, 앞에서 본 모양은 직사각형입니다.

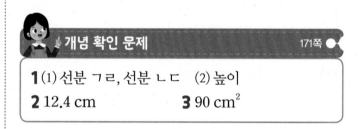

개념 확인 문제 169쪽

1 (1) 2   (2) 옆면   **2** 5 cm
3 (1) 원기둥   (2) 8 cm

풀이

2 원기둥에서 두 밑면에 수직인 선분의 길이가 높이입니다.

3 (1) 한 변을 기준으로 직사각형 모양의 종이를 한 바퀴 돌리면 원기둥이 만들어집니다.
(2) 밑면의 지름은 4×2=8 (cm)입니다.

> **참고** 만들어진 입체도형의 높이는 7 cm입니다.

개념 확인 문제 171쪽

1 (1) 선분 ㄱㄹ, 선분 ㄴㄷ   (2) 높이
2 12.4 cm   **3** 90 cm^2

풀이

1 (1) 원기둥의 밑면의 둘레와 전개도에서 옆면의 가로의 길이는 같습니다.
(2) 원기둥의 높이와 전개도에서 옆면의 세로의 길이는 같습니다.

2 (옆면의 가로)=(밑면의 둘레)
    =2×2×3.1=12.4 (cm)

> **참고** (밑면의 둘레)=(밑면의 지름)×(원주율)

3 (옆면의 넓이)=(밑면의 둘레)×(높이)
    =18×5=90 (cm^2)

> **참고**
>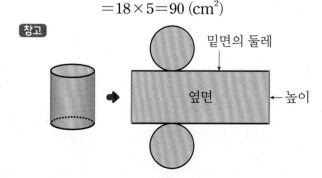

1 (   ) (   ) (○)

2 16 cm

3 예

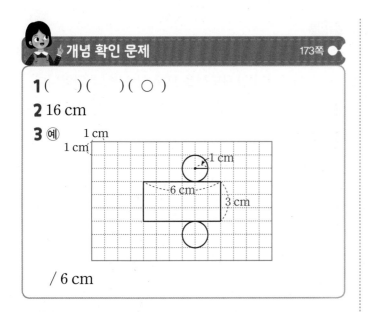

/ 6 cm

풀이

1 두 밑면이 합동인 원이고, 옆면이 직사각형인 전개도를 찾아봅니다.

2 (옆면의 가로)＝(밑면의 둘레)
　　　　　　＝4×2×3＝24 (cm)
(옆면의 세로)＝(원기둥의 높이)＝8 cm
➡ 가로와 세로의 차는 24−8＝16 (cm)입니다.

3 (옆면의 가로)＝(밑면의 둘레)
　　　　　　＝1×2×3＝6 (cm)

1 가, 라

2

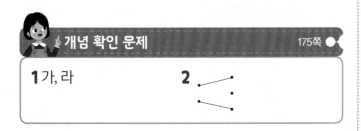

풀이

1 원뿔은 나, 다이고, 원뿔이 아닌 것은 가, 라입니다.

2 원뿔을 앞에서 본 모양은 삼각형이고, 위에서 본 모양은 원입니다.

1 원

2 (1) 10   (2) 8   (3) 6

3 (1) 원뿔   (2) 12 cm   (3) 10 cm

풀이

1 원뿔의 밑면은 원 모양입니다.

3 (1) 한 변을 기준으로 직각삼각형 모양의 종이를 한 바퀴 돌리면 원뿔이 만들어집니다.
(3) 밑면의 지름은 5×2＝10 (cm)입니다.

1 나

2 (1) ○   (2) ×   (3) ○   (4) ○   (5) ×

풀이

1 어느 방향에서 보아도 원 모양인 것은 구입니다.

2 (2) 원기둥, 원뿔에는 평평한 면이 있지만 구에는 평평한 면이 없습니다.
(5) 원뿔과 구에는 굽은 면이 있습니다.

1 다   **2** 5 cm

3 9 cm

풀이

1 지름을 기준으로 반원 모양의 종이를 한 바퀴 돌리면 구가 만들어집니다.

2 구의 중심에서 구의 겉면의 한 점을 이은 선분이 구의 반지름입니다.
따라서 구의 반지름은 5 cm입니다.

3 반원의 지름이 18 cm이므로 반원의 반지름은
18÷2＝9 (cm)입니다.
따라서 만든 구의 반지름은 9 cm입니다.

1 10 cm   **2** 성균, 4 cm

풀이

1

원기둥의 전개도에서
(옆면의 가로)$=3 \times 2 \times 3 = 18$ (cm)입니다.
종이의 가로가 더 길므로 원기둥의 전개도에서 옆면의 가로를 종이의 세로와 평행하게 그립니다.
→ (상자의 높이)$=22-6-6=10$ (cm)

2

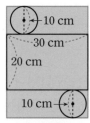 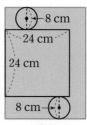

도희 　　　　　성균

원기둥의 전개도에서 옆면의 가로는
도희: $5 \times 2 \times 3 = 30$ (cm),
성균: $4 \times 2 \times 3 = 24$ (cm)
종이의 세로가 더 길므로 원기둥의 전개도에서 옆면의 가로를 종이의 가로와 평행하게 그립니다.
상자의 높이는
도희: $40-10-10=20$ (cm),
성균: $40-8-8=24$ (cm)
→ 성균이가 만든 상자의 높이가 $24-20=4$ (cm) 더 높습니다.

개념⧫확인
188~189쪽

1 나, 다
2 5 cm
3 30 cm, 8 cm
4 99.2 cm²
5

```
원뿔의 꼭짓점
모선
옆면
높이
밑면
```

6 10 cm, 8 cm
7 가
8 12 cm

풀이

1 위와 아래에 있는 면이 서로 평행하고 합동인 원으로 이루어진 입체도형을 모두 찾으면 나, 다입니다.

2 만들어진 입체도형은 높이가 5 cm인 원기둥입니다.

3 (옆면의 가로)$=$(밑면의 둘레)
　　　　　$=5 \times 2 \times 3 = 30$ (cm)
(옆면의 세로)$=$(원기둥의 높이)$=8$ cm

4 (옆면의 가로)$=$(밑면의 둘레)
　　　　　$=4 \times 2 \times 3.1 = 24.8$ (cm)
(옆면의 세로)$=$(원기둥의 높이)$=4$ cm
→ (옆면의 넓이)$=24.8 \times 4 = 99.2$ (cm²)

6 만들어진 입체도형은 밑면의 지름이 $5 \times 2 = 10$ (cm), 높이가 8 cm인 원뿔입니다.

7 공 모양의 입체도형을 찾습니다.

8 만들어진 입체도형은 구이고 구의 반지름은 반원 모양의 종이의 반지름과 같으므로 $24 \div 2 = 12$ (cm)입니다.

서술형 문제 해결하기
190~191쪽

1-1 ❶ 4　❷ 2　❸ 4, 2, 2
　　　/ 2 cm

1-2 ⑩ ❶ ㉠는 높이가 5 cm인 원뿔이 만들어집니다.
　　　❷ ㉡는 높이가 6 cm인 원기둥이 만들어집니다.
　　　❸ (두 입체도형의 높이의 합)
　　　　　$=5+6=11$ (cm)
　　　/ 11 cm

1-3 ⑩ ❶ ㉠는 밑면의 반지름이 4 cm인 원기둥이 만들어지므로 한 밑면의 지름은 $4 \times 2 = 8$ (cm)입니다.
　　　❷ ㉡는 밑면의 반지름이 5 cm인 원뿔이 만들어지므로 한 밑면의 지름은 $5 \times 2 = 10$ (cm)입니다.

❸ (두 입체도형의 한 밑면의 지름의 합)
$=8+10=18$ (cm)
/ 18 cm

1-4 예 ❶ ㉮는 밑면의 반지름이 3 cm인 원기둥
이 만들어지므로 한 밑면의 넓이는
$3×3×3=27$ (cm^2)입니다.
❷ ㉯는 밑면의 반지름이 4 cm인 원뿔이
만들어지므로 한 밑면의 넓이는
$4×4×3=48$ (cm^2)입니다.
❸ (두 입체도형의 한 밑면의 넓이의 합)
$=27+48=75$ (cm^2)
/ 75 cm^2

2-1 ❶ 9　　❷ 9, 54
/ 54 cm

2-2 예 ❶ 만들어진 입체도형은 구입니다.
구를 앞에서 본 모양은 원이고 원의 지
름의 길이는 20 cm입니다.
❷ (둘레)$=20×3=60$ (cm)
/ 60 cm

2-3 예 ❶ 원기둥을 앞에서 본 모양은 가로가
$8×2=16$ (cm), 세로가 20 cm인 직
사각형입니다.
❷ (넓이)$=16×20=320$ (cm^2)
/ 320 cm^2

2-4 예 ❶ 원뿔을 앞에서 본 모양은 밑변의 길이가
$6×2=12$ (cm), 높이가 8 cm인 삼각
형입니다.
❷ (넓이)$=12×8÷2$
$=48$ (cm^2)
/ 48 cm^2

풀이

1-1

채점 기준	❶ ㉮의 높이 구하기	3점
	❷ ㉯의 높이 구하기	3점
	❸ 두 입체도형의 높이의 차 구하기	2점

1-2

채점 기준	❶ ㉮의 높이 구하기	5점
	❷ ㉯의 높이 구하기	5점
	❸ 두 입체도형의 높이의 합 구하기	2점

1-3

채점 기준	❶ ㉮의 한 밑면의 지름 구하기	6점
	❷ ㉯의 한 밑면의 지름 구하기	6점
	❸ 두 입체도형의 한 밑면의 지름의 합 구하기	3점

1-4

채점 기준	❶ ㉮의 한 밑면의 넓이 구하기	6점
	❷ ㉯의 한 밑면의 넓이 구하기	6점
	❸ 두 입체도형의 한 밑면의 넓이의 합 구하기	3점

2-1

채점 기준	❶ 구를 앞에서 본 모양의 반지름 구하기	4점
	❷ 구를 앞에서 본 모양의 둘레 구하기	4점

2-2

채점 기준	❶ 입체도형을 앞에서 본 모양의 지름 구하기	6점
	❷ 입체도형을 앞에서 본 모양의 둘레 구하기	6점

2-3

채점 기준	❶ 원기둥을 앞에서 본 모양 구하기	7점
	❷ 원기둥을 앞에서 본 모양의 넓이 구하기	8점

2-4

채점 기준	❶ 원뿔을 앞에서 본 모양 구하기	7점
	❷ 원뿔을 앞에서 본 모양의 넓이 구하기	8점

단원 평가　　　　192~194쪽

01 옆면, 밑면　　　**02** 원, 직사각형
03 가
04 예 밑면이 원이 아닙니다.
옆을 둘러싼 면이 굽은 면이 아닙니다.
05 (　　) (　　) (○)
06 10 cm
07 소은
예 원기둥의 옆면은 굽은 면이고, 각기둥의 옆면
은 평평한 면이야.
08 40 cm　　　　**09** 16
10 (위에서부터) 원, 원/삼각형, 원/삼각형, 원
11 ㉠, ㉢　　　　**12** 4 cm
13 74.4 cm^2
14 예 ❶ 만들어진 입체도형은 밑면의 반지름이
4 cm인 원기둥입니다.
❷ 한 밑면의 넓이는
$4×4×3.14=50.24$ (cm^2)입니다.
/ 50.24 cm^2
15 나　　　　**16** 92.4 cm

17 16 cm   **18** 14 cm

19 예 ❶ 구의 겉면에 그릴 수 있는 원 중에서 가장 큰 원은 중심이 구의 중심과 같은 원입니다.
　➡ (가장 큰 원의 반지름)＝(구의 반지름)
　　　　　　　　　　　　　＝2 cm
❷ (가장 큰 원의 넓이)＝2×2×3
　　　　　　　　＝12 (cm²)
　／ 12 cm²

20 예 ❶ 변 ㄴㄷ을 기준으로 한 바퀴 돌리면 밑면의 반지름이 8 cm인 원뿔이 만들어집니다.
❷ 밑면의 둘레는 8×2×3.1＝49.6 (cm)입니다.
／ 49.6 cm

풀이

01 ㄱ은 옆면, ㄴ은 밑면입니다.

02 원기둥을 위에서 본 모양은 원이고, 옆에서 본 모양은 직사각형입니다.

03 평평한 면이 원이고 옆을 둘러싼 면이 굽은 면인 뿔 모양의 입체도형을 찾으면 가입니다.

05 원기둥의 전개도에서 밑면은 합동인 두 원으로 옆면의 마주 보는 변에 하나씩 위치하고 옆면은 직사각형입니다.

06 구의 반지름이 5 cm이고, 구의 지름은 반지름의 2배이므로 5×2＝10 (cm)입니다.

07 원기둥과 각기둥은 밑면이 2개이고, 두 밑면이 서로 평행하고 합동입니다.

08 (모선의 길이)＝25 cm
(높이)＝15 cm
따라서 모선의 길이와 높이의 합은
25＋15＝40 (cm)입니다.

09 만들어진 입체도형은 구이고 구의 반지름은 반원 모양의 종이의 반지름과 같으므로
32÷2＝16 (cm)입니다.

10 원뿔을 위에서 본 모양은 원이고, 앞, 옆에서 본 모양은 삼각형입니다.
구를 위, 앞, 옆에서 본 모양은 모두 원입니다.

11 ㄴ 원기둥은 꼭짓점이 없습니다.
ㄹ 원뿔은 밑면이 1개입니다.
따라서 원기둥과 원뿔의 공통점은 ㄱ, ㄷ입니다.

12 (왼쪽 구의 반지름)＝14÷2＝7 (cm)
(오른쪽 구의 반지름)＝11 cm
따라서 두 구의 반지름의 차는 11－7＝4 (cm)입니다.

13 (색종이의 가로)＝(밑면의 둘레)
　　　　　　＝4×2×3.1＝24.8 (cm)
(색종이의 세로)＝3 cm
➡ (색종이의 넓이)＝24.8×3＝74.4 (cm²)

14

채점 기준		
❶ 만들어진 입체도형의 밑면의 반지름 구하기	2점
❷ 한 밑면의 넓이 구하기	3점

15 원뿔의 밑면의 반지름이 5 cm, 높이가 12 cm이므로 직각을 낀 두 변의 길이가 각각 5 cm, 12 cm인 직각삼각형을 찾으면 나입니다.

16 (옆면의 가로)＝(밑면의 둘레)
　　　　　　＝6×2×3.1＝37.2 (cm)
(옆면의 세로)＝(원기둥의 높이)＝9 cm
➡ (옆면의 둘레)＝(37.2＋9)×2＝92.4 (cm)

17 위에서 본 모양이 반지름이 8 cm인 원이므로 원기둥의 밑면의 지름은 8×2＝16 (cm)입니다.
앞에서 본 모양이 정사각형이므로 원기둥의 높이는 밑면의 지름과 같습니다.
따라서 원기둥의 높이는 16 cm입니다.

18 (옆면의 넓이)＝(밑면의 둘레)×(높이)이므로
434＝(밑면의 둘레)×10
(밑면의 둘레)＝434÷10＝43.4 (cm)
원기둥의 밑면의 지름을 □ cm라고 하면
□×3.1＝43.4, □＝14
따라서 원기둥의 밑면의 지름은 14 cm입니다.

19

채점 기준		
❶ 그릴 수 있는 원 중에서 가장 큰 원의 반지름 구하기	3점
❷ 그릴 수 있는 원 중에서 가장 큰 원의 넓이 구하기	2점

20

채점 기준		
❶ 밑면의 반지름 구하기	2점
❷ 밑면의 둘레 구하기	3점

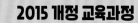

2015 개정 교육과정

초등 수학
자습서&평가문제집 6-2

평가문제
다잡기

금성출판사

6-2

초등 수학
자습서&평가문제집

평가문제 다잡기

금성출판사

구성과 특징

[교과서 핵심 개념], [쪽지시험], [단원 평가], [서술형 평가]로 자신의 실력을 점검하고 다양해지는 학교 시험에 대비할 수 있습니다.

1 교과서 핵심 개념

교과서에 나온 핵심 개념을 모아서 정리했습니다.

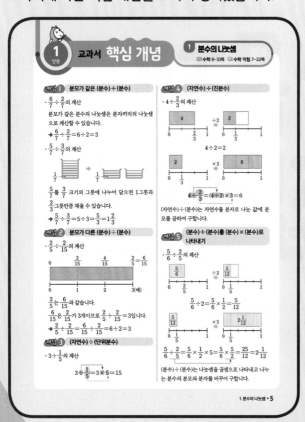

2 쪽지시험

한 회에 10문제씩 총 4회로 구성되어 있습니다.

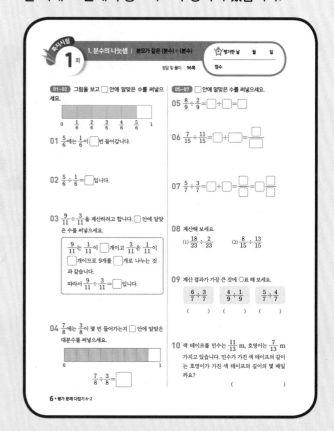

3 단원 평가 기본 실력

난이도별로 기본 단원 평가, 실력 단원 평가 2회가 제공됩니다.

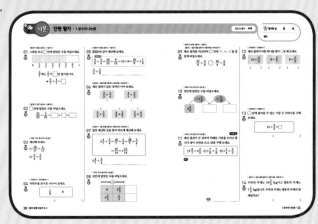

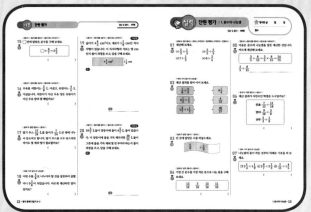

4 서술형 평가 연습 실전

난이도별로 연습 서술형 평가, 실전 서술형 평가 2회가 제공됩니다.

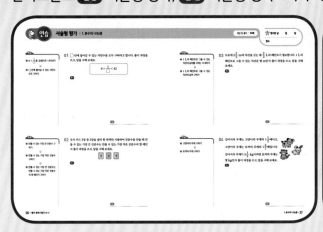

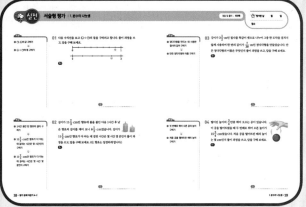

5 정답 및 풀이

자세한 풀이와 참고, 주의, 다른 풀이 등을 실어 학습 가이드로 활용할 수 있습니다.

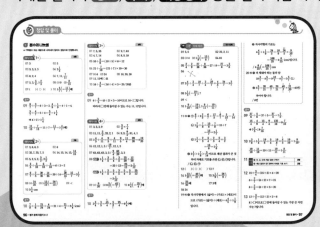

차례

개념 1 분모가 같은 (분수)÷(분수)

· $\dfrac{6}{7} \div \dfrac{2}{7}$ 의 계산

분모가 같은 분수의 나눗셈은 분자끼리의 나눗셈으로 계산할 수 있습니다.

➡ $\dfrac{6}{7} \div \dfrac{2}{7} = 6 \div 2 = 3$

· $\dfrac{5}{7} \div \dfrac{3}{7}$ 의 계산

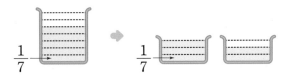

$\dfrac{5}{7}$ 를 $\dfrac{3}{7}$ 크기의 그릇에 나누어 담으면 1그릇과 $\dfrac{2}{3}$ 그릇만큼 채울 수 있습니다.

➡ $\dfrac{5}{7} \div \dfrac{3}{7} = 5 \div 3 = \dfrac{5}{3} = 1\dfrac{2}{3}$

개념 2 분모가 다른 (분수)÷(분수)

· $\dfrac{2}{5} \div \dfrac{2}{15}$ 의 계산

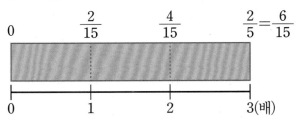

$\dfrac{2}{5}$ 는 $\dfrac{6}{15}$ 과 같습니다.

$\dfrac{6}{15}$ 은 $\dfrac{2}{15}$ 가 3개이므로 $\dfrac{2}{5} \div \dfrac{2}{15} = 3$입니다.

➡ $\dfrac{2}{5} \div \dfrac{2}{15} = \dfrac{6}{15} \div \dfrac{2}{15} = 6 \div 2 = 3$

개념 3 (자연수)÷(단위분수)

· $3 \div \dfrac{1}{5}$ 의 계산

$3 \div \dfrac{1}{5} = 3 \times 5 = 15$

개념 4 (자연수)÷(진분수)

· $4 \div \dfrac{2}{3}$ 의 계산

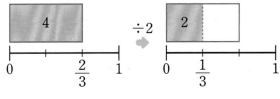

$4 \div 2 = 2$

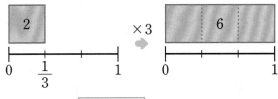

$4 \div \dfrac{2}{3} = (4 \div 2) \times 3 = 6$

(자연수)÷(분수)는 자연수를 분자로 나눈 값에 분모를 곱하여 구합니다.

개념 5 (분수)÷(분수)를 (분수)×(분수)로 나타내기

· $\dfrac{5}{6} \div \dfrac{2}{5}$ 의 계산

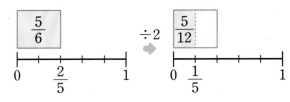

$\dfrac{5}{6} \div 2 = \dfrac{5}{6} \times \dfrac{1}{2} = \dfrac{5}{12}$

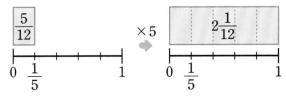

$\dfrac{5}{6} \div \dfrac{2}{5} = \dfrac{5}{6} \times \dfrac{1}{2} \times 5 = \dfrac{5}{6} \times \dfrac{5}{2} = \dfrac{25}{12} = 2\dfrac{1}{12}$

(분수)÷(분수)는 나눗셈을 곱셈으로 나타내고 나누는 분수의 분모와 분자를 바꾸어 구합니다.

01~02 그림을 보고 ☐ 안에 알맞은 수를 써넣으세요.

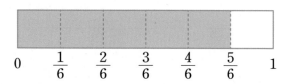

0   $\frac{1}{6}$ $\frac{2}{6}$ $\frac{3}{6}$ $\frac{4}{6}$ $\frac{5}{6}$ 1

01 $\frac{5}{6}$에는 $\frac{1}{6}$이 ☐번 들어갑니다.

02 $\frac{5}{6} \div \frac{1}{6} =$ ☐입니다.

03 $\frac{9}{11} \div \frac{3}{11}$을 계산하려고 합니다. ☐ 안에 알맞은 수를 써넣으세요.

> $\frac{9}{11}$는 $\frac{1}{11}$이 ☐개이고 $\frac{3}{11}$은 $\frac{1}{11}$이
> ☐개이므로 9개를 ☐개로 나누는 것과 같습니다.
> 따라서 $\frac{9}{11} \div \frac{3}{11} =$ ☐입니다.

04 $\frac{7}{8}$에는 $\frac{3}{8}$이 몇 번 들어가는지 ☐ 안에 알맞은 대분수를 써넣으세요.

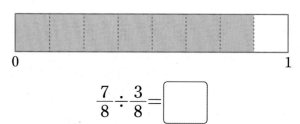

0   1

$\frac{7}{8} \div \frac{3}{8} =$ ☐

05~07 ☐ 안에 알맞은 수를 써넣으세요.

05 $\frac{8}{9} \div \frac{2}{9} =$ ☐ $\div$ ☐ $=$ ☐

06 $\frac{7}{15} \div \frac{11}{15} =$ ☐ $\div$ ☐ $= \frac{☐}{☐}$

07 $\frac{5}{7} \div \frac{3}{7} =$ ☐ $\div$ ☐ $= \frac{☐}{☐} =$ ☐$\frac{☐}{☐}$

08 계산해 보세요.

(1) $\frac{18}{23} \div \frac{2}{23}$ (2) $\frac{8}{15} \div \frac{13}{15}$

09 계산 결과가 가장 큰 것에 ◯표 해 보세요.

$\frac{6}{7} \div \frac{3}{7}$	$\frac{4}{9} \div \frac{1}{9}$	$\frac{5}{7} \div \frac{4}{7}$
( )	( )	( )

10 색 테이프를 민수는 $\frac{11}{13}$ m, 호영이는 $\frac{7}{13}$ m 가지고 있습니다. 민수가 가진 색 테이프의 길이는 호영이가 가진 색 테이프의 길이의 몇 배일까요?

(   )

⏰ 평가한 날　　월　　일

점수

정답 및 풀이 | 96쪽

01 그림을 보고 ☐ 안에 알맞은 수를 써넣으세요.

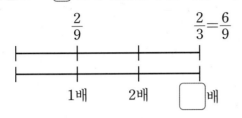

$$\frac{2}{3} \div \frac{2}{9} = \frac{\boxed{}}{9} \div \frac{2}{9} = \boxed{} \div 2 = \boxed{}$$

02 그림을 보고 ☐ 안에 알맞은 수를 써넣으세요.

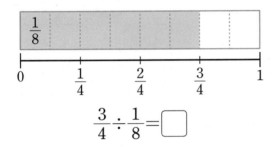

$$\frac{3}{4} \div \frac{1}{8} = \boxed{}$$

03~05 ☐ 안에 알맞은 수를 써넣으세요.

03 $\dfrac{7}{8} \div \dfrac{7}{40} = \dfrac{\boxed{}}{40} \div \dfrac{\boxed{}}{40}$

$\qquad = \boxed{} \div \boxed{} = \boxed{}$

04 $\dfrac{2}{3} \div \dfrac{5}{7} = \dfrac{\boxed{}}{21} \div \dfrac{\boxed{}}{21}$

$\qquad = \boxed{} \div \boxed{} = \dfrac{\boxed{}}{\boxed{}}$

05 $\dfrac{5}{12} \div \dfrac{1}{6} = \dfrac{\boxed{}}{12} \div \dfrac{\boxed{}}{12} = \boxed{} \div \boxed{}$

$\qquad = \dfrac{\boxed{}}{\boxed{}} = \boxed{} \dfrac{\boxed{}}{\boxed{}}$

06~07 보기 와 같이 계산해 보세요.

06

보기
$$\frac{8}{14} \div \frac{2}{7} = \frac{8}{14} \div \frac{4}{14} = 8 \div 4 = 2$$

$$\frac{3}{5} \div \frac{3}{10}$$

07

보기
$$\frac{7}{10} \div \frac{7}{12} = \frac{42}{60} \div \frac{35}{60} = 42 \div 35$$
$$= \frac{\overset{6}{\cancel{42}}}{\underset{5}{\cancel{35}}} = \frac{6}{5} = 1\frac{1}{5}$$

$$\frac{6}{7} \div \frac{2}{5}$$

08 계산해 보세요.

(1) $\dfrac{3}{5} \div \dfrac{5}{8}$　　　　(2) $\dfrac{4}{5} \div \dfrac{3}{7}$

09 계산 결과를 비교하여 ◯ 안에 >, =, <를 알맞게 써넣으세요.

$$\frac{5}{8} \div \frac{3}{4} \quad \bigcirc \quad \frac{7}{12} \div \frac{5}{10}$$

10 어느 달팽이가 $\dfrac{7}{8}$ cm를 기어가는 데 $\dfrac{1}{6}$분이 걸립니다. 이 달팽이가 같은 빠르기로 기어간다면 1분 동안 갈 수 있는 거리는 몇 cm일까요?

(　　　　　　　　)

01~02 ☐ 안에 알맞은 수를 써넣으세요.

01 $7 \div \dfrac{1}{5} = \boxed{} \times \boxed{} = \boxed{}$

02 $9 \div \dfrac{1}{7} = \boxed{} \times \boxed{} = \boxed{}$

03~04 ☐ 안에 알맞은 수를 써넣으세요.

03 $8 \div \dfrac{4}{7} = (8 \div \boxed{}) \times \boxed{} = \boxed{}$

04 $16 \div \dfrac{8}{9} = (16 \div \boxed{}) \times \boxed{} = \boxed{}$

05~06 보기 와 같이 계산해 보세요.

보기
$$6 \div \dfrac{3}{8} = (6 \div 3) \times 8 = 16$$

05 $10 \div \dfrac{5}{6}$

06 $21 \div \dfrac{7}{10}$

07 계산해 보세요.

(1) $1 \div \dfrac{1}{6}$

(2) $9 \div \dfrac{3}{8}$

08 빈 곳에 알맞은 수를 써넣으세요.

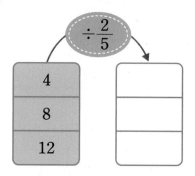

09 ☐ 안에 들어갈 수 있는 수에 모두 ○표 해 보세요.

$$6 \div \dfrac{3}{5} < \boxed{}$$

(8 , 9 , 10 , 11 , 12)

10 유진이는 $\dfrac{4}{5}$ km를 걷는 데 16분이 걸렸습니다. 같은 빠르기로 1 km를 걷는다면 몇 분이 걸리는지 식을 쓰고, 답을 구해 보세요.

식 ....

답

01 $\dfrac{2}{3} \div \dfrac{3}{4}$ 을 계산하는 과정입니다. ☐ 안에 알맞은 수를 써넣으세요.

$$\dfrac{2}{3} \div \dfrac{3}{4} = \dfrac{2}{3} \div \boxed{} \times 4 = \dfrac{2}{3} \times \dfrac{1}{\boxed{}} \times 4$$

$$= \dfrac{2}{3} \times \dfrac{4}{\boxed{}} = \dfrac{8}{\boxed{}}$$

02 $\dfrac{5}{8} \div \dfrac{4}{7}$ 를 곱셈식으로 바르게 나타내어 보세요.

(   )

03~04 ☐ 안에 알맞은 수를 써넣으세요.

03 $1\dfrac{3}{8} \div \dfrac{2}{3} = \dfrac{\boxed{}}{8} \div \dfrac{2}{3} = \dfrac{\boxed{}}{8} \times \dfrac{\boxed{}}{\boxed{}}$

$$= \dfrac{\boxed{}}{16} = \boxed{}\dfrac{\boxed{}}{16}$$

04 $1\dfrac{4}{5} \div \dfrac{4}{9} = \dfrac{\boxed{}}{5} \div \dfrac{4}{9} = \dfrac{\boxed{}}{5} \times \dfrac{\boxed{}}{\boxed{}}$

$$= \dfrac{\boxed{}}{20} = \boxed{}\dfrac{\boxed{}}{20}$$

05 민지가 $1\dfrac{4}{5} \div \dfrac{4}{11}$ 를 잘못 계산한 것입니다. 바르게 계산해 보세요.

$$1\dfrac{4}{5} \div \dfrac{4}{11} = 1\dfrac{\overset{1}{\cancel{4}}}{5} \times \dfrac{11}{\underset{1}{\cancel{4}}} = 1\dfrac{11}{5} = 3\dfrac{1}{5}$$

바른 계산

06~07 ☐ 안에 알맞은 수를 써넣으세요.

06

$$\dfrac{6}{5} \div \dfrac{7}{10} = \dfrac{\boxed{}}{10} \div \dfrac{7}{10} = \dfrac{\boxed{}}{7} = \boxed{}\dfrac{\boxed{}}{7}$$

$$\dfrac{6}{5} \div \dfrac{7}{10} = \dfrac{6}{5} \times \dfrac{\boxed{}}{\boxed{}} = \dfrac{\boxed{}}{7} = \boxed{}\dfrac{\boxed{}}{7}$$

07

$$\dfrac{7}{5} \div \dfrac{4}{9} = \dfrac{\boxed{}}{45} \div \dfrac{20}{45} = \boxed{} \div 20$$

$$= \dfrac{\boxed{}}{20} = \boxed{}\dfrac{\boxed{}}{20}$$

$$\dfrac{7}{5} \div \dfrac{4}{9} = \dfrac{7}{5} \times \dfrac{\boxed{}}{\boxed{}} = \dfrac{\boxed{}}{\boxed{}} = \boxed{}\dfrac{\boxed{}}{20}$$

08 $1\dfrac{1}{4} \div \dfrac{3}{5}$ 을 두 가지 방법으로 계산해 보세요.

방법① 통분하여 계산하기

방법② 분수의 곱셈으로 나타내어 계산하기

09 나눗셈식을 곱셈식으로 나타내어 계산해 보세요.

(1) $\dfrac{3}{8} \div \dfrac{5}{6}$

(2) $\dfrac{10}{7} \div \dfrac{2}{9}$

10 $3\dfrac{3}{4}$ 은 $\dfrac{3}{5}$ 의 몇 배일까요?

(   )

| 분모가 같은 (분수)÷(분수) |

01 그림을 보고 ☐ 안에 알맞은 수를 써넣으세요.

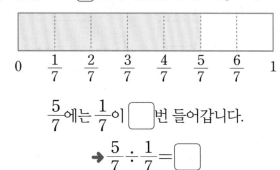

$\dfrac{5}{7}$에는 $\dfrac{1}{7}$이 ☐ 번 들어갑니다.

➡ $\dfrac{5}{7} \div \dfrac{1}{7} =$ ☐

| 분모가 같은 (분수)÷(분수) |

02 ☐ 안에 알맞은 수를 써넣으세요.

$\dfrac{22}{25} \div \dfrac{2}{25} =$ ☐ $\div$ ☐ $=$ ☐

| 여러 가지 분수의 나눗셈 |

03 계산해 보세요.

(1) $\dfrac{16}{17} \div \dfrac{4}{17}$

(2) $\dfrac{3}{4} \div \dfrac{2}{5}$

| (자연수)÷(단위분수) |

04 자연수를 분수로 나누어 보세요.

| $\dfrac{1}{9}$ | 9 |

(   )

| 분모가 다른 (분수)÷(분수) |

05 보기 와 같이 계산해 보세요.

보기

$$\frac{5}{6} \div \frac{3}{4} = \frac{10}{12} \div \frac{9}{12} = 10 \div 9 = \frac{10}{9} = 1\frac{1}{9}$$

$\dfrac{3}{4} \div \dfrac{2}{9}$

| (분수)÷(분수)를 (분수)×(분수)로 나타내기 |

06 계산 결과가 같은 것끼리 이어 보세요.

$\dfrac{2}{5} \div \dfrac{3}{4}$ $\dfrac{4}{5} \div \dfrac{2}{3}$

•   •

$\dfrac{5}{4} \times \dfrac{2}{3}$ $\dfrac{4}{5} \times \dfrac{3}{2}$ $\dfrac{2}{5} \times \dfrac{4}{3}$

| (분수)÷(분수)를 (분수)×(분수)로 나타내기 |

07 잘못 계산한 곳을 찾아 바르게 계산해 보세요.

$$2\frac{4}{7} \div \frac{3}{4} = \frac{18}{7} \div \frac{3}{4} = \frac{\overset{9}{18}}{7} \times \frac{3}{\underset{2}{4}}$$

$$= \frac{27}{14} = 1\frac{13}{14}$$

$2\dfrac{4}{7} \div \dfrac{3}{4}$

| 여러 가지 분수의 나눗셈 |

08 빈칸에 알맞은 수를 써넣으세요.

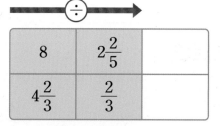

평가한 날　　　월　　　일

점수

| 분모가 같은 (분수)÷(분수),
(분수)÷(분수)를 (분수)×(분수)로 나타내기 |

09 계산 결과를 비교하여 ◯ 안에 >, =, <를 알맞게 써넣으세요.
（중）

$$\frac{37}{6} \div \frac{5}{6} \bigcirc \frac{15}{4} \div \frac{4}{9}$$

| 여러 가지 분수의 나눗셈 |

10 빈칸에 알맞은 수를 써넣으세요.
（중）

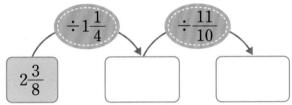

| 여러 가지 분수의 나눗셈 |　　　　　　　　**서술형**

11 계산 결과가 큰 것부터 차례로 기호를 쓰려고 합니다. 풀이 과정을 쓰고, 답을 구해 보세요.
（중）

$$㉠ \frac{6}{7} \div 2\frac{2}{5} \quad ㉡ 1\frac{7}{8} \div \frac{7}{8} \quad ㉢ 1\frac{1}{4} \div \frac{2}{3}$$

풀이

답 〔　　　〕

| (자연수)÷(진분수) |

12 계산 결과가 다른 하나를 찾아 ◯표 해 보세요.
（중）

$$15 \div \frac{3}{4} \qquad 6 \div \frac{2}{7} \qquad 8 \div \frac{2}{5}$$

（　　　　）　（　　　　）　（　　　　）

| (자연수)÷(진분수) |

13 ▢ 안에 들어갈 수 있는 가장 큰 자연수를 구해 보세요.
（중）

$$12 \div \frac{3}{2} > ▢$$

（　　　　　　　　）

| (분수)÷(분수)를 (분수)×(분수)로 나타내기 |

14 수박의 무게는 $10\frac{2}{3}$ kg이고 멜론의 무게는 $7\frac{1}{5}$ kg입니다. 수박의 무게는 멜론의 무게의 몇 배일까요?
（중）

（　　　　　　　　）

| (분수)÷(분수)를 (분수)×(분수)로 나타내기 |

15 ☐ 안에 알맞은 분수를 구해 보세요.
(중)

$$\boxed{\square \times \dfrac{6}{7} = 2\dfrac{2}{3}}$$

(   )

| (분수)÷(분수)를 (분수)×(분수)로 나타내기 |

16 우유를 석찬이는 $\dfrac{5}{8}$ L 마셨고, 유림이는 $\dfrac{4}{5}$ L
(중) 마셨습니다. 석찬이가 마신 우유 양은 유림이가 마신 우유 양의 몇 배일까요?

(   )

| 분모가 같은 (분수)÷(분수) |

17 딸기 주스 $\dfrac{17}{24}$ L를 들이가 $\dfrac{7}{24}$ L인 병에 나누
(중) 어 담으려고 합니다. 딸기 주스를 모두 담으려면 적어도 몇 개의 병이 필요할까요?

(   )

| 여러 가지 분수의 나눗셈 |

18 어떤 수를 $\dfrac{5}{8}$ 로 나누어야 할 것을 잘못하여 곱했
(상) 더니 $9\dfrac{3}{8}$ 이 되었습니다. 바르게 계산하면 얼마 일까요?

(   )

| (분수)÷(분수)를 (분수)×(분수)로 나타내기 | **서술형**

19 넓이가 $4\dfrac{4}{5}$ cm²이고, 세로가 $1\dfrac{1}{9}$ cm인 직사
(상) 각형이 있습니다. 이 직사각형의 가로는 몇 cm 인지 풀이 과정을 쓰고, 답을 구해 보세요.

$$4\dfrac{4}{5}\ cm^2 \qquad 1\dfrac{1}{9}\ cm$$

풀이

답

| (분수)÷(분수)를 (분수)×(분수)로 나타내기 | **서술형**

20 $10\dfrac{3}{7}$ L들이 양동이에 물이 $4\dfrac{5}{7}$ L 들어 있습니
(상) 다. 이 양동이에 물을 가득 채우려면 $\dfrac{20}{21}$ L들이 그릇에 물을 가득 채워 몇 번 부어야 하는지 풀이 과정을 쓰고, 답을 구해 보세요.

풀이

답

| 분모가 같은 (분수)÷(분수), (자연수)÷(단위분수), (자연수)÷(진분수) |

01 계산해 보세요.

(1) $\dfrac{2}{3} \div \dfrac{1}{3}$ (2) $\dfrac{3}{5} \div \dfrac{2}{5}$

(3) $7 \div \dfrac{1}{3}$ (4) $6 \div \dfrac{3}{4}$

| 여러 가지 분수의 나눗셈 |

02 계산 결과를 찾아 이어 보세요.

 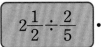

$\dfrac{1}{6} \div \dfrac{5}{8}$ ·

$2\dfrac{1}{2} \div \dfrac{2}{5}$ ·

$1\dfrac{3}{7} \div 1\dfrac{1}{2}$ ·

· $6\dfrac{1}{4}$

· $\dfrac{4}{15}$

· $\dfrac{20}{21}$

| 분모가 같은 (분수)÷(분수) |

03 빈 곳에 알맞은 수를 써넣으세요.

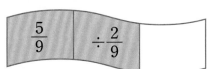

$\dfrac{5}{9}$ $\div \dfrac{2}{9}$

| 분모가 같은 (분수)÷(분수) |

04 가장 큰 분수를 가장 작은 분수로 나눈 몫을 구해 보세요.

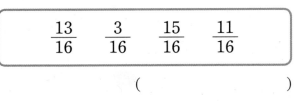

$\dfrac{13}{16}$ $\dfrac{3}{16}$ $\dfrac{15}{16}$ $\dfrac{11}{16}$

(   )

| (분수)÷(분수)를 (분수)×(분수)로 나타내기 |

05 다음은 분수의 나눗셈을 잘못 계산한 것입니다. 바르게 계산해 보세요.

$$\dfrac{3}{5} \div \dfrac{8}{15} = \dfrac{3}{5} \times \dfrac{8}{15} = \dfrac{24}{75}$$

$\dfrac{3}{5} \div \dfrac{8}{15}$

| 분모가 다른 (분수)÷(분수) |

06 계산 결과가 자연수인 학생은 누구일까요?

은호: $\dfrac{7}{12} \div \dfrac{11}{18}$

영지: $\dfrac{9}{16} \div \dfrac{5}{8}$

선우: $\dfrac{2}{3} \div \dfrac{1}{9}$

(   )

| 여러 가지 분수의 나눗셈 |

07 나눗셈의 몫이 작은 것부터 차례로 기호를 써 보세요.

ⓐ $2\dfrac{1}{4} \div 1\dfrac{1}{9}$ ⓑ $2\dfrac{6}{7} \div 2\dfrac{2}{3}$ ⓒ $\dfrac{2}{11} \div 1\dfrac{4}{5}$

(   )

| (분수)÷(분수)를 (분수)×(분수)로 나타내기 |

08 $3\frac{1}{2} \div \frac{4}{7}$를 두 가지 방법으로 계산해 보세요.

방법❶

방법❷

| 분모가 같은 (분수)÷(분수) |

09 ☐ 안에 알맞은 수를 구해 보세요.

$$\frac{\Box}{15} \div \frac{4}{15} = 2$$

(   )

| (자연수)÷(진분수) |

10 두 계산 결과의 차를 구해 보세요.

㉠ $8 \div \frac{2}{3}$ ㉡ $16 \div \frac{4}{5}$

(   )

| 분모가 같은 (분수)÷(분수) |

11 다음 조건을 만족하는 분수의 나눗셈을 모두 써 보세요.

조건
· $8 \div 3$을 이용하여 계산할 수 있습니다.
· 분모가 12보다 작은 진분수의 나눗셈입니다.
· 두 분수의 분모는 같습니다.

(   )

| (자연수)÷(진분수) |

12 ☐ 안에 알맞은 분수를 구해 보세요.

$$9 \div \Box = (9 \div 3) \times 4$$

(   )

| 여러 가지 분수의 나눗셈 |

13 케이크를 만드는 데 밀가루 5컵, 설탕 $\frac{4}{5}$컵을 사용했습니다. 밀가루는 설탕의 몇 배를 사용했는지 나눗셈식을 쓰고 답을 구해 보세요.

식

답

| (분수)÷(분수)를 (분수)×(분수)로 나타내기 |

14 밧줄 $2\frac{1}{10}$ m의 무게가 $\frac{5}{9}$ kg입니다. 밧줄 1 m의 무게는 몇 kg인지 구해 보세요.

(   )

| 여러 가지 분수의 나눗셈 | 서술형

15 두 식의 계산 결과 사이에 있는 자연수를 모두 구하려고 합니다. 풀이 과정을 쓰고, 답을 구해 보세요.

$30 \div 1\frac{1}{4}$ $15\frac{1}{2} \div \frac{5}{9}$

풀이

답

| (분수)÷(분수)를 (분수)×(분수)로 나타내기 |

16 민경이네 집에서 학교까지의 거리는 학교에서
놀이터까지의 거리의 몇 배일까요?

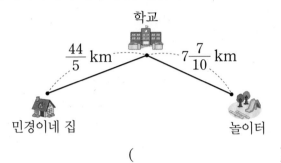

( )

| 분모가 같은 (분수)÷(분수) |

17 수 카드 중에서 두 장을 골라 ◯ 안에 써넣어 몫
이 가장 큰 나눗셈식을 만들고, 몫을 구해 보세요.

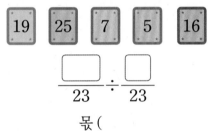

$$\dfrac{\square}{23} \div \dfrac{\square}{23}$$

몫 ( )

| (분수)÷(분수)를 (분수)×(분수)로 나타내기 | 서술형

18 밑변의 길이가 $\dfrac{4}{7}$ m인 삼각형의 넓이가 $\dfrac{1}{6}$ m²
입니다. 이 삼각형의 높이는 몇 m인지 풀이 과정
을 쓰고, 답을 구해 보세요.

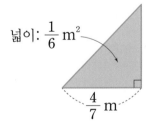

넓이: $\dfrac{1}{6}$ m²

$\dfrac{4}{7}$ m

풀이

답

| (분수)÷(분수)를 (분수)×(분수)로 나타내기 | 서술형

19 어느 날 밤의 길이가 $11\dfrac{1}{3}$시간일 때, 이 날 낮의
길이는 밤의 길이의 몇 배인지 풀이 과정을 쓰고,
답을 구해 보세요.

풀이

답

| (분수)÷(분수)를 (분수)×(분수)로 나타내기 |

20 민선이가 $1\dfrac{1}{3}$ km를 걸어가는 데 45분이 걸렸
다고 합니다. 같은 빠르기로 걷는다면 1시간
40분 동안 몇 km를 갈 수 있을까요?

( )

TIP

❶ $8 \div \dfrac{1}{\square}$ 을 곱셈으로 나타내기

⌄

❷ □ 안에 들어갈 수 있는 자연수 모두 구하기

01 □ 안에 들어갈 수 있는 자연수를 모두 구하려고 합니다. 풀이 과정을 쓰고, 답을 구해 보세요.

$$8 \div \dfrac{1}{\square} < 42$$

풀이

답 ....

TIP

❶ 만들 수 있는 가장 큰 진분수 구하기

⌄

❷ 만들 수 있는 가장 작은 진분수 구하기

⌄

❸ 만들 수 있는 가장 큰 진분수는 만들 수 있는 가장 작은 진분수의 몇 배인지 구하기

02 숫자 카드 3장 중 2장을 골라 한 번씩만 사용하여 진분수를 만들 때 만들 수 있는 가장 큰 진분수는 만들 수 있는 가장 작은 진분수의 몇 배인지 풀이 과정을 쓰고, 답을 구해 보세요.

2   5   9

풀이

답 ....

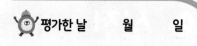

TIP

❶ 1 L의 페인트로 그을 수 있는 차선의 길이를 구하는 식 세우기

∨

❷ 1 L의 페인트로 그을 수 있는 차선의 길이 구하기

03 도로에 $2\frac{2}{5}$ m의 차선을 긋는 데 $\frac{2}{3}$ L의 페인트가 필요합니다. 1 L의 페인트로 그을 수 있는 차선은 몇 m인지 풀이 과정을 쓰고, 답을 구해 보세요.

풀이

답

TIP

❶ 고양이의 무게 구하기

∨

❷ 토끼의 무게 구하기

04 강아지의 무게는 고양이의 무게의 $1\frac{1}{2}$배이고, 고양이의 무게는 토끼의 무게의 $1\frac{5}{7}$배입니다. 강아지의 무게가 $5\frac{1}{2}$ kg이라면 토끼의 무게는 몇 kg인지 풀이 과정을 쓰고, 답을 구해 보세요.

풀이

답

TiP

❶ ㉠, ㉡의 값 구하기

❷ ㉡÷㉠의 몫 구하기

01 다음 수직선을 보고 ㉡÷㉠의 몫을 구하려고 합니다. 풀이 과정을 쓰고, 답을 구해 보세요.

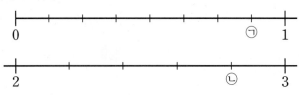

풀이

답 ──────────────

TiP

❶ 1시간 동안 탄 향초의 길이 구하기

❷ $11\frac{2}{3}$ cm인 향초가 다 타는 데 걸리는 시간은 몇 시간인지 구하기

❸ $11\frac{2}{3}$ cm인 향초가 다 타는 데 걸리는 시간은 몇 시간 몇 분인지 구하기

02 길이가 $11\frac{2}{3}$ cm인 향초에 불을 붙인 다음 1시간 후 남은 향초의 길이를 재어 보니 $8\frac{1}{3}$ cm였습니다. 길이가 $11\frac{2}{3}$ cm인 향초가 다 타는 데 걸린 시간은 몇 시간 몇 분인지 풀이 과정을 쓰고, 답을 구해 보세요. (단, 향초는 일정하게 탑니다.)

풀이

답 ──────────────

평가한 날   월   일

점수

TiP

❶ 정다각형을 만드는 데 사용한 철사의 길이 구하기

⌄

❷ 만든 정다각형의 이름 구하기

03 길이가 $3\frac{1}{2}$ m인 철사를 똑같이 셋으로 나누어 그중 한 도막을 겹치지 않게 사용하여 한 변의 길이가 $\frac{7}{30}$ m인 정다각형을 만들었습니다. 만든 정다각형의 이름은 무엇인지 풀이 과정을 쓰고, 답을 구해 보세요.

풀이

답

TiP

❶ 첫 번째로 튀어 오른 공의 높이 구하기

⌄

❷ 처음 공을 떨어뜨린 때의 높이 구하기

04 떨어진 높이의 $\frac{3}{4}$만큼 튀어 오르는 공이 있습니다. 이 공을 떨어뜨렸을 때 두 번째로 튀어 오른 높이가 $15\frac{3}{4}$ cm였습니다. 처음 공을 떨어뜨린 때의 높이는 몇 cm인지 풀이 과정을 쓰고, 답을 구해 보세요.

풀이

답

개념 **1** 바라본 방향 알아보기

같은 물체라도 보는 위치와 방향에 따라 보이는 모양이 달라질 수 있습니다.

[예]

개념 **2** 쌓은 모양과 쌓기나무의 개수 (1)

위에서 본 모양을 살펴보면 쌓은 모양 뒤에 숨겨진 쌓기나무가 있는지 없는지 알 수 있습니다.

[예]

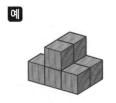 

— 주어진 모양과 똑같이 쌓는 데 필요한 쌓기나무는 7개입니다.

[위에서 본 모양]

개념 **3** 쌓은 모양과 쌓기나무의 개수 (2)

· 쌓기나무로 쌓은 모양을 위에서 본 모양은 1층에 놓인 모양과 같습니다.
· 쌓기나무로 쌓은 모양을 앞, 옆에서 본 모양을 그릴 때에는 각 방향에서 가장 높은 층수만큼 그립니다.

[예]

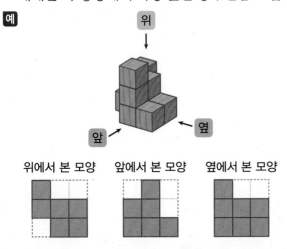

위에서 본 모양   앞에서 본 모양   옆에서 본 모양

개념 **4** 쌓은 모양과 쌓기나무의 개수 (3)

쌓기나무로 쌓은 모양을 위에서 본 모양에 수를 쓰는 방법으로 나타내면 쌓은 모양을 앞, 옆에서 본 모양과 쌓은 쌓기나무의 개수를 쉽게 알 수 있습니다.

[예]

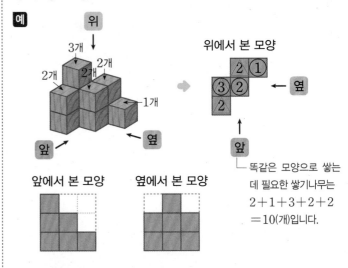

위에서 본 모양

앞에서 본 모양   옆에서 본 모양

— 똑같은 모양으로 쌓는 데 필요한 쌓기나무는 $2+1+3+2+2$ $=10$(개)입니다.

개념 **5** 쌓은 모양과 쌓기나무의 개수 (4)

· 쌓기나무로 쌓은 모양을 층별로 나타낼 수 있습니다.
· 쌓은 모양을 층별로 나타낸 모양을 보고 위에서 본 모양에 수를 쓰는 방법으로 나타낼 수 있습니다.

[예]

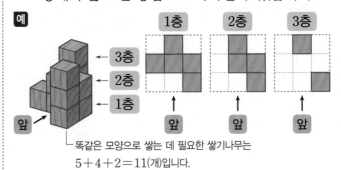

1층   2층   3층

— 똑같은 모양으로 쌓는 데 필요한 쌓기나무는 $5+4+2=11$(개)입니다.

개념 **6** 여러 가지 모양 만들기

쌓기나무 3개 또는 4개를 사용하여 모양을 만들고, 그 모양을 이용하여 새로운 모양을 만들 수 있습니다.

[예]

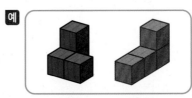

01~05 어느 공원을 여러 방향에서 보았습니다. 각 그림은 어느 방향에서 본 것인지 기호를 써 보세요.

01

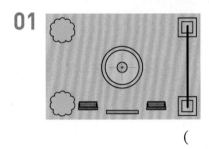

(   )

02

(   )

03

(   )

04

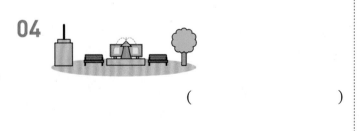

(   )

05 지현이가 사진을 찍은 곳은 앞쪽에 나무가 있고 오른쪽에 벤치가 있습니다. 지현이가 사진을 찍은 곳은 어느 방향인지 기호를 써 보세요.

(   )

06~07 쌓기나무 7개로 쌓은 모양입니다. 위에서 본 모양을 그려 보세요.

06

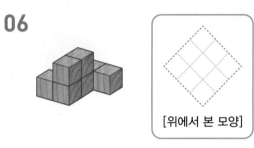

[위에서 본 모양]

07

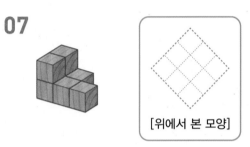

[위에서 본 모양]

08~10 쌓기나무로 쌓은 모양을 보고 보기 에서 위에서 본 모양을 찾아 사용한 쌓기나무의 개수를 구해 보세요.

보기

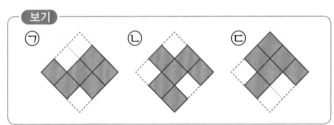

ㄱ   ㄴ   ㄷ

08

(   )

09

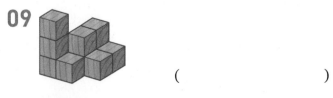

(   )

10

(   )

평가한 날   월   일

정답 및 풀이 | 101쪽

점수

01~03 쌓기나무로 쌓은 모양을 위, 앞, 옆에서 본 모양을 알아보려고 합니다. 어느 곳에서 본 모양인지 위, 앞, 옆을 알맞게 써 보세요.

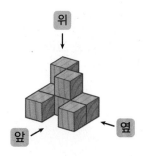

01

(   )

02

(   )

03

(   )

04~05 쌓기나무로 쌓은 모양과 이를 위에서 본 모양입니다. 앞, 옆에서 본 모양을 각각 그려 보세요.

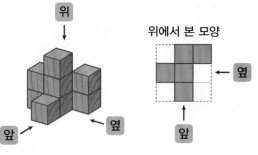

04 앞에서 본 모양

05 옆에서 본 모양

06~08 쌓기나무 8개로 쌓은 모양입니다. 위, 앞, 옆에서 본 모양을 각각 그려 보세요.

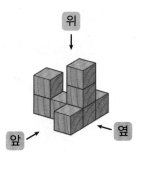

06 위에서 본 모양

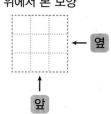

07 앞에서 본 모양   **08** 옆에서 본 모양

09~10 쌓기나무로 쌓은 모양을 위, 앞, 옆에서 본 모양입니다. 물음에 답해 보세요.

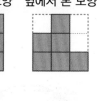
위에서 본 모양   앞에서 본 모양   옆에서 본 모양

09 어떤 모양을 본 것인지 찾아 기호를 써 보세요.

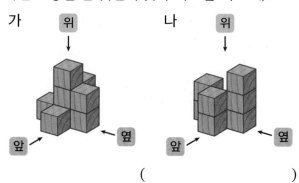
가   나

(   )

10 똑같은 모양으로 쌓는 데 필요한 쌓기나무의 개수를 구해 보세요.

(   )

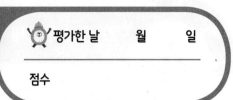
01~04 쌓기나무로 쌓은 모양을 보고 위에서 본 모양에 수를 쓰는 방법으로 나타내려고 합니다. 물음에 답해 보세요.

01 위에서 본 모양에 알맞은 수를 써넣으세요.

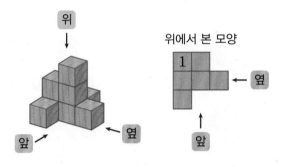

위에서 본 모양

02 위 **01**과 똑같은 모양으로 쌓는 데 필요한 쌓기나무의 개수를 구해 보세요.

(   )

03 위에서 본 모양에 알맞은 수를 써넣으세요.

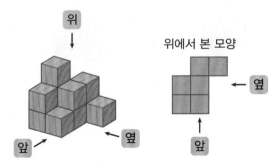

위에서 본 모양

04 위 **03**과 똑같은 모양으로 쌓는 데 필요한 쌓기나무의 개수를 구해 보세요.

(   )

05 쌓기나무 11개로 쌓은 모양입니다. 위에서 본 모양에 수를 쓰는 방법으로 나타내어 보세요.

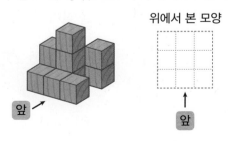

위에서 본 모양

06 쌓기나무로 쌓은 모양을 위에서 본 모양에 수를 쓰는 방법으로 나타내었습니다. 앞, 옆 중 각각 어느 방향에서 본 모양인지 써 보세요.

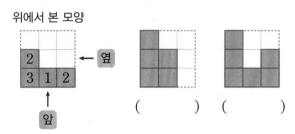

(   )   (   )

07 쌓기나무로 쌓은 모양을 위에서 본 모양에 수를 쓰는 방법으로 나타내었습니다. 앞, 옆에서 본 모양을 각각 그려 보세요.

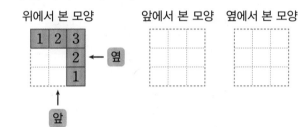

위에서 본 모양   앞에서 본 모양   옆에서 본 모양

08~10 쌓기나무로 쌓은 모양을 위, 앞, 옆에서 본 모양입니다. 물음에 답해 보세요.

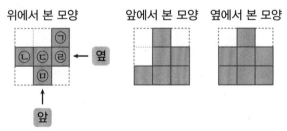

08 ㉠에 알맞은 수는 [   ]입니다.

09 ㉣에 들어갈 수 있는 가장 큰 수는 [   ]입니다.

10 표를 완성해 보세요.

자리	㉠	㉡	㉢	㉣	㉤
쌓기나무의 수(개)					

01~02 쌓기나무 9개로 쌓은 모양을 보고 1층과 2층 모양을 각각 그려 보세요.

앞

01 1층

↑
앞

02 2층

↑
앞

03~05 쌓기나무로 쌓은 모양을 층별로 나타낸 모양입니다. 물음에 답해 보세요.

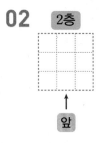

| 1층 | 2층 | 3층 |

↑앞　↑앞　↑앞

03 쌓은 모양을 찾아 기호를 써 보세요.

가　나　다

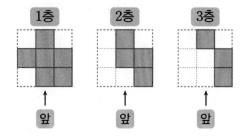

앞　앞　앞

(　　　　　)

04 똑같이 쌓는 데 필요한 쌓기나무의 개수를 구해 보세요.

(　　　　　)

05 위에서 본 모양에 수를 쓰는 방법으로 쌓은 모양을 나타내어 보세요.

위에서 본 모양

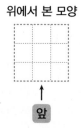

↑
앞

06 쌓기나무 3개로 만들 수 있는 서로 다른 모양은 모두 몇 가지인지 구해 보세요. (단, 뒤집거나 돌렸을 때 같은 모양이면 한 가지로 생각합니다.)

(　　　　　)

07 모양에 쌓기나무 1개를 더 붙여서 만들 수 있는 모양을 모두 찾아 ○표 해 보세요.

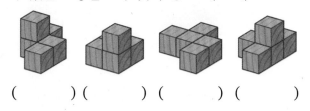

(　　　) (　　　) (　　　) (　　　)

08~10 보기의 모양 중 2가지 모양을 사용하여 새로운 모양을 만들었습니다. 물음에 답해 보세요.

보기

가　　나　　다　　라

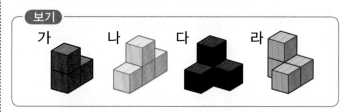

08 사용한 2가지 모양을 구분하여 색칠해 보세요.

09 사용한 2가지 모양을 찾아 기호를 써 보세요.

(　　　　　)

10 2가지 모양으로 새로운 모양을 2개 만들었습니다. 사용한 2가지 모양을 찾아 기호를 써 보세요.

(　　　　　)

01~02 여러 방향에서 보았습니다. 각 그림은 어느 곳에서 본 것인지 기호를 써 보세요.

| 바라본 방향 알아보기 |

01

(   )

| 바라본 방향 알아보기 |

02

(   )

| 쌓은 모양과 쌓기나무의 개수 (1) |

03 쌓기나무 6개로 쌓은 모양입니다. 위에서 본 모양을 그려 보세요.

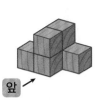

[위에서 본 모양]

| 쌓은 모양과 쌓기나무의 개수 (4) |

04 위 **03**에서 쌓은 모양의 2층 모양을 그려 보세요.

2층

↑
앞

| 쌓은 모양과 쌓기나무의 개수 (2) |

05 쌓기나무로 쌓은 모양을 보고 앞에서 본 모양을 그려 보세요.

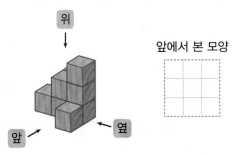

앞에서 본 모양

| 쌓은 모양과 쌓기나무의 개수 (2) |

06 쌓기나무 7개로 쌓은 모양입니다. 앞, 옆에서 본 모양을 각각 그려 보세요.

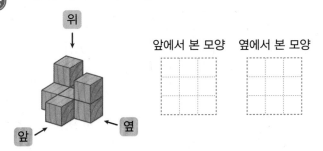

앞에서 본 모양   옆에서 본 모양

07~08 쌓기나무로 쌓은 모양을 보고 물음에 답해 보세요.

앞

| 쌓은 모양과 쌓기나무의 개수 (3) |

07 쌓은 모양을 위에서 본 모양에 수를 쓰는 방법으로 나타내어 보세요.

위에서 본 모양

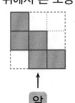

↑
앞

| 쌓은 모양과 쌓기나무의 개수 (3) |

08 똑같은 모양으로 쌓는 데 필요한 쌓기나무의 개수를 구해 보세요.

(   )

| 쌓은 모양과 쌓기나무의 개수⑷ |

09 쌓기나무 8개로 쌓은 모양을 보고 1층과 2층 모
（중） 양을 각각 그려 보세요.

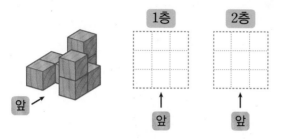

1층   2층

↑   ↑
앞   앞

| 쌓은 모양과 쌓기나무의 개수⑶ |

10 쌓기나무로 쌓은 모양을 보고 위에서 본 모양에
（중） 수를 쓰는 방법으로 나타낸 것입니다. 앞, 옆에서
본 모양을 각각 그려 보세요.

위에서 본 모양   앞에서 본 모양   옆에서 본 모양

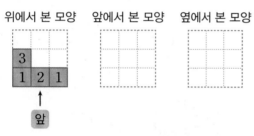

↑
앞

11~12 다음과 같이 쌓기나무 3개 또는 4개로 모양
을 만들고 색칠하였습니다. 주어진 모양 중 서로 다른
2가지 모양을 사용하여 새로운 모양을 만들었을 때, 물
음에 답해 보세요.

가   나   다   라   마

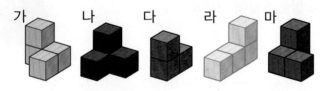

| 여러 가지 모양 만들기 |

11 사용한 2가지 모양에 맞게 색칠
（중） 해 보세요.

| 여러 가지 모양 만들기 |

12 사용한 2가지 모양을 찾아 기호를 써 보세요.
（중）

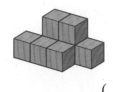

(   )

| 쌓은 모양과 쌓기나무의 개수⑴ |

13 쌓기나무로 쌓은 모양과 이를 위에서 본 모양입
（중） 니다. 사용한 쌓기나무의 개수를 구해 보세요.

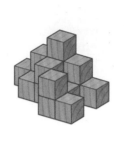 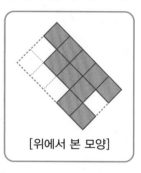

[위에서 본 모양]

(   )

| 쌓은 모양과 쌓기나무의 개수⑴ |

14 쌓기나무로 쌓은 모양을 보고 위
（중） 에서 본 모양이 될 수 없는 것을
찾아 기호를 써 보세요.

ㄱ   ㄴ   ㄷ

(   )

| 쌓은 모양과 쌓기나무의 개수⑵ | 서술형

15 쌓기나무로 쌓은 모양을 위, 앞, 옆에서 본 모양
（중） 입니다. 똑같은 모양으로 쌓는 데 필요한 쌓기나무
는 몇 개인지 풀이 과정을 쓰고, 답을 구해 보세요.

위에서 본 모양   앞에서 본 모양   옆에서 본 모양

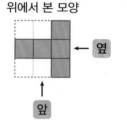 ← 옆

↑
앞

풀이

답

| 쌓은 모양과 쌓기나무의 개수⑷ |

16 쌓기나무로 쌓은 모양을 층별로 나타낸 모양입
니다. 똑같은 모양으로 쌓는 데 필요한 쌓기나무
의 개수를 구해 보세요.

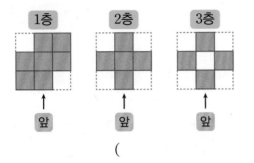

(   )

17~18 쌓기나무 11개로
쌓은 모양을 층별로 나타낸 모
양입니다. 물음에 답해 보세요.

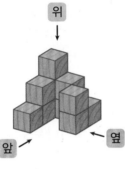

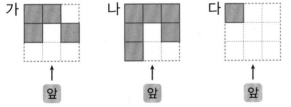

| 쌓은 모양과 쌓기나무의 개수⑷ |

17 층별로 쌓은 모양을 찾아 기호를 써 보세요.

1층 (   )

2층 (   )

3층 (   )

| 쌓은 모양과 쌓기나무의 개수⑷ |

18 3층에 더 쌓을 수 있는 쌓기나무의 개수를 구해
보세요.

(   )

서술형

| 쌓은 모양과 쌓기나무의 개수⑶ |

19 쌓기나무 8개로 쌓은 모양을 위, 옆에서 본 모양
입니다. 앞에서 본 모양을 그리는 방법을 설명하
고, 2가지로 그려 보세요.

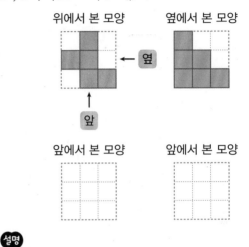

앞에서 본 모양   앞에서 본 모양

설명

서술형

| 쌓은 모양과 쌓기나무의 개수⑷ |

20 쌓기나무 8개를 사용하여 다음 **조건**을 모두 만족
하는 모양을 만들 때, 만들 수 있는 모양은 모두
몇 가지인지 풀이 과정을 쓰고, 답을 구해 보세요.

조건

· 쌓기나무로 쌓은 모양은 3층입니다.

· 위에서 본 모양은 입니다.

풀이

답

| 바라본 방향 알아보기 |

01 오른쪽 그림을 여러 방향에서 본 것
입니다. 나올 수 없는 모양을 찾아
기호를 써 보세요.

가   나   다   라

( )

| 쌓은 모양과 쌓기나무의 개수 ⑶ |

02 쌓기나무로 쌓은 모양을 보고 위에서 본 모양에
수를 쓰는 방법으로 바르게 나타낸 것을 찾아 기
호를 써 보세요.

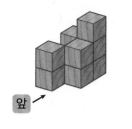 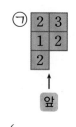 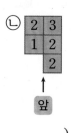

( )

| 쌓은 모양과 쌓기나무의 개수 ⑵ |

03 쌓기나무로 쌓은 모양을
세 방향에서 본 모양입니
다. ☐ 안에 위, 앞, 옆을
알맞게 써넣으세요.

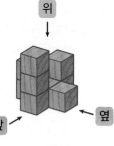

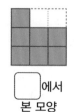 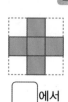 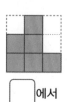

☐에서   ☐에서   ☐에서
본 모양   본 모양   본 모양

| 쌓은 모양과 쌓기나무의 개수 ⑵ |

04 위 **03**과 똑같은 모양으로 쌓는 데 필요한 쌓기
나무의 개수를 구하면 ☐개입니다.

05~06 오른쪽과 같이
투명판 위에 채소를 놓았습
니다. 물음에 답해 보세요

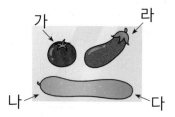

| 바라본 방향 알아보기 |

05 가에서 본 모양을 찾아 기호를 써 보세요.

㉠   ㉡   ㉢

( )

| 바라본 방향 알아보기 |

06 오른쪽 모양은 어느 방향에서
본 모양인지 찾아 기호를 써 보
세요.

( )

| 쌓은 모양과 쌓기나무의 개수 ⑴ |

07 쌓기나무로 쌓은 모양과 이를 위에서 본 모양입
니다. 사용한 쌓기나무의 개수를 구해 보세요.

[위에서 본 모양]

( )

| 쌓은 모양과 쌓기나무의 개수 ⑶ |

08 쌓기나무로 쌓은 모양을 위에서 본 모양에 수를
쓰는 방법으로 나타낸 것입니다. 앞, 옆 중 각각
어느 방향에서 본 모양인지 써 보세요.

위에서 본 모양

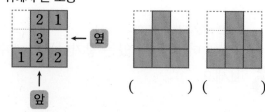

( ) ( )

09~10 쌓기나무로 쌓은 모양을 층별로 나타낸 모양입니다. 물음에 답해 보세요.

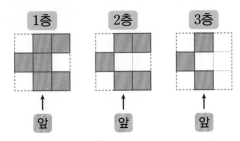

| 쌓은 모양과 쌓기나무의 개수(4) |

09 어떤 모양을 본 것인지 찾아 기호를 써 보세요.
중

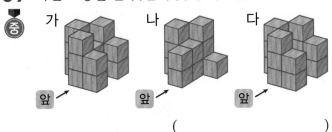

(   )

| 쌓은 모양과 쌓기나무의 개수(4) |

10 사용한 쌓기나무의 개수는 ☐개입니다.
중

| 바라본 방향 알아보기 |

11 지수가 동물원에서 있는 곳은 오른쪽 그림과 같습니다. 지수가 있는 곳에 ○표 해 보세요.
중

| 쌓은 모양과 쌓기나무의 개수(3) |

12 쌓기나무 11개로 쌓은 모양입니다. 위에서 본 모양에 수를 쓰는 방법으로 나타내어 보세요.
중

위에서 본 모양

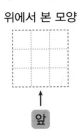

앞

13~14 은정이가 쌓기나무로 쌓은 모양과 이를 위에서 본 모양입니다. 물음에 답해 보세요.

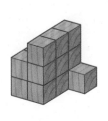

[위에서 본 모양]

| 쌓은 모양과 쌓기나무의 개수(1) |

13 은정이가 사용한 쌓기나무는 ☐개입니다.
중

| 쌓은 모양과 쌓기나무의 개수(1) |

14 은정이가 쌓은 모양에 쌓기나무 2개를 더 놓은 것입니다. 위에서 본 모양을 그려 보세요.
중

[위에서 본 모양]

| 쌓은 모양과 쌓기나무의 개수(4) | **서술형**

15 쌓기나무로 쌓은 모양을 층별로 나타낸 모양입니다. 사용한 쌓기나무는 모두 몇 개인지 위에서 본 모양에 수를 쓰는 방법으로 나타내어 풀이 과정을 쓰고, 답을 구해 보세요.
중

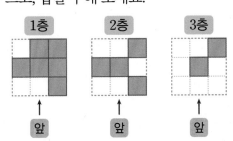

풀이

답 ....

16~18 보기의 모양 중 2가지 모양을 사용하여 새로운 모양을 만들었습니다. 물음에 답해 보세요.

보기

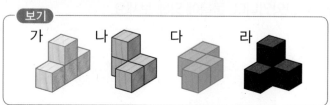

가　나　다　라

| 여러 가지 모양 만들기 |

16 사용한 2가지 모양을 찾아 기호를 써 보세요.
중

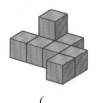

(　　　　　　)

| 여러 가지 모양 만들기 |

17 사용한 2가지 모양을 찾아 기호를 쓰고, 위에서 본 모양에 수를 쓰는 방법으로 나타내어 보세요.
상

위에서 본 모양

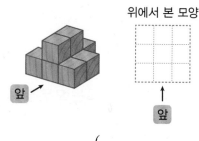

앞 ↗

↑
앞

(　　　　　　)

| 여러 가지 모양 만들기 |

18 2가지 모양을 사용하여 새로운 모양을 만들 때 만들 수 없는 모양을 찾아 기호를 써 보세요.
상

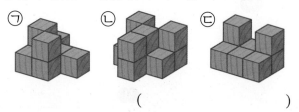

㉠　　㉡　　㉢

(　　　　　　)

| 쌓은 모양과 쌓기나무의 개수⑶ |

서술형

19 쌓기나무로 쌓은 모양을 보고 위에서 본 모양에 수를 쓰는 방법으로 나타낸 것입니다. 2층에 쌓은 쌓기나무는 몇 개인지 풀이 과정을 쓰고, 답을 구해 보세요.
상

위에서 본 모양

	3	2
		1
3	2	3

↑
앞

풀이

답 _____

| 쌓은 모양과 쌓기나무의 개수⑵ |

서술형

20 쌓기나무로 쌓은 모양을 위, 앞, 옆에서 본 모양입니다. 똑같은 모양으로 쌓는 데 필요한 쌓기나무는 최대 몇 개인지 풀이 과정을 쓰고, 답을 구해 보세요.
상

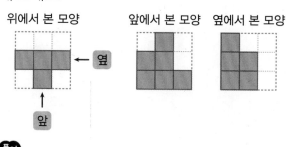

위에서 본 모양　　앞에서 본 모양　　옆에서 본 모양

← 옆

↑
앞

풀이

답 _____

연습 **서술형 평가** | 2. 공간과 입체

평가한 날 　월　　일

정답 및 풀이 | **104**쪽

점수

Tip

❶ 쌓기나무를 최소로 사용하여
　쌓은 모양을 위에서 본 모양에
　수를 쓰는 방법으로 나타내기

❷ 사용한 쌓기나무의 최소 개수
　구하기

01 희원이는 쌓기나무로 건물 모양을 만들었습니다. 희원이가 건물 모양을 만드는 데 사용한 쌓기나무는 최소 몇 개인지 풀이 과정을 쓰고, 답을 구해 보세요.

풀이

답

Tip

❶ 앞, 옆에서 본 모양을 그리는 방법 알기

❷ 앞, 옆에서 본 모양 그리기

02 쌓기나무로 쌓은 모양을 보고 위에서 본 모양에 수를 쓰는 방법으로 나타낸 것입니다. 쌓은 모양을 앞, 옆에서 본 모양을 그리는 방법을 설명하고, 앞, 옆에서 본 모양을 그려 보세요.

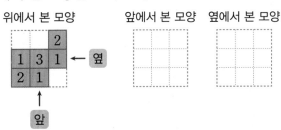

위에서 본 모양　　앞에서 본 모양　옆에서 본 모양

설명

TIP

❶ 쌓은 모양을 위에서 본 모양에 수를 쓰는 방법으로 나타내기

❷ 물감을 칠해야 하는 면의 개수 구하기

03 쌓기나무로 쌓은 모양을 층별로 나타낸 모양입니다. 쌓은 모양의 앞면에 모두 물감을 칠할 때 물감을 칠해야 하는 면은 몇 개인지 풀이 과정을 쓰고, 답을 구해 보세요.

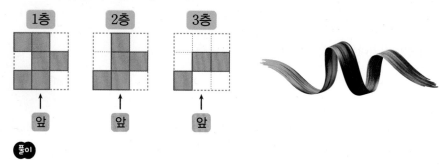

풀이

답

TIP

❶ 위, 앞에서 본 모양을 이용하여 위에서 본 모양에 수를 쓰는 방법으로 나타내기

❷ 옆에서 본 모양 그리기

04 쌓기나무 7개로 쌓은 모양을 위, 앞에서 본 모양입니다. 옆에서 본 모양을 그리는 방법을 설명하고, 옆에서 본 모양을 그려 보세요.

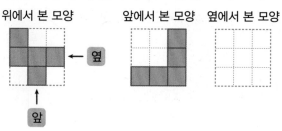

설명

 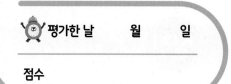

❶ 쌓은 쌓기나무의 개수 구하기

❷ 남는 쌓기나무의 개수 구하기

01 윤철이는 쌓기나무를 20개 가지고 있습니다. 윤철이가 다음과 같은 모양으로 쌓으면 남는 쌓기나무는 몇 개인지 풀이 과정을 쓰고, 답을 구해 보세요.

위에서 본 모양은 이것이니까……

풀이

답

❶ 보이지 않는 자리에 알맞은 수 구하기

❷ 쌓은 모양을 앞에서 본 모양 그리기

02 쌓기나무 12개로 쌓은 모양을 보고 위에서 본 모양에 수를 쓰는 방법으로 나타내었는데 얼룩이 져서 보이지 않게 된 수가 있습니다. 쌓은 모양을 앞에서 본 모양을 그리는 방법을 설명하고, 그려 보세요.

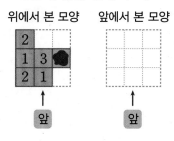

위에서 본 모양   앞에서 본 모양

설명

Tip

❶ 쌓은 모양을 앞에서 본 모양 알기

❷ 더 쌓을 수 있는 쌓기나무의 최대 개수 구하기

03 오른쪽과 같이 쌓기나무로 쌓은 후 앞에서 본 모양이 변하지 않도록 쌓기나무를 더 쌓으려고 합니다. ㉠과 ㉡에 쌓기나무를 최대 몇 개까지 더 쌓을 수 있는지 풀이 과정을 쓰고, 답을 구해 보세요.

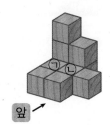

풀이

답

Tip

❶ 쌓은 모양의 전체 모양 알기

❷ 쌓은 모양을 위에서 본 모양에 수를 쓰는 방법으로 나타내기

04 다음 **조건**을 만족하도록 쌓기나무로 2가지 모양을 만든 후, 쌓은 모양을 위에서 본 모양에 수를 쓰는 방법으로 나타내려고 합니다. 방법을 설명하고, 나타내어 보세요.

조건
- 쌓기나무를 14개씩 사용하여 3층으로 쌓았습니다.
- 쌓은 두 모양은 뒤집거나 돌려도 서로 다릅니다.
- 1층에는 9개씩 쌓고, 앞, 옆에서 본 모양은 각각 서로 같습니다.

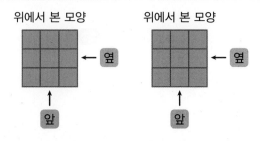

설명

개념 1 **자릿수가 같은 (소수)÷(소수)**

· 3.84÷0.24 계산하기

방법1

$3.84 \div 0.24 = \dfrac{384}{100} \div \dfrac{24}{100} = 384 \div 24 = 16$

└─ 소수 두 자리 수는 분모가 100인 분수로 고쳐서 계산할 수 있습니다.

방법2 $3.84 \div 0.24 = 16$ ➡ $384 \div 24 = 16$

(100배)

3.84÷0.24의 몫은 3.84와 0.24에 똑같이 100을 곱한 384÷24의 몫과 같습니다.

방법3

$0.24 \overline{)3.84}$ ➡
$$0.24 \overline{)\begin{array}{r} 16 \\ 3.84 \\ \end{array}}$$
$$\begin{array}{r} 2\,4 \\ \hline 1\,4\,4 \\ 1\,4\,4 \\ \hline 0 \end{array}$$

소수점을 각각 오른쪽으로 두 자리씩 옮겨서 계산합니다.

개념 2 **자릿수가 다른 (소수)÷(소수)**

· 6.75÷2.7 계산하기

(10배)

방법1 $6.75 \div 2.7 = 2.5$ ➡ $67.5 \div 27 = 2.5$

(10배)

방법2

$2.7 \overline{)6.75}$ ➡
$$2.7 \overline{)\begin{array}{r} 2.5 \\ 67.5 \end{array}}$$
$$\begin{array}{r} 5\,4 \\ \hline 1\,3\,5 \\ 1\,3\,5 \\ \hline 0 \end{array}$$

나눗셈의 몫의 소수점은 나누어지는 수의 옮긴 소수점의 위치에 맞추어 찍어야 합니다.

개념 3 **(자연수)÷(소수)의 계산**

· 6÷0.25 계산하기

나누는 수와 나누어지는 수의 소수점을 똑같이 옮겨서 계산합니다. 이때 옮긴 소수점의 위치에 맞추어 몫의 소수점을 찍습니다.

$0.25 \overline{)6.00}$ ➡
$$25 \overline{)\begin{array}{r} 24 \\ 600 \end{array}}$$
$$\begin{array}{r} 5\,0 \\ \hline 1\,0\,0 \\ 1\,0\,0 \\ \hline 0 \end{array}$$

자연수 뒤에 소수점과 0이 있는 것으로 생각하고 계산합니다.

개념 4 **몫을 반올림하여 나타내기**

$2.2 \div 0.3$

· 2.2÷0.3=7.333…과 같이 나누어떨어지지 않는 나눗셈의 몫은 반올림하여 나타냅니다.

· 몫을 반올림하여 소수 첫째 자리까지 나타내려면 소수 둘째 자리에서 반올림해야 합니다.

$2.2 \div 0.3 = 7.3\underline{3}\cdots$ ➡ 7.3

· 몫을 반올림하여 소수 둘째 자리까지 나타내려면 소수 셋째 자리에서 반올림해야 합니다.

$2.2 \div 0.3 = 7.33\underline{3}\cdots$ ➡ 7.33

개념 5 **소수의 나눗셈에서 남는 양 구하기**

· 리본 1.5 m를 한 사람에게 0.6 m씩 나누어 줄 때 나누어 줄 수 있는 사람 수와 남는 리본의 길이 구하기

$$0.6 \overline{)\begin{array}{r} 2 \\ 1.5 \end{array}}$$
$$\begin{array}{r} 1\,2 \\ \hline 0.3 \end{array}$$

2 ➡ 사람 수: 자연수까지만 구합니다.

0.3 ➡ 남는 리본의 길이: 나머지의 소수점을 원래 위치로 찍습니다.

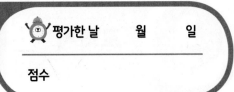
01 그림을 보고 1.4÷0.2를 계산해 보세요.

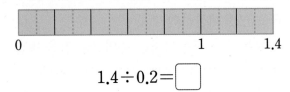

$$1.4 \div 0.2 = \boxed{}$$

02 보기와 같이 계산해 보세요.

보기
$$9.1 \div 0.7 = \frac{91}{10} \div \frac{7}{10} = 91 \div 7 = 13$$

$$5.6 \div 0.4 = \frac{\boxed{}}{10} \div \frac{\boxed{}}{10}$$
$$= \boxed{} \div \boxed{} = \boxed{}$$

03 ☐ 안에 알맞은 수를 써넣으세요.

$$8.4 \div 0.7 = \boxed{} \div \boxed{} = \boxed{}$$

04~05 계산해 보세요.

04 $0.6\,)\overline{4.8}$

05 $0.9\,8\,)\overline{6.8\,6}$

06 잘못 계산한 곳을 찾아 바르게 계산해 보세요.

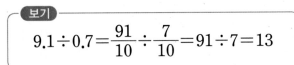

$$0.28\,)\overline{6.7\,2}$$ ➡

07 빈 곳에 알맞은 수를 써넣으세요.

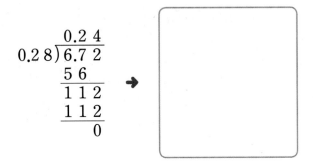

| 16.8 | 0.8 | |
| 14.25 | 0.15 | |

08 계산 결과를 비교하여 ◯ 안에 >, =, <를 알맞게 써넣으세요.

$$7.2 \div 2.4 \quad \bigcirc \quad 11.2 \div 0.8$$

09 물 6.5 L가 있습니다. 물을 물통 한 개에 0.5 L씩 담는다면 물통은 몇 개가 필요할까요?

(   )

10 넓이가 2.76 m²인 직사각형이 있습니다. 가로가 0.23 m일 때 세로는 몇 m일까요?

(   )

01~02 ☐ 안에 알맞은 수를 써넣으세요.

01 $6.16 \div 2.2 = 616 \div \boxed{} = \boxed{}$

02 $4.55 \div 1.3 = 455 \div \boxed{} = \boxed{}$

03 $2.73 \div 1.3$을 분수의 나눗셈으로 계산하려고 합니다. ☐ 안에 알맞은 수를 써넣으세요.

(1) $2.73 \div 1.3 = \dfrac{27.3}{10} \div \dfrac{\boxed{}}{10}$

$= \boxed{} \div \boxed{} = \boxed{}$

(2) $2.73 \div 1.3 = \dfrac{273}{100} \div \dfrac{\boxed{}}{100}$

$= \boxed{} \div \boxed{} = \boxed{}$

04 계산해 보세요.

$3.2 \overline{)5.1\,2}$

05 큰 수를 작은 수로 나눈 몫을 구해 보세요.

| 0.8 | 3.92 |

(   )

06 계산 결과가 더 큰 쪽에 ○표 하세요.

| $7.79 \div 1.9$ | $7.14 \div 1.7$ |

(   )   (   )

07 빈 곳에 알맞은 수를 써넣으세요.

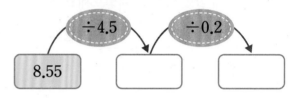

$\div 4.5$ $\div 0.2$

8.55

08 ㉠, ㉡, ㉢에 알맞은 수 중 가장 작은 수를 찾아 기호를 써 보세요.

$4.05 \div 0.9 = \dfrac{㉠}{100} \div \dfrac{90}{100}$

$= 405 \div ㉡ = ㉢$

(   )

09 어떤 수에 4.5를 곱했더니 12.15가 되었습니다. 어떤 수를 구해 보세요.

(   )

10 빨간 구슬 3.77 kg과 파란 구슬 2.9 kg이 있습니다. 빨간 구슬의 무게는 파란 구슬의 무게의 몇 배인지 구해 보세요.

(   )

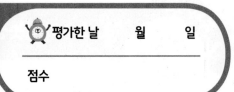
01 ☐안에 알맞은 수를 써넣으세요.

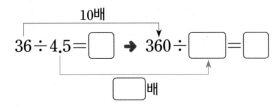

$36 \div 4.5 = \boxed{}$ ➜ $360 \div \boxed{} = \boxed{}$

10배

$\boxed{}$배

02 ☐안에 알맞은 수를 써넣으세요.

$8 \div 0.32 = \boxed{} \div 32 = \boxed{}$

03 보기 와 같은 방법으로 계산해 보세요.

보기
$$12 \div 0.5 = \frac{120}{10} \div \frac{5}{10} = 120 \div 5 = 24$$

$48 \div 1.6$

04 계산해 보세요.

$1.7 \overline{)6\,8}$

05 ☐안에 알맞은 수를 써넣으세요.

$27 \div 9 = \boxed{}$

$27 \div 0.9 = \boxed{}$

$27 \div 0.09 = \boxed{}$

06 큰 수를 작은 수로 나눈 몫을 빈 곳에 써넣으세요.

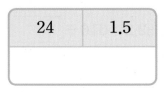

24	1.5

07 빈 곳에 알맞은 수를 써넣으세요.

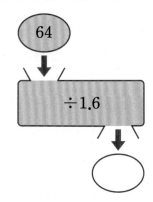

64

÷1.6

08 계산 결과를 비교하여 ◯ 안에 >, =, <를 알맞게 써넣으세요.

$21 \div 0.42$ ◯ $12 \div 0.48$

09 길이가 20 m인 철사를 1.25 m씩 모두 자르려고 합니다. 몇 도막이 될까요?

(   )

10 서진이는 3 L의 음료수를 한 컵에 0.25 L씩 모두 따랐습니다. 음료수는 몇 컵이 될까요?

(   )

01 8.6÷0.7의 몫을 반올림하여 일의 자리까지 나타내려고 합니다. ☐안에 알맞게 써넣으세요.

$$8.6÷0.7=12.285\cdots$$

➜ 소수 ☐ 자리에서 반올림하면 ☐ 입니다.

02 몫을 반올림하여 소수 첫째 자리까지 나타내어 보세요.

$$10÷6=1.666\cdots$$

(   )

03 몫을 반올림하여 소수 둘째 자리까지 나타내어 보세요.

$5.2÷0.9$ ➜ (   )

04 몫을 반올림하여 주어진 자리까지 나타내어 보세요.

$$5.3÷0.7$$

일의 자리	소수 첫째 자리	소수 둘째 자리

05 다음 수를 비교하여 ◯ 안에 >, =, <를 알맞게 써넣으세요.

12.4÷3.9의 몫을 반올림하여 소수 첫째 자리까지 나타낸 수	◯	12.4÷3.9의 몫을 반올림하여 소수 둘째 자리까지 나타낸 수

06~07 소금 6.4 kg을 한 봉지에 2 kg씩 나누어 담으려고 합니다. 나누어 담을 수 있는 봉지 수와 남는 소금은 몇 kg인지 알기 위해 다음과 같이 계산했습니다. 물음에 답해 보세요.

$$6.4-2-2-2=☐$$

06 ☐ 안에 알맞은 수를 구해 보세요.

(   )

07 계산식을 보고 소금을 몇 봉지에 나누어 담고 남는 소금은 몇 kg인지 차례로 써 보세요.

(   ), (   )

08 물 32.5 L를 한 통에 4 L씩 나누어 담을 때 몇 통에 나누어 담을 수 있고, 남는 물은 몇 L인지 구하려고 합니다. ☐안에 알맞은 수를 써넣으세요.

$$4)\overline{3\ 2.5}$$
$$\underline{3\ 2}$$

☐통에 나누어 담을 수 있고, 남는 물은 ☐L입니다.

09 두께가 일정한 통나무 3 m의 무게가 19.7 kg입니다. 통나무 1 m의 무게는 몇 kg인지 반올림하여 소수 둘째 자리까지 나타내어 보세요.

(   )

10 쌀 20.6 kg을 한 사람에게 5 kg씩 나누어 주려고 합니다. 나누어 줄 수 있는 사람 수와 남는 쌀의 양을 차례로 써 보세요.

(   ), (   )

| 자릿수가 같은 (소수)÷(소수) |

01 자연수의 나눗셈을 이용하여 ☐ 안에 알맞은 수를 써넣으세요.

$$162 \div 6 = 27$$

$$16.2 \div 0.6 = \boxed{}$$

| 자릿수가 같은 (소수)÷(소수) |

02 1.75÷0.07을 두 가지 방법으로 계산해 보세요.

(1) $1.75 \div 0.07 = \dfrac{175}{100} \div \dfrac{\boxed{}}{100}$

$= 175 \div \boxed{} = \boxed{}$

(2)
$$0.07 \overline{)1.75}$$

| 자릿수가 다른 (소수)÷(소수) |

03 계산해 보세요.

$$0.8 \overline{)3.92}$$

| (자연수)÷(소수)의 계산 |

04 ☐ 안에 알맞은 수를 써넣으세요.

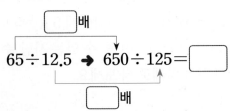

$$65 \div 12.5 \;\rightarrow\; 650 \div 125 = \boxed{}$$

| 몫을 반올림하여 나타내기 |

05 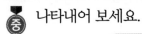 나눗셈의 몫을 반올림하여 소수 둘째 자리까지 나타내어 보세요.

$$5.7 \div 1.7$$

(   )

| 자릿수가 같은 (소수)÷(소수) |

06 **보기** 와 같이 계산해 보세요.

보기

$$13.6 \div 0.8 = \frac{136}{10} \div \frac{8}{10} = 136 \div 8 = 17$$

$$10.4 \div 1.3$$

| 자릿수가 같은 (소수)÷(소수) |

07 큰 수를 작은 수로 나눈 몫을 구해 보세요.

| 5.02   40.16 |

(   )

| (자연수)÷(소수)의 계산 |

08 ☐ 안에 알맞은 수를 써넣으세요.

$$15 \div 3 = \boxed{}$$

$$15 \div 0.3 = \boxed{}$$

$$15 \div 0.03 = \boxed{}$$

정답 및 풀이 | 107쪽

| 자릿수가 같은 (소수)÷(소수) |

09 빈 곳에 알맞은 수를 써넣으세요.

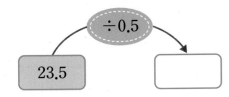

| 자릿수가 다른 (소수)÷(소수) |

10 계산 결과를 비교하여 ◯ 안에 >, =, <를 알맞게 써넣으세요.

$$11.13÷2.1 \bigcirc 15.66÷5.4$$

| 자릿수가 같은 (소수)÷(소수) |

11 무게가 31.5 kg인 찰흙을 한 사람에게 3.5 kg씩 나누어 주면 몇 명에게 줄 수 있나요?

( )

| 몫을 반올림하여 나타내기 |

12 몫을 반올림하여 소수 둘째 자리까지 나타냈을 때 더 큰 것의 기호를 써 보세요.

| ㉠ 8÷6.3 | ㉡ 6.2÷5.4 |

( )

| 몫을 반올림하여 나타내기 |

13 집에서 도서관까지의 거리는 2.2 km이고 집에서 학교까지의 거리는 1.7 km입니다. 집에서 도서관까지의 거리는 집에서 학교까지의 거리의 몇 배인지 반올림하여 소수 첫째 자리까지 나타내어 보세요.

( )

| (자연수)÷(소수)의 계산 |

14 감자 216 kg을 한 상자에 14.4 kg씩 담으려고 합니다. 모두 몇 상자가 될까요?

( )

| 소수의 나눗셈에서 남는 양 구하기 |

15 귤 8.5 kg을 한 봉지에 2 kg씩 나누어 담는다
면 몇 봉지까지 담을 수 있고, 남는 귤은 몇 kg인
지 차례로 써 보세요.

(   ), (   )

| 소수의 나눗셈에서 남는 양 구하기 |

16 물 48.6 L를 한 사람에게 6 L씩 나누어 줄 때
나누어 줄 수 있는 사람은 몇 명일까요?

(   )

| 자릿수가 다른 (소수)÷(소수) | 서술형

17 어떤 수에 4.8을 곱하였더니 24.96이 되었습니
다. 어떤 수를 0.4로 나누었을 때의 몫은 얼마인
지 풀이 과정을 쓰고, 답을 구해 보세요.

풀이

답

| 몫을 반올림하여 나타내기 | 서술형

18 나눗셈의 몫을 반올림하여 일의 자리까지 나타
낸 값과 몫을 반올림하여 소수 둘째 자리까지 나
타낸 값의 차는 얼마인지 풀이 과정을 쓰고, 답을
구해 보세요.

$$42.8 \div 13.7$$

풀이

답

| 자릿수가 다른 (소수)÷(소수) |

19 밑변의 길이가 4.8 cm이고 넓이가 22.08 cm^2
인 삼각형이 있습니다. 이 삼각형의 높이는 몇
cm일까요?

(   )

| (자연수)÷(소수)의 계산 | 서술형

20 휘발유 9 L로 37.5 km를 갈 수 있는 자동차가
있습니다. 이 자동차로 150 km를 가는 데 필요
한 휘발유는 몇 L인지 풀이 과정을 쓰고, 답을
구해 보세요.

풀이

답

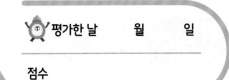
 | 자릿수가 같은 (소수)÷(소수) |

01 ☐ 안에 알맞은 수를 써넣으세요.

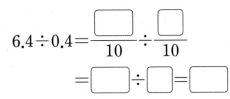

$$6.4 \div 0.4 = \frac{\boxed{}}{10} \div \frac{\boxed{}}{10}$$

$$= \boxed{} \div \boxed{} = \boxed{}$$

 | 자릿수가 같은 (소수)÷(소수) |

02 왼쪽의 나눗셈의 몫을 오른쪽에서 찾아 선으로 이어 보세요.

1.12 ÷ 0.28 •

4.32 ÷ 0.48 •

• 9

• 4

• 7

 | 자릿수가 다른 (소수)÷(소수) |

03 계산해 보세요.

$$1.4 \overline{\smash{)}9.2\,4}$$

 | 몫을 반올림하여 나타내기 |

04 몫을 반올림하여 소수 첫째 자리까지 나타내어 보세요.

$$4.8 \div 7$$

(   )

| 자릿수가 같은 (소수)÷(소수) |

05 자연수의 나눗셈을 이용하여 계산해 보세요.

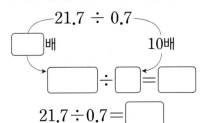

21.7 ÷ 0.7

☐ 배   10배

$$\boxed{} \div \boxed{} = \boxed{}$$

$$21.7 \div 0.7 = \boxed{}$$

 | 자릿수가 같은 (소수)÷(소수) |

06 빈 곳에 알맞은 수를 써넣으세요.

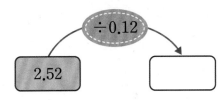

÷ 0.12

2.52 → ☐

 | 소수의 나눗셈에서 남는 양 구하기 |

07 상자 1개를 묶는 데 리본 2 m가 필요하다고 합니다. 리본 27.5 m로 상자를 몇 개까지 묶을 수 있고, 남는 리본은 몇 m인지 차례로 써 보세요.

(   ), (   )

 | 자릿수가 같은 (소수)÷(소수) |

08 ☐ 안에 알맞은 수를 써넣으세요.

$$31.85 \div \boxed{} = 2.45$$

| 자릿수가 같은 (소수)÷(소수) |

09 평행사변형의 넓이가 76.8 cm²일 때 높이는 몇
cm일까요?

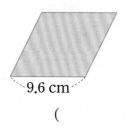

9.6 cm

(   )

| (자연수)÷(소수)의 계산 |

10 계산 결과를 비교하여 ◯ 안에 >, =, <를
알맞게 써넣으세요.

$$21 \div 4.2 \bigcirc 9 \div 1.5$$

| 소수의 나눗셈에서 남는 양 구하기 |

11 물 54.8 L를 한 병에 3 L씩 담으려고 합니다.
물을 모두 담으려면 병은 적어도 몇 개 필요할까
요?

(   )

| 몫을 반올림하여 나타내기 |

12 몫의 소수 10째 자리 숫자는 얼마일까요?

8.3 ÷ 1.1

(   )

| 몫을 반올림하여 나타내기 | 서술형

13 직사각형의 가로가 6.3 cm이고 세로는 가로보
다 2.4 cm 더 짧다고 합니다. 이 직사각형의 가
로는 세로의 몇 배인지 반올림하여 소수 첫째 자
리까지 나타내려고 합니다. 풀이 과정을 쓰고, 답
을 구해 보세요.

풀이

답 _____

| (자연수)÷(소수)의 계산 |

14 ☐ 안에 들어갈 수 있는 가장 큰 자연수를 구해
보세요.

130 ÷ 6.5 > ☐

(   )

| 소수의 나눗셈에서 남는 양 구하기 |

15 한 칸의 길이가 71.5 cm인 책꽂이가 있습니다.
이 책꽂이 한 칸에 두께가 4 cm인 책을 몇 권까
지 꽂을 수 있을까요?

(   )

| (자연수)÷(소수)의 계산 |

16 넓이가 27 cm²인 삼각형이 있습니다. 높이가 6.75 cm일 때 밑변의 길이는 몇 cm일까요?

(   )

| 몫을 반올림하여 나타내기 |

17 수민이는 마라톤 대회에 참가하여 8.5 km를 달리는 데 1시간 30분이 걸렸습니다. 수민이가 1시간 동안 몇 km를 달린 셈인지 반올림하여 소수 둘째 자리까지 나타내어 보세요.

(   )

| 자릿수가 같은 (소수)÷(소수) |

18 1초에 0.35 L씩 물이 나오는 수도 가와 1초에 0.39 L씩 물이 나오는 수도 나가 있습니다. 두 수도를 동시에 틀어서 5.92 L의 물을 받는 데 걸리는 시간은 몇 초일까요?

(   )

| 자릿수가 같은 (소수)÷(소수) | **서술형**

19 4장의 숫자 카드 1, 2, 4, 8을 모두 한 번씩 사용하여 (소수 한 자리 수)÷(소수 한 자리 수)를 만들려고 합니다. 만들 수 있는 나눗셈식 중에서 몫이 가장 클 때의 몫은 얼마인지 풀이 과정을 쓰고, 답을 구해 보세요.

풀이

답 _____

| (자연수)÷(소수)의 계산 | **서술형**

20 길이가 385 m인 원 모양의 공원 둘레에 15.4 m 간격으로 두께가 일정한 가로등을 세우려고 합니다. 필요한 가로등은 몇 개인지 풀이 과정을 쓰고, 답을 구해 보세요.

풀이

답 _____

TiP

❶ 몫을 반올림하여 소수 첫째 자리
  까지 나타낸 값과 소수 둘째 자
  리까지 나타낸 값 구하기

❷ ❶에서 구한 두 값의 차 구하기

01 몫을 반올림하여 소수 첫째 자리까지 나타낸 값과 소수 둘째 자리까지 나타낸 값의 차는 얼마인지 풀이 과정을 쓰고, 답을 구해 보세요.

$$8.5 \div 0.6$$

풀이

답 _____

TiP

❶ 만든 자몽 주스의 양 구하기

❷ 담을 수 있는 병의 수와 남는 자
  몽 주스의 양 구하기

02 물 12.4 L와 자몽 청 3.7 L를 섞어 자몽 주스를 만들었습니다. 만든 자몽 주스를 한 병에 2 L씩 나누어 담으려고 할 때 몇 병까지 담을 수 있고, 몇 L가 남는지 풀이 과정을 쓰고, 답을 구해 보세요.

풀이

답 _____ , _____

정답 및 풀이 | **109쪽**

TIP

❶ 2시간 36분을 시간 단위로 나타내기

❷ 자동차가 1시간 동안 달린 평균 거리 구하기

03 지윤이네 가족이 자동차를 타고 2시간 36분 동안 221 km를 달렸습니다. 자동차가 1시간 동안 달린 평균 거리는 몇 km인지 풀이 과정을 쓰고, 답을 구해 보세요.

풀이

답

TIP

❶ 어떤 수 구하기

❷ 바르게 계산한 몫을 반올림하여 일의 자리까지 나타내기

04 어떤 수를 0.06으로 나누어야 할 것을 잘못하여 어떤 수에 0.06을 곱했더니 2.76이 되었습니다. 바르게 계산한 몫을 반올림하여 일의 자리까지 나타내면 얼마인지 풀이 과정을 쓰고, 답을 구해 보세요.

풀이

답

TiP

❶ 귤을 몇 상자에 담고 몇 kg이 남는지 구하기

❷ 상자는 적어도 몇 개 필요한지 구하기

01 귤 152.4 kg을 한 상자에 5 kg씩 담으려고 합니다. 귤을 모두 담으려면 상자는 적어도 몇 개 필요한지 풀이 과정을 쓰고, 답을 구해 보세요.

 풀이

답 ....

TiP

❶ 몫이 가장 클 때의 조건 알아보기

❷ 몫이 가장 클 때의 몫 구하기

02 4장의 숫자 카드 3 , 2 , 5 , 1 을 모두 한 번씩 사용하여 다음 나눗셈식을 만들려고 합니다. 몫이 가장 클 때의 몫은 얼마인지 풀이 과정을 쓰고, 답을 구해 보세요.

$$\boxed{}.\boxed{}\boxed{} \div \boxed{}.6$$

 풀이

답 ....

정답 및 풀이 | **110쪽**

❶ 가로수 사이의 간격 수 구하기

⌄

❷ 양쪽에 심은 가로수의 수 구하기

03 길이가 539 m인 도로 양쪽에 3.5 m 간격으로 처음부터 끝까지 가로수를 심었습니다. 심은 가로수는 모두 몇 그루인지 풀이 과정을 쓰고, 답을 구해 보세요. (단, 가로수의 두께는 생각하지 않습니다.)

풀이

답 ···

❶ 1시간 15분 동안 탄 양초의 길이 구하기

⌄

❷ 1시간 15분을 시간 단위로 나타내기

⌄

❸ 1시간에 타는 양초의 길이 구하기

04 불을 붙이면 일정하게 타는 길이가 30 cm인 양초가 있습니다. 불을 붙인 후 1시간 15분 후에 양초의 길이가 8.4 cm가 되었다면 이 양초는 1시간에 몇 cm씩 탔는지 풀이 과정을 쓰고, 답을 구해 보세요.

풀이

답 ···

개념 1 원주율

· 원의 둘레를 원주라고 합니다.
· 원주는 지름의 3배보다 길고 4배보다 짧습니다.
· 원의 크기가 달라도 원의 지름에 대한 원주의 비율은 일정하고, 이 비율을 원주율이라고 합니다.

> (원주율)＝(원주)÷(지름)

· 원주율은 필요에 따라 3, 3.1, 3.14 등으로 어림하여 사용하기도 합니다.

개념 2 원주와 지름 구하기

원주율을 이용하여 원주 또는 지름을 구할 수 있습니다.

> (원주)＝(지름)×(원주율)

> (지름)＝(원주)÷(원주율)

예 · 원주율이 3.14이고 지름이 10 cm인 원의 원주
  ➡ $10 \times 3.14 = 31.4$ (cm)
  · 원주율이 3.1이고 원주가 62 cm인 원의 지름
  ➡ $62 \div 3.1 = 20$ (cm)

개념 3 원의 넓이 어림하기

· 원의 반지름을 한 변으로 하는 정사각형을 이용하면 원의 넓이를 어림할 수 있습니다.

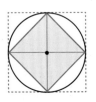 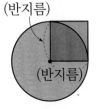 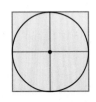

(반지름)

(반지름)

➡ 원의 넓이는 (반지름)×(반지름)의 2배보다 크고 4배보다 작습니다.

· 단위넓이 1 cm²를 이용하여 원의 넓이를 어림할 수도 있습니다.
➡ 모눈의 수를 세어 원의 넓이를 어림할 수 있습니다.

개념 4 원의 넓이를 구하는 방법

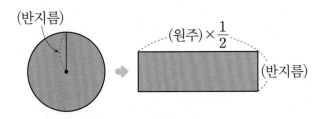

(반지름)

(원주)×$\frac{1}{2}$

(반지름)

> (원의 넓이)＝(반지름)×(반지름)×(원주율)

예 원주율이 3.14이고 지름이 20 cm인 원의 넓이
  ➡ 반지름이 10 cm이므로
    (원의 넓이)＝$10 \times 10 \times 3.14 = 314$ (cm²)

개념 5 여러 가지 도형의 넓이 구하기

예
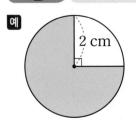

2 cm

색칠한 부분의 넓이는 반지름이 2 cm인 원의 넓이의 $\frac{3}{4}$입니다. (원주율: 3)
➡ (색칠한 부분의 넓이)＝$(2 \times 2 \times 3) \times \frac{3}{4}$
      ＝9 (cm²)

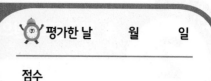

평가한 날   월   일

점수

01 그림에 원의 둘레를 나타내는 부분을 표시하고, 원의 둘레를 무엇이라고 하는지 써 보세요.

( )

02 ☐ 안에 알맞은 말을 써넣으세요.

(원주율)＝(원주)÷(☐)

03 바르게 말한 사람의 이름을 써 보세요.

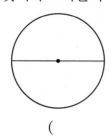

원의 지름에 대한 원주의 비율은 변해.
수빈

원의 크기가 작아져도 원주율은 일정해.
정안

원주는 지름의 약 5배야.
하니

( )

04~05 정육각형, 원, 정사각형을 보고 ◯ 안에 ＞, ＝, ＜를 알맞게 써넣으세요.

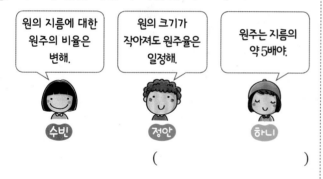

04 (정육각형의 둘레) ◯ (원의 둘레)

05 (원의 둘레) ◯ (정사각형의 둘레)

06 지름이 3 cm인 원을 만들고 자 위에서 한 바퀴 굴렸습니다. 원주가 얼마쯤 될지 자에 가깝게 표시한 사람의 이름을 써 보세요.

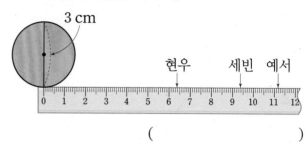

3 cm

현우   세빈 예서

( )

07~08 (원주)÷(지름)을 반올림하여 소수 둘째 자리까지 나타내어 보세요.

07 원주: 15.71 cm, 지름: 5 cm

( )

08 원주: 37.69 cm, 지름: 12 cm

( )

09~10 미영이는 북의 원주와 지름을 재었더니 원주는 94.24 cm, 지름은 30 cm이었습니다. 물음에 답해 보세요.

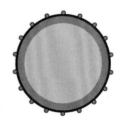

09 원주율을 반올림하여 소수 둘째 자리까지 나타내어 보세요.

( )

10 원주율을 어림하여 사용하는 이유를 써 보세요.

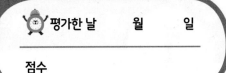
01~02 원주를 구해 보세요. (원주율: 3.1)

01
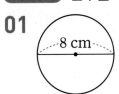
8 cm

(   )

02
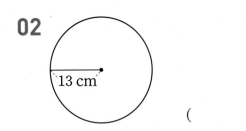
13 cm

(   )

03 원의 지름을 구해 보세요. (원주율: 3.14)

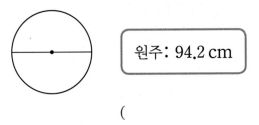
원주: 94.2 cm

(   )

04 그림과 같이 중심이 같고 크기가 다른 두 원이 있습니다. 작은 원의 원주를 구해 보세요.

(원주율: 3.14)

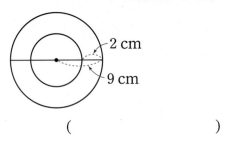
2 cm
9 cm

(   )

05 두 원의 지름을 비교하여 ◯ 안에 >, =, <를 알맞게 써넣으세요. (원주율: 3)

지름이 5 cm인 원

◯
원주가 18 cm인 원

06 크기가 가장 작은 원을 찾아 기호를 써 보세요.

(원주율: 3)

ㄱ 지름이 9 cm인 원
ㄴ 원주가 30 cm인 원
ㄷ 반지름이 4 cm인 원

(   )

07~08 두 원을 보고 물음에 답해 보세요.

(원주율: 3.14)

가
11 cm

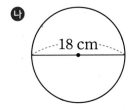
나
18 cm

07 두 원의 원주를 각각 구해 보세요.

가 (   )
나 (   )

08 두 원의 원주의 차를 구해 보세요.

(   )

09 지름이 85 cm인 원 모양의 바퀴 자를 사용하여 집에서 도서관까지의 거리를 알아보려고 합니다. 바퀴 자가 100바퀴를 돌았다면 집에서 도서관까지의 거리는 몇 m인지 구해 보세요. (원주율: 3)

(   )

10 색칠한 부분의 둘레를 구해 보세요. (원주율: 3.14)

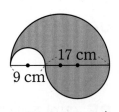
17 cm
9 cm

(   )

01~03 반지름이 10 cm인 원의 넓이를 정사각형의 넓이를 이용하여 어림하려고 합니다. 물음에 답해 보세요.

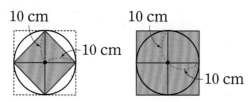

01 원 안의 정사각형의 넓이를 구해 보세요.

(   )

02 원 밖의 정사각형의 넓이를 구해 보세요.

(   )

03 ☐안에 알맞은 수를 써넣으세요.

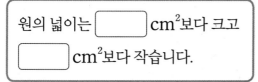

원의 넓이는 ☐ cm²보다 크고
☐ cm²보다 작습니다.

04~06 반지름이 7 cm인 원의 넓이를 모눈종이를 이용하여 어림하려고 합니다. 물음에 답해 보세요.

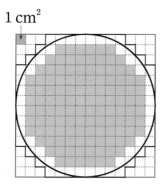

04 파란색 모눈의 넓이를 구해 보세요.

(   )

05 빨간색 선 안쪽 모눈의 넓이를 구해 보세요.

(   )

06 원의 넓이는 약 몇 cm²인지 어림해 보세요.

(   )

07 원을 한없이 잘라서 이어 붙여 직사각형을 만들었습니다. ☐안에 알맞은 수를 써넣으세요.

(원주율: 3.14)

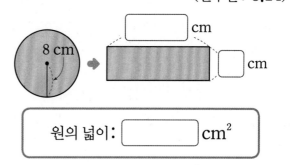

원의 넓이: ☐ cm²

08 원의 넓이를 구해 보세요.

(원주율: 3.14)

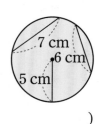

(   )

09 넓이가 가장 넓은 원을 찾아 기호를 써 보세요.

(원주율: 3)

> ㉠ 지름이 8 cm인 원
> ㉡ 넓이가 147 cm²인 원
> ㉢ 반지름이 6 cm인 원

(   )

10 길이가 93 cm인 끈을 남기거나 겹치는 부분 없이 모두 사용하여 원을 한 개 만들었습니다. 만든 원의 넓이는 몇 cm²인지 구해 보세요.

(원주율: 3.1)

(   )

평가한 날   월   일

점수

01~02 색칠한 부분의 넓이를 구하려고 합니다. 물음에 답해 보세요. (원주율: 3)

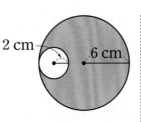

01 큰 원과 작은 원의 넓이를 각각 구해 보세요.

큰 원 (   )

작은 원 (   )

02 색칠한 부분의 넓이를 구해 보세요.

(   )

03~05 색칠한 부분의 넓이를 구해 보세요.

(원주율: 3.14)

03

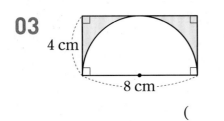

(   )

04

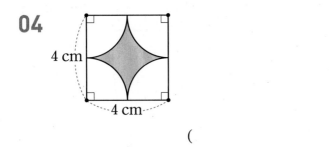

(   )

05

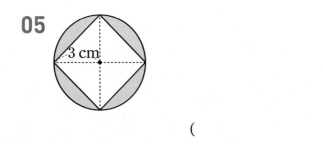

(   )

06~07 색칠한 부분의 넓이를 구하려고 합니다. 물음에 답해 보세요.

(원주율: 3)

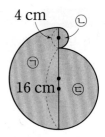

06 ㉠, ㉡, ㉢의 넓이를 각각 구해 보세요.

㉠ (   )

㉡ (   )

㉢ (   )

07 색칠한 부분의 넓이를 구해 보세요.

(   )

08~10 색칠한 부분의 넓이를 구해 보세요.

(원주율: 3.1)

08

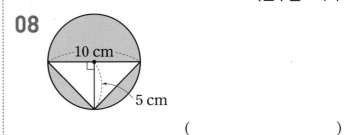

(   )

09

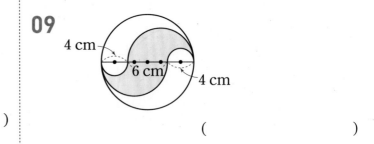

(   )

10

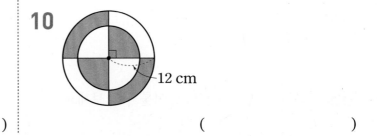

(   )

| 원주율 |

01 ☐안에 알맞은 말을 써넣으세요.

> 원의 지름에 대한 원주의 비율을 ☐
> (이)라고 합니다.

| 원주와 지름 구하기 |

02 원주가 45 cm인 원의 지름을 구해 보세요.

(원주율: 3)

(   )

| 원의 넓이를 구하는 방법 |

03 원의 넓이를 구해 보세요.

(원주율: 3.14)

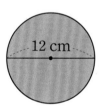
12 cm

(   )

| 원주율 |

04 다음 설명 중 틀린 것을 찾아 기호를 써 보세요.

> ㉠ 원의 둘레를 원주라고 합니다.
> ㉡ 원의 지름이 짧아지면 원주는 길어집니다.
> ㉢ 원의 크기와 관계없이 지름에 대한 원주
>   의 비율은 일정합니다.

(   )

05~06 반지름이 14 cm인 원의 넓이를 정사각형을 이용하여 어림하려고 합니다. 물음에 답해 보세요.

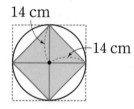
14 cm
14 cm

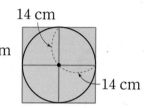
14 cm
14 cm

| 원의 넓이 어림하기 |

05 원 안의 정사각형의 넓이와 원 밖의 정사각형의 넓이를 각각 구해 보세요.

원 안의 정사각형 (   )

원 밖의 정사각형 (   )

| 원의 넓이 어림하기 |

06 원의 넓이는 약 몇 cm²인지 어림해 보세요.

(   )

| 원주와 지름 구하기 |

07 길이가 2 m인 줄을 사용하여 운동장에 그릴 수 있는 가장 큰 원을 그렸습니다. 그린 원의 원주는 몇 m인지 구해 보세요. (원주율: 3.1)

2 m

(   )

| 여러 가지 도형의 넓이 구하기 |

08 색칠한 부분의 넓이를 구해 보세요. (원주율: 3)

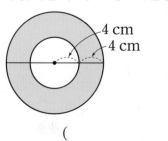
4 cm
4 cm

(   )

09~10 여러 가지 원 모양이 들어 있는 물건이 있습니다. 물음에 답해 보세요.

거울

장구

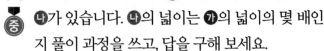

지름: 15 cm
원주: 47.1 cm

지름: 40 cm
원주: 125.6 cm

| 원주율 |

09 거울과 장구에서 (원주)÷(지름)을 구해 보세요.

거울 (   )

장구 (   )

| 원주율 |

10 원주율에 대하여 알 수 있는 것을 써 보세요.

_____

_____

| 원의 넓이를 구하는 방법 | 서술형

11 반지름이 4 cm인 원 **가**와 반지름이 8 cm인 원 **나**가 있습니다. **나**의 넓이는 **가**의 넓이의 몇 배인지 풀이 과정을 쓰고, 답을 구해 보세요.

(원주율: 3.14)

풀이

답

| 원의 넓이를 구하는 방법 |

12 두 원의 넓이의 차는 몇 cm²인지 구해 보세요. (원주율: 3)

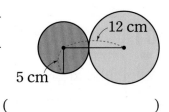

5 cm   12 cm

(   )

| 여러 가지 도형의 넓이 구하기 |

13 색칠한 부분의 넓이를 구해 보세요.

(원주율: 3.14)

6 cm

6 cm

(   )

| 원주와 지름 구하기, 원의 넓이를 구하는 방법 |

14 원주가 54 cm인 원의 넓이는 몇 cm²인지 구해 보세요. (원주율: 3)

(   )

| 여러 가지 도형의 넓이 구하기 |

15 색칠한 부분의 넓이를 구해 보세요. (원주율: 3)

10 cm

10 cm

(   )

| 원주와 지름 구하기 |

16 원의 지름이 가장 짧은 것을 그린 사람의 이름을 써 보세요. (원주율: 3.14)

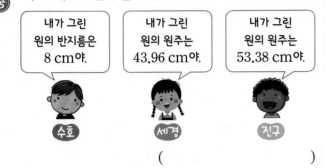

내가 그린 원의 반지름은 8 cm야.

내가 그린 원의 원주는 43.96 cm야.

내가 그린 원의 원주는 53.38 cm야.

수호   세경   진구

(   )

17~18 그림과 같은 운동장이 있습니다. 물음에 답해 보세요. (원주율: 3.1)

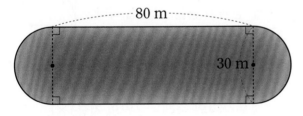

80 m

30 m

| 원주와 지름 구하기 |

17 운동장의 둘레는 몇 m인지 구해 보세요.

(   )

| 여러 가지 도형의 넓이 구하기 |

18 운동장의 넓이는 몇 m²인지 구해 보세요.

(   )

| 원주와 지름 구하기 | 서술형

19 아인이가 반지름이 35 cm인 원 모양의 굴렁쇠를 몇 바퀴 굴렸더니 앞으로 10 m 99 cm만큼 나아갔습니다. 아인이는 굴렁쇠를 몇 바퀴 굴린 것인지 풀이 과정을 쓰고, 답을 구해 보세요.

(원주율: 3.14)

풀이

답

| 여러 가지 도형의 넓이 구하기 | 서술형

20 그림과 같이 가로가 8 m, 세로가 6 m인 직사각형 모양의 울타리의 한 꼭짓점 ㄱ에 줄의

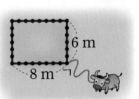

6 m

8 m

길이가 10 m가 되도록 소를 묶어 놓았습니다. 울타리 밖에서 소가 움직일 수 있는 영역의 최대 넓이를 구하려고 합니다. 풀이 과정을 쓰고, 답을 구해 보세요. (단, 원주율은 3으로 계산하고, 끈의 매듭의 길이와 소의 크기는 생각하지 않습니다.)

풀이

답

| 원주율 |

01 원주를 나타내는 것을 찾아 기호를 써 보세요.

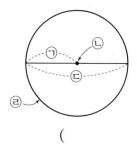

( )

| 원주와 지름 구하기 |

02 원 모양인 시계의 둘레를 재어 보니 58.9 cm이었습니다. 시계의 지름을 구해 보세요.

(원주율: 3.1)

( )

| 원주와 지름 구하기, 원의 넓이를 구하는 방법 |

03 지름이 26 cm인 원의 원주와 넓이를 각각 구해 보세요. (원주율: 3)

원주 ( )

넓이 ( )

| 원의 넓이 어림하기 |

04 모눈종이를 이용하여 원 모양인 음료수 캔 윗면의 넓이는 약 몇 cm²인지 어림해 보세요.

1 cm²

( )

| 원주율 |

05 설명이 맞으면 ○표, 틀리면 ×표 하세요.

(1) 원주율은 3.14입니다. ( )

(2) (원주율)＝(원주)÷(지름) ( )

(3) 원주율은 원의 반지름에 대한 원주의 비율입니다. ( )

| 원의 넓이를 구하는 방법 |

06 다음 실의 길이를 반지름으로 하는 원을 만들었습니다. 만든 원의 넓이는 몇 cm²인지 구해 보세요. (원주율: 3.1)

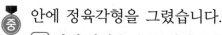
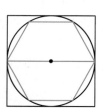
—15 cm—

( )

| 원주율 |

07 원 밖에 정사각형을 그리고 원 안에 정육각형을 그렸습니다. ☐ 안에 알맞은 수를 써넣으세요.

(정육각형의 둘레)＝(원의 지름)×☐

(정사각형의 둘레)＝(원의 지름)×☐

➡ 원의 둘레는 원의 지름의 ☐배보다 길고 ☐배보다 짧습니다.

| 여러 가지 도형의 넓이 구하기 |

08 부채를 만들기 위해 종이를 그림과 같이 오렸습니다. 오린 종이의 넓이를 구해 보세요. (원주율: 3)

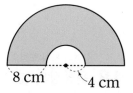
8 cm   4 cm

( )

정답 및 풀이 | **114쪽**

| 원주율 |

09 동연이가 원 모양의 자전거 바퀴
의 원주와 지름을 재었더니 원주
는 150.8 cm, 지름은 48 cm
이었습니다. (원주)÷(지름)을
반올림하여 소수 둘째 자리까지 나타내어 보세요.

(   )

| 원주와 지름 구하기 |

10 원 모양인 접시의 반지름은
12 cm입니다. 접시가 한
바퀴 굴러간 거리는 몇 cm
인지 구해 보세요. (원주율: 3.14)

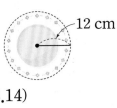

(   )

| 원의 넓이를 구하는 방법 |

11 넓이가 1240 cm²인 원의 반지름은 몇 cm인지
구해 보세요. (원주율: 3.1)

(   )

| 여러 가지 도형의 넓이 구하기 |

12 색칠한 부분의 넓이를 구
해 보세요.
(원주율: 3.14)

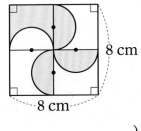

(   )

| 원의 넓이를 구하는 방법 | 서술형

13 다빈이는 지름이 16 cm인 원 모양의 빵을 똑같
이 8조각으로 나누어 그중 한 조각을 먹었습니
다. 다빈이가 먹은 빵의 넓이는 몇 cm²인지 풀이
과정을 쓰고, 답을 구해 보세요. (원주율: 3.14)

풀이

답
_____

| 원주와 지름 구하기 |

14 반원의 둘레를 구해 보세요.
(원주율: 3.14)

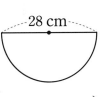

(   )

| 여러 가지 도형의 넓이 구하기 |

15 색칠한 부분의 넓이를 구
해 보세요. (원주율: 3)

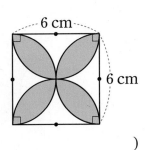

(   )

| 여러 가지 도형의 넓이 구하기 |

16 양궁 과녁 그림을 보고 노란색이 차지하는 부분의 넓이는 몇 cm²인지 구해 보세요. (원주율: 3.14)

중

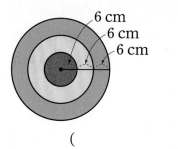

( )

| 원주와 지름 구하기 |

17 색칠한 부분의 둘레를 구해 보세요. (원주율: 3.14)

상

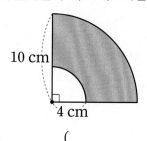

( )

| 여러 가지 도형의 넓이 구하기 |

18 색칠한 부분의 넓이가 27.44 cm²일 때 ◯ 안에 알맞은 수를 써넣으세요. (원주율: 3.14)

상

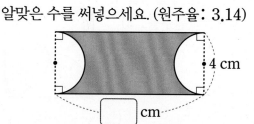

| 원주와 지름 구하기 | 서술형

19 반지름이 55 m인 원 모양의 호수 둘레에 2 m 20 cm 간격으로 나무를 심으려고 합니다. 호수의 둘레에 나무를 몇 그루 심을 수 있는지 풀이 과정을 쓰고, 답을 구해 보세요. (원주율: 3.14)

상

풀이

답

| 원의 넓이 어림하기 | 서술형

20 삼각형 ㄱㅇㄷ의 넓이가 18 cm², 삼각형 ㄹㅇㅂ의 넓이가 24 cm²일 때 정육각형의 넓이를 이용하여 원의 넓이는 약 몇 cm²인지 어림하려고 합니다. 풀이 과정을 쓰고, 답을 구해 보세요.

상

풀이

답

TiP

❶ 원주는 몇 cm보다 길고 몇 cm보다 짧은지 구하기

⌄⌄

❷ 원주와 가장 비슷한 길이 찾기

01 지름이 4 cm인 원의 원주와 가장 비슷한 길이를 찾아 기호를 쓰려고 합니다. 풀이 과정을 쓰고, 답을 구해 보세요.

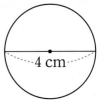

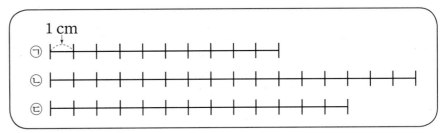

풀이

답

TiP

❶ 케이크의 지름 구하기

⌄⌄

❷ 케이크 상자의 한 변의 길이는 적어도 몇 cm보다 길어야 하는지 구하기

02 연재는 정사각형 모양의 상자에 원 모양의 케이크를 담아 포장하려고 합니다. 케이크 상자의 한 변의 길이는 적어도 몇 cm보다 길어야 하는지 풀이 과정을 쓰고, 답을 구해 보세요. (원주율: 3.14)

케이크의 둘레: 87.92 cm

풀이

답

정답 및 풀이 | **115쪽**

Tip

❶ 대관람차의 원주 구하기

❷ 관람차는 모두 몇 대 매달려 있는지 구하기

03 바퀴의 지름이 30 m인 원 모양의 대관람차에 5 m 간격으로 관람차가 매달려 있습니다. 관람차는 모두 몇 대 매달려 있는지 풀이 과정을 쓰고, 답을 구해 보세요.

(원주율: 3)

풀이

답

Tip

❶ 정사각형의 넓이 구하기

❷ 원의 넓이 구하기

❸ 색칠한 부분의 넓이 구하기

04 색칠한 부분의 넓이는 몇 cm²인지 풀이 과정을 쓰고, 답을 구해 보세요. (원주율: 3.14)

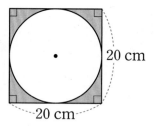

20 cm

20 cm

풀이

답

Tip

❶ 의 안쪽 원주 구하기

❷ 의 안쪽 원주 구하기

❸ 두 고리의 안쪽 원주의 차 구하기

01 원 모양의 두 고리가 있습니다. 두 고리의 안쪽 원주의 차는 몇 cm인지 풀이 과정을 쓰고, 답을 구해 보세요. (원주율: 3.1)

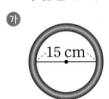

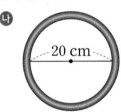

풀이

답

Tip

❶ 곡선 부분의 길이의 합 구하기

❷ 직선 부분의 길이의 합 구하기

❸ 사용한 끈의 길이 구하기

02 지수는 지름이 10 cm인 둥근 기둥 모양의 통나무 3개를 끈으로 겹치지 않게 둘렀습니다. 사용한 끈의 길이는 몇 cm인지 풀이 과정을 쓰고, 답을 구해 보세요. (원주율: 3.14) (단, 매듭의 길이와 끈의 두께는 생각하지 않습니다.)

10 cm

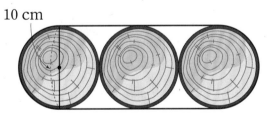

풀이

답

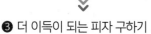

❶ 정사각형 모양의 피자의 넓이 구하기

❷ 원 모양의 피자의 넓이 구하기

❸ 더 이득이 되는 피자 구하기

03 정사각형 모양의 피자와 원 모양의 피자가 있습니다. 두 피자의 가격이 같다면 더 이득이 되는 피자는 어느 모양인지 풀이 과정을 쓰고, 답을 구해 보세요. (원주율: 3.14)

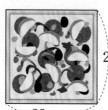
23 cm
23 cm

24 cm

풀이

답

❶ 색칠한 부분의 둘레 구하기

❷ 색칠한 부분의 넓이 구하기

04 색칠한 부분의 둘레와 넓이를 각각 구하려고 합니다. 풀이 과정을 쓰고, 답을 구해 보세요.

(원주율: 3)

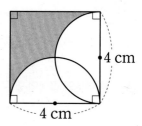
4 cm
4 cm

풀이

답 둘레: , 넓이:

개념 1 비의 성질

· 비의 전항과 후항에 0이 아닌 같은 수를 곱하여도 비율은 같습니다.

· 비의 전항과 후항을 0이 아닌 같은 수로 나누어도 비율은 같습니다.

개념 2 간단한 자연수의 비로 나타내기

· 분수 또는 소수의 비는 전항과 후항에 같은 수를 곱하여 자연수의 비로 나타낼 수 있습니다.

예

$$0.4 : 1.7$$
$$\downarrow \times 10 \quad \downarrow \times 10$$
$$4 : 17$$

➡ 0.4 : 1.7의 전항과 후항에 10을 곱하면 4 : 17이 됩니다.

· 자연수의 비는 전항과 후항을 두 항의 최대공약수로 나누어 더 간단한 자연수의 비로 나타낼 수 있습니다.

예

$$4 : 12$$
$$\downarrow \div 4 \quad \downarrow \div 4$$
$$1 : 3$$

➡ 4 : 12의 전항과 후항을 4로 나누면 1 : 3이 됩니다.

개념 3 비례식

비율이 같은 두 비를 다음과 같이 기호 '＝'를 사용하여 나타낼 수 있습니다.

$$2 : 7 = 10 : 35$$

이와 같은 식을 비례식이라고 합니다.

개념 4 비례식의 성질

비례식에서 외항의 곱과 내항의 곱은 같습니다.

예 비례식에서 외항의 곱과 내항의 곱을 각각 구하면 서로 같습니다.

$$2 : 7 = 8 : 28$$ ➡ 외항의 곱 $2 \times 28 = 56$
내항의 곱 $7 \times 8 = 56$

개념 5 비례식의 활용

방법 1 비의 성질 이용

전항 40에 3을 곱하면 120이므로 후항 25에 3을 곱하면
$\square = 25 \times 3 = 75$입니다.

$$40 : 25 = 120 : \square$$ (×3, ×3)

방법 2 비례식의 성질 이용

외항의 곱과 내항의 곱은 같으므로
$40 \times \square = 25 \times 120$,
$40 \times \square = 3000$,
$\square = 75$입니다.

$$40 : 25 = 120 : \square$$ ($40 \times \square$, 25×120)

개념 6 비례배분

전체를 주어진 비로 나누는(배분하는) 것을 비례배분이라고 합니다.

예 중기와 지현이가 초콜릿 15개를 **3** : 2로 나누어 가지면 다음과 같습니다.

중기: $15 \times \dfrac{3}{3+2} = 15 \times \dfrac{3}{5} = 9$(개)

지현: $15 \times \dfrac{2}{3+2} = 15 \times \dfrac{2}{5} = 6$(개)

01 비에서 전항과 후항을 찾아 써 보세요.

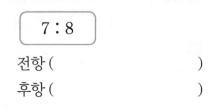

7 : 8

전항 (   )

후항 (   )

02 두 비의 비율이 같도록 ☐ 안에 알맞은 수를 써넣으세요.

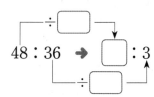

03 비의 성질을 이용하여 3 : 5와 비율이 같은 비를 찾아 기호를 써 보세요.

㉠ 12 : 10   ㉡ 9 : 15   ㉢ 21 : 30

(   )

04 가로와 세로의 비가 2 : 3과 비율이 같은 직사각형을 모두 찾아 기호를 써 보세요.

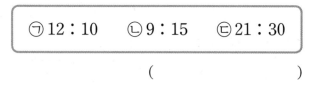

가   나   다

4 cm   6 cm 6 cm   8 cm   10 cm   15 cm

(   )

05 조건에 맞는 비의 전항을 구해 보세요.

조건
· 후항은 35입니다.
· 비율은 $\frac{4}{7}$입니다.

(   )

06~07 ☐ 안에 알맞은 수를 써넣어 간단한 자연수의 비로 나타내어 보세요.

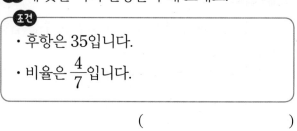

06 $\frac{3}{4}$: $\frac{1}{5}$ ➡ ☐ : ☐

07 0.2 : 1.9 ➡ ☐ : ☐

08 간단한 자연수의 비로 나타내어 보세요.

(1) 0.4 : 2.6   (   )

(2) $\frac{8}{7}$: $\frac{4}{3}$ (   )

09 직사각형의 가로와 세로의 비를 간단한 자연수의 비로 나타내어 보세요.

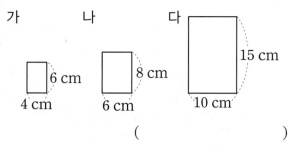

4.9 cm

3.5 cm

(   )

10 $1\frac{1}{4}$: 2.4를 전항이 25인 간단한 자연수의 비로 나타내었을 때 후항을 구해 보세요.

(   )

01 ☐안에 알맞은 수를 써넣어 비례식을 세워 보세요.

· 3 : 5의 비율 ➡ $\dfrac{☐}{5}$

· 18 : 30의 비율 ➡ $\dfrac{☐}{30} = \dfrac{☐}{5}$

· 비례식으로 나타내면

3 : ☐ = ☐ : 30입니다.

02 비의 성질을 이용하여 비례식을 세우려고 합니다. ☐안에 알맞은 수를 써넣으세요.

14 : 20은 전항과 후항을 2로 나눈 비 ☐ : ☐ 과/와 그 비율이 같습니다.

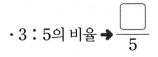

14 : 20 = ☐ : ☐

03~04 ☐안에 알맞은 수를 써넣으세요.

03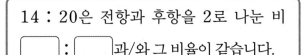

$\dfrac{5}{4} : \dfrac{2}{3}$ = ☐ : ☐ (×12, ×☐)

04 0.8 : 1.4 = ☐ : ☐ (×5, ×☐)

05 비율이 같은 두 비를 찾아 비례식을 세워 보세요.

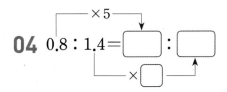

1 : 2   2 : 3   6 : 10   8 : 12

(   )

06 비례식의 성질을 이용하여 ☐안에 알맞은 수를 써넣으세요.

3 : 25 = 15 : ☐

07 옳은 비례식을 찾아 기호를 써 보세요.

㉠ 5 : 11 = 15 : 22
㉡ 16 : 9 = 4 : 3
㉢ 24 : 15 = 8 : 5

(   )

08 ☐안에 알맞은 수가 더 큰 비례식의 기호를 써 보세요.

㉠ 5 : ☐ = 60 : 36
㉡ 7 : 8 = 3.5 : ☐

(   )

09~10 비례식에서 외항의 곱이 180일 때 물음에 답해 보세요.

㉠ : 36 = ㉡ : 9

09 ㉠에 알맞은 수를 구해 보세요.

(   )

10 ㉡에 알맞은 수를 구해 보세요.

(   )

01~02 긴 끈과 짧은 끈의 길이의 비는 7 : 4입니다. 짧은 끈의 길이가 20 cm이면 긴 끈의 길이는 몇 cm인지 구하려고 합니다. 물음에 답해 보세요.

01 긴 끈의 길이를 ☐ cm라고 하여 비의 성질을 이용하여 답을 구해 보세요.

( )

02 긴 끈의 길이를 ☐ cm라고 하여 비례식을 세워 답을 구해 보세요.

( )

03~04 설탕과 물의 양의 비가 5 : 12인 설탕물이 있습니다. 설탕의 양이 25 g일 때 물음에 답해 보세요.

03 물의 양을 ☐ g이라고 하여 비례식을 세워 보세요.

( )

04 설탕의 양이 25 g일 때 물의 양은 몇 g인지 구해 보세요.

( )

05 어느 빵 가게에서 밀가루와 쌀가루를 2 : 3으로 반죽하여 빵을 만들었습니다. 반죽에 들어간 쌀가루가 15 kg이라면 밀가루의 양은 몇 kg인지 구해 보세요.

( )

06~07 김치 공장에서 고춧가루와 젓갈을 9 : 5로 섞어서 김치 양념을 만들려고 합니다. 물음에 답해 보세요.

06 고춧가루를 45컵 넣었다면 젓갈은 몇 컵을 넣어야 하는지 구해 보세요.

( )

07 젓갈을 30컵 넣었다면 고춧가루는 몇 컵을 넣어야 하는지 구해 보세요.

( )

08~10 맞물려 돌아가는 두 톱니바퀴 ㉮, ㉯가 있습니다. ㉮의 톱니 수는 80개, ㉯의 톱니 수는 72개입니다. 1분 동안 ㉮가 63바퀴 돈다면 ㉯는 몇 바퀴 도는지 구하려고 합니다. 물음에 답해 보세요.

08 ㉮와 ㉯의 톱니 수의 비를 간단한 자연수의 비로 나타내어 보세요.

( )

09 두 톱니바퀴가 1분 동안 도는 회전수의 비를 구해 보세요.

( )

10 1분 동안 ㉮가 63바퀴 돈다면 ㉯는 몇 바퀴 도는지 구해 보세요.

( )

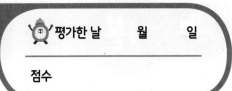
01 머리끈 55개를 예슬이와 지현이가 5 : 6으로 나누어 가지려고 합니다. 두 사람은 머리끈을 각각 몇 개씩 가지게 되는지 ◯ 안에 알맞은 수를 써넣으세요.

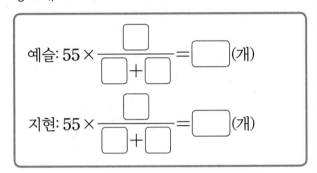

02~03 구슬 130개를 파란색 바구니와 빨간색 바구니에 4 : 9로 나누어 담으려고 합니다. 물음에 답해 보세요.

02 파란색 바구니에 구슬을 몇 개씩 담아야 하는지 구해 보세요.

( )

03 빨간색 바구니에 구슬을 몇 개씩 담아야 하는지 구해 보세요.

( )

04 9000원을 수지와 형석이가 8 : 7로 나눌 때 수지가 가지게 되는 금액을 구해 보세요.

( )

05 비타민 A와 비타민 C가 12 : 13으로 들어 있는 영양제가 있습니다. 비타민 A와 비타민 C가 100 g 들어 있을 때 비타민 C는 몇 g 들어 있는지 구해 보세요.

( )

06~07 은혜는 8시간, 민수는 12시간 동안 일을 하고 모두 100000원을 받았습니다. 받은 금액을 일한 시간의 비에 따라 나누어 가지려고 합니다. 물음에 답해 보세요.

06 은혜와 민수가 일한 시간의 비를 간단한 자연수의 비로 나타내어 보세요.

( )

07 은혜와 민수는 각각 얼마를 가지게 되는지 구해 보세요.

은혜 ( )

민수 ( )

08 초콜릿 60개를 누나와 동생이 7 : 5로 나누려고 합니다. 누나는 동생보다 초콜릿을 몇 개 더 많이 가지게 되는지 구해 보세요.

( )

09~10 삼각형 ㄱㄴㄹ의 넓이가 108 cm²일 때, 삼각형 ㄱㄷㄹ의 넓이는 몇 cm²인지 구하려고 합니다. 물음에 답해 보세요.

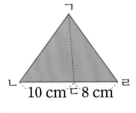

09 삼각형 ㄱㄴㄷ의 넓이와 삼각형 ㄱㄷㄹ의 넓이의 비를 간단한 자연수의 비로 나타내어 보세요.

( )

10 삼각형 ㄱㄷㄹ의 넓이는 몇 cm²인지 구해 보세요.

( )

| 비의 성질 |

01 다음 중 후항이 다른 하나를 찾아 기호를 써 보
 세요.

> ㉠ 5 : 6   ㉡ 5 : 8   ㉢ 7 : 6

( )

| 비례식의 성질 |

02 비례식에서 내항을 모두 찾아 써 보세요.

> 9 : 4 = 63 : 28

( )

| 비례식 |

03 ☐ 안에 알맞은 수를 써넣으세요.
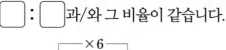

$\dfrac{5}{6} : \dfrac{2}{3}$ 는 전항과 후항에 6을 곱한 비

☐ : ☐ 과/와 그 비율이 같습니다.

$$\underset{\underset{\times 6}{}}{\overset{\overset{\times 6}{}}{\dfrac{5}{6} : \dfrac{2}{3}}} = \boxed{} : \boxed{}$$

| 간단한 자연수의 비로 나타내기 |

04 간단한 자연수의 비로 나타내어 보세요.

(1) 12 : 54   ( )

(2) 1.09 : 2.25   ( )

| 비례배분 |

05 사탕 45개를 성훈이와 주희가 4 : 5로 나누어
 가지려고 합니다. 성훈이와 주희는 사탕을 각각
몇 개씩 가지게 되는지 구해 보세요.

성훈 ( )

주희 ( )

| 비의 성질 |

06 비의 성질을 이용하여 비율이 같은 비를 찾아 선
으로 이어 보세요.

2 : 9	•		•	5 : 11
15 : 33	•		•	4 : 18
42 : 35	•		•	6 : 5

| 비례식의 활용 |

07 딸기 원액과 우유를 3 : 7로 섞어 딸기 우유를
만들려고 합니다. 우유의 양이 210 mL라면 필
요한 딸기 원액의 양은 몇 mL인지 구해 보세요.

( )

| 비례식의 성질 |

08 비례식의 성질을 이용하여 ☐ 안에 알맞은 수를
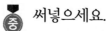 써넣으세요.

(1) 12 : 9 = 4 : ☐

(2) 7 : ☐ = 28 : 64

정답 및 풀이 | 118쪽

평가한 날　　월　　일

점수

| 비례식 |

09 비율이 같은 두 비를 찾아 비례식을 세워 보세요.

9 : 20　　3 : 10　　15 : 50　　36 : 100

(　　　　　　　　)

| 비례식의 활용 |

10 음료수가 4개에 4800원입니다. 6000원으로 똑같은 음료수를 몇 개 살 수 있는지 구해 보세요.

(　　　　　　　　)

| 간단한 자연수의 비로 나타내기 |

11 진후의 가방의 무게는 1.26 kg이고, 하연이의 가방의 무게는 1.4 kg입니다. 진후와 하연이의 가방의 무게의 비를 간단한 자연수의 비로 나타내어 보세요.

(　　　　　　　　)

| 비례식의 성질 |

12 비례식의 성질을 이용하여 ㉠에 알맞은 소수를 구해 보세요.

㉠ : 0.63 = 4 : 9

(　　　　　　　　)

| 비례배분 |

13 딸기밭에서 딴 딸기 200개를 가족 수에 따라 나누어 주려고 합니다. 지성이네 가족은 5명, 예빈이네 가족은 3명이라면 딸기를 각각 몇 개씩 주어야 하는지 구해 보세요.

지성이네 가족 (　　　　　　　)

예빈이네 가족 (　　　　　　　)

| 비의 성질 |　　　　　　　　　　　　서술형

14 세 비의 비율이 같을 때 ㉠과 ㉡에 알맞은 수의 합은 얼마인지 비의 성질을 이용하여 풀이 과정을 쓰고, 답을 구해 보세요.

16 : 15　　48 : ㉠　　㉡ : 75

풀이

답

| 간단한 자연수의 비로 나타내기 |

15 후항이 48인 어떤 비를 간단한 자연수의 비로 나타내었더니 7 : 8이 되었습니다. 처음 비의 전항은 얼마인지 구해 보세요.

(　　　　　　　　)

| 비례배분 |

16 대연이는 빨간색 색종이와 노란색 색종이를 합
하여 45장 가지고 있습니다. 빨간색 색종이와 노
란색 색종이의 수의 비가 $\frac{1}{3} : \frac{1}{6}$일 때 빨간색 색
종이는 모두 몇 장이 있는지 구해 보세요.

( )

| 비례식의 활용 |

17 들이가 2800 L인 목욕탕에 물을 채우고 있습니
다. 4분 동안 320 L만큼 물을 채운다고 할 때 이
목욕탕에 물을 가득 채우려면 몇 분이 걸리는지
구해 보세요.

( )

| 비례배분 |

18 경환이는 9시간, 신혜는 7시간 동안 일을 하고
일한 시간만큼 돈을 받았습니다. 경환이가
54000원을 받았다면 두 사람이 받은 돈은 모두
얼마인지 구해 보세요.

( )

| 비례식의 성질 | **서술형**

19 수 카드 중에서 4장을 골라 비례식을 1개 세우고
만든 방법을 써 보세요.

2 15 8 6 30 45

비례식

_____

방법

| 비례식의 활용 | **서술형**

20 두 정사각형 **가**와 **나**의 한 변의 길이의 비는
3 : 5입니다. 정사각형 **가**의 넓이가 225 cm²일
때 정사각형 **나**의 넓이는 몇 cm²인지 풀이 과정
을 쓰고, 답을 구해 보세요.

풀이

답

| 비의 성질 |

01 후항이 가장 큰 비를 찾아 그 비의 전항을 써 보세요.

> 15 : 11   22 : 14   7 : 16   10 : 27

(   )

| 비례식 |

02 (   ) 안에 알맞은 비는 어느 것일까요?

(   )

> 2 : 5 = (   )

① 2 : 3   ② 4 : 9   ③ 8 : 20
④ 12 : 35   ⑤ 16 : 45

| 간단한 자연수의 비로 나타내기 |

03 간단한 자연수의 비로 나타내어 보세요.

(1) $\dfrac{2}{5} : \dfrac{7}{3}$ (   )

(2) $2.8 : 1\dfrac{1}{5}$ (   )

| 비례식의 성질 |

04 비례식에서 ㉠×㉡의 값을 구해 보세요.

> 8 : ㉠ = ㉡ : 45

(   )

| 비례식의 활용 |

05 우유 4팩에 2800원입니다. 우유 7팩을 사려면 얼마가 필요한지 구해 보세요.

(   )

| 비례배분 |

06 공책 120권을 각 모둠의 학생 수의 비에 따라 나누어 주려고 합니다. 솔비네 모둠은 8명, 도영이네 모둠은 7명이라면 두 모둠에게 공책을 각각 몇 권씩 주어야 하는지 구해 보세요.

솔비네 모둠 (   )
도영이네 모둠 (   )

| 비의 성질 |

07 비의 성질을 이용하여 45 : 18과 비율이 같은 비를 찾아 써 보세요.

> 15 : 9   9 : 4   5 : 2   3 : 1

(   )

| 비례식의 성질 |

08 외항의 곱이 560일 때 ㉠과 ㉡에 알맞은 수의차를 구해 보세요.

> ㉠ : ㉡ = 40 : 70

(   )

| 비례식 |

09 비례식을 모두 찾아 기호를 써 보세요.

중

> ㉠ $2 \times 5 = 6 + 4$　　㉡ $6 : 13 = 12 : 26$
>
> ㉢ $\dfrac{4}{3} = \dfrac{12}{9}$　　㉣ $15 : 9 = 5 : 3$
>
> ㉤ $4 : 7 = 16 : 21$

(　　　　　　)

| 간단한 자연수의 비로 나타내기 |

10 간단한 자연수의 비로 나타낸 것을 찾아 선으로

중 이어 보세요.

$72 : 45$	·		·	$16 : 5$
$1.2 : 1.8$	·		·	$2 : 3$
$6 : 1\dfrac{7}{8}$	·		·	$8 : 5$

| 비례식 |

11 혜진이와 성민이가 비례식 $6 : 7 = 36 : 42$를

중 보고 이야기 하였습니다. 바르게 말한 사람은 누

구인지 이름을 써 보세요.

> 비례식 $6 : 7 = 36 : 42$에서
> 외항은 $7, 36$이고 내항은
> $6, 42$야.

> 두 비의 비율이 같으니까
> 비례식 $6 : 7 = 36 : 42$로
> 나타낼 수 있어.

 혜진　　　　 성민

(　　　　　　)

| 비례식의 활용 |

12 동원이네 학교 전체 학생의 45 %는 안경을 썼

중 습니다. 안경을 쓴 학생이 540명이라면 동원이

네 학교 전체 학생은 몇 명인지 구해 보세요.

(　　　　　　)

| 비의 성질 |

13 밑변의 길이와 높이의 비가 $5 : 2$와 비율이 같은

중 삼각형을 모두 찾아 기호를 써 보세요.

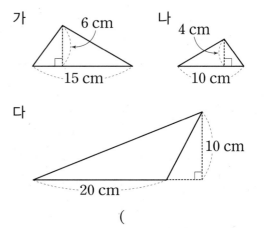

(　　　　　　)

| 간단한 자연수의 비로 나타내기 |

14 어떤 비를 간단한 자연수의 비로 나타내었더니

중 $5 : 8$이 되었습니다. 처음 비의 전항과 후항의 차

가 15일 때 처음 비를 구해 보세요.

(　　　　　　)

| 비례식의 성질 |

15 다음 식이 비례식이 아닌 이유를 비례식의 성질

중 을 이용하여 설명해 보세요.

> $6 : 5 = 36 : 25$

| 비례배분 | **서술형**

16 길이가 42 cm인 끈을 겹치지 않게 모두 사용하
여 가로와 세로의 비가 4 : 3인 직사각형 모양을
한 개 만들었습니다. 만든 직사각형의 넓이는 몇
cm²인지 풀이 과정을 쓰고, 답을 구해 보세요.

(중)

풀이

답

| 비례배분 |

17 전체를 9 : 11로 나누었더니 더 작은 쪽이 135
가 되었습니다. 전체는 얼마인지 구해 보세요.

(상)

(   )

| 비의 성질 |

18 다음 조건 을 만족하는 비 ㉠ : ㉡ 중에서 전항이
가장 큰 비를 구해 보세요.

(상)

조건
· ㉠과 ㉡은 자연수입니다.

· 비율은 $1\frac{2}{5}$입니다.

· 전항과 후항의 합이 50 미만입니다.

(   )

| 간단한 자연수의 비로 나타내기, 비례식의 성질 | **서술형**

19 ㉠×2.4와 ㉡×1.9의 값이 같을 때 ㉠과 ㉡의
비를 간단한 자연수의 비로 나타내려고 합니다.
비례식의 성질을 이용하여 풀이 과정을 쓰고, 답
을 구해 보세요.

(상)

풀이

답

| 비례식의 활용 | **서술형**

20 사다리꼴의 윗변의 길이와 아랫변의 길이의 비
는 7 : 9입니다. 아랫변이 18 cm, 높이가 6 cm
일 때 사다리꼴의 넓이는 몇 cm²인지 풀이 과정
을 쓰고, 답을 구해 보세요.

(상)

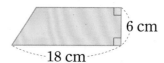
6 cm
18 cm

풀이

답

Tip

❶ 60 %를 분수로 나타내기

∨

❷ 시영이와 재원이가 1시간 동안 읽은 책의 양의 비를 간단한 자연수의 비로 나타내기

01 시영이와 재원이가 같은 책을 1시간 동안 읽었는데 시영이는 전체의 $\frac{1}{3}$, 재원이는 전체의 60 %를 읽었습니다. 시영이와 재원이가 1시간 동안 읽은 책의 양의 비를 간단한 자연수의 비로 나타내려고 합니다. 풀이 과정을 쓰고, 답을 구해 보세요.

 풀이

답

Tip

❶ ㉠에 알맞은 수 구하기

∨

❷ ㉡에 알맞은 수 구하기

∨

❸ ㉠과 ㉡에 알맞은 수의 곱 구하기

02 두 비례식에서 ㉠과 ㉡에 알맞은 수의 곱은 얼마인지 풀이 과정을 쓰고, 답을 구해 보세요.

$$\frac{1}{10} : \frac{1}{12} = ㉠ : 30$$

$$㉡ : 14 = 30 : 21$$

 풀이

답

TiP

❶ 소금물과 소금물의 비를 간단한 자연수의 비로 나타내기

❷ 소금물에 녹아 있는 소금의 양을 □ g이라고 하여 비례식 세우기

❸ 소금물에 녹아 있는 소금의 양 구하기

03 진하기가 같은 ㉮ 소금물 1500 mL와 ㉯ 소금물 2100 mL가 있습니다. ㉮ 소금물에 녹아 있는 소금이 80 g일 때 ㉯ 소금물에 녹아 있는 소금은 몇 g인지 풀이 과정을 쓰고, 답을 구해 보세요.

풀이

답 _____

TiP

❶ 종이의 넓이 구하기

❷ 비례배분하여 더 넓은 종이의 넓이 구하기

04 가로가 80 cm, 세로가 30 cm인 직사각형 모양의 종이를 넓이의 비가 9 : 11이 되도록 두 장의 종이로 나누려고 합니다. 나누어진 두 장의 종이 중 더 넓은 종이의 넓이는 몇 cm²인지 풀이 과정을 쓰고, 답을 구해 보세요.

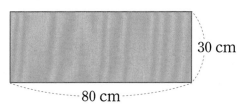

풀이

답 _____

Tip

❶ $3\frac{2}{5}$: 4.2를 간단한 자연수의
   비로 나타내기

   ⌄

❷ ■의 값 구하기

01 $3\frac{2}{5}$: 4.2를 간단한 자연수의 비 ■ : 21로 나타내었습니다. ■의 값은
얼마인지 풀이 과정을 쓰고, 답을 구해 보세요.

풀이

답 ·····

Tip

❶ ㉠에 알맞은 수 구하기

   ⌄

❷ ㉡에 알맞은 수 구하기

02 두 비례식에서 ㉠과 ㉡에 알맞은 수는 각각 얼마인지 풀이 과정을 쓰고,
답을 구해 보세요. (단, 같은 기호는 같은 수를 나타냅니다.)

$$24 : 36 = 2 : ㉠$$
$$7 : ㉠ = 35 : ㉡$$

풀이

답 ·····

정답 및 풀이 | **122쪽**

  평가한 날   월   일

점수

Tip

❶ 남은 빵은 전체의 얼마인지 구하기

❷ 남은 빵과 처음에 있던 빵의 수의 비를 간단한 자연수의 비로 나타내기

❸ 처음에 있던 빵의 수 구하기

03 어느 빵집에서 오전에 빵 전체의 0.6만큼을 팔았습니다. 팔고 남은 빵이 26개일 때 처음에 있던 빵은 모두 몇 개인지 풀이 과정을 쓰고, 답을 구해 보세요.

풀이

답 ....

Tip

❶ 혜인이가 먹고 남은 귤의 수 구하기

❷ 혜인이가 산 귤의 수 구하기

04 혜인이가 귤을 사서 8개 먹고 남은 것을 혜인이와 성혁이가 5 : 4로 나누었더니 성혁이가 12개를 가지게 되었습니다. 혜인이가 산 귤은 모두 몇 개인지 풀이 과정을 쓰고, 답을 구해 보세요.

풀이

답 ....

개념 1 원기둥

 과 같은 입체도형을 원기둥이라고 합니다.

· 원기둥의 구성 요소와 성질
  원기둥에서 평평한 두 면을 **밑면**, 두 밑면과 만나는 면을 **옆면**이라고 합니다.
  또, 두 밑면에 수직인 선분의 길이를 **높이**라고 합니다.

예 원기둥을 모두 찾으면 가, 라입니다.

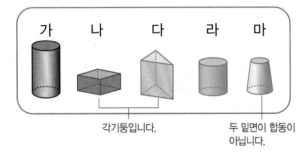

가 나 다 라 마

각기둥입니다.

두 밑면이 합동이 아닙니다.

개념 3 원뿔

 과 같은 입체도형을 원뿔이라고 합니다.

· 원뿔의 구성 요소와 성질
  원뿔에서 평평한 면을 **밑면**, 옆을 둘러싼 굽은 면을 **옆면**이라고 합니다.
  원뿔에서 뾰족한 부분의 점을 **원뿔의 꼭짓점**이라 하고, 원뿔의 꼭짓점에서 밑면에 수직인 선분을 그어 잰 길이를 **높이**라고 합니다.
  원뿔의 꼭짓점과 밑면인 원의 둘레 위의 한 점을 이은 선분을 모선이라고 합니다.

예 오른쪽 원뿔에서
  ㉠: 모선, ㉡: 옆면, ㉢: 밑면,
  ㉣: 원뿔의 꼭짓점, ㉤: 높이
  입니다.

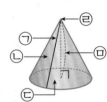

개념 2 원기둥의 전개도

원기둥을 잘라서 펼쳐 놓은 그림을 **원기둥의 전개도**라고 합니다.

반지름
밑면
밑면의 둘레
옆면
높이
밑면

· 원기둥의 밑면에 해당하는 합동인 원이 2개 있습니다.
· 원기둥의 옆면을 밑면에 수직인 선분을 따라 자르면 펼친 옆면은 직사각형이 됩니다.
· 원기둥의 밑면의 둘레와 펼친 옆면의 가로 길이는 같습니다.
· 원기둥의 높이와 펼친 옆면의 세로 길이는 같습니다.

개념 4 구

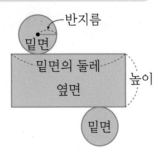 과 같은 입체도형을 구라고 합니다.

· 구의 구성 요소와 성질
  구의 가장 안쪽에 있는 점을 **구의 중심**이라 하고, 구의 중심과 구의 겉면 위의 한 점을 이은 선분을 **구의 반지름**이라고 합니다.

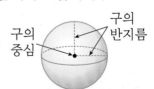

구의 중심
구의 반지름

01~02 입체도형을 보고 ▢ 안에 알맞은 말을 써넣으세요.

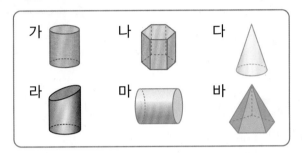

가　　나　　다

라　　마　　바

01 마주 보는 두 면이 서로 평행하고 합동인 원으로 이루어진 입체도형은 ▢, ▢입니다.

02 01에서 찾은 입체도형을 ▢▢▢(이)라고 합니다.

03 원기둥의 각 부분의 이름이 틀린 것은 어느 것인가요?

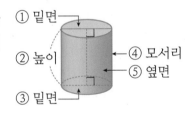

① 밑면
② 높이
③ 밑면
④ 모서리
⑤ 옆면

(　　　　　)

04 원기둥의 높이는 몇 cm인지 구해 보세요.

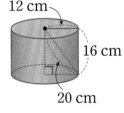

12 cm
16 cm
20 cm

(　　　　　)

05 원기둥과 사각기둥을 비교하여 표를 완성해 보세요.

입체도형	원기둥	사각기둥
밑면의 모양		
밑면의 수		

06 한 변을 기준으로 직사각형 모양의 종이를 한 바퀴 돌려 만든 입체도형의 밑면의 반지름은 몇 cm인지 구해 보세요.

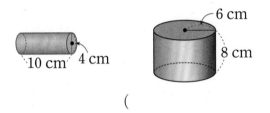

7 cm
12 cm

(　　　　　)

07 원기둥의 밑면의 모양은 반지름이 9 cm인 원입니다. 이 원기둥의 밑면의 지름은 몇 cm인지 구해 보세요.

(　　　　　)

08 두 원기둥의 높이의 합을 구해 보세요.

6 cm
8 cm
10 cm　4 cm

(　　　　　)

09 원기둥에 대하여 잘못 설명한 것을 찾아 기호를 써 보세요.

> ㉠ 두 밑면은 모양이 서로 같습니다.
> ㉡ 옆면은 평평한 면입니다.
> ㉢ 위에서 본 모양은 원이고, 옆에서 본 모양은 직사각형입니다.

(　　　　　)

10 원기둥 모양을 관찰하며 나눈 대화를 보고 원기둥의 높이는 몇 cm인지 구해 보세요.

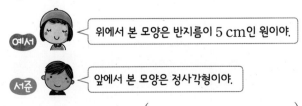

예서 ▷ 위에서 본 모양은 반지름이 5 cm인 원이야.

서준 ▷ 앞에서 본 모양은 정사각형이야.

(　　　　　)

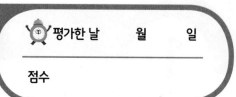
01 원기둥의 전개도를 바르게 그린 것을 찾아 기호를 써 보세요.

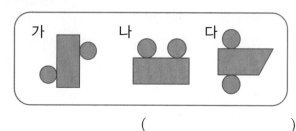

(   )

02~05 원기둥의 전개도를 그리려고 합니다. 물음에 답해 보세요.

(원주율: 3)

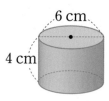

02 원기둥의 전개도에서 밑면의 모양은 ☐ 입니다.

03 원기둥의 전개도에서 옆면의 모양은

☐ 입니다.

04 원기둥의 전개도에서 옆면의 가로는 몇 cm인지 구해 보세요.

(   )

05 원기둥의 전개도를 그리고, 밑면의 반지름과 옆면의 가로, 세로의 길이를 나타내어 보세요.

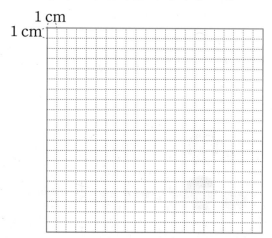

06 원기둥의 옆면의 넓이는 몇 cm² 인지 구해 보세요. (원주율: 3.1)

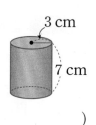

(   )

07~08 원기둥의 전개도를 그렸을 때 옆면의 둘레를 구하려고 합니다. 물음에 답해 보세요. (원주율: 3.1)

07 원기둥의 전개도에서 옆면의 가로는 몇 cm인지 구해 보세요.

(   )

08 원기둥의 전개도에서 옆면의 둘레는 몇 cm인지 구해 보세요.

(   )

09 원기둥의 전개도를 보고 원기둥의 밑면의 반지름은 몇 cm인지 구해 보세요. (원주율: 3.1)

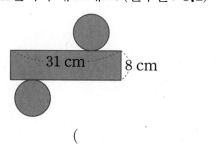

(   )

10 원기둥의 옆면의 넓이가 62 cm²일 때 ☐ 안에 알맞은 수를 써넣으세요. (원주율: 3.1)

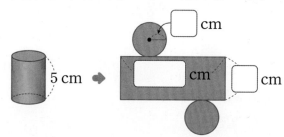

01 원뿔을 모두 찾아 기호를 써 보세요.

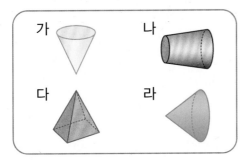

가   나

다   라

(   )

02 원뿔에서 선분 ㄱㄷ과 길이가 같은 선분을 모두 찾아 써 보세요.

(   )

03~04 원뿔을 보고 물음에 답해 보세요.

3 cm   5 cm

4 cm

03 모선의 길이는 몇 cm인지 구해 보세요.

(   )

04 밑면의 지름은 몇 cm인지 구해 보세요.

(   )

05 원뿔을 위, 앞, 옆에서 본 모양을 각각 써 보세요.

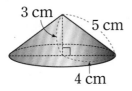

원뿔	위에서 본 모양	앞에서 본 모양	옆에서 본 모양

06 원뿔의 모선의 길이와 높이의 차는 몇 cm인지 구해 보세요.

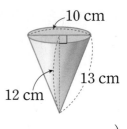

10 cm

13 cm

12 cm

(   )

07~08 한 변을 기준으로 직각삼각형 모양의 종이를 한 바퀴 돌렸습니다. 물음에 답해 보세요.

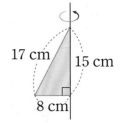

17 cm   15 cm

8 cm

07 만들어진 입체도형의 이름을 써 보세요.

(   )

08 만들어진 입체도형의 높이는 몇 cm인지 구해 보세요.

(   )

09 원뿔과 삼각뿔의 공통점과 차이점을 1가지씩 써 보세요.

공통점	
차이점	

10 원뿔과 원기둥 중에서 어느 입체도형의 높이가 몇 cm 더 높은지 구해 보세요.

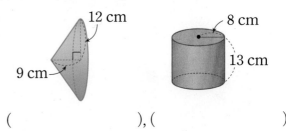

12 cm

9 cm

8 cm

13 cm

(   ), (   )

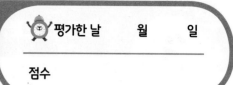
01 지름을 기준으로 반원 모양의 종이를 한 바퀴 돌렸습니다. 만들어진 입체도형의 이름을 써 보세요.

(   )

02~04 구, 원뿔, 원기둥을 보고 ☐ 안에 알맞은 말을 써넣으세요.

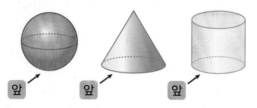

앞   앞   앞

02 구를 앞에서 본 모양은 ☐입니다.

03 원뿔을 앞에서 본 모양은 [   ]입니다.

04 원기둥을 앞에서 본 모양은 [   ]입니다.

05 구의 반지름은 몇 cm인지 구해 보세요.

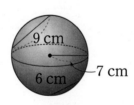
9 cm
6 cm   7 cm

(   )

06 구를 위, 앞, 옆에서 본 모양을 각각 그려 보세요.

구	위에서 본 모양	앞에서 본 모양	옆에서 본 모양
위 옆 앞			

07 원뿔과 구의 공통점을 찾아 기호를 써 보세요.

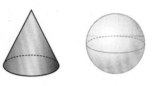

┌──────────────────────┐
│ ㉠ 옆면의 수   ㉡ 꼭짓점의 수 │
│ ㉢ 위에서 본 모양   ㉣ 앞에서 본 모양 │
└──────────────────────┘

(   )

08 두 구의 반지름의 합은 몇 cm인지 구해 보세요.

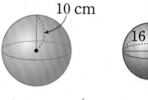
10 cm

16 cm

(   )

09 구를 옆에서 본 모양의 둘레는 몇 cm인지 구해 보세요. (원주율: 3.1)

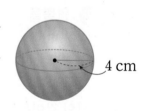
4 cm

(   )

10 구에 대하여 잘못 설명한 사람의 이름을 쓰고, 내용을 바르게 고쳐 보세요.

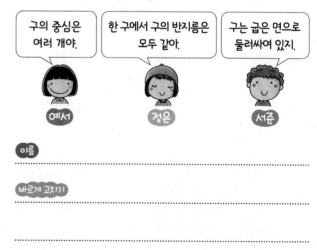

구의 중심은 여러 개야.   한 구에서 구의 반지름은 모두 같아.   구는 굽은 면으로 둘러싸여 있지.

예서   정은   서준

이름

바르게 고치기

| 원기둥 |

01 원기둥을 보고 ☐ 안에 알맞은 말 또는 수를 써넣으세요.

(1) 원기둥의 밑면의 모양은 ☐입니다.

(2) 원기둥의 밑면은 ☐개입니다.

| 원기둥 |

02 원기둥의 밑면을 알맞게 색칠한 것에 ○표 하세요.

(   )   (   )

| 원뿔 |

03 원뿔의 높이를 재는 방법으로 알맞은 그림을 찾아 기호를 써 보세요.

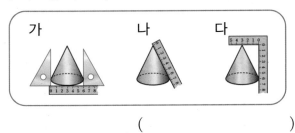

가   나   다

(   )

| 구 |

04 ☐ 안에 알맞은 말을 써넣으세요.

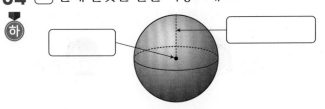

05~06 한 변을 기준으로 직사각형 모양의 종이를 한 바퀴 돌렸습니다. 물음에 답해 보세요.

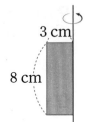

3 cm

8 cm

| 원기둥 |

05 만들어진 입체도형의 이름을 써 보세요.

(   )

| 원기둥 |

06 만들어진 입체도형의 밑면의 지름은 몇 cm인지 구해 보세요.

(   )

| 원기둥의 전개도 |

07 다음 그림이 원기둥의 전개도가 아닌 이유를 써 보세요.

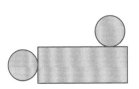

이유

_____

_____

| 원기둥 |

08 원기둥의 높이는 몇 cm인지 구해 보세요.

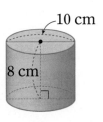

10 cm

8 cm

(   )

| 원뿔 |

09 원뿔에서 모선의 길이와 높이의 차는 몇 cm인지 구해 보세요.

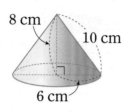

( )

| 구 |

10 반원 모양의 종이를 지름을 기준으로 한 바퀴 돌렸습니다. 만들어진 입체도형의 중심에서 겉면의 한 점까지의 거리는 몇 cm인지 구해 보세요.

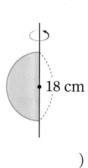

( )

| 원기둥의 전개도 |

11 원기둥과 원기둥의 전개도를 보고 ☐ 안에 알맞은 수를 써넣으세요. (원주율: 3.14)

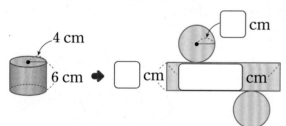

| 원뿔 |

12 한 변을 기준으로 직각삼각형 모양의 종이를 한 바퀴 돌렸습니다. 만들어진 입체도형의 밑면의 지름과 높이는 몇 cm인지 각각 구해 보세요.

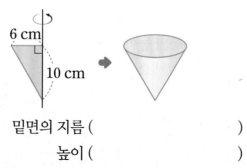

밑면의 지름 ( )

높이 ( )

| 원기둥의 전개도 |

13 원기둥의 전개도에서 옆면의 넓이가 264 cm²일 때 원기둥의 높이는 몇 cm인지 구해 보세요.

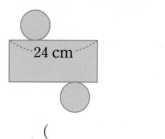

( )

| 원뿔 |

14 원뿔에 대한 설명으로 옳은 것을 모두 찾아 기호를 써 보세요.

> ㉠ 밑면의 모양은 원입니다.
> ㉡ 꼭짓점이 없습니다.
> ㉢ 옆면은 굽은 면입니다.
> ㉣ 직사각형 모양의 종이를 한 변을 기준으로 한 바퀴 돌려서 만들 수 있습니다.

( )

| 원기둥 |

15 원기둥을 보고 잘못 설명한 사람의 이름을 써 보세요.

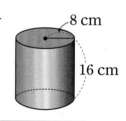

위에서 본 모양은 지름이 8 cm인 원이야.

앞에서 본 모양은 정사각형이야.

( )

| 구 |

16 세 친구들이 지름을 기준으로 반원 모양의 종이
를 한 바퀴 돌려서 입체도형을 만들었습니다. 크
기가 가장 작은 입체도형을 만든 사람은 누구인
지 이름을 써 보세요.

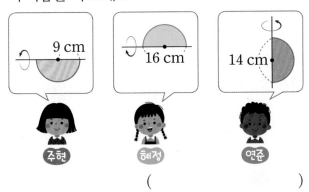

(   )

| 원기둥의 전개도 | 서술형

17 원기둥의 전개도를 보고
한 밑면의 넓이는 몇 cm^2
인지 풀이 과정을 쓰고,
답을 구해 보세요.
(원주율: 3.1)

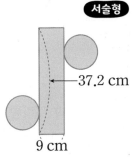

풀이

답 _____

| 원뿔 |

18 조건 을 만족하는 원뿔의 높이는 몇 cm인지 구해
보세요. (원주율: 3)

조건

• 원뿔의 밑면의 넓이는 75 cm^2입니다.
• 넓이가 20 cm^2인 직각삼각형의 한 변을
기준으로 한 바퀴 돌려서 원뿔을 만들었습
니다.

(   )

| 원기둥의 전개도 | 서술형

19 원기둥 모양의 롤러가 있습니다. 이 롤러에 물감
을 칠한 다음 6바퀴를 굴렸을 때 물감이 칠해진
부분의 넓이는 몇 cm^2인지 풀이 과정을 쓰고,
답을 구해 보세요. (원주율: 3.1)

풀이

답 _____

| 원뿔, 구 | 서술형

20 그림과 같이 높이가 10 cm인 원기둥 안에 원뿔
과 구가 각각 꼭 맞게 들어 있습니다. 원뿔의 높이
가 ㉠ cm, 구의 반지름이 ㉡ cm일 때, ㉠−㉡
의 값은 얼마인지 풀이 과정을 쓰고, 답을 구해 보
세요.

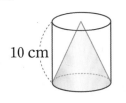 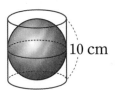

풀이

답 _____

| 원뿔 |

01 한 변을 기준으로 직각삼각 형 모양의 종이를 한 바퀴 돌렸습니다. 만들어진 입체 도형의 이름을 써 보세요.

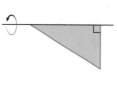

(   )

| 구 |

02 ☐ 안에 알맞은 수를 써넣으세요.

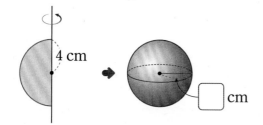

| 원기둥 |

03 원기둥과 각기둥의 공통점을 찾아 기호를 써 보 세요.

> ㉠ 밑면의 수   ㉡ 밑면의 모양
> ㉢ 옆면의 모양   ㉣ 꼭짓점의 수

(   )

| 원기둥의 전개도 |

04 원기둥을 펼쳐 전개도를 그 렸을 때 옆면의 가로와 세로 의 차는 몇 cm인지 구해 보 세요. (원주율: 3)

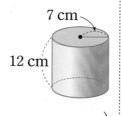

(   )

| 원기둥, 원뿔, 구 |

05 원기둥, 원뿔, 구 중 밑면의 수가 가장 많은 입체 도형의 이름을 써 보세요.

(   )

| 원기둥 |

06 오른쪽 입체도형이 원기둥이 아닌 이유 를 써 보세요.

이유

_____

_____

| 원뿔 |

07 원뿔과 사각뿔을 보고 빈칸에 알맞은 말 또는 수 를 써넣으세요.

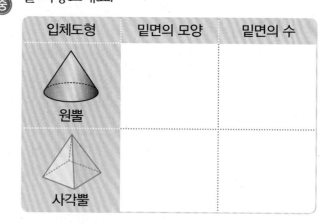

입체도형	밑면의 모양	밑면의 수
원뿔		
사각뿔		

| 구 |

08 앞에서 본 모양이 오른쪽과 같은 구가 있습니다. 이 구를 위에서 본 모양의 둘레는 몇 cm인지 구 해 보세요. (원주율: 3.1)

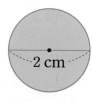

(   )

평가한 날   월   일

점수

| 원기둥, 원뿔, 구 |

09 원기둥, 원뿔, 구에 대하여 잘못 설명한 사람을
(중) 찾아 이름을 쓰고, 바르게 고쳐 보세요.

 대영 : 원뿔의 모선의 길이는 항상 높이보다 길어.

 희진 : 원기둥과 원뿔은 뾰족한 부분이 있어.

 지효 : 원기둥, 원뿔, 구는 평면도형을 한 직선을 기준으로 한 바퀴 돌려서 만들 수 있어.

이름

바르게 고치기

| 원기둥 |

10 원기둥을 앞에서 본 모양의
(중) 넓이는 몇 cm²인지 구해 보
세요.

6 cm
13 cm

(   )

| 원뿔 |

11 원뿔에서 삼각형 ㄱㄴㄷ의 둘
(중) 레가 32 cm일 때 밑면의 반지
름은 몇 cm인지 구해 보세요.

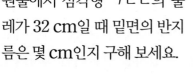

12 cm
ㄴ   ㄷ

(   )

| 원기둥의 전개도 | 서술형

12 원기둥의 전개도의 넓이
(중) 는 몇 cm²인지 풀이 과
정을 쓰고, 답을 구해 보
세요. (원주율: 3.1)

풀이

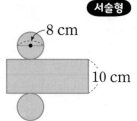

8 cm
10 cm

답

| 원기둥 |

13 원기둥을 위와 옆에서 본 모양을 보고 바르게 설
(중) 명한 사람의 이름을 써 보세요.

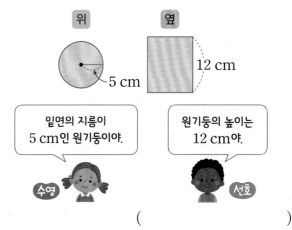

위   옆

5 cm   12 cm

밑면의 지름이 5 cm인 원기둥이야.   원기둥의 높이는 12 cm야.

수영   선호

(   )

| 원기둥의 전개도 |

14 원기둥의 옆면의 넓이가
(중) 372 cm²일 때 원기둥의 밑면
의 반지름은 몇 cm인지 구해
보세요. (원주율: 3.1)

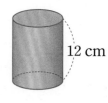

12 cm

(   )

| 원뿔 |

15 한 변을 기준으로 직각삼각
(중) 형 모양의 종이를 한 바퀴 돌
렸습니다. 만들어진 입체도
형을 앞에서 본 모양의 둘레
는 몇 cm인지 구해 보세요.

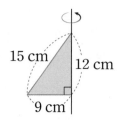

15 cm 12 cm 9 cm

(   )

| 원기둥의 전개도 |

16 다음 조건을 만족하는 원기둥의 옆면의 둘레는
(중) 몇 cm인지 구해 보세요. (원주율: 3)

조건

• 전개도에서 밑면의 둘레는 48 cm입니다.
• 원기둥의 높이와 밑면의 지름은 같습니다.

(   )

| 원기둥 | 서술형

17 한 변을 기준으로 직사각형 모양의 종이 ㉮, ㉯를
(상) 한 바퀴 돌렸습니다. 만들어진 두 입체도형의 한
밑면의 둘레의 차는 몇 cm인지 풀이 과정을 쓰
고, 답을 구해 보세요. (원주율: 3)

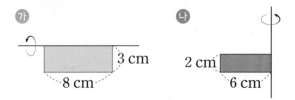

㉮ 3 cm 8 cm   ㉯ 2 cm 6 cm

풀이

답

| 구 |

18 지름이 20 cm인 구 3개로 오
(상) 른쪽과 같은 입체도형을 만들
었습니다. 세 구의 중심을 이
어 그린 삼각형의 둘레는 몇
cm인지 구해 보세요.

(   )

| 원뿔 | 서술형

19 위에서 본 모양은 반지름이 10 cm인 원이고, 앞
(상) 에서 본 모양은 정삼각형인 원뿔이 있습니다. 이
원뿔의 모선의 길이는 몇 cm인지 풀이 과정을
쓰고, 답을 구해 보세요.

풀이

답

| 원기둥의 전개도 |

20 가로 30 cm, 세로 24 cm
(상) 인 직사각형 모양의 종이에
밑면의 반지름이 4 cm인
원기둥의 전개도를 그리고
오려 붙여 원기둥 모양의 상자를 만들려고 합니
다. 최대한 높은 상자를 만들려면 상자의 높이는
몇 cm로 해야 하는지 구해 보세요. (원주율: 3)

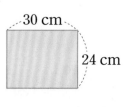

30 cm 24 cm

(   )

Tip

❶ 도진이가 말한 원기둥의 높이 구하기

❷ 소영이가 말한 원기둥의 높이 구하기

❸ 높이가 더 높은 원기둥을 말한 사람 구하기

01 도진이와 소영이 중에서 높이가 더 높은 원기둥을 말한 사람은 누구인지 풀이 과정을 쓰고, 답을 구해 보세요.

> 위에서 본 모양은 지름이 13 cm인 원이고 앞에서 본 모양은 정사각형이야.

> 위에서 본 모양은 반지름이 6 cm인 원이고 앞에서 본 모양은 정사각형이야.

 도진

 소영

풀이

답 _____

Tip

❶ 밑면의 둘레 구하기

❷ 원기둥의 높이 구하기

02 원기둥의 전개도에서 옆면의 넓이가 144 cm²일 때 원기둥의 높이는 몇 cm인지 풀이 과정을 쓰고, 답을 구해 보세요. (원주율: 3)

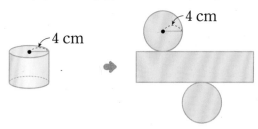

풀이

답 _____

TiP

❶ 돌리기 전 직각삼각형의 밑변의 길이, 높이 구하기

❷ 돌리기 전 직각삼각형의 넓이 구하기

03 한 변을 기준으로 직각삼각형 모양의 종이를 한 바퀴 돌려서 그림과 같은 입체도형을 만들었습니다. 돌리기 전 직각삼각형의 넓이는 몇 cm^2인지 풀이 과정을 쓰고, 답을 구해 보세요.

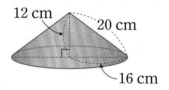

12 cm
20 cm
16 cm

풀이

답

TiP

❶ 구의 반지름 구하기

❷ 구를 위에서 본 모양의 넓이 구하기

04 높이가 14 cm인 원기둥과 원기둥 안에 꼭 맞게 들어있는 구가 있습니다. 구를 위에서 본 모양의 넓이는 몇 cm^2인지 풀이 과정을 쓰고, 답을 구해 보세요. (원주율: 3)

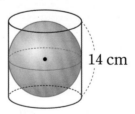

14 cm

풀이

답

 원기둥을 위에서 본 모양의 넓이
구하기

 원기둥을 앞에서 본 모양의 넓이
구하기

❸ 원기둥을 위와 앞에서 본 모양의
넓이의 합 구하기

01 원기둥을 위와 앞에서 본 모양의 넓이의 합은 몇 cm^2인지 풀이 과정을
쓰고, 답을 구해 보세요. (원주율: 3)

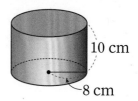
10 cm
8 cm

풀이

답

 ⑦ 상자의 높이 구하기

 ⑭ 상자의 높이 구하기

❸ 어느 상자의 높이가 몇 cm 더
높은지 구하기

02 서윤이는 가로 35 cm, 세로 30 cm인 직사각형 모양의 종이에 다음
과 같이 두 가지 방법으로 원기둥의 전개도를 그려서 원기둥 모양의 상
자를 만들려고 합니다. 밑면의 반지름을 5 cm로 하여 각각 최대한 높
은 상자를 만든다면 ⑦와 ⑭ 중에서 어느 상자의 높이가 몇 cm 더 높
은지 풀이 과정을 쓰고, 답을 구해 보세요. (원주율: 3)

⑦
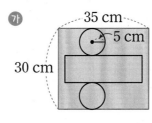
35 cm
5 cm
30 cm

⑭
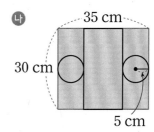
35 cm
30 cm
5 cm

풀이

답

Tip

❶ 두 사람이 설명하는 입체도형 구하기

∨∨

❷ 입체도형의 밑면의 지름 구하기

∨∨

❸ 입체도형의 모선의 길이 구하기

03 동욱이와 은솔이가 하나의 입체도형에 대해 설명하고 있습니다. 두 사람이 설명하는 입체도형의 모선의 길이는 몇 cm인지 풀이 과정을 쓰고, 답을 구해 보세요.

위에서 본 모양은 반지름이 4 cm인 원이야.

동욱

앞에서 본 모양은 정삼각형이야.

은솔

풀이

답

Tip

❶ 반원에서 곡선 부분의 길이 구하기

∨∨

❷ 반원에서 직선 부분의 길이 구하기

∨∨

❸ 돌리기 전의 반원의 둘레 구하기

04 지름을 기준으로 반원 모양의 종이를 한 바퀴 돌려서 만든 입체도형입니다. 돌리기 전의 반원의 둘레는 몇 cm인지 풀이 과정을 쓰고, 답을 구해 보세요. (원주율: 3.1)

3 cm

풀이

답

5~6학년군

수학 6-2

평가 문제 다잡기

정답 및 풀이

1 분수의 나눗셈

★ 기약분수 또는 대분수로 나타내지 않아도 정답으로 인정합니다.

쪽지시험 1회
6쪽

01 5

02 5

03 9, 3, 3, 3

04 $2\frac{1}{3}$

05 8, 2, 4

06 7, 11, $\frac{7}{11}$

07 5, 3, $\frac{5}{3}$, $1\frac{2}{3}$

08 (1) 9 (2) $\frac{8}{13}$

09 ( ) (○) ( )

10 $1\frac{4}{7}\left(=\frac{11}{7}\right)$배

풀이

09 $\frac{6}{7}\div\frac{3}{7}=6\div3=2$, $\frac{4}{9}\div\frac{1}{9}=4\div1=4$,

$\frac{5}{7}\div\frac{4}{7}=5\div4=\frac{5}{4}=1\frac{1}{4}$

➜ $4>2>1\frac{1}{4}$

10 $\frac{11}{13}\div\frac{7}{13}=11\div7=\frac{11}{7}=1\frac{4}{7}$(배)

쪽지시험 2회
7쪽

01 3, 6, 6, 3

02 6

03 35, 7, 35, 7, 5

04 14, 15, 14, 15, $\frac{14}{15}$

05 5, 2, 5, 2, $\frac{5}{2}$, $2\frac{1}{2}$

06 $\frac{3}{5}\div\frac{3}{10}=\frac{6}{10}\div\frac{3}{10}=6\div3=2$

07 $\frac{6}{7}\div\frac{2}{5}=\frac{30}{35}\div\frac{14}{35}=30\div14=\frac{\overset{15}{\cancel{30}}}{\underset{7}{\cancel{14}}}=\frac{15}{7}=2\frac{1}{7}$

08 (1) $\frac{24}{25}$ (2) $1\frac{13}{15}\left(=\frac{28}{15}\right)$ **09** <

10 $5\frac{1}{4}$ cm

풀이

10 $\frac{7}{8}\div\frac{1}{6}=\frac{21}{24}\div\frac{4}{24}=21\div4=\frac{21}{4}=5\frac{1}{4}$ (cm)

쪽지시험 3회
8쪽

01 7, 5, 35

02 9, 7, 63

03 4, 7, 14

04 8, 9, 18

05 $10\div\frac{5}{6}=(10\div5)\times6=12$

06 $21\div\frac{7}{10}=(21\div7)\times10=30$

07 (1) 6 (2) 24

08 10, 20, 30

09 11, 12에 ○표

10 $16\div\frac{4}{5}=(16\div4)\times5=20$ / 20분

풀이

09 $6\div\frac{3}{5}=(6\div3)\times5=10$이므로 $10<$□입니다.

따라서 □ 안에 들어갈 수 있는 수는 11, 12입니다.

쪽지시험 4회
9쪽

01 3, 3, 3, 9

02 $\frac{5}{8}\times\frac{7}{4}$

03 11, 11, $\frac{3}{2}$, 33, 2, 1

04 9, 9, $\frac{9}{4}$, 81, 4, 1

05 $1\frac{4}{5}\div\frac{4}{11}=\frac{9}{5}\div\frac{4}{11}=\frac{9}{5}\times\frac{11}{4}=\frac{99}{20}=4\frac{19}{20}$

06 12, 12, 1, 5 / $\frac{10}{7}$, 12, 1, 5

07 63, 63, 63, 3, 3 / $\frac{9}{4}$, $\frac{63}{20}$, 3, 3

08 방법1 $1\frac{1}{4}\div\frac{3}{5}=\frac{5}{4}\div\frac{3}{5}=\frac{25}{20}\div\frac{12}{20}$

$=25\div12=\frac{25}{12}=2\frac{1}{12}$

방법2 $1\frac{1}{4}\div\frac{3}{5}=\frac{5}{4}\div\frac{3}{5}=\frac{5}{4}\times\frac{5}{3}=\frac{25}{12}$

$=2\frac{1}{12}$

09 (1) $\frac{9}{20}$ (2) $6\frac{3}{7}\left(=\frac{45}{7}\right)$ **10** $6\frac{1}{4}\left(=\frac{25}{4}\right)$배

풀이

10 $3\frac{3}{4}\div\frac{3}{5}=\frac{\overset{5}{\cancel{15}}}{4}\times\frac{5}{\underset{1}{\cancel{3}}}=\frac{25}{4}=6\frac{1}{4}$(배)

기본 단원 평가

01 5, 5

02 22, 2, 11

03 (1) 4 (2) $1\frac{7}{8}\left(=\frac{15}{8}\right)$

04 81

05 $\frac{3}{4} \div \frac{2}{9} = \frac{27}{36} \div \frac{8}{36} = 27 \div 8 = \frac{27}{8} = 3\frac{3}{8}$

06

07 $2\frac{4}{7} \div \frac{3}{4} = \frac{18}{7} \div \frac{3}{4} = \frac{\overset{6}{\cancel{18}}}{7} \times \frac{4}{\underset{1}{\cancel{3}}} = \frac{24}{7} = 3\frac{3}{7}$

08 $3\frac{1}{3}\left(=\frac{10}{3}\right), 7$

09 $<$

10 $1\frac{9}{10}\left(=\frac{19}{10}\right), 1\frac{8}{11}\left(=\frac{19}{11}\right)$

11 예 ❶ ㉠ $\frac{6}{7} \div 2\frac{2}{5} = \frac{6}{7} \div \frac{12}{5} = \frac{\overset{1}{\cancel{6}}}{7} \times \frac{5}{\underset{2}{\cancel{12}}} = \frac{5}{14}$

㉡ $1\frac{7}{8} \div \frac{7}{8} = \frac{15}{8} \div \frac{7}{8} = 15 \div 7$
$= \frac{15}{7} = 2\frac{1}{7}$

㉢ $1\frac{1}{4} \div \frac{2}{3} = \frac{5}{4} \div \frac{2}{3} = \frac{5}{4} \times \frac{3}{2}$
$= \frac{15}{8} = 1\frac{7}{8}$

❷ $2\frac{1}{7} > 1\frac{7}{8} > \frac{5}{14}$이므로 계산 결과가 큰 것
부터 차례로 기호를 쓰면 ㉡, ㉢, ㉠입니다.
/ ㉡, ㉢, ㉠

12 ( ) (○) ( )

13 7

14 $1\frac{13}{27}\left(=\frac{40}{27}\right)$배

15 $3\frac{1}{9}\left(=\frac{28}{9}\right)$

16 $\frac{25}{32}$배

17 3개

18 24

19 예 ❶ 직사각형에서 (넓이)=(가로)×(세로)이
므로 (가로)=(넓이)÷(세로)=$4\frac{4}{5} \div 1\frac{1}{9}$
입니다.

❷ 직사각형의 가로는

$4\frac{4}{5} \div 1\frac{1}{9} = \frac{24}{5} \div \frac{10}{9} = \frac{\overset{12}{\cancel{24}}}{5} \times \frac{9}{\underset{5}{\cancel{10}}}$

$= \frac{108}{25} = 4\frac{8}{25}$ (cm)입니다.

/ $4\frac{8}{25}\left(=\frac{108}{25}\right)$ cm

20 예 ❶ 더 채워야 하는 물의 양:

$10\frac{3}{7} - 4\frac{5}{7} = 9\frac{10}{7} - 4\frac{5}{7} = 5\frac{5}{7}$ (L)

❷ $5\frac{5}{7} \div \frac{20}{21} = \frac{40}{7} \div \frac{20}{21} = \frac{\overset{2}{\cancel{40}}}{\underset{1}{\cancel{7}}} \times \frac{\overset{3}{\cancel{21}}}{\underset{1}{\cancel{20}}} = 6$(번)

부어야 합니다.

/ 6번

풀이

09 $\frac{37}{6} \div \frac{5}{6} = 37 \div 5 = \frac{37}{5} = 7\frac{2}{5}$,

$\frac{15}{4} \div \frac{4}{9} = \frac{15}{4} \times \frac{9}{4} = \frac{135}{16} = 8\frac{7}{16}$

➜ $7\frac{2}{5} < 8\frac{7}{16}$

10 $2\frac{3}{8} \div 1\frac{1}{4} = \frac{19}{8} \div \frac{5}{4} = \frac{19}{\underset{2}{\cancel{8}}} \times \frac{\overset{1}{\cancel{4}}}{5} = \frac{19}{10} = 1\frac{9}{10}$,

$\frac{19}{10} \div \frac{11}{10} = 19 \div 11 = \frac{19}{11} = 1\frac{8}{11}$

11

채점 기준		
❶ ㉠, ㉡, ㉢의 계산 결과 구하기		3점
❷ 계산 결과가 큰 것부터 차례로 기호 쓰기		2점

12 $15 \div \frac{3}{4} = (15 \div 3) \times 4 = 20$

$6 \div \frac{2}{7} = (6 \div 2) \times 7 = 21$

$8 \div \frac{2}{5} = (8 \div 2) \times 5 = 20$

13 $12 \div \frac{3}{2} = (12 \div 3) \times 2 = 8$

$8 > \square$이므로 □ 안에 들어갈 수 있는 가장 큰 자연
수는 7입니다.

14 $10\dfrac{2}{3} \div 7\dfrac{1}{5} = \dfrac{32}{3} \div \dfrac{36}{5} = \dfrac{\overset{8}{\cancel{32}}}{3} \times \dfrac{5}{\underset{9}{\cancel{36}}}$

$= \dfrac{40}{27} = 1\dfrac{13}{27}$(배)

15 $\square = 2\dfrac{2}{3} \div \dfrac{6}{7} = \dfrac{8}{3} \div \dfrac{6}{7} = \dfrac{\overset{4}{\cancel{8}}}{3} \times \dfrac{7}{\underset{3}{\cancel{6}}} = \dfrac{28}{9} = 3\dfrac{1}{9}$

16 $\dfrac{5}{8} \div \dfrac{4}{5} = \dfrac{5}{8} \times \dfrac{5}{4} = \dfrac{25}{32}$(배)

17 $\dfrac{17}{24} \div \dfrac{7}{24} = 17 \div 7 = \dfrac{17}{7} = 2\dfrac{3}{7}$ ➔ 3개

18 어떤 수를 $\square$라고 하면 $\square \times \dfrac{5}{8} = 9\dfrac{3}{8}$이므로

$\square = 9\dfrac{3}{8} \div \dfrac{5}{8} = \dfrac{75}{8} \div \dfrac{5}{8} = 75 \div 5 = 15$입니다.

따라서 바르게 계산하면

$15 \div \dfrac{5}{8} = (15 \div 5) \times 8 = 24$입니다.

19

채점 기준		
❶ 직사각형의 가로를 구하는 식 세우기		2점
❷ 직사각형의 가로 구하기		3점

20

채점 기준		
❶ 더 채워야 하는 물의 양 구하기		2점
❷ $\dfrac{20}{21}$ L들이 그릇으로 몇 번 부어야 하는지 구하기		3점

실력 단원 평가 13~15쪽

01 (1) 2　(2) $1\dfrac{1}{2}\left(=\dfrac{3}{2}\right)$　(3) 21　(4) 8

02 ╳

03 $2\dfrac{1}{2}\left(=\dfrac{5}{2}\right)$

04 5

05 $\dfrac{3}{5} \div \dfrac{8}{15} = \dfrac{3}{\underset{1}{\cancel{5}}} \times \dfrac{\overset{3}{\cancel{15}}}{8} = \dfrac{9}{8} = 1\dfrac{1}{8}$

06 선우

07 ㉢, ㉡, ㉠

08 방법❶ $3\dfrac{1}{2} \div \dfrac{4}{7} = \dfrac{7}{2} \div \dfrac{4}{7} = \dfrac{49}{14} \div \dfrac{8}{14}$

$= 49 \div 8 = \dfrac{49}{8} = 6\dfrac{1}{8}$

방법❷ $3\dfrac{1}{2} \div \dfrac{4}{7} = \dfrac{7}{2} \div \dfrac{4}{7} = \dfrac{7}{2} \times \dfrac{7}{4}$

$= \dfrac{49}{8} = 6\dfrac{1}{8}$

09 8　　**10** 8

11 $\dfrac{8}{11} \div \dfrac{3}{11}, \dfrac{8}{10} \div \dfrac{3}{10}, \dfrac{8}{9} \div \dfrac{3}{9}$

12 $\dfrac{3}{4}$

13 $5 \div \dfrac{4}{5} = 5 \times \dfrac{5}{4} = \dfrac{25}{4} = 6\dfrac{1}{4}$ / $6\dfrac{1}{4}\left(=\dfrac{25}{4}\right)$배

14 $\dfrac{50}{189}$ kg

15 예 ❶ $30 \div 1\dfrac{1}{4} = 30 \div \dfrac{5}{4} = (30 \div 5) \times 4 = 24$,

$15\dfrac{1}{2} \div \dfrac{5}{9} = \dfrac{31}{2} \div \dfrac{5}{9} = \dfrac{31}{2} \times \dfrac{9}{5}$

$= \dfrac{279}{10} = 27\dfrac{9}{10}$

❷ 24보다 크고 $27\dfrac{9}{10}$보다 작은 자연수는

25, 26, 27입니다. / 25, 26, 27

16 $1\dfrac{1}{7}\left(=\dfrac{8}{7}\right)$배　　**17** 25, 5 / 5

18 예 ❶ 삼각형의 넓이는

(밑변의 길이)×(높이)÷2이므로

$\dfrac{4}{7} \times$ (높이) $\div 2 = \dfrac{1}{6}$입니다.

$\dfrac{4}{7} \times$ (높이) $= \dfrac{1}{\underset{3}{\cancel{6}}} \times \overset{1}{\cancel{2}} = \dfrac{1}{3}$

❷ 삼각형의 높이는 $\dfrac{1}{3} \div \dfrac{4}{7} = \dfrac{1}{3} \times \dfrac{7}{4} = \dfrac{7}{12}$

(m)입니다. / $\dfrac{7}{12}$ m

19 예 ❶ 낮의 길이는 $24 - 11\dfrac{1}{3} = 23\dfrac{3}{3} - 11\dfrac{1}{3}$

$= 12\dfrac{2}{3}$(시간)입니다.

❷ 낮의 길이는 밤의 길이의

$12\dfrac{2}{3} \div 11\dfrac{1}{3} = \dfrac{38}{3} \div \dfrac{34}{3} = 38 \div 34 = \dfrac{\overset{19}{\cancel{38}}}{\underset{17}{\cancel{34}}}$

$= \dfrac{19}{17} = 1\dfrac{2}{17}$(배)입니다.

/ $1\dfrac{2}{17}\left(=\dfrac{19}{17}\right)$배

20 $2\dfrac{26}{27}\left(=\dfrac{80}{27}\right)$ km

풀이

05 나누는 수의 분모와 분자를 바꾸어 곱해야 합니다.

06 은호: $\dfrac{7}{12} \div \dfrac{11}{18} = \dfrac{21}{36} \div \dfrac{22}{36} = 21 \div 22 = \dfrac{21}{22}$

영지: $\dfrac{9}{16} \div \dfrac{5}{8} = \dfrac{9}{16} \div \dfrac{10}{16} = 9 \div 10 = \dfrac{9}{10}$

선우: $\dfrac{2}{3} \div \dfrac{1}{9} = \dfrac{6}{9} \div \dfrac{1}{9} = 6 \div 1 = 6$

07 ㉠ $2\dfrac{1}{4} \div 1\dfrac{1}{9} = \dfrac{9}{4} \div \dfrac{10}{9} = \dfrac{9}{4} \times \dfrac{9}{10} = \dfrac{81}{40} = 2\dfrac{1}{40}$

㉡ $2\dfrac{6}{7} \div 2\dfrac{2}{3} = \dfrac{20}{7} \div \dfrac{8}{3} = \dfrac{\overset{5}{\cancel{20}}}{7} \times \dfrac{3}{\underset{2}{\cancel{8}}} = \dfrac{15}{14} = 1\dfrac{1}{14}$

㉢ $\dfrac{2}{11} \div 1\dfrac{4}{5} = \dfrac{2}{11} \div \dfrac{9}{5} = \dfrac{2}{11} \times \dfrac{5}{9} = \dfrac{10}{99}$

$\dfrac{10}{99} < 1\dfrac{1}{14} < 2\dfrac{1}{40}$ 이므로 계산 결과가 작은 것부터 차례로 기호를 써 보면 ㉢, ㉡, ㉠입니다.

09 $\dfrac{\square}{15} \div \dfrac{4}{15} = \square \div 4 = 2$ 이므로 $\square = 2 \times 4 = 8$입니다.

10 ㉠ $8 \div \dfrac{2}{3} = (8 \div 2) \times 3 = 12$

㉡ $16 \div \dfrac{4}{5} = (16 \div 4) \times 5 = 20$

➡ $20 - 12 = 8$

11 분모가 12보다 작은 진분수이므로 분자가 8일 때 가능한 진분수는 $\dfrac{8}{11}, \dfrac{8}{10}, \dfrac{8}{9}$입니다.

12 $\blacksquare \div \dfrac{\blacktriangle}{\bullet} = (\blacksquare \div \blacktriangle) \times \bullet$임을 이용하여 □ 안에 알맞은 수를 구하면 $\dfrac{3}{4}$입니다.

13 $5 \div \dfrac{4}{5} = 5 \times \dfrac{5}{4} = \dfrac{25}{4} = 6\dfrac{1}{4}$(배)

14 $\dfrac{5}{9} \div 2\dfrac{1}{10} = \dfrac{5}{9} \div \dfrac{21}{10} = \dfrac{5}{9} \times \dfrac{10}{21} = \dfrac{50}{189}$ (kg)

15

채점 기준	❶ 두 식의 계산 결과 구하기	3점
	❷ 두 식의 계산 결과 사이에 있는 자연수 모두 구하기	2점

16 $\dfrac{44}{5} \div 7\dfrac{7}{10} = \dfrac{44}{5} \div \dfrac{77}{10} = \dfrac{\overset{4}{\cancel{44}}}{\underset{1}{\cancel{5}}} \times \dfrac{\overset{2}{\cancel{10}}}{\underset{7}{\cancel{77}}} = \dfrac{8}{7}$

$\qquad = 1\dfrac{1}{7}$(배)

17 분모가 같은 분수의 나눗셈은 분자끼리의 나눗셈과 같으므로 몫이 가장 큰 자연수의 나눗셈식을 만드는 것과 같습니다. 따라서 몫이 가장 큰 나눗셈식은 $\dfrac{25}{23} \div \dfrac{5}{23}$입니다. ➡ $\dfrac{25}{23} \div \dfrac{5}{23} = 25 \div 5 = 5$

18

채점 기준	❶ $\dfrac{4}{7} \times$(높이)의 값 구하기	2점
	❷ 삼각형의 높이 구하기	3점

19

채점 기준	❶ 낮의 길이 구하기	2점
	❷ 낮의 길이는 밤의 길이의 몇 배인지 구하기	3점

20 60분이 1시간이므로 45분은 $\dfrac{45}{60} = \dfrac{3}{4}$(시간)입니다.

민선이는 한 시간 동안

$1\dfrac{1}{3} \div \dfrac{3}{4} = \dfrac{4}{3} \div \dfrac{3}{4} = \dfrac{4}{3} \times \dfrac{4}{3} = \dfrac{16}{9} = 1\dfrac{7}{9}$ (km)

를 갈 수 있습니다.

1시간 40분은 $1\dfrac{40}{60} = 1\dfrac{2}{3}$(시간)이므로 민선이는

1시간 40분 동안 $1\dfrac{7}{9} \times 1\dfrac{2}{3} = \dfrac{16}{9} \times \dfrac{5}{3} = \dfrac{80}{27}$

$= 2\dfrac{26}{27}$ (km)를 갈 수 있습니다.

연습 서술형 평가   16~17쪽

01 예 ❶ $8 \div \dfrac{1}{\square}$을 곱셈으로 나타내면

$8 \times \square$입니다.

❷ $8 \times \square < 42$이므로 □ 안에 들어갈 수 있는 자연수는 1, 2, 3, 4, 5입니다.

/ 1, 2, 3, 4, 5

02 예 ❶ 만들 수 있는 진분수는 $\dfrac{2}{5}, \dfrac{2}{9}, \dfrac{5}{9}$이고, 이 중 가장 큰 진분수는 $\dfrac{5}{9}$입니다.

❷ 만들 수 있는 가장 작은 진분수는 $\dfrac{2}{9}$입니다.

❸ $\dfrac{5}{9} \div \dfrac{2}{9} = 5 \div 2 = \dfrac{5}{2} = 2\dfrac{1}{2}$(배)

/ $2\dfrac{1}{2}\left(=\dfrac{5}{2}\right)$배

03 예 ❶ 1 L의 페인트로 그을 수 있는 차선의 길이를 구하는 식은 $2\frac{2}{5} \div \frac{2}{3}$ 입니다.

❷ 1 L의 페인트로 그을 수 있는 차선의 길이는

$$2\frac{2}{5} \div \frac{2}{3} = \frac{12}{5} \div \frac{2}{3} = \frac{\overset{6}{\cancel{12}}}{5} \times \frac{3}{\cancel{2}_1} = \frac{18}{5}$$

$$= 3\frac{3}{5} \text{ (m)입니다.} / 3\frac{3}{5}\left(=\frac{18}{5}\right) \text{m}$$

04 예 ❶ (고양이의 무게)$= 5\frac{1}{2} \div 1\frac{1}{2} = \frac{11}{2} \div \frac{3}{2}$

$$= 11 \div 3 = \frac{11}{3} = 3\frac{2}{3} \text{ (kg)}$$

❷ (토끼의 무게)$= 3\frac{2}{3} \div 1\frac{5}{7} = \frac{11}{3} \div \frac{12}{7}$

$$= \frac{11}{3} \times \frac{7}{12} = \frac{77}{36}$$

$$= 2\frac{5}{36} \text{ (kg)}$$

$$/ 2\frac{5}{36}\left(=\frac{77}{36}\right) \text{kg}$$

풀이

01 채점 기준	❶ $8 \div \frac{1}{\square}$ 을 곱셈으로 나타내기	**10점**
	❷ □ 안에 들어갈 수 있는 자연수 모두 구하기	**15점**

02 채점 기준	❶ 만들 수 있는 가장 큰 진분수 구하기	**8점**
	❷ 만들 수 있는 가장 작은 진분수 구하기	**8점**
	❸ 만들 수 있는 가장 큰 진분수는 만들 수 있는 가장 작은 진분수의 몇 배인지 구하기	**9점**

03 채점 기준	❶ 1 L의 페인트로 그을 수 있는 차선의 길이를 구하는 식 세우기	**10점**
	❷ 1 L의 페인트로 그을 수 있는 차선의 길이 구하기	**15점**

04 채점 기준	❶ 고양이의 무게 구하기	**12점**
	❷ 토끼의 무게 구하기	**13점**

🐭 **실전 서술형 평가** 18~19쪽

01 예 ❶ ㉠은 $\frac{7}{8}$ 이고, ㉡은 $2\frac{4}{5}$ 입니다.

❷ ㉡÷㉠$= 2\frac{4}{5} \div \frac{7}{8} = \frac{14}{5} \div \frac{7}{8} = \frac{\overset{2}{\cancel{14}}}{5} \times \frac{8}{\cancel{7}_1}$

$$= \frac{16}{5} = 3\frac{1}{5} / 3\frac{1}{5}\left(=\frac{16}{5}\right)$$

---

02 예 ❶ (1시간 동안 탄 향초의 길이)

$$= 11\frac{2}{3} - 8\frac{1}{3} = 3\frac{1}{3} \text{ (cm)}$$

❷ $\left(11\frac{2}{3}\text{ cm인 향초가 다 타는 데 걸리는 시간}\right)$

$$= 11\frac{2}{3} \div 3\frac{1}{3} = \frac{35}{3} \div \frac{10}{3} = 35 \div 10$$

$$= \frac{\overset{7}{\cancel{35}}}{\cancel{10}_2} = \frac{7}{2} = 3\frac{1}{2} \text{ (시간)}$$

❸ $3\frac{1}{2}$ 시간 ➜ 3시간 30분 / 3시간 30분

03 예 ❶ 정다각형을 만드는 데 사용한 철사의 길이는

$$3\frac{1}{2} \div 3 = \frac{7}{2} \div 3 = \frac{7}{2} \times \frac{1}{3} = \frac{7}{6} \text{ (m)입니다.}$$

❷ 만든 정다각형의 변의 수는

$$\frac{7}{6} \div \frac{7}{30} = \frac{\overset{1}{\cancel{7}}}{\cancel{6}_1} \times \frac{\overset{5}{\cancel{30}}}{\cancel{7}_1} = 5 \text{ (개)이므로 만든}$$

정다각형은 정오각형입니다. / 정오각형

04 예 ❶ 첫 번째로 튀어 오른 공의 높이는

$$15\frac{3}{4} \div \frac{3}{4} = \frac{63}{4} \div \frac{3}{4} = 63 \div 3 = 21 \text{ (cm)}$$

입니다.

❷ 처음 공을 떨어뜨린 때의 높이는

$$21 \div \frac{3}{4} = \overset{7}{\cancel{21}} \times \frac{4}{\cancel{3}_1} = 28 \text{ (cm)입니다.}$$

/ 28 cm

풀이

01 채점 기준	❶ ㉠, ㉡의 값 구하기	**10점**
	❷ ㉡÷㉠의 몫 구하기	**15점**

02 채점 기준	❶ 1시간 동안 탄 향초의 길이 구하기	**9점**
	❷ $11\frac{2}{3}$ cm인 향초가 다 타는 데 걸리는 시간은 몇 시간인지 구하기	**9점**
	❸ $11\frac{2}{3}$ cm인 향초가 다 타는 데 걸리는 시간은 몇 시간 몇 분인지 구하기	**7점**

03 채점 기준	❶ 정다각형을 만드는 데 사용한 철사의 길이 구하기	**10점**
	❷ 만든 정다각형의 이름 구하기	**15점**

04 채점 기준	❶ 첫 번째로 튀어 오른 공의 높이 구하기	**12점**
	❷ 처음 공을 떨어뜨린 때의 높이 구하기	**13점**

2 공간과 입체

쪽지시험 1회

01 가　　02 라　　03 나　　04 다

05 라　　06 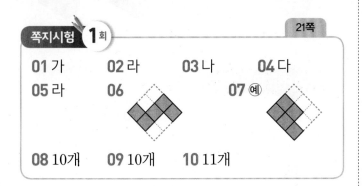　　07 예

08 10개　　09 10개　　10 11개

풀이

01 위쪽에서 본 그림이므로 가에서 본 것입니다.

02 나무 2그루가 앞에 있으므로 라에서 본 것입니다.

03 정문이 앞에 있으므로 나에서 본 것입니다.

04 정문의 기둥이 왼쪽에, 나무가 오른쪽에 있으므로 다에서 본 것입니다.

05 앞쪽에 나무가 있고 오른쪽에 벤치가 있는 방향은 라입니다.

06 쌓은 모양의 뒤에 숨겨진 쌓기나무가 있는지 생각하면서 위에서 본 모양을 그립니다.

07 쌓기나무 7개로 쌓은 모양이므로 뒤에 숨겨진 쌓기나무가 없습니다.

08 쌓은 모양을 위에서 본 모양은 ⓒ입니다. ➡ 10개

09 쌓은 모양을 위에서 본 모양은 ㉠입니다. ➡ 10개

10 쌓은 모양을 위에서 본 모양은 ⓒ입니다. ➡ 11개

쪽지시험 2회

01 앞　　02 옆　　03 위

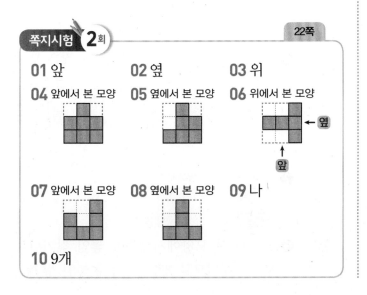

04 앞에서 본 모양　05 옆에서 본 모양　06 위에서 본 모양

07 앞에서 본 모양　08 옆에서 본 모양　09 나

10 9개

풀이

01 왼쪽부터 2층, 2층, 1층이므로 앞에서 본 모양입니다.

02 왼쪽부터 1층, 2층, 2층이므로 옆에서 본 모양입니다.

03 1층에 놓인 모양과 같으므로 위에서 본 모양입니다.

04 왼쪽부터 2층, 3층, 2층으로 그립니다. — 앞, 옆에서 본 모양을 그릴 때에는 각 방향에서 가장 높은 층수만큼 차례로 그립니다.

05 왼쪽부터 1층, 3층, 2층으로 그립니다.

06 1층에 놓인 모양과 같게 그립니다.

07 왼쪽부터 2층, 1층, 3층으로 그립니다.

08 왼쪽부터 1층, 3층, 1층으로 그립니다.

09 앞과 옆에서 본 모양에서 주어진 모양대로 쌓은 것은 나입니다.

10 1층에 5개, 2층에 3개, 3층에 1개이므로 필요한 쌓기나무는 $5+3+1=9$(개)입니다.

쪽지시험 3회

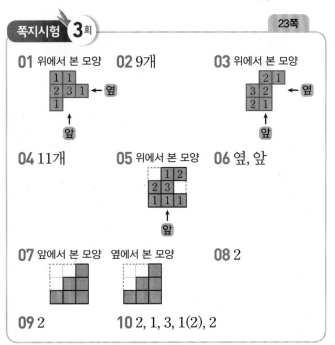

01 위에서 본 모양　02 9개　　03 위에서 본 모양

04 11개　　05 위에서 본 모양　06 옆, 앞

07 앞에서 본 모양　옆에서 본 모양　08 2

09 2　　10 2, 1, 3, 1(2), 2

풀이

01 위에서 본 모양의 각 자리에 쌓인 쌓기나무의 개수를 써넣습니다.

02 $1+1+2+3+1+1=9$(개)

03 위에서 본 모양을 보면 뒤에 숨겨진 쌓기나무가 없습니다.

04 $2+1+3+2+2+1=11$(개)

05 사용한 쌓기나무가 11개이므로 뒤에 숨겨진 쌓기나무가 1개 있습니다.

06 앞에서 본 모양은 왼쪽부터 3층, 1층, 2층이고, 옆에서 본 모양은 왼쪽부터 3층, 2층입니다.

07 앞과 옆에서 본 모양은 각각 왼쪽부터 1층, 2층, 3층입니다.

08 옆에서 본 모양에서 ㉠에 알맞은 수는 2입니다.

09 앞에서 본 모양에서 ㉣에 들어갈 수 있는 가장 큰 수는 2입니다.

10 앞과 옆에서 본 모양을 이용하여 각 자리에 쌓인 쌓기나무의 개수를 구합니다.

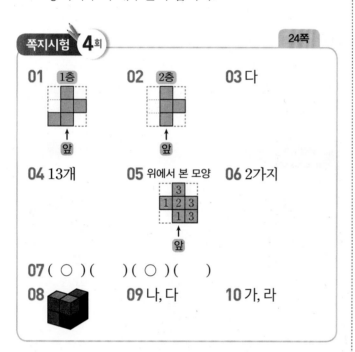

쪽지시험 **4**회 24쪽

01 1층 ↑앞 **02** 2층 ↑앞 **03** 다

04 13개

05 위에서 본 모양

06 2가지

07 (○) ( ) (○) ( )

08

09 나, 다 **10** 가, 라

풀이

01 1층 모양은 위에서 본 모양과 같습니다.

02 1층 모양 위에 놓인 쌓기나무를 보고 2층 모양을 그립니다.

03 1층부터 차례로 쌓으면 쌓은 모양은 다입니다.

04 6+4+3=13(개)

05 1층 모양에 3층이 놓인 자리에는 3을, 3을 쓰고 남은 2층의 자리에는 2를, 남은 자리에는 1을 써넣었습니다.

06 → 2가지

07 두 번째와 네 번째 모양은 주어진 모양으로 만든 모양이 아닙니다.

08 가와 다를 사용하여 만든 모양입니다.

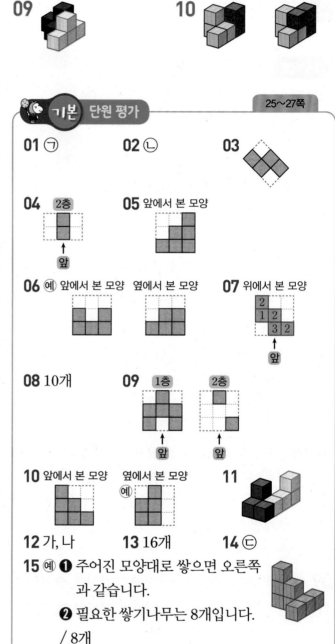

09 **10**

기본 단원 평가 25~27쪽

01 ㉠ **02** ㉡ **03**

04 2층 ↑앞 **05** 앞에서 본 모양

06 (예) 앞에서 본 모양 옆에서 본 모양 **07** 위에서 본 모양

08 10개 **09** 1층 ↑앞 2층 ↑앞

10 앞에서 본 모양 옆에서 본 모양 (예) **11**

12 가, 나 **13** 16개 **14** ㉢

15 (예) ❶ 주어진 모양대로 쌓으면 오른쪽 과 같습니다.
❷ 필요한 쌓기나무는 8개입니다.
/ 8개

16 16개 **17** 나, 가, 다 **18** 3개

19 (예) ❶ 쌓기나무 8개로 쌓은 모양이므로 쌓은 모양을 위에서 본 모양에 수를 쓰는 방법으로 나타내면 , , , 입니다.
❷ 앞에서 본 모양 앞에서 본 모양

20 (예) ❶ 위에서 본 모양에서 1층에 놓인 쌓기나무가 3개이므로 2층과 3층에 놓인 쌓기

나무는 5개이고 2층에 3개, 3층에 2개가 있어야 합니다.

❷ 쌓은 모양을 위에서 본 모양에 수를 쓰는 방법으로 나타내면 만들 수 있는 모양은 , , 2 3 3 으로 모두 3가지입니다.

/ 3가지

풀이

01 등대와 성이 앞쪽에 있으므로 ㉠에서 본 그림입니다.

02 성이 앞쪽에, 등대가 뒤쪽에 있으므로 ㉡에서 본 그림입니다.

03 쌓기나무 6개로 쌓은 모양이므로 뒤에 숨겨진 쌓기나무가 없습니다.

04 2층에는 1층의 가운데에 2개가 놓여 있습니다.

05 앞에서 본 모양은 왼쪽부터 1층, 2층, 3층입니다.

06 쌓기나무 7개로 쌓은 모양이므로 뒤에 숨겨진 쌓기나무가 없습니다.

07 위에서 본 모양의 각 자리에 쌓인 쌓기나무의 개수를 써넣습니다.

08 2+1+2+3+2=10(개)

09 1층 모양은 위에서 본 모양과 같습니다.
1층 모양 위에 놓인 쌓기나무를 보고 2층 모양을 그립니다.

10 앞에서 본 모양은 왼쪽부터 3층, 2층, 1층이고 옆에서 본 모양은 왼쪽부터 2층, 3층입니다.

11 라와 마를 사용하여 만든 모양입니다.

12 가와 나를 사용하여 만든 모양입니다.

13 1층에 10개, 2층에 5개, 3층에 1개이므로 사용한 쌓기나무는 10+5+1=16(개)입니다.

14 ㉢은 ○표 한 자리에 쌓기나무가 있어야 하므로 위에서 본 모양이 될 수 없습니다.

15

채점 기준	❶ 주어진 모양대로 쌓기	3점
	❷ 필요한 쌓기나무의 개수 구하기	2점

16 7+5+4=16(개)

17 1층 모양은 위에서 본 모양과 같습니다.

18 3층에 더 쌓을 수 있는 곳은 2층까지 쌓여 있는 자리이므로 3개를 더 쌓을 수 있습니다.

19

채점 기준	❶ 쌓은 모양을 위에서 본 모양에 수를 쓰는 방법으로 나타내기	3점
	❷ 앞에서 본 모양을 2가지로 그리기	2점

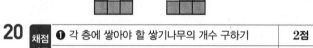

20

채점 기준	❶ 각 층에 쌓아야 할 쌓기나무의 개수 구하기	2점
	❷ 만들 수 있는 모양은 몇 가지인지 구하기	3점

실력 단원 평가 28~30쪽

01 라 **02** ㉠ **03** 옆, 위, 앞 **04** 9
05 ㉡ **06** 다 **07** 10개 **08** 옆, 앞
09 다 **10** 14 **11** 라에 ○표
12 위에서 본 모양 **13** 14 **14**

15 예 ❶ 위에서 본 모양은 1층 모양과 같으므로 1층 모양에 2층과 3층에 놓인 쌓기나무의 개수만큼 수를 써넣으면 오른쪽과 같습니다.

❷ 사용한 쌓기나무는 모두
1+3+2+3+1+2=12(개)입니다.
/ 12개

16 나, 다 **17** 가, 라 / 위에서 본 모양 **18** ㉡

19 예 ❶ 2층에 쌓은 쌓기나무의 개수는 위에서 본 모양에 쓰여진 수가 2 이상인 칸의 수와 같습니다.

❷ 2층에 쌓은 쌓기나무는 5개입니다.
/ 5개

20 예 ❶ 쌓기나무를 최대로 많이 사용하여 쌓은 모양을 위에서 본 모양에 수를 써서 나타내면

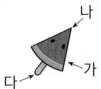 입니다.

❷ 똑같은 모양으로 쌓는 데 필요한 쌓기나무는 최대 2+2+1+3=8(개)입니다.

/ 8개

풀이

01

어느 방향에서 보아도 라의 모양은 나올 수 없습니다.

02 위에서 본 모양을 바르게 그리고 수를 바르게 쓴 것은 ㉠입니다.

03 위에서 본 모양은 1층에 놓인 모양과 같습니다.
앞에서 본 모양은 왼쪽부터 2층, 3층, 1층이고,
옆에서 본 모양은 왼쪽부터 3층, 2층, 2층입니다.

04 5+3+1=9(개)

05 가에서 보면 가지가 뒤쪽, 토마토가 앞쪽, 오이가 오른쪽에 있습니다.

06 오이가 앞에 있고, 가지 뒤쪽에 토마토가 보이므로 다에서 본 모양입니다.

07 6+3+1=10(개)

08 앞에서 본 모양은 왼쪽부터 1층, 3층, 2층이고
옆에서 본 모양은 왼쪽부터 2층, 3층, 2층입니다.

09 1층 모양은 위에서 본 모양과 같습니다.
1층 위에 2층, 3층에 놓인 쌓기나무만큼 쌓은 모양은 다입니다.

10 6+5+3=14(개)

11 앞에 표지판과 사자의 뒷모습이 보이고 기린의 뒷모습이 보이는 곳은 라입니다.

12 쌓기나무 11개로 쌓은 모양이므로 뒤에 숨겨진 쌓기나무가 1개 있습니다.

13 6+5+3=14(개)

14 쌓은 모양의 뒤에 숨겨진 쌓기나무 2개의 위치를 찾아 위에서 본 모양을 그립니다.

15 채점 기준	❶ 쌓은 모양을 위에서 본 모양에 수를 쓰는 방법으로 나타내기	3점
	❷ 사용한 쌓기나무의 개수 구하기	2점

16 나와 다를 사용하여 만든 모양입니다.

17 가와 라를 사용하여 만든 모양입니다.

18 ㉠ 가와 나를 사용하여 만든 모양입니다.

㉡ 보이는 쌓기나무의 개수가 10개이므로 2가지 모양으로 만들 수 없는 모양입니다.

㉢ 나와 라를 사용하여 만든 모양입니다.

19 채점 기준	❶ 위에서 본 모양에서 2층에 놓인 쌓기나무의 자리 찾기	3점
	❷ 2층에 놓인 쌓기나무의 개수 구하기	2점

20 채점 기준	❶ 쌓기나무를 최대로 많이 사용하여 쌓은 모양을 위에서 본 모양에 수를 쓰는 방법으로 나타내기	3점
	❷ 필요한 쌓기나무의 개수 구하기	2점

연습 서술형 평가

31~32쪽

01 예 ❶ 사용한 쌓기나무의 최소 개수를 구하는 것이므로 뒤에 숨겨진 쌓기나무가 없습니다.
1층 모양은 위에서 본 모양과 같으므로 1층 모양에 각 자리에 쌓인 쌓기나무의 수를 쓰면 오른쪽과 같습니다.

❷ 사용한 쌓기나무는 최소
2+1+1+2+3+2+1=12(개)입니다.

/ 12개

02 예 ❶ 앞과 옆에서 본 모양을 그릴 때에는 각 방향에서 가장 높은 층수만큼 색칠합니다.

❷ 앞에서 본 모양은 왼쪽부터 2층, 3층, 2층으로 그리고, 옆에서 본 모양은 왼쪽부터 2층, 3층, 2층으로 그립니다.

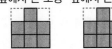

03 예 ❶ 쌓은 모양을 위에서 본 모양에 수 를 쓰는 방법으로 나타내면 오른 쪽과 같습니다.

❷ 쌓은 모양을 앞에서 본 모양을 그리면 왼쪽 부터 3층, 3층, 3층이므로 물감을 칠해야 하는 면은 $3+3+3=9$(개)입니다.

/ 9개

04 예 ❶ 앞에서 본 모양이 왼쪽부터 1층, 1층, 3층이므로 쌓은 모양을 위에 서 본 모양에 수를 써서 나타내면 오른쪽 과 같습니다.

❷ 옆에서 본 모양을 그리면 왼쪽부터 1층, 3층, 1층입니다.

/ 옆에서 본 모양

풀이

01 채점 기준	❶ 쌓기나무를 최소로 사용하여 쌓은 모양을 위에서 본 모양에 수를 쓰는 방법으로 나타내기	15점
	❷ 사용한 쌓기나무의 최소 개수 구하기	10점

02 채점 기준	❶ 앞, 옆에서 본 모양을 그리는 방법 알기	10점
	❷ 앞, 옆에서 본 모양 그리기	15점

03 채점 기준	❶ 쌓은 모양을 위에서 본 모양에 수를 쓰는 방법으로 나타내기	10점
	❷ 물감을 칠해야 하는 면의 개수 구하기	15점

04 채점 기준	❶ 위, 앞에서 본 모양을 이용하여 위에서 본 모양에 수를 쓰는 방법으로 나타내기	15점
	❷ 옆에서 본 모양 그리기	10점

실전 서술형 평가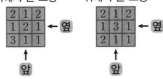

01 예 ❶ 위에서 본 모양의 각 자리에 쌓인 쌓기나무의 수를 써넣으면 오른 쪽과 같으므로 쌓은 쌓기나무는 $1+2+1+2+3+2=11$(개)입니다.

❷ 남는 쌓기나무는 $20-11=9$(개)입니다.

/ 9개

02 예 ❶ 얼룩이 져서 보이지 않게 된 칸을 뺀 나머 지 자리에 쌓인 쌓기나무는 모두 $2+1+3+2+1=9$(개)이므로 보이지 않 는 자리에 들어갈 수는 $12-9=3$입니다.

❷ 앞에서 본 모양은 왼쪽부터 2층, 3층, 3층 으로 그립니다.

/ 앞에서 본 모양

03 예 ❶ 쌓은 모양을 앞에서 본 모양은 왼쪽부터 3 층, 2층, 1층입니다.

❷ ㉠과 ㉡에 더 쌓을 수 있는 쌓기나무는 ㉠ 에 2개, ㉡에 1개로 최대 3개입니다.

/ 3개

04 예 ❶ 1층에 쌓기나무가 9개 놓여 있으므로 2층 과 3층에는 $14-9=5$(개)를 놓아야 합 니다.

❷ 앞과 옆에서 본 모양이 각각 서로 같도록 위에서 본 모양에 수를 써넣습니다.

/ 위에서 본 모양   위에서 본 모양

풀이

01 채점 기준	❶ 쌓은 쌓기나무의 개수 구하기	15점
	❷ 남는 쌓기나무의 개수 구하기	10점

02 채점 기준	❶ 보이지 않는 자리에 알맞은 수 구하기	15점
	❷ 쌓은 모양을 앞에서 본 모양 그리기	10점

03 채점 기준	❶ 쌓은 모양을 앞에서 본 모양 알기	10점
	❷ 더 쌓을 수 있는 쌓기나무의 최대 개수 구하기	15점

04 채점 기준	❶ 쌓은 모양의 전체 모양 알기	10점
	❷ 쌓은 모양을 위에서 본 모양에 수를 쓰는 방법으로 나타내기	15점

3 소수의 나눗셈

쪽지시험 1회 36쪽

01 7

02 56, 4, 56, 4, 14

03 84, 7, 12

04 8

05 7

06

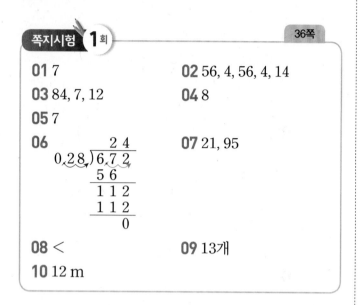

07 21, 95

08 <

09 13개

10 12 m

풀이

01 1.4에서 0.2씩 7번 덜어낼 수 있습니다.

02 소수 한 자리 수는 분모가 10인 분수로 바꾸어 계산할 수 있습니다.

03 나누는 수와 나누어지는 수에 똑같이 10배를 하여 (자연수)÷(자연수)로 계산합니다.

06 나누는 수와 나누어지는 수의 소수점을 각각 오른쪽으로 두 자리씩 옮겨서 계산해야 하고, 몫의 소수점은 옮긴 소수점의 위치에 찍어야 합니다.

07 $16.8 \div 0.8 = 21$, $14.25 \div 0.15 = 95$

08 $7.2 \div 2.4 = 3$, $11.2 \div 0.8 = 14$
→ 3 < 14

09 (필요한 물통의 수)
= (전체 물의 양) ÷ (물통 한 개에 담는 물의 양)
= $6.5 \div 0.5 = 13$(개)

10 (세로) = (직사각형의 넓이) ÷ (가로)
= $2.76 \div 0.23 = 12$ (m)

쪽지시험 2회 37쪽

01 220, 2.8

02 130, 3.5

03 (1) 13, 27.3, 13, 2.1 (2) 130, 273, 130, 2.1

04 1.6

05 4.9

06 (   ) (○)

07 1.9, 9.5

08 ㉢

09 2.7

10 1.3배

풀이

03 (1) 나누는 수가 자연수가 되도록 분모가 10인 분수로 고쳐서 계산합니다.
(2) 나누어지는 수가 자연수가 되도록 분모가 100인 분수로 고쳐서 계산합니다.

04

$$3.2 \overline{)5.1\,2} \quad \begin{array}{r} 1.6 \\ \hline 3\,2 \\ \hline 1\,9\,2 \\ 1\,9\,2 \\ \hline 0 \end{array}$$

05 $3.92 > 0.8$이므로 $3.92 \div 0.8 = 4.9$입니다.

06 $7.79 \div 1.9 = 4.1$, $7.14 \div 1.7 = 4.2$
→ 4.1 < 4.2

07 $8.55 \div 4.5 = 1.9$, $1.9 \div 0.2 = 9.5$

08 $4.05 \div 0.9 = \dfrac{405}{100} \div \dfrac{90}{100} = 405 \div 90 = 4.5$
→ ㉠ = 405, ㉡ = 90, ㉢ = 4.5

09 어떤 수를 □라고 하면 □ × 4.5 = 12.15이므로
□ = 12.15 ÷ 4.5 = 2.7입니다.

10 $3.77 \div 2.9 = 1.3$(배)

쪽지시험 3회 38쪽

01 (위에서부터) 8, 45, 8, 10

02 800, 25

03 $48 \div 1.6 = \dfrac{480}{10} \div \dfrac{16}{10} = 480 \div 16 = 30$

04 40

05 3, 30, 300

06 16

07 40

08 >

09 16도막

10 12컵

풀이

01 나눗셈에서 나누는 수와 나누어지는 수에 같은 수를 곱하여도 몫은 변하지 않습니다.

02 나누는 수와 나누어지는 수에 똑같이 100을 곱하여 자연수의 나눗셈으로 계산합니다.

03 나누는 수가 자연수가 되도록 분모가 10인 분수로 고쳐서 계산합니다.

05 나누어지는 수가 같고 나누는 수가 $\frac{1}{10}$배, $\frac{1}{100}$배가 되면 몫은 10배, 100배가 됩니다.

06 24>1.5이므로 24÷1.5=16입니다.

07 64÷1.6=40

08 21÷0.42=50, 12÷0.48=25
→ 50>25

09 (도막 수)=20÷1.25=16(도막)

10 3÷0.25=12(컵)

---

01 첫째, 12　　　　　　**02** 1.7
03 5.78　　　　　　　　**04** 8, 7.6, 7.57
05 >　　　　　　　　　**06** 0.4
07 3봉지, 0.4 kg
08 (왼쪽에서부터) 8, 0.5 / 8, 0.5
09 6.57 kg　　　　　　**10** 4명, 0.6 kg

풀이

01 12.285… → 소수 첫째 자리 숫자가 2이므로 반올림하여 일의 자리까지 나타내면 12입니다.

02 소수 둘째 자리 숫자가 6이므로 반올림하여 나타내면 1.7입니다.

03 5.2÷0.9=5.77$\underline{7}$… → 5.78

04 5.3÷0.7=7.571…

05 12.4÷3.9=3.179… → 몫의 소수 둘째 자리 숫자가 7이므로 반올림하여 소수 첫째 자리까지 나타내면 3.2입니다. 몫의 소수 셋째 자리 숫자가 9이므로 반올림하여 소수 둘째 자리까지 나타내면 3.18입니다.
→ 3.2>3.18

06 6.4−2=4.4, 4.4−2=2.4, 2.4−2=0.4

07 6.4에서 2를 3번 빼면 0.4가 남으므로 3봉지에 나누어 담고 남는 소금은 0.4 kg입니다.

08 몫을 자연수까지 구하고, 나머지는 나누어지는 수의 원래 위치로 소수점을 찍습니다.

09 19.7÷3=6.566… → 6.57

10 20.6÷5=4…0.6이므로 4명에게 나누어 주고 남는 쌀은 0.6 kg입니다.

---

01 27

02 (1) 7, 7, 25　　(2)
$$0.0\,7\,)\,\overline{1.7\,5}\quad\begin{array}{r}2\,5\\[-2pt]\hline\end{array}$$

```
          2 5
 0.07 ) 1.7 5
        1 4
          3 5
          3 5
            0
```

03 4.9

04 (앞에서부터) 10, 10, 5.2

05 3.35

06 $10.4÷1.3=\frac{104}{10}÷\frac{13}{10}=104÷13=8$

07 8　　　　　　　　　**08** 5, 50, 500

09 47　　　　　　　　**10** >

11 9명　　　　　　　　**12** ㉠

13 1.3배　　　　　　　**14** 15상자

15 4봉지, 0.5 kg　　　**16** 8명

17 예 ❶ 어떤 수를 □라고 하면
□×4.8=24.96이므로
□=24.96÷4.8=5.2입니다.
❷ 5.2÷0.4=13입니다.
/ 13

18 예 ❶ $42.8 \div 13.7 = 3.124 \cdots$

몫을 반올림하여 일의 자리까지 나타내면 3이고, 몫을 반올림하여 소수 둘째 자리까지 나타내면 3.12입니다.

❷ ❶에서 구한 두 값의 차는 $3.12 - 3 = 0.12$ 입니다.

/ 0.12

19 9.2 cm

20 예 ❶ (1 km를 가는 데 필요한 휘발유의 양)
$= 9 \div 37.5 = 0.24$ (L)

❷ (150 km를 가는 데 필요한 휘발유의 양)
$= 150 \times 0.24 = 36$ (L)

/ 36 L

풀이

01 나누는 수와 나누어지는 수에 똑같이 10배 하여 자연수의 나눗셈으로 계산합니다.

03
$$\begin{array}{r} 4.9 \\ 0.8\,\overline{)\,3.9\,2} \\ \underline{3\ 2} \\ 7\ 2 \\ \underline{7\ 2} \\ 0 \end{array}$$

04 나눗셈에서 나누는 수와 나누어지는 수에 같은 수를 곱하여도 몫은 변하지 않습니다.

05 $5.7 \div 1.7 = 3.352 \cdots \rightarrow 3.35$

06 분모가 10인 분수로 고쳐서 계산합니다.

07 $40.16 > 5.02$이므로 $40.16 \div 5.02 = 8$입니다.

08 나누어지는 수가 같고 나누는 수가 $\frac{1}{10}$배, $\frac{1}{100}$배가 되면 몫은 10배, 100배가 됩니다.

09 $23.5 \div 0.5 = 235 \div 5 = 47$

10 $11.13 \div 2.1 = 5.3$, $15.66 \div 5.4 = 2.9$
$\rightarrow 5.3 > 2.9$

11 $31.5 \div 3.5 = 9$(명)

12 ㉠ $8 \div 6.3 = 1.269 \cdots \rightarrow 1.27$
㉡ $6.2 \div 5.4 = 1.148 \cdots \rightarrow 1.15$
$\rightarrow 1.27 > 1.15$

13 $2.2 \div 1.7 = 1.294 \cdots \rightarrow 1.3$배

14 (감자 전체의 무게)÷(한 상자에 담을 감자의 무게)
$= 216 \div 14.4 = 15$(상자)

15 $8.5 \div 2 = 4 \cdots 0.5$
귤은 한 봉지에 2 kg씩 4봉지까지 담을 수 있고, 남는 귤은 0.5 kg입니다.

16 $48.6 \div 6 = 8 \cdots 0.6$이므로 8명에게 나누어 줄 수 있습니다.

17
채점 기준	❶ 어떤 수 구하기	3점
	❷ 어떤 수를 0.4로 나눈 몫 구하기	2점

18
채점 기준	❶ 몫을 반올림하여 일의 자리까지 나타낸 값과 소수 둘째 자리까지 나타낸 값 구하기	3점
	❷ ❶에서 구한 두 값의 차 구하기	2점

19 (삼각형의 높이)
$=$(삼각형의 넓이)$\times 2 \div$(밑변의 길이)
$= 22.08 \times 2 \div 4.8$
$= 44.16 \div 4.8 = 9.2$ (cm)

20
채점 기준	❶ 1 km를 가는 데 필요한 휘발유의 양 구하기	3점
	❷ 150 km를 가는 데 필요한 휘발유의 양 구하기	2점

실력 단원 평가 43~45쪽

01 64, 4, 64, 4, 16

02

03 6.6

04 0.7

05 (위에서부터) 10, 217, 7, 31, 31

06 21

07 13개, 1.5 m

08 13

09 8 cm

10 <

11 19개

12 4

13 예 ❶ (세로)$= 6.3 - 2.4 = 3.9$ (cm)
❷ 가로는 세로의 $6.3 \div 3.9 = 1.61 \cdots \rightarrow 1.6$배입니다.
/ 1.6배

14 19 **15** 17권

16 8 cm **17** 5.67 km

18 8초

19 예 ❶ 몫이 가장 크려면 나누어지는 수를 가장 크게, 나누는 수를 가장 작게 해야 합니다.

　❷ 8>4>2>1이므로 8.4÷1.2=7입니다.

　/ 7

20 예 ❶ (가로등 사이의 간격 수)
　　＝385÷15.4=25(군데)

　❷ 필요한 가로등의 수는 가로등 사이의 간격 수와 같으므로 25개입니다.

　/ 25개

풀이

01 소수 한 자리 수를 분모가 10인 분수로 고쳐서 분자끼리의 나눗셈으로 계산합니다.

03

$$1.4\overline{)9.2\,4}$$
　　6.6
　　8 4
　　　8 4
　　　8 4
　　　　0

04 4.8÷7=0.68… ➡ 0.7

05 나누는 수와 나누어지는 수에 똑같이 10배를 하여 계산합니다.

　➡ 21.7÷0.7=217÷7=31

06 2.52÷0.12=252÷12=21

07 27.5÷2=13…1.5

상자를 13개까지 묶을 수 있고, 남는 리본은 1.5 m입니다.

08 31.85÷□=2.45 ➡ □=31.85÷2.45, □=13

09 (높이)=(평행사변형의 넓이)÷(밑변의 길이)
　　＝76.8÷9.6=8 (cm)

10 21÷4.2=5, 9÷1.5=6
　➡ 5<6

11 54.8÷3=18…0.8

물을 병 18개에 담고, 0.8 L가 남습니다.
남는 물 0.8 L도 병에 담아야 하므로 병은 적어도 18+1=19(개) 필요합니다.

12 8.3÷1.1=7.545454…

소수점 아래 숫자 5, 4가 반복되므로 소수 10째 자리 숫자는 소수 둘째 자리 숫자와 같은 4입니다.

13

채점 기준		
❶ 직사각형의 세로 구하기		2점
❷ 가로는 세로의 몇 배인지 반올림하여 소수 첫째 자리까지 나타내기		3점

14 130÷6.5=20, 20>□이므로 □ 안에 들어갈 수 있는 가장 큰 자연수는 19입니다.

15 71.5÷4=17…3.5

책을 17권까지 꽂을 수 있습니다.

16 삼각형의 밑변의 길이를 □ cm라고 하면
□×6.75÷2=27, □×6.75=54,
□=54÷6.75=8입니다.

17 1시간 30분=$1\frac{30}{60}$시간=$1\frac{1}{2}$시간=1.5시간

따라서 8.5÷1.5=5.666… ➡ 5.67 km를 달린 셈입니다.

18 (두 수도에서 1초 동안 받을 수 있는 물의 양)
　　＝0.35+0.39=0.74 (L)

　➡ (5.92 L의 물을 받는 데 걸리는 시간)
　　＝5.92÷0.74=8(초)

19

채점 기준		
❶ 몫이 가장 클 때의 조건 알기		2점
❷ 몫이 가장 클 때의 몫 구하기		3점

20

채점 기준		
❶ 가로등 사이의 간격 수 구하기		3점
❷ 필요한 가로등의 수 구하기		2점

연습 서술형 평가 46~47쪽

01 예 ❶ 8.5÷0.6=14.166…이므로 몫을 반올림하여 소수 첫째 자리까지 나타내면 14.2이고, 몫을 반올림하여 소수 둘째 자리까지 나타내면 14.17입니다.

　❷ ❶에서 구한 두 값의 차는
　　14.2−14.17=0.03입니다.

　/ 0.03

02 예 ❶ 물 12.4 L와 자몽 청 3.7 L를 섞으면 자몽 주스의 양은 12.4+3.7=16.1 (L)입니다.

❷ 16.1÷2=8…0.1이므로 자몽 주스를 2 L씩 8병까지 담을 수 있고, 0.1 L가 남습니다.

/ 8병, 0.1 L

03 예 ❶ 2시간 36분=$2\frac{36}{60}$시간=$2\frac{6}{10}$시간=2.6 시간입니다.

❷ 자동차가 1시간 동안 달린 평균 거리는 221÷2.6=85 (km)입니다.

/ 85 km

04 예 ❶ 어떤 수를 □라고 하면 □×0.06=2.76입니다. □=2.76÷0.06=46입니다.

❷ 어떤 수가 46이므로 바르게 계산하면 46÷0.06=766.6…이고 반올림하여 일의 자리까지 나타내면 767입니다.

/ 767

풀이

01 채점기준	❶ 몫을 반올림하여 소수 첫째 자리까지 나타낸 값과 소수 둘째 자리까지 나타낸 값 구하기	15점
	❷ ❶에서 구한 두 값의 차 구하기	10점

02 채점기준	❶ 만든 자몽 주스의 양 구하기	10점
	❷ 담을 수 있는 병의 수와 남는 자몽 주스의 양 구하기	15점

03 채점기준	❶ 2시간 36분을 시간 단위로 나타내기	10점
	❷ 자동차가 1시간 동안 달린 평균 거리 구하기	15점

04 채점기준	❶ 어떤 수 구하기	10점
	❷ 바르게 계산한 몫을 반올림하여 일의 자리까지 나타내기	15점

실전 서술형 평가 48~49쪽

01 예 ❶ 152.4÷5=30…2.4 귤을 한 상자에 5 kg씩 30개에 담고, 2.4 kg이 남습니다.

❷ 남는 귤 2.4 kg도 상자에 담아야 하므로 상자는 적어도 30+1=31(개) 필요합니다.

/ 31개

02 예 ❶ 몫이 가장 크려면 나누어지는 수를 가장 크게, 나누는 수를 가장 작게 해야 합니다.

❷ 만들 수 있는 가장 큰 수는 5.32이고, 나누는 수는 1.6이므로 5.32÷1.6=3.325입니다.

/ 3.325

03 예 ❶ (가로수 사이의 간격 수) =(도로의 길이)÷(가로수 사이의 간격) =539÷3.5=154(군데)

❷ 도로 한 쪽에 세운 가로수의 수는 154+1=155(그루)이므로 양쪽에 심은 가로수는 모두 155+155=310(그루)입니다.

/ 310그루

04 예 ❶ 1시간 15분 동안 탄 양초의 길이는 30-8.4=21.6 (cm)입니다.

❷ 1시간 15분=$1\frac{15}{60}$시간=1.25시간입니다.

❸ 1시간에 타는 양초의 길이는 21.6÷1.25=17.28 (cm)입니다.

/ 17.28 cm

풀이

01 참고 담을 수 있는 상자 수를 구해야 하므로 몫을 자연수까지만 구합니다.

채점기준	❶ 귤을 몇 상자에 담고 몇 kg이 남는지 구하기	15점
	❷ 상자는 적어도 몇 개 필요한지 구하기	10점

02 채점기준	❶ 몫이 가장 클 때의 조건 알아보기	10점
	❷ 몫이 가장 클 때의 몫 구하기	15점

03 채점기준	❶ 가로수 사이의 간격 수 구하기	10점
	❷ 양쪽에 심은 가로수의 수 구하기	15점

04 채점기준	❶ 1시간 15분 동안 탄 양초의 길이 구하기	5점
	❷ 1시간 15분을 시간 단위로 나타내기	10점
	❸ 1시간에 타는 양초의 길이 구하기	10점

4 원주율과 원의 넓이

01 ㉐ 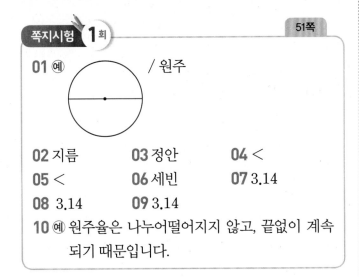 / 원주

02 지름　　　03 정안　　　04 <

05 <　　　06 세빈　　　07 3.14

08 3.14　　　09 3.14

10 ㉐ 원주율은 나누어떨어지지 않고, 끝없이 계속
　　되기 때문입니다.

풀이

01 원의 둘레를 원주라고 합니다.

03 수빈: 원의 지름에 대한 원주의 비율은 변하지 않
　　고 일정합니다.
　　하니: 원주는 지름의 약 3배입니다.
　　따라서 바르게 말한 사람은 정안입니다.

04 원의 둘레는 정육각형의 둘레보다 깁니다.

05 원의 둘레는 정사각형의 둘레보다 짧습니다.

06 원주는 지름의 약 3.14배이므로
　　(원주)=3×3.14=9.42 (cm)입니다.
　　따라서 자의 9.42 cm 위치와 가까운 곳에 표시한
　　사람은 세빈입니다.

07 15.71÷5=3.142 ➡ 3.14

08 37.69÷12=3.140 … ➡ 3.14

09 (원주율)=94.24÷30=3.141… ➡ 3.14

01 24.8 cm　　02 80.6 cm　　03 30 cm

04 43.96 cm　　05 <　　　06 ㉢

07 34.54 cm, 56.25 cm　　08 21.98 cm

09 255 m　　10 81.64 cm

풀이

01 (원주)=8×3.1=24.8 (cm)

02 반지름이 13 cm이므로 지름은 26 cm입니다.
　　(원주)=26×3.1=80.6 (cm)

03 (지름)=94.2÷3.14=30 (cm)

04 작은 원의 반지름은 9－2=7 (cm)이므로 지름은
　　14 cm입니다.
　　(작은 원의 원주)=14×3.14=43.96 (cm)

05 (원주가 18 cm인 원의 지름)=18÷3=6 (cm)
　　따라서 원주가 18 cm인 원의 지름이 더 깁니다.

06 ㉠ (지름)=9 cm, ㉡ (지름)=30÷3=10 (cm)
　　㉢ 반지름이 4 cm이므로 지름은 8 cm입니다.
　　따라서 크기가 가장 작은 원은 ㉢입니다.

07 (㉠의 원주)=11×3.14=34.54 (cm)
　　(㉡의 원주)=18×3.14=56.52 (cm)

08 56.52－34.54=21.98 (cm)

09 바퀴 자의 둘레는 85×3=255 (cm)입니다.
　　바퀴 자가 100바퀴 돌았을 때의 거리는
　　255×100=25500 (cm)입니다.
　　1 m=100 cm이므로 25500 cm=255 m입니다.

10 (색칠한 부분의 둘레)
　　=(9×3.14÷2)+(17×3.14÷2)
　　　　　　　　　　+(26×3.14÷2)
　　=14.13+26.69+40.82=81.64 (cm)

$\left(\text{지름이 9 cm인 원의 둘레의 } \frac{1}{2}\right)+\left(\text{지름이 17 cm인 원의 둘레의 } \frac{1}{2}\right)$
$+\left(\text{지름이 26 cm인 원의 둘레의 } \frac{1}{2}\right)$

01 200 cm²　　02 400 cm²　　03 200, 400

04 120 cm²　　05 172 cm²　　06 약 146 cm²

07 (위에서부터) 25.12, 8 / 200.96

08 78.5 cm²　　09 ㉡　　10 697.5 cm²

풀이

01 10×10×2=200 (cm²)

02 10×10×4=400 (cm²)

04 파란색 모눈은 120칸이므로 넓이는 120 cm²입니다.

05 빨간색 선 안쪽 모눈은 172칸이므로 넓이는 172 cm²입니다.

06 원의 넓이는 120 cm²보다 크고 172 cm²보다 작으므로 약 146 cm²라고 어림할 수 있습니다.

07 (직사각형의 가로)=$16 \times 3.14 \times \frac{1}{2}=25.12$ (cm)

(직사각형의 세로)=(원의 반지름)=8 cm

(원의 넓이)=$25.12 \times 8=200.96$ (cm²)

08 원의 반지름은 5 cm이므로

(원의 넓이)=$5 \times 5 \times 3.14=78.5$ (cm²)입니다.

09 ㉠ 지름이 8 cm이므로 반지름은 4 cm입니다.

(원의 넓이)=$4 \times 4 \times 3=48$ (cm²)

㉡ (원의 넓이)=$6 \times 6 \times 3=108$ (cm²)

따라서 넓이가 가장 넓은 원은 ㉡입니다.

10 만든 원의 원주는 93 cm입니다.

(지름)=$93 \div 3.1=30$ (cm)이므로

반지름은 15 cm입니다.

➡ (원의 넓이)=$15 \times 15 \times 3.1=697.5$ (cm²)

쪽지시험 4회   54쪽

01 108 cm², 12 cm²   **02** 96 cm²

03 6.88 cm²   **04** 3.44 cm²   **05** 10.26 cm²

06 150 cm², 6 cm², 96 cm²   **07** 252 cm²

08 52.5 cm²   **09** 65.1 cm²   **10** 223.2 cm²

풀이

01 (큰 원의 넓이)=$6 \times 6 \times 3=108$ (cm²)

(작은 원의 넓이)=$2 \times 2 \times 3=12$ (cm²)

02 (색칠한 부분의 넓이)┌(큰 원의 넓이)-(작은 원의 넓이)

=$108-12=96$ (cm²)

03 (색칠한 부분의 넓이)┌(직사각형의 넓이)
└(반지름이 4 cm인 원의 넓이의 $\frac{1}{2}$)

=$8 \times 4-(4 \times 4 \times 3.14 \div 2)$

=$32-25.12=6.88$ (cm²)

04 (색칠한 부분의 넓이)┌(정사각형의 넓이)
└(반지름이 2 cm인 원의 넓이)

=$4 \times 4-2 \times 2 \times 3.14$

=$16-12.56=3.44$ (cm²)

---

05 (색칠한 부분의 넓이)┌(반지름이 3 cm인 원의 넓이)
└(두 대각선의 길이가 6 cm인 마름모의 넓이)

=$3 \times 3 \times 3.14-6 \times 6 \div 2$

=$28.26-18=10.26$ (cm²)

06 (㉠의 넓이)┌반지름이 10 cm인 원의 넓이의 $\frac{1}{2}$

=$(10 \times 10 \times 3) \div 2=150$ (cm²)

(㉡의 넓이)┌반지름이 2 cm인 원의 넓이의 $\frac{1}{2}$

=$(2 \times 2 \times 3) \div 2=6$ (cm²)

(㉢의 넓이)┌반지름이 8 cm인 원의 넓이의 $\frac{1}{2}$

=$(8 \times 8 \times 3) \div 2=96$ (cm²)

07 (색칠한 부분의 넓이)┌(㉠의 넓이)+(㉡의 넓이)+(㉢의 넓이)

=$150+6+96=252$ (cm²)

08 (색칠한 부분의 넓이)┌(반지름이 5 cm인 원의 넓이)
└(삼각형의 넓이)

=$5 \times 5 \times 3.1-10 \times 5 \div 2$

=$77.5-25=52.5$ (cm²)

09 도형의 위쪽을 왼쪽으로 뒤집으면 ┌(반지름이 5 cm인 원의 넓이)
└(반지름이 2 cm인 원의 넓이)

(색칠한 부분의 넓이)

=$5 \times 5 \times 3.1-2 \times 2 \times 3.1$

=$77.5-12.4=65.1$ (cm²)입니다.

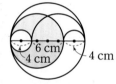

10 도형을 옮기면 ┌반지름이 12 cm인 원의 넓이의 $\frac{1}{2}$

(색칠한 부분의 넓이)

=$(12 \times 12 \times 3.1) \div 2$

=223.2 (cm²)입니다.

기본 단원 평가   55~57쪽

01 원주율   **02** 15 cm   **03** 113.04 cm²

04 ㉡   **05** 392 cm², 784 cm²

06 약 588 cm²   **07** 12.4 m   **08** 144 cm²

09 3.14, 3.14

10 예 원의 크기가 달라도 원주율은 모두 같다는 것을 알 수 있습니다.

11 예 ❶ (㉮의 넓이)=$4 \times 4 \times 3.14=50.24$ (cm²)

❷ (㉯의 넓이)=$8 \times 8 \times 3.14=200.96$ (cm²)

❸ ㉯의 넓이는 ㉮의 넓이의

$200.96 \div 50.24=4$(배)입니다. / 4배

12 72 cm^2 **13** 50.13 cm^2 **14** 243 cm^2

15 37.5 cm^2 **16** 세경   **17** 253 m

18 3097.5 m^2

19 ⓐ ❶ 굴렁쇠의 지름은 70 cm입니다.

　　(굴렁쇠의 원주)$=70×3.14=219.8$ (cm)

　　❷ 10 m 99 cm$=1099$ cm입니다.

　　(굴렁쇠가 굴러간 바퀴 수)

　　$=$(굴러간 거리)$÷$(굴렁쇠의 원주)

　　$=1099÷219.8=5$(바퀴) / 5바퀴

20 ⓐ ❶ 모눈종이 위에
그림을 그려
보면 줄을 반
지름으로 하는
원 모양이 만
들어집니다.

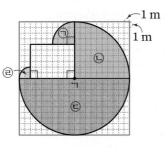

　　❷ (㉠의 넓이)$=(4×4×3)÷4=12$ (m²)

　　(㉡의 넓이)$=(10×10×3)÷4=75$ (m²)

　　(㉢의 넓이)$=(10×10×3)÷2=150$ (m²)

　　(㉣의 넓이)$=(2×2×3)÷4=3$ (m²)

　　❸ 소가 움직일 수 있는 영역의 최대 넓이는
　　$12+75+150+3=240$ (m²)입니다.

　　/ 240 m^2

풀이

02 (지름)$=45÷3=15$ (cm)

03 원의 지름이 12 cm이므로 반지름은 6 cm입니다.

　　(원의 넓이)$=6×6×3.14=113.04$ (cm²)

04 ㉡ 원의 지름이 짧아지면 원주도 짧아집니다.

　　따라서 틀린 것은 ㉡입니다.

05 (원 안의 정사각형의 넓이)

　　$=14×14÷2=392$ (cm²)

　　(원 밖의 정사각형의 넓이)

　　$=14×14×4=784$ (cm²)

06 원의 넓이는 392 cm²보다 크고 784 cm²보다 작
으므로 약 588 cm²라고 어림할 수 있습니다.

07 그린 원의 반지름이 2 m이므로 지름은 4 m입니다.

　　➡ (원주)$=4×3.1=12.4$ (m)

08 (색칠한 부분의 넓이) ⌐(큰 원의 넓이)$-$(작은 원의 넓이)

　　$=8×8×3-4×4×3$

　　$=192-48=144$ (cm²)

09 거울: (원주)$÷$(지름)$=47.1÷15=3.14$

　　장구: (원주)$÷$(지름)$=125.6÷40=3.14$

10 거울과 장구의 원주율은 모두 3.14로 같습니다.

11

채점기준	❶ ㉮의 넓이 구하기	2점
	❷ ㉯의 넓이 구하기	2점
	❸ ㉯의 넓이는 ㉮의 넓이의 몇 배인지 구하기	1점

12 (큰 원의 넓이)$=7×7×3=147$ (cm²) ⌐(큰 원의 반지름)$=12-5=7$ (cm)

　　(작은 원의 넓이)$=5×5×3=75$ (cm²)

　　➡ (두 원의 넓이의 차)$=147-75=72$ (cm²)

13 (색칠한 부분의 넓이)$+\left(\right.$반지름이 3 cm인 원의 넓이의 $\frac{1}{2}\left.\right)$ ⌐(정사각형의 넓이)

　　$=6×6+(3×3×3.14÷2)$

　　$=36+14.13=50.13$ (cm²)

14 원주가 54 cm이므로 원의 지름은

　　$54÷3=18$ (cm)이고 반지름은 9 cm입니다.

　　(원의 넓이)$=9×9×3=243$ (cm²)

15 (색칠한 부분의 넓이)$-\left(\right.$반지름이 5 cm인 원의 넓이의 $\frac{1}{2}\left.\right)$ ⌐$\left(\right.$반지름이 10 cm인 원의 넓이의 $\frac{1}{4}\left.\right)$

　　$=(10×10×3÷4)-(5×5×3÷2)$

　　$=75-37.5=37.5$ (cm²)

16 수호: 반지름이 8 cm이므로 지름은 16 cm입니다.

　　세경: (지름)$=43.96÷3.14=14$ (cm)

　　진구: (지름)$=53.38÷3.14=17$ (cm)

　　따라서 원의 지름이 가장 짧은 것을 그린 사람은
세경입니다.

17 (운동장의 둘레)$=30×3.1+80×2$ ⌐(지름이 30 cm인 원의 둘레)$+$(직선 부분)

　　$=93+160=253$ (m)

18 (운동장의 넓이)$=(15×15×3.1)+80×30$ ⌐(반지름이 15 m인 원의 넓이)$+$(직사각형의 넓이)

　　$=697.5+2400=3097.5$ (m²)

19

채점기준	❶ 굴렁쇠의 원주 구하기	2점
	❷ 굴렁쇠를 몇 바퀴 굴린 것인지 구하기	3점

정답 및 풀이

20	❶ 모눈종이 위에 소가 움직일 수 있는 최대 영역 그리기	1점
채점기준	❷ ㉠, ㉡, ㉢, ㉣의 넓이 구하기	3점
	❸ 소가 움직일 수 있는 영역의 최대 넓이 구하기	1점

실력 단원 평가

58~60쪽

01 ㉣

02 19 cm

03 78 cm, 507 cm²

04 약 33 cm²

05 (1) ×　(2) ○　(3) ×

06 697.5 cm²

07 3, 4, 3, 4

08 192 cm²

09 3.14

10 75.36 cm

11 20 cm

12 28.56 cm²

13 예 ❶ 빵의 지름이 16 cm이므로 반지름은 8 cm입니다.

❷ (다빈이가 먹은 빵의 넓이)
= (전체 빵의 넓이)÷8
= (8×8×3.14)÷8 = 25.12 (cm²)
/ 25.12 cm²

14 71.96 cm

15 18 cm²

16 339.12 cm²

17 33.98 cm

18 10

19 예 ❶ 호수의 지름은 110 m입니다.
(호수의 둘레) = 110×3.14 = 345.4 (m)

❷ 2 m 20 cm = 2.2 m이므로
나무를 345.4÷2.2 = 157(그루) 심을 수 있습니다. / 157그루

20 예 ❶ 원 안의 정육각형의 넓이는 삼각형 ㄱㅇㄷ의 넓이의 6배이므로 18×6 = 108 (cm²)입니다.

❷ 원 밖의 정육각형의 넓이는 삼각형 ㄹㅇㅂ의 넓이의 6배이므로 24×6 = 144 (cm²)입니다.

❸ 원의 넓이는 108 cm²보다 크고 144 cm²보다 작으므로 약 126 cm²라고 어림할 수 있습니다. / 약 126 cm²

풀이

01 ㉠ 원의 반지름, ㉡ 원의 중심,
㉢ 원의 지름, ㉣ 원주

02 (지름) = 58.9÷3.1 = 19 (cm)

03 (원주) = 26×3 = 78 (cm)
지름이 26 cm이므로 반지름은 13 cm입니다.
(원의 넓이) = 13×13×3 = 507 (cm²)

04 원 안의 파란색 모눈은 21칸이므로 넓이는 21 cm²이고, 원 밖의 빨간색 안쪽 모눈은 45칸이므로 넓이는 45 cm²입니다.
원의 넓이는 21 cm²보다 크고 45 cm²보다 작으므로 약 33 cm²라고 어림할 수 있습니다.

05 (1) 원주율은 끝없이 계속되므로 필요에 따라 3, 3.1, 3.14 등으로 어림하여 사용하기도 합니다.
(3) 원주율은 원의 지름에 대한 원주의 비율입니다.

06 (원의 넓이) = 15×15×3.1
= 697.5 (cm²)

07 원의 둘레는 정육각형의 둘레보다 길고 정사각형의 둘레보다 짧으므로 원의 지름의 3배보다 길고 4배보다 짧습니다.

08 (오린 종이의 넓이) − $\left(\text{반지름이 4 cm인 원의 넓이의 } \frac{1}{2}\right)$ $\left(\text{반지름이 12 cm인 원의 넓이의 } \frac{1}{2}\right)$
= (12×12×3÷2)−(4×4×3÷2)
= 216−24 = 192 (cm²)

09 (원주)÷(지름) = 150.8÷48 = 3.141… ➡ 3.14

10 반지름이 12 cm이므로 지름은 24 cm입니다.
(접시가 한 바퀴 굴러간 거리)
= (접시의 원주)
= 24×3.14 = 75.36 (cm)

11 (원의 넓이) = (반지름)×(반지름)×3.1 = 1240
(반지름)×(반지름) = 1240÷3.1 = 400
이때 20×20 = 400이므로 원의 반지름은 20 cm입니다.

12 <u>(색칠한 부분의 넓이)</u>

—(한 변의 길이가 4 cm인 정사각형의 넓이)
＋(반지름이 2 cm인 원의 넓이)

$=(4×4)+(2×2×3.14)$

$=16+12.56=28.56 \ (\text{cm}^2)$

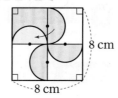

13

채점 기준	❶ 빵의 반지름 구하기	2점
	❷ 다빈이가 먹은 빵의 넓이 구하기	3점

14 (반원의 둘레)＝(28×3.14÷2)＋28

—지름이 28 cm인 원의 둘레의 $\frac{1}{2}$

└ 지름

$=43.96+28=71.96 \ (\text{cm})$

15 <u>(㉠의 넓이)</u>

—(반지름이 3 cm인 원의 넓이의 $\frac{1}{4}$)
—(밑변의 길이가 3 cm, 높이가 3 cm인 삼각형의 넓이)

$=(3×3×3÷4)-(3×3÷2)$

$=6.75-4.5=2.25 \ (\text{cm}^2)$

(색칠한 부분의 넓이)

$=2.25×8=18 \ (\text{cm}^2)$

└ ㉠의 넓이

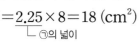

16 <u>(노란색이 차지하는 부분의 넓이)</u>

—(반지름이 12 cm인 원의 넓이)
—(반지름이 6 cm인 원의 넓이)

$=(12×12×3.14)-(6×6×3.14)$

$=452.16-113.04=339.12 \ (\text{cm}^2)$

17 (직선 부분의 합)＝(10−4)×2＝12 (cm)

—(지름이 20 cm인 원의 둘레의 $\frac{1}{4}$)
＋(지름이 8 cm인 원의 둘레의 $\frac{1}{4}$)

<u>(곡선 부분의 합)</u>

$=(20×3.14÷4)+(8×3.14÷4)$

$=15.7+6.28=21.98 \ (\text{cm})$

<u>(색칠한 부분의 둘레)</u>—(직선 부분의 합)＋(곡선 부분의 합)

$=12+21.98=33.98 \ (\text{cm})$

└ 양쪽에 있는 두 반원의 넓이의 합

18 (반지름이 2 cm인 원의 넓이)

$=2×2×3.14=12.56 \ (\text{cm}^2)$

(직사각형의 넓이)＝27.44＋12.56＝40 (cm²)이

므로 □×4＝40, □＝10입니다.

19

채점 기준	❶ 호수의 둘레 구하기	2점
	❷ 나무를 몇 그루 심을 수 있는지 구하기	3점

20

채점 기준	❶ 원 안의 정육각형의 넓이 구하기	2점
	❷ 원 밖의 정육각형의 넓이 구하기	2점
	❸ 원의 넓이 어림하기	1점

연습 서술형 평가 61~62쪽

01 예 ❶ 지름이 4 cm인 원의 원주는 지름의 3배인
4×3＝12 (cm)보다 길고 지름의 4배인
4×4＝16 (cm)보다 짧습니다.

❷ 원주와 가장 비슷한 길이는 ㉢입니다. / ㉢

02 예 ❶ (지름)＝87.92÷3.14＝28 (cm)

❷ 케이크 상자의 한 변의 길이는 적어도 케
이크의 지름인 28 cm보다 길어야 합니다.
/ 28 cm

03 예 ❶ 대관람차의 원주는 30×3＝90 (m)입니다.

❷ 관람차는 모두 90÷5＝18(대) 매달려 있
습니다. / 18대

└ 5 m 간격으로 매달려 있습니다.

04 예 ❶ (정사각형의 넓이)＝20×20＝400 (cm²)

❷ (반지름이 10 cm인 원의 넓이)
$=10×10×3.14=314 \ (\text{cm}^2)$

❸ (색칠한 부분의 넓이)
$=400-314=86 \ (\text{cm}^2)$ / 86 cm²

풀이

01

채점 기준	❶ 원주는 몇 cm보다 길고 몇 cm보다 짧은지 구 하기	15점
	❷ 원주와 가장 비슷한 길이 찾기	10점

02

채점 기준	❶ 케이크의 지름 구하기	15점
	❷ 케이크 상자의 한 변의 길이는 적어도 몇 cm보 다 길어야 하는지 구하기	10점

03

채점 기준	❶ 대관람차의 원주 구하기	10점
	❷ 관람차는 모두 몇 대 매달려 있는지 구하기	15점

04

채점 기준	❶ 정사각형의 넓이 구하기	10점
	❷ 원의 넓이 구하기	10점
	❸ 색칠한 부분의 넓이 구하기	5점

실전 서술형 평가 63~64쪽

01 예 ❶ (㉮의 안쪽 원주)＝15×3.1＝46.5 (cm)

❷ (㉯의 안쪽 원주)＝20×3.1＝62 (cm)

❸ 두 고리의 안쪽 원주의 차는
62−46.5＝15.5 (cm)입니다. / 15.5 cm

02 (예) 10 cm

❶ 곡선 부분의 길이의 합은
$10 \times 3.14 = 31.4$ (cm)입니다.

❷ 직선 부분의 길이의 합은
$20 \times 2 = 40$ (cm)입니다.

❸ 사용한 끈의 길이는
$31.4 + 40 = 71.4$ (cm)입니다. / 71.4 cm

03 (예) **❶** (정사각형 모양의 피자의 넓이)
$= 23 \times 23 = 529$ (cm²)

❷ (원 모양의 피자의 넓이)
$= 12 \times 12 \times 3.14 = 452.16$ (cm²)

❸ 529 > 452.16이므로 더 이득이 되는 피자
는 정사각형 모양의 피자입니다.
/ 정사각형 모양

04 (예) **❶** (색칠한 부분의 둘레)
　　지름이 4 cm인 원의 둘레의 $\frac{1}{2}$
$= 4 + 4 + (4 \times 3 \div 2)$
$= 8 + 6 = 14$ (cm)

❷ (㉠의 넓이)
$= 2 \times 2 - (2 \times 2 \times 3 \div 4)$
$= 4 - 3 = 1$ (cm²)
(색칠한 부분의 넓이)
$= 4 + 1 \times 2 = 6$ (cm²) / 14 cm, 6 cm²
　　　　　(㉠의 넓이)×2
— (한 변의 길이가 2 cm인 정사각형의 넓이)
— (반지름이 2 cm인 원의 넓이의 $\frac{1}{4}$)

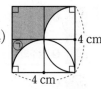
4 cm / 4 cm

풀이

01	채점 기준	❶ ㉮의 안쪽 원주 구하기	10점
		❷ ㉯의 안쪽 원주 구하기	10점
		❸ 두 고리의 안쪽 원주의 차 구하기	5점

02	채점 기준	❶ 곡선 부분의 길이의 합 구하기	10점
		❷ 곡선 부분의 길이의 합 구하기	10점
		❸ 사용한 끈의 길이 구하기	5점

03	채점 기준	❶ 정사각형 모양의 피자의 넓이 구하기	10점
		❷ 원 모양의 피자의 넓이 구하기	10점
		❸ 더 이득이 되는 피자 구하기	5점

04	채점 기준	❶ 색칠한 부분의 둘레 구하기	10점
		❷ 색칠한 부분의 넓이 구하기	15점

5 비례식과 비례배분

쪽지시험 1회　　　　　　　66쪽

01 7, 8　　　　**02** (위에서부터) 12, 4, 12
03 ㉡　　　　**04** 가, 다　　**05** 20
06 (위에서부터) 15, 4, 20
07 (위에서부터) 10, 2, 19
08 (1) (예) 2 : 13　(2) (예) 6 : 7　　**09** (예) 7 : 5
10 48

풀이

01 비에서 기호 ':' 앞에 있는 수 7을 전항, 뒤에 있는
수 8을 후항이라고 합니다.

02 48 : 36의 전항과 후항을 12로 나누면 4 : 3입니다.

03 3 : 5의 전항과 후항에 3을 곱하면 9 : 15입니다.

04 가: 4 : 6의 전항과 후항을 2로 나누면 2 : 3입니다.
나: 6 : 8의 전항과 후항을 2로 나누면 3 : 4입니다.
다: 10 : 15의 전항과 후항을 5로 나누면 2 : 3입
니다.
따라서 가로와 세로의 비가 2 : 3과 비율이 같은
직사각형은 가, 다입니다.

05 전항을 □라고 하여 비로 나타내면 □ : 35입니다.
비율이 $\frac{4}{7}$이므로 $\frac{\square}{35} = \frac{4}{7}$, □ = 20입니다.

06 $\frac{3}{4} : \frac{1}{5}$의 전항과 후항에 20을 곱하면 15 : 4입니다.

07 0.2 : 1.9의 전항과 후항에 10을 곱하면 2 : 19입니다.

08 (1) 0.4 : 2.6의 전항과 후항에 10을 곱하면 4 : 26
이고, 4 : 26의 전항과 후항을 2로 나누면
2 : 13입니다.
(2) $\frac{8}{7} : \frac{4}{3}$의 전항과 후항에 21을 곱하면 24 : 28
이고, 24 : 28의 전항과 후항을 4로 나누면
6 : 7입니다.

09 가로와 세로의 비는 4.9 : 3.5입니다. 4.9 : 3.5의 전항과 후항에 10을 곱하면 49 : 35이고, 49 : 35의 전항과 후항을 7로 나누면 7 : 5입니다.

10 $1\frac{1}{4}=1.25$이므로 1.25 : 2.4입니다.

1.25 : 2.4의 전항과 후항에 100을 곱하면 125 : 240이고, 125 : 240의 전항과 후항을 5로 나누면 25 : 48입니다. 따라서 후항은 48입니다.

쪽지시험 **2**회   67쪽

01 3, 18, 3, 5, 18
02 (위에서부터) 7, 10, 2, 7, 10, 2
03 (위에서부터) 15, 8, 12
04 (위에서부터) 4, 7, 5
05 예 2 : 3 = 8 : 12   **06** 125
07 ㉢   **08** ㉡   **09** 20
10 5

풀이

01 3 : 5의 비율과 18 : 30의 비율이 같으므로 비례식 3 : 5 = 18 : 30으로 나타낼 수 있습니다.

03 $\frac{5}{4} : \frac{2}{3}$의 전항과 후항에 12를 곱하면 15 : 8이므로 $\frac{5}{4} : \frac{2}{3} = 15 : 8$입니다.

04 0.8 : 1.4의 전항과 후항에 5를 곱하면 4 : 7이므로 0.8 : 1.4 = 4 : 7입니다.

05 2 : 3의 전항과 후항에 4를 곱하면 8 : 12이므로 비례식으로 나타내면 2 : 3 = 8 : 12입니다.

06 $3 \times \square = 25 \times 15$이므로 $3 \times \square = 375$, $\square = 125$

07 ㉠ $5 \times 22 = 110$, $11 \times 15 = 165$ (×)
㉡ $16 \times 3 = 48$, $9 \times 4 = 36$ (×)
㉢ $24 \times 5 = 120$, $15 \times 8 = 120$ (○)
따라서 옳은 비례식은 ㉢입니다.

08 ㉠ $5 \times 36 = \square \times 60$이므로 $180 = \square \times 60$, $\square = 3$
㉡ $7 \times \square = 8 \times 3.5$이므로 $7 \times \square = 28$, $\square = 4$
□ 안에 알맞은 수가 더 큰 비례식은 ㉡입니다.

09 외항의 곱이 180이므로
㉠ $\times 9 = 180$, ㉠ = 20입니다.

10 내항의 곱이 180이므로
$36 \times$ ㉡ $= 180$, ㉡ = 5입니다.

쪽지시험 **3**회   68쪽

01 예 비례식을 세우면 7 : 4 = □ : 20입니다.
후항 4에 5를 곱하면 20이므로
$\square = 7 \times 5 = 35$
따라서 긴 끈의 길이는 35 cm입니다.
/ 35 cm

02 예 비례식을 세우면 7 : 4 = □ : 20입니다.
$7 \times 20 = 4 \times \square$이므로 $140 = 4 \times \square$, $\square = 35$
따라서 긴 끈의 길이는 35 cm입니다.
/ 35 cm

03 예 5 : 12 = 25 : □   **04** 60 g
05 10 kg   **06** 25컵   **07** 54컵
08 예 10 : 9   **09** 예 9 : 10   **10** 70바퀴

풀이

04 $5 \times \square = 12 \times 25$이므로 $5 \times \square = 300$, $\square = 60$
따라서 물의 양은 60 g입니다.

05 밀가루의 양을 □ kg이라고 하여 비례식을 세우면
2 : 3 = □ : 15입니다.
$2 \times 15 = 3 \times \square$이므로 $30 = 3 \times \square$, $\square = 10$
따라서 밀가루의 양은 10 kg입니다.

06 젓갈을 □컵 넣는다고 하여 비례식을 세우면
9 : 5 = 45 : □입니다.
$9 \times \square = 5 \times 45$이므로 $9 \times \square = 225$, $\square = 25$
따라서 젓갈은 25컵을 넣어야 합니다.

07 고춧가루를 □컵 넣는다고 하여 비례식을 세우면
9 : 5 = □ : 30입니다.
$9 \times 30 = 5 \times \square$이므로 $270 = 5 \times \square$, $\square = 54$
따라서 고춧가루는 54컵을 넣어야 합니다.

08 ㉮의 톱니 수는 80개, ㉯의 톱니 수는 72개이므로 ㉮와 ㉯의 톱니 수의 비는 80 : 72이고, 80 : 72의 전항과 후항을 8로 나누면 10 : 9입니다.

09 ㉮와 ㉯의 톱니 수의 비가 10 : 9이므로 1분 동안 도는 회전수의 비는 9 : 10입니다.

10 1분 동안 톱니바퀴 ㉯가 □바퀴 돈다고 하여 비례식을 세우면 9 : 10=63 : □입니다.
$9×□=10×63$이므로 $9×□=630$, $□=70$
따라서 ㉯는 70바퀴 돕니다.

쪽지시험 4회   69쪽

01 (위에서부터) 5, 5, 6, 25 / 6, 5, 6, 30
02 40개   **03** 90개   **04** 4800원
05 52 g   **06** 예 2 : 3
07 40000원, 60000원   **08** 10개
09 예 5 : 4   **10** 48 cm²

풀이

01 예슬: $55×\dfrac{5}{5+6}=55×\dfrac{5}{11}=25$(개)
지현: $55×\dfrac{6}{5+6}=55×\dfrac{6}{11}=30$(개)

02 $130×\dfrac{4}{4+9}=130×\dfrac{4}{13}=40$(개)

03 $130×\dfrac{9}{4+9}=130×\dfrac{9}{13}=90$(개)

04 수지: $9000×\dfrac{8}{8+7}=9000×\dfrac{8}{15}=4800$(원)

05 비타민 C: $100×\dfrac{13}{12+13}=100×\dfrac{13}{25}=52$ (g)

06 은혜와 민수가 일한 시간을 비로 나타내면 8 : 12이고, 이 비의 전항과 후항을 4로 나누면 2 : 3입니다.

07 은혜: $100000×\dfrac{2}{2+3}=100000×\dfrac{2}{5}=40000$(원)
민수: $100000×\dfrac{3}{2+3}=100000×\dfrac{3}{5}=60000$(원)

08 누나: $60×\dfrac{7}{7+5}=60×\dfrac{7}{12}=35$(개)
동생: $60×\dfrac{5}{7+5}=60×\dfrac{5}{12}=25$(개)
➡ 누나는 동생보다 초콜릿을 $35-25=10$(개) 더 많이 가지게 됩니다.

---

09 높이가 같은 두 삼각형의 넓이의 비는 밑변의 길이의 비와 같습니다. 삼각형 ㄱㄴㄷ의 넓이와 삼각형 ㄱㄷㄹ의 넓이를 비로 나타내면 10 : 8이고, 이 비의 전항과 후항을 2로 나누면 5 : 4입니다.

10 (삼각형 ㄱㄷㄹ의 넓이)
$$=108×\dfrac{4}{5+4}=108×\dfrac{4}{9}=48 \text{ (cm}^2)$$

기본 단원 평가   70~72쪽

01 ㉡   **02** 4, 63
03 5, 4, 5, 4
04 (1) 예 2 : 9   (2) 예 109 : 225
05 20개, 25개   **06**
07 90 mL   **08** (1) 3   (2) 16
09 예 3 : 10=15 : 50   **10** 5개
11 예 9 : 10   **12** 0.28
13 125개, 75개
14 예 ❶ 16 : 15의 전항과 후항에 3을 곱하면
       48 : 45이므로 ㉠은 45입니다.
     ❷ 16 : 15의 전항과 후항에 5를 곱하면
       80 : 75이므로 ㉡은 80입니다.
     ❸ ㉠과 ㉡에 알맞은 수의 합은 $45+80=125$
       입니다. / 125
15 42   **16** 30장
17 35분   **18** 96000원
19 예 ❶ 예 2 : 15=6 : 45
     ❷ 예 두 수의 곱이 같은 카드를 찾아서 외항과 내항에 각각 놓아 비례식을 만들었습니다.
20 예 ❶ 두 정사각형 ㉮와 ㉯의 넓이의 비는
       $(3×3):(5×5)=9 : 25$입니다.
     ❷ 정사각형 ㉯의 넓이를 □ cm²라고 하여
       비례식을 세우면 9 : 25=225 : □입니다.
     ❸ $9×□=25×225$이므로
       $9×□=5625$, $□=625$
       따라서 정사각형 ㉯의 넓이는 625 cm²입니다. / 625 cm²

풀이

01 비에서 후항을 각각 찾아보면 ㉠ 6 ㉡ 8 ㉢ 6입니다.
따라서 후항이 다른 하나는 ㉡입니다.

02 내항은 4, 63입니다.

04 (1) 12 : 54의 전항과 후항을 6으로 나누면 2 : 9입니다.
(2) 1.09 : 2.25의 전항과 후항에 100을 곱하면 109 : 225입니다.

05 성훈: $45 \times \dfrac{4}{4+5} = 45 \times \dfrac{4}{9} = 20$(개)
주희: $45 \times \dfrac{5}{4+5} = 45 \times \dfrac{5}{9} = 25$(개)

06 · 2 : 9의 전항과 후항에 2를 곱하면 4 : 18입니다.
· 15 : 33의 전항과 후항을 3으로 나누면 5 : 11입니다.
· 42 : 35의 전항과 후항을 7로 나누면 6 : 5입니다.

07 필요한 딸기 원액의 양을 □ mL라고 하여 비례식을 세우면 3 : 7=□ : 210입니다.
$3 \times 210 = 7 \times$□이므로
$630 = 7 \times$□, □$=90$
따라서 필요한 딸기 원액의 양은 90 mL입니다.

08 (1) $12 \times$□$=9 \times 4$이므로
$12 \times$□$=36$, □$=3$입니다.
(2) $7 \times 64 =$□$\times 28$이므로
$448 =$□$\times 28$, □$=16$입니다.

09 3 : 10의 전항과 후항에 5를 곱하면 15 : 50이므로 비례식으로 나타내면 3 : 10=15 : 50입니다.

10 음료수를 □개 산다고 하여 비례식을 세우면
4 : 4800=□ : 6000입니다.
$4 \times 6000 = 4800 \times$□이므로
$24000 = 4800 \times$□, □$=5$
따라서 음료수를 5개 살 수 있습니다.

11 진후와 하연이의 가방 무게의 비를 나타내면 1.26 : 1.4입니다.
1.26 : 1.4의 전항과 후항에 100을 곱하면 126 : 140이고, 126 : 140의 전항과 후항을 14로 나누면 9 : 10입니다.

12 ㉠$\times 9 = 0.63 \times 4$이므로
㉠$\times 9 = 2.52$, ㉠$=0.28$입니다.

13 지성이네 가족 수와 예빈이네 가족 수의 비를 나타내면 5 : 3입니다.
지성이네 가족: $200 \times \dfrac{5}{5+3} = 200 \times \dfrac{5}{8} = 125$(개)
예빈이네 가족: $200 \times \dfrac{3}{5+3} = 200 \times \dfrac{3}{8} = 75$(개)

14

채점 기준	❶ ㉠에 알맞은 수 구하기	2점
	❷ ㉡에 알맞은 수 구하기	2점
	❸ ㉠과 ㉡에 알맞은 수의 합 구하기	1점

15 처음 비의 전항을 □라고 하면 처음 비는 □ : 48입니다.
□ : 48의 전항과 후항을 6으로 나누면 □÷6 : 8이 됩니다.
□÷6=7이므로 □=42입니다.

16 $\dfrac{1}{3} : \dfrac{1}{6}$의 전항과 후항에 6을 곱하면 2 : 1입니다.
빨간색 색종이: $45 \times \dfrac{2}{2+1} = 45 \times \dfrac{2}{3} = 30$(장)

17 물을 가득 채우는 데 걸리는 시간을 □분이라고 하여 비례식을 세우면 4 : 320=□ : 2800입니다.
$4 \times 2800 = 320 \times$□이므로
$11200 = 320 \times$□, □$=35$
따라서 물을 가득 채우려면 35분이 걸립니다.

18 경환이와 신혜가 일한 시간의 비를 나타내면 9 : 7입니다. 두 사람이 받은 돈을 □원이라고 하면
□$\times \dfrac{9}{9+7} = 54000$, □$\times \dfrac{9}{16} = 54000$,
□$=54000 \div \dfrac{9}{16} = 54000 \times \dfrac{16}{9} = 96000$
따라서 두 사람이 받은 돈은 모두 96000원입니다.

19

채점 기준	❶ 비례식 세우기	3점
	❷ 만든 방법 쓰기	2점

20

채점 기준	❶ 두 정사각형 ㉮와 ㉯의 넓이의 비 구하기	2점
	❷ 정사각형 ㉯의 넓이를 □ cm²라고 하여 비례식 세우기	1점
	❸ 정사각형 ㉯의 넓이 구하기	2점

01 10   **02** ③

03 (1) 예 6 : 35   (2) 예 7 : 3

04 360   **05** 4900원

06 64권, 56권   **07** 5 : 2

08 6   **09** ㉡, ㉣

10 ✕ (연결선)

11 성민   **12** 1200명

13 가, 나   **14** 예 25 : 40

15 예 외항의 곱과 내항의 곱이 같지 않으므로 비례식이 아닙니다.

16 예 ❶ 직사각형의 둘레가 42 cm이므로
(가로)+(세로)=42÷2=21 (cm)입니다.
❷ 가로와 세로의 비가 4 : 3이므로
가로: $21 \times \frac{4}{4+3} = 21 \times \frac{4}{7} = 12$ (cm)
세로: $21 \times \frac{3}{4+3} = 21 \times \frac{3}{7} = 9$ (cm)
❸ 만든 직사각형의 넓이는
$12 \times 9 = 108$ (cm²)입니다.
/ 108 cm²

17 300   **18** 예 28 : 20

19 예 ❶ ㉠×2.4=㉡×1.9이므로
㉠×2.4를 외항의 곱, ㉡×1.9를 내항의 곱으로 하는 비례식을 세우면
㉠ : ㉡=1.9 : 2.4입니다.
❷ 1.9 : 2.4의 전항과 후항에 10을 곱하면
19 : 24입니다.
/ 예 19 : 24

20 예 ❶ 사다리꼴의 윗변의 길이를 □ cm라고 하여 비례식을 세우면 7 : 9=□ : 18입니다.
❷ 7×18=9×□이므로
126=9×□, □=14
❸ (사다리꼴의 넓이)=(14+18)×6÷2
=32×6÷2
=96 (cm²)
/ 96 cm²

풀이

01 후항이 가장 큰 비는 10 : 27이고 이 비에서 전항은 10입니다.

02 ③ 2 : 5의 전항과 후항에 4를 곱하면 8 : 20이므로 비례식으로 나타내면 2 : 5=8 : 20입니다.

03 (1) $\frac{2}{5} : \frac{7}{3}$의 전항과 후항에 15를 곱하면 6 : 35입니다.
(2) $1\frac{1}{5} = 1.2$이므로 2.8 : 1.2입니다. 2.8 : 1.2의 전항과 후항에 10을 곱하면 28 : 12이고, 28 : 12의 전항과 후항을 4로 나누면 7 : 3입니다.

04 8×45=㉠×㉡이므로 ㉠×㉡=360입니다.
└ 비례식에서 외항의 곱과 내항의 곱은 같습니다.

05 필요한 돈을 □원이라고 하여 비례식을 세우면
4 : 2800=7 : □입니다.
4×□=2800×7이므로
4×□=19600, □=4900
따라서 필요한 돈은 4900원입니다.

06 솔비네 모둠과 도영이네 모둠의 학생 수의 비를 나타내면 8 : 7입니다.
솔비네 모둠: $120 \times \frac{8}{8+7} = 120 \times \frac{8}{15} = 64$(권)
도영이네 모둠: $120 \times \frac{7}{8+7} = 120 \times \frac{7}{15} = 56$(권)

07 45 : 18의 전항과 후항을 9로 나누면 5 : 2입니다.

08 외항의 곱이 560이므로
㉠×70=560, ㉠=8입니다.
또, 내항의 곱도 560이므로
㉡×40=560, ㉡=14입니다.
➡ ㉡-㉠=14-8=6

09 ㉡ 6 : 13의 전항과 후항에 2를 곱하면 12 : 26이므로 비례식입니다.
㉣ 15 : 9의 전항과 후항을 3으로 나누면 5 : 3이므로 비례식입니다.
따라서 비례식은 ㉡, ㉣입니다.

10 · 72 : 45의 전항과 후항을 9로 나누면 8 : 5입니다.

· 1.2 : 1.8의 전항과 후항에 10을 곱하면 12 : 18이고, 12 : 18의 전항과 후항을 6으로 나누면 2 : 3입니다.

· $1\frac{7}{8}=\frac{15}{8}$이므로 $6:\frac{15}{8}$입니다. $6:\frac{15}{8}$의 전항과 후항에 8을 곱하면 48 : 15이고, 48 : 15의 전항과 후항을 3으로 나누면 16 : 5입니다.

11 혜진: 외항은 6, 42이고 내항은 7, 36입니다.
따라서 바르게 말한 사람은 성민입니다.

12 동원이네 학교 전체 학생 수를 ▢명이라고 하여 비례식을 세우면

45 : <u>100</u>=540 : ▢입니다.
　　　　└전체는 100 %
45×▢=100×540이므로
45×▢=54000, ▢=1200
따라서 동원이네 학교 전체 학생은 1200명입니다.

13 가: 15 : 6의 전항과 후항을 3으로 나누면 5 : 2입니다.

나: 10 : 4의 전항과 후항을 2로 나누면 5 : 2입니다.

다: 20 : 10의 전항과 후항을 10으로 나누면 2 : 1입니다.

따라서 밑변의 길이와 높이의 비가 5 : 2와 비율이 같은 삼각형은 가, 나입니다.

14 간단한 자연수의 비로 나타낸 비의 전항과 후항의 차는 8−5=3입니다.

15÷3=5이므로 간단한 자연수의 비의 전항과 후항에 5를 곱하면 처음 비는 25 : 40입니다.

15 (외항의 곱)=6×25=150 ┐같지 않으므로
(내항의 곱)=5×36=180 ┘비례식이 아닙니다.

16

채점기준	❶ 직사각형의 가로와 세로의 합 구하기	2점
	❷ 직사각형의 가로와 세로 구하기	2점
	❸ 직사각형의 넓이 구하기	1점

17 전체를 ▢라고 하면 더 작은 쪽이 135가 되었으므로

$\square\times\frac{9}{9+11}=135$, $\square\times\frac{9}{20}=135$,

$\square=135\div\frac{9}{20}=135\times\frac{20}{9}=300$입니다.

18 비율이 $1\frac{2}{5}=\frac{7}{5}$이므로

㉠ : ㉡=7 : 5=14 : 10=21 : 15=28 : 20
=35 : 25=…입니다.

전항과 후항의 합이 50 미만인 비는
7 : 5, 14 : 10, 21 : 15, 28 : 20이고,
이 중에서 전항이 가장 큰 비는 28 : 20입니다.

19

채점기준	❶ 비례식의 성질을 이용하여 비례식 세우기	3점
	❷ 간단한 자연수의 비로 나타내기	2점

20

채점기준	❶ 사다리꼴의 윗변의 길이를 ▢ cm라고 하여 비례식 세우기	1점
	❷ 사다리꼴의 윗변의 길이 구하기	2점
	❸ 사다리꼴의 넓이 구하기	2점

연습 서술형 평가 76~77쪽

01 ⓔ ❶ 60 %는 $\frac{60}{100}=\frac{3}{5}$입니다.

❷ 시영이와 재원이가 1시간 동안 읽은 책의 양을 비로 나타내면 $\frac{1}{3}:\frac{3}{5}$입니다.

$\frac{1}{3}:\frac{3}{5}$의 전항과 후항에 15를 곱하면 5 : 9입니다. / ⓔ 5 : 9

02 ⓔ ❶ $\frac{1}{10}:\frac{1}{12}$=㉠ : 30에서

$\frac{1}{10}\times30=\frac{1}{12}\times$㉠이므로

$3=\frac{1}{12}\times$㉠, ㉠=36입니다.

❷ ㉡ : 14=30 : 21에서 ㉡×21=14×30이므로 ㉡×21=420, ㉡=20입니다.

❸ ㉠과 ㉡에 알맞은 수의 곱은 36×20=720입니다. / 720

03 ⓔ ❶ ㉮ 소금물과 ㉯ 소금물의 비는 1500 : 2100이고, 이 비의 전항과 후항을 300으로 나누면 5 : 7입니다.

❷ ㉯ 소금물에 녹아 있는 소금의 양을 ▢g이라고 하여 비례식을 세우면 5 : 7=80 : ▢입니다.

❸ $5 \times \square = 7 \times 80$이므로

$5 \times \square = 560$, $\square = 112$

따라서 ❹ 소금물에 녹아 있는 소금은 $112\,\mathrm{g}$입니다.

/ $112\,\mathrm{g}$

04 ⓔ ❶ (종이의 넓이)$= 80 \times 30 = 2400\,(\mathrm{cm}^2)$

❷ 넓이의 비가 $9 : 11$이므로 더 넓은 종이의 넓이는

$$2400 \times \frac{11}{9+11} = 2400 \times \frac{11}{20}$$
$$= 1320\,(\mathrm{cm}^2)$$입니다.

/ $1320\,\mathrm{cm}^2$

풀이

01

채점 기준	❶ 60 %를 분수로 나타내기	10점
	❷ 시영이와 재원이가 1시간 동안 읽은 책의 양의 비를 간단한 자연수의 비로 나타내기	15점

02

채점 기준	❶ ㉠에 알맞은 수 구하기	10점
	❷ ㉡에 알맞은 수 구하기	10점
	❸ ㉠과 ㉡에 알맞은 수의 곱 구하기	5점

03

채점 기준	❶ ㉮ 소금물과 ㉯ 소금물의 비를 간단한 자연수의 비로 나타내기	10점
	❷ ㉯ 소금물에 녹아 있는 소금의 양을 □ g이라고 하여 비례식 세우기	5점
	❸ ㉯ 소금물에 녹아 있는 소금의 양 구하기	10점

04

채점 기준	❶ 종이의 넓이 구하기	10점
	❷ 비례배분하여 더 넓은 종이의 넓이 구하기	15점

실전 서술형 평가 78~79쪽

01 ⓔ ❶ $3\frac{2}{5} = 3.4$이므로 $3.4 : 4.2$입니다.

$3.4 : 4.2$의 전항과 후항에 10을 곱하면 $34 : 42$이고, $34 : 42$의 전항과 후항을 2로 나누면 $17 : 21$입니다.

❷ ■의 값은 17입니다.

/ 17

02 ⓔ ❶ $24 : 36 = 2 : ㉠$에서 $24 \times ㉠ = 36 \times 2$이므로 $24 \times ㉠ = 72$, $㉠ = 3$입니다.

❷ $㉠ = 3$이므로 $7 : 3 = 35 : ㉡$에서 $7 \times ㉡ = 3 \times 35$, $7 \times ㉡ = 105$, $㉡ = 15$입니다. / $㉠ = 3$, $㉡ = 15$

03 ⓔ ❶ 남은 빵은 전체의 $1 - 0.6 = 0.4$입니다.

❷ 남은 빵과 처음에 있던 빵의 수의 비는 $0.4 : 1$이고, $0.4 : 1$의 전항과 후항에 10을 곱하면 $4 : 10$입니다. $4 : 10$의 전항과 후항을 2로 나누면 $2 : 5$입니다.

❸ 처음에 있던 빵의 수를 □개라고 하여 비례식을 세우면 $2 : 5 = 26 : \square$입니다.

$2 \times \square = 5 \times 26$이므로

$2 \times \square = 130$, $\square = 65$

따라서 처음에 있던 빵은 65개입니다.

/ 65개

04 ⓔ ❶ 혜인이가 먹고 남은 귤의 수를 □개라고 하면 남은 귤 중에서 성혁이가 12개를 가졌으므로 $\square \times \dfrac{4}{5+4} = 12$입니다.

$\square \times \dfrac{4}{9} = 12$, $\square = 12 \div \dfrac{4}{9} = 12 \times \dfrac{9}{4} = 27$

❷ 혜인이가 먹고 남은 귤이 27개이므로 혜인이가 산 귤의 수는 $27 + 8 = 35$(개)입니다.

/ 35개

풀이

01

채점 기준	❶ $3\frac{2}{5} : 4.2$를 간단한 자연수의 비로 나타내기	15점
	❷ ■의 값 구하기	10점

02

채점 기준	❶ ㉠에 알맞은 수 구하기	10점
	❷ ㉡에 알맞은 수 구하기	15점

03

채점 기준	❶ 남은 빵은 전체의 얼마인지 구하기	5점
	❷ 남은 빵과 처음에 있던 빵의 수의 비를 간단한 자연수의 비로 나타내기	10점
	❸ 처음에 있던 빵의 수 구하기	10점

04

채점 기준	❶ 혜인이가 먹고 남은 귤의 수 구하기	15점
	❷ 혜인이가 산 귤의 수 구하기	10점

6 원기둥, 원뿔, 구

81쪽

쪽지시험 1회

01 가, 마   **02** 원기둥   **03** ④

04 16 cm   **05** (위에서부터) 원, 사각형 / 2, 2

06 7 cm   **07** 18 cm   **08** 18 cm

09 ㉡   **10** 10 cm

풀이

03 ④ 높이를 나타냅니다.

04 원기둥에서 높이는 두 밑면에 수직인 선분의 길이
이므로 16 cm입니다.

05 원기둥의 밑면의 모양은 원입니다. 또 밑면은 2개
입니다.
사각기둥의 밑면의 모양은 사각형입니다. 또 밑면
은 2개입니다.

06 한 변을 기준으로 직사각형 모양의 종이를 한 바퀴
돌리면 밑면의 반지름이 7 cm인 원기둥이 만들어
집니다.

07 밑면의 지름은 $9 \times 2 = 18$ (cm)입니다.

08 (왼쪽 원기둥의 높이)$=10$ cm
(오른쪽 원기둥의 높이)$=8$ cm
➡ 두 원기둥의 높이의 합은 $10+8=18$ (cm)입
니다.

09 ㉡ 옆면은 굽은 면입니다.

10 앞에서 본 모양이 정사각형이므로 원기둥의 높이
는 밑면의 지름과 같습니다.
(원기둥의 높이)$=$(밑면의 지름)
                $=5 \times 2 = 10$ (cm)

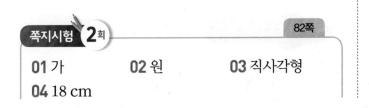

쪽지시험 2회

82쪽

01 가   **02** 원   **03** 직사각형

04 18 cm

---

05 예

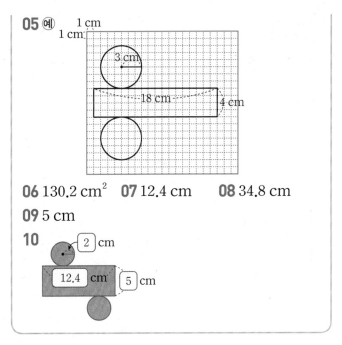

06 130.2 cm²   **07** 12.4 cm   **08** 34.8 cm

09 5 cm

10

풀이

01 원기둥의 전개도에서 밑면은 합동인 두 원으로 옆
면의 마주 보는 변에 하나씩 위치하고 옆면은 직사
각형입니다.

04 (옆면의 가로)$=$(밑면의 둘레)$=6 \times 3 = 18$ (cm)

05 원기둥의 밑면의 지름이 6 cm이므로 반지름은
$6 \div 2 = 3$ (cm)입니다.
(옆면의 세로)$=$(원기둥의 높이)$=4$ cm

06 (옆면의 가로)$=3 \times 2 \times 3.1 = 18.6$ (cm)
(옆면의 세로)$=7$ cm
➡ (옆면의 넓이)$=18.6 \times 7 = 130.2$ (cm²)

07 (옆면의 가로)$=2 \times 2 \times 3.1 = 12.4$ (cm)

08 (옆면의 세로)$=5$ cm
➡ (옆면의 둘레)$=(12.4+5) \times 2 = 34.8$ (cm)

09 (옆면의 가로)$=$(밑면의 지름)$\times$(원주율)이므로
(밑면의 지름)$=$(옆면의 가로)$\div$(원주율)
                   $=31 \div 3.1 = 10$ (cm)
➡ (밑면의 반지름)$=10 \div 2 = 5$ (cm)

10 (옆면의 세로)$=5$ cm
(옆면의 가로)$=62 \div 5 = 12.4$ (cm)
원기둥의 밑면의 반지름을 $\square$ cm라고 하면
$\square \times 2 \times 3.1 = 12.4$, $\square \times 6.2 = 12.4$, $\square = 2$
따라서 원기둥의 밑면의 반지름은 2 cm입니다.

쪽지시험 3회   83쪽

01 가, 라

02 선분 ㄱㄹ, 선분 ㄱㅁ, 선분 ㄱㅂ

03 5 cm   **04** 8 cm

05 원, 삼각형, 삼각형   **06** 1 cm

07 원뿔   **08** 15 cm

09 예 공통점: 밑면이 1개입니다.

                꼭짓점이 있습니다.

      차이점: 원뿔은 밑면은 원이고, 삼각뿔의 밑면은 삼각형입니다.

                원뿔은 꼭짓점이 1개이고, 삼각뿔은 꼭짓점이 4개입니다.

                원뿔은 모서리가 없고, 삼각뿔은 모서리가 있습니다.

10 원기둥, 4 cm

풀이

01 평평한 면이 원이고 옆을 둘러싼 면이 굽은 면인 뿔 모양의 입체도형을 모두 찾으면 가, 라입니다.

02 원뿔에서 모선의 길이는 모두 같습니다.

03 (모선의 길이)=5 cm

04 (밑면의 지름)=4×2=8 (cm)

05 원뿔을 위에서 본 모양은 원이고, 앞과 옆에서 본 모양은 삼각형입니다.

06 (모선의 길이)=13 cm, (높이)=12 cm
➜ 모선의 길이와 높이의 차는
13−12=1 (cm)입니다.

07 만들어진 입체도형은 원뿔입니다.

08 만들어진 입체도형을 오른쪽과 같은 원뿔이고, 원뿔의 높이는 15 cm입니다.

15 cm
17 cm
8 cm

10 (원뿔의 높이)=9 cm, (원기둥의 높이)=13 cm
➜ 원기둥의 높이가 13−9=4 (cm) 더 높습니다.

쪽지시험 4회   84쪽

01 구   **02** 원

03 삼각형   **04** 직사각형

05 7 cm

06 예

◯ , ◯ , ◯

07 ㉢   **08** 18 cm

09 24.8 cm

10 예서 / 예 구의 중심은 한 개야.

풀이

01 지름을 기준으로 반원 모양의 종이를 한 바퀴 돌리면 구가 만들어집니다.

05 구의 반지름은 구의 중심과 구의 겉면 위의 한 점을 이은 선분이므로 7 cm입니다.

06 구는 위, 앞, 옆에서 본 모양이 모두 원입니다.

07 ㉠ 원뿔은 옆면이 있지만 구는 옆면이 없습니다.
㉡ 원뿔은 꼭짓점이 있지만 구는 꼭짓점이 없습니다.
㉢ 원뿔과 구를 위에서 본 모양은 원입니다.
㉣ 원뿔을 앞에서 본 모양은 삼각형, 구를 앞에서 본 모양은 원입니다.
따라서 원뿔과 구의 공통점은 ㉢입니다.

08 (왼쪽 구의 반지름)=10 cm
(오른쪽 구의 반지름)=16÷2=8 (cm)
➜ 두 구의 반지름의 합은 10+8=18 (cm)입니다.

09 구를 옆에서 본 모양은 반지름이 4 cm인 원입니다.
➜ (둘레)=4×2×3.1=24.8 (cm)

10 구의 중심은 한 개이고, 구의 반지름은 모두 같습니다.
구는 굽은 면으로 둘러싸여 있습니다.

기본 단원 평가   85~87쪽

01 (1) 원   (2) 2   **02** (   ) (◯)

03 다

04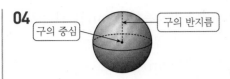
구의 중심 / 구의 반지름

05 원기둥　　　　　**06** 6 cm

07 예 밑면이 옆면의 마주 보는 변에 하나씩 위치하고 있지 않기 때문입니다.

08 8 cm　　　　　**09** 2 cm

10 9 cm

11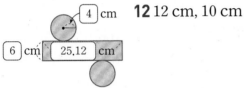
4 cm / 6 cm / 25.12 cm

12 12 cm, 10 cm

13 11 cm　　　　　**14** ㉠, ㉢

15 예진　　　　　**16** 연준

17 예 ❶ 원기둥의 밑면의 지름을 □ cm라고 하면
　　□×3.1=37.2, □=12
　　원기둥의 밑면의 반지름은
　　12÷2=6 (cm)입니다.
　　❷ 한 밑면의 넓이는
　　6×6×3.1=111.6 (cm²)입니다.
　　/ 111.6 cm²

18 8 cm

19 예 ❶ (롤러의 옆면의 가로)=5×2×3.1
　　　　　　　　　　　　＝31 (cm)
　　(롤러의 옆면의 넓이)=31×15
　　　　　　　　　　　　＝465 (cm²)
　　❷ (물감이 칠해진 부분의 넓이)
　　　＝(옆면의 넓이)×6
　　　＝465×6=2790 (cm²)
　　/ 2790 cm²

20 예 ❶ 원뿔의 높이는 원기둥의 높이와 같으므로
　　10 cm입니다. ➡ ㉠=10
　　❷ 구의 지름은 원기둥의 높이와 같으므로
　　10 cm입니다.
　　(반지름)=10÷2=5 (cm) ➡ ㉡=5
　　❸ ㉠−㉡=10−5=5
　　/ 5

풀이

02 원기둥의 두 밑면은 서로 평행하고 합동입니다.

03 원뿔의 높이는 원뿔의 꼭짓점에서 밑면에 수직인 선분을 그어 잰 길이이므로 곱자(직각자)를 사용하여 잽니다.

05 만들어진 입체도형은 원기둥입니다.

06 밑면의 반지름이 3 cm이므로 지름은 6 cm입니다.

08 원기둥의 높이는 두 밑면에 수직인 선분의 길이이므로 8 cm입니다.

09 (모선의 길이)=10 cm, (높이)=8 cm
　➡ 모선의 길이와 높이의 차는 10−8=2 (cm)입니다.

10 만들어지는 입체도형은 구이고 구의 중심에서 겉면의 한 점까지의 거리는 구의 반지름과 같으므로 18÷2=9 (cm)입니다.

11 (옆면의 가로)=4×2×3.14=25.12 (cm)
　(옆면의 세로)=6 cm

12 (밑면의 지름)=6×2=12 (cm), (높이)=10 cm

13 (옆면의 넓이)=(밑면의 둘레)×(높이)이므로
　264=24×(높이)입니다.
　➡ (높이)=264÷24=11 (cm)

14 ㉡ 꼭짓점이 있습니다.
　㉣ 직각삼각형 모양의 종이를 직각을 낀 두 변 중 한 변을 기준으로 한 바퀴 돌려서 만들 수 있습니다.
　따라서 옳은 것은 ㉠, ㉢입니다.

15 예진: 위에서 본 모양은 지름이 16 cm인 원입니다.
　진혁: 앞에서 본 모양은 한 변의 길이가 16 cm인 정사각형입니다.
　따라서 잘못 설명한 사람은 예진입니다.

16 세 친구들이 만든 입체도형은 구이므로 구의 반지름을 각각 구해 봅니다.
　주현: 9 cm
　혜정: 16÷2=8 (cm)
　연준: 14÷2=7 (cm)
　따라서 크기가 가장 작은 입체도형을 만든 사람은 연준입니다.

17	채점기준	❶ 원기둥의 밑면의 반지름 구하기	3점
		❷ 한 밑면의 넓이 구하기	2점

18 밑면의 반지름을 □ cm라고 하면

□×□×3=75, □×□=25, □=5

따라서 원뿔의 밑면의 반지름은 5 cm입니다.

직각삼각형의 밑변의 길이가 5 cm이고 넓이가

20 cm²이므로 (높이)=20×2÷5=8 (cm)입니다.

19	채점기준	❶ 롤러의 옆면의 넓이 구하기	3점
		❷ 물감이 칠해진 부분의 넓이 구하기	2점

20	채점기준	❶ ㉠의 값 구하기	2점
		❷ ㉡의 값 구하기	2점
		❸ ㉠−㉡의 값 구하기	1점

실력 단원 평가 88~90쪽

01 원뿔

02 4

03 ㉠

04 30 cm

05 원기둥

06 예 마주 보는 두 밑면이 합동이 아닙니다.

07 (위에서부터) 원, 1 / 사각형, 1

08 6.2 cm

09 희진

/ 예 원기둥은 뾰족한 부분이 없고, 원뿔은 뾰족한 부분이 있어.

10 156 cm²

11 4 cm

12 예 ❶ (밑면의 반지름)=8÷2=4 (cm)

(밑면의 넓이)=4×4×3.1=49.6 (cm²)

❷ (옆면의 넓이)=8×3.1×10

=248 (cm²)

❸ (전개도의 넓이)=49.6×2+248

=347.2 (cm²)

/ 347.2 cm²

13 선호

14 5 cm

15 48 cm

16 128 cm

17 예 ❶ ㉮는 밑면의 반지름이 3 cm인 원기둥이 만들어지므로 한 밑면의 둘레는

3×2×3=18 (cm)입니다.

---

❷ ㉯는 밑면의 반지름이 6 cm인 원기둥이 만들어지므로 한 밑면의 둘레는

6×2×3=36 (cm)입니다.

❸ 따라서 한 밑면의 둘레의 차는

36−18=18 (cm)입니다. / 18 cm

18 60 cm

19 예 ❶ 위에서 본 모양이 반지름이 10 cm인 원이므로 원뿔의 밑면의 지름은

10×2=20 (cm)입니다.

❷ 앞에서 본 모양이 정삼각형이므로 모선의 길이는 밑면의 지름과 같습니다. 원뿔의 모선의 길이는 20 cm입니다. / 20 cm

20 14 cm

풀이

01 한 변을 기준으로 직각삼각형 모양의 종이를 한 바퀴 돌리면 원뿔이 만들어집니다.

02 반원의 반지름이 4 cm이므로 구의 반지름도 4 cm입니다.

03 ㉠ 원기둥과 각기둥은 밑면이 2개입니다.

㉡ 원기둥은 밑면이 원이고, 각기둥은 밑면이 다각형입니다.

㉢ 원기둥은 옆면이 굽은 면이고, 각기둥은 옆면이 직사각형입니다.

㉣ 원기둥은 꼭짓점이 없고, 각기둥은 꼭짓점이 있습니다.

따라서 원기둥과 각기둥의 공통점은 ㉠입니다.

04 (옆면의 가로)=7×2×3=42 (cm)

(옆면의 세로)=12 cm

➡ 옆면의 가로와 세로의 차: 42−12=30 (cm)

05 밑면의 수는 원기둥: 2개, 원뿔: 1개, 구: 0개입니다.

따라서 밑면의 수가 가장 많은 것은 원기둥입니다.

06 원기둥에서 두 밑면은 서로 평행하고 합동입니다. 또, 옆면은 굽은 면입니다.

08 구는 어느 방향에서 보아도 모두 크기가 같은 원이므로 앞에서 본 모양과 위에서 본 모양이 같습니다.

따라서 구를 위에서 본 모양은 지름이 2 cm인 원이므로 둘레는 2×3.1=6.2 (cm)입니다.

09 ・원뿔의 모선의 길이는 항상 높이보다 깁니다.
・원기둥은 직사각형 모양의 종이를 한 변을 기준으로, 원뿔은 직각삼각형 모양의 종이를 한 변을 기준으로, 구는 반원 모양의 종이를 지름을 기준으로 한 바퀴 돌려서 만들 수 있습니다.

10 원기둥을 앞에서 본 모양은 직사각형입니다.
(직사각형의 가로)=(밑면의 지름)=12 cm
(직사각형의 세로)=(원기둥의 높이)=13 cm
➡ (앞에서 본 모양의 넓이)=$12 \times 13 = 156$ (cm^2)

11 (변 ㄱㄴ)=(변 ㄱㄷ)=12 cm ── 한 원뿔에서 모선의 길이는 모두 같습니다.
(변 ㄴㄷ)=$32-12-12=8$ (cm)
밑면의 지름이 8 cm이므로
(밑면의 반지름)=$8 \div 2 = 4$ (cm)입니다.

12

채점 기준		
❶ 밑면의 넓이 구하기		2점
❷ 옆면의 넓이 구하기		2점
❸ 전개도의 넓이 구하기		1점

13 수영: 밑면의 지름이 $5 \times 2 = 10$ (cm)인 원기둥입니다.
선호: 원기둥의 높이는 옆에서 본 모양의 세로와 같으므로 12 cm입니다.
따라서 바르게 설명한 사람은 선호입니다.

14 (옆면의 가로)=$372 \div 12 = 31$ (cm)
원기둥의 밑면의 반지름을 □ cm라고 하면
$\square \times 2 \times 3.1 = 31$, $\square \times 6.2 = 31$, $\square = 5$
따라서 원기둥의 밑면의 반지름은 5 cm입니다.

15 만들어진 입체도형은 원뿔이고 원뿔을 앞에서 본 모양은 오른쪽과 같은 삼각형입니다.

➡ (둘레)=$15+18+15$
=48 (cm)

16 (밑면의 지름)=$48 \div 3 = 16$ (cm)
(원기둥의 높이)=(밑면의 지름)=16 cm
➡ (옆면의 둘레)=$(48+16) \times 2 = 128$ (cm)

17

채점 기준		
❶ ㉮의 한 밑면의 둘레 구하기		2점
❷ ㉯의 한 밑면의 둘레 구하기		2점
❸ 두 입체도형의 한 밑면의 둘레의 차 구하기		1점

18 (구의 반지름)=$20 \div 2 = 10$ (cm)
삼각형의 둘레는 구의 반지름 6개와 같으므로
$6 \times 10 = 60$ (cm)입니다.

19

채점 기준		
❶ 원뿔의 밑면의 지름 구하기		2점
❷ 원뿔의 모선의 길이 구하기		3점

20 원기둥의 전개도에서

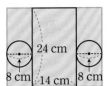

(옆면의 가로)=$4 \times 2 \times 3$
=24 (cm)
종이의 가로가 더 길므로 원기둥의 전개도에서 옆면의 가로를 종이의 세로와 평행하게 그립니다.
➡ (상자의 높이)=$30-8-8=14$ (cm)

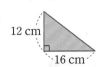
연습 서술형 평가

91~92쪽

01 예 ❶ 도진: 밑면의 지름이 13 cm이고 앞에서 본 모양이 정사각형이므로 원기둥의 높이와 밑면의 지름은 같습니다. 따라서 원기둥의 높이는 13 cm입니다.
❷ 소영: 밑면의 반지름이 6 cm이고 앞에서 본 모양이 정사각형이므로 원기둥의 높이와 밑면의 지름은 같습니다. 따라서 원기둥의 높이는
$6 \times 2 = 12$ (cm)입니다.
❸ 13>12이므로 높이가 더 높은 원기둥을 말한 사람은 도진입니다.
/ 도진

02 예 ❶ (밑면의 둘레)=$4 \times 2 \times 3 = 24$ (cm)
❷ (옆면의 넓이)=(밑면의 둘레)×(높이)이므로 $144=24 \times$(높이)
➡ (높이)=$144 \div 24 = 6$ (cm)
/ 6 cm

03 예 ❶ 돌리기 전 직각삼각형은 오른쪽과 같이 밑변의 길이가 16 cm, 높이가 12 cm인 직각삼각형입니다.

❷ 돌리기 전 직각삼각형의 넓이는
   $16 \times 12 \div 2 = 96$ (cm²)입니다.
   / 96 cm²

04 예 ❶ 구의 지름은 원기둥의 높이와 같으므로
   14 cm입니다.
   → 구의 반지름은 $14 \div 2 = 7$ (cm)입니다.
   ❷ 구를 위에서 본 모양은 반지름이 7 cm인
   원이므로 넓이는 $7 \times 7 \times 3 = 147$ (cm²)
   입니다. / 147 cm²

풀이

01
채점기준	❶ 도진이가 말한 원기둥의 높이 구하기	10점
	❷ 소영이가 말한 원기둥의 높이 구하기	10점
	❸ 높이가 더 높은 원기둥을 말한 사람 구하기	5점

02
채점기준	❶ 밑면의 둘레 구하기	10점
	❷ 원기둥의 높이 구하기	15점

03
채점기준	❶ 돌리기 전 직각삼각형의 밑면의 길이, 높이 구하기	10점
	❷ 돌리기 전 직각삼각형의 넓이 구하기	15점

04
채점기준	❶ 구의 반지름 구하기	10점
	❷ 구를 위에서 본 모양의 넓이 구하기	15점

실전 서술형 평가 93~94쪽

01 예 ❶ 원기둥을 위에서 본 모양은 반지름이 8 cm
   인 원입니다.
   → (위에서 본 모양의 넓이)$= 8 \times 8 \times 3$
   $= 192$ (cm²)
   ❷ 원기둥을 앞에서 본 모양은 가로가
   $8 \times 2 = 16$ (cm), 세로가 10 cm인 직사각
   형입니다.
   → (앞에서 본 모양의 넓이)$= 16 \times 10$
   $= 160$ (cm²)
   ❸ 원기둥을 위와 앞에서 본 모양의 넓이의
   합은 $192 + 160 = 352$ (cm²)입니다.
   / 352 cm²

02 예 ❶ (㉮ 상자의 높이)$= 30 - 10 - 10$
   $= 10$ (cm)

❷ (㉯ 상자의 높이)$= 35 - 10 - 10$
   $= 15$ (cm)
   ❸ ㉯ 상자의 높이가 $15 - 10 = 5$ (cm) 더 높
   습니다. / ㉯, 5 cm

03 예 ❶ 위에서 본 모양은 원이고 앞에서 본 모양
   은 정삼각형이므로 두 사람이 설명하는 입
   체도형은 원뿔입니다.
   ❷ 원뿔의 밑면의 반지름이 4 cm이므로 지
   름은 $4 \times 2 = 8$ (cm)입니다.
   ❸ 앞에서 본 모양이 정삼각형이므로 모선의
   길이는 밑면의 지름과 같습니다.
   따라서 모선의 길이는 8 cm입니다.
   / 8 cm

04 예 ❶ 구의 반지름이 3 cm이므로 돌리기 전의
   반원의 반지름도 3 cm입니다.
   (반원에서 곡선 부분의 길이)
   $=$(원주)$\div 2 = (3 \times 2 \times 3.1) \div 2$
   $= 9.3$ (cm)
   ❷ (반원에서 직선 부분의 길이)
   $=$(반원의 지름)$= 3 \times 2 = 6$ (cm)
   ❸ (반원의 둘레)
   $=$(곡선 부분의 길이)$+$(직선 부분의 길이)
   $= 9.3 + 6 = 15.3$ (cm) / 15.3 cm

풀이

01
채점기준	❶ 원기둥을 위에서 본 모양의 넓이 구하기	10점
	❷ 원기둥을 앞에서 본 모양의 넓이 구하기	10점
	❸ 원기둥을 위와 앞에서 본 모양의 넓이의 합 구하기	5점

02
채점기준	❶ ㉮ 상자의 높이 구하기	10점
	❷ ㉯ 상자의 높이 구하기	10점
	❸ 어느 상자의 높이가 몇 cm 더 높은지 구하기	5점

03
채점기준	❶ 두 사람이 설명하는 입체도형 구하기	10점
	❷ 입체도형의 밑면의 지름 구하기	10점
	❸ 입체도형의 모선의 길이 구하기	5점

04
채점기준	❶ 반원에서 곡선 부분의 길이 구하기	10점
	❷ 반원에서 직선 부분의 길이 구하기	10점
	❸ 돌리기 전의 반원의 둘레 구하기	5점